LE PAVILLON DES CANCÉREUX

ALEXANDRE SOLJÉNITSYNE

Prix Nobel de Littérature, 1970

Le pavillon des cancéreux

JULLIARD

Le pavillon des cancéreux a été traduit par
Alfreda et Michel Aucouturier, Lucile et Georges Nivat,
Jean-Paul Sémon.

© *Julliard, 1968.*

ALEXANDRE SOLJÉNITSYNE

EN *1962, à l'âge de quarante-quatre ans, Alexandre Isaïevitch Soljénitsyne devenait célèbre grâce à un récit d'une centaine de pages, intitulé* Une journée d'Ivan Denissovitch. *Grâce au courage d'un écrivain jusqu'alors totalement inconnu, grâce à la revue* Novy Mir, *et à son directeur, Alexandre Tvardovski, la Russie d'après Staline entamait, avec ce récit sobre et rude, une période de réflexion morale d'une importance extrême. C'était un récit tout simple sur la vie des camps en Sibérie. Le narrateur y décrivait l'emploi du temps d'une journée d'un détenu assez fruste, issu de la paysannerie, mais maçon de son métier. Cet Ivan Denissovitch ne sait pas pourquoi il est au camp, où maintenant il côtoie d'anciens officiers et d'anciens ingénieurs, d'anciens directeurs et d'anciens professeurs, des athées et des croyants, des Russes et des allogènes... Rusé, endurant, il lutte opiniâtrement pour la vie. Survivre, au camp, c'est savoir marcher sans jamais flancher. Le brigadier a prévenu Ivan Denissovitch des trois dangers qui le guettent : lécher les écuelles, guigner l'infirmerie, se laisser aller à la délation. Avec débrouillardise mais aussi loyauté, Ivan Denissovitch accepte sa dure vie, oublie l'ancienne, et n'imagine même plus la future. Même au camp, il reste capable d'éprouver quelques-unes des grandes joies promises à l'homme sur cette terre : assouvir une faim, achever un travail, contempler un ciel. Comme tous les Russes, Ivan a oublié « de quelle main on se signe », mais on dirait qu'il n'a pas tout à fait oublié Dieu. Si absorbé qu'il soit dans les soucis d'une vie qui a l'air d'un ersatz de vie, cet homme simple possède en lui une force spirituelle, un trésor humble et inébranlable. Parvenir à ce trésor, telle semble la mission de Soljénitsyne écrivain... C'était le premier récit consacré à la vie des camps. Un thème tabou de la vie soviétique venait d'être exorcisé ; et d'emblée il était abordé par un très grand écrivain qui retrouvait la question posée aux hommes par la grande littérature russe : quelles sont les vraies valeurs, et comment se libérer du mensonge ?*

L'auteur de ce récit était né en 1918 à Kislovodsk, il avait passé enfance et jeunesse à Rostov-sur-le-Don, dans le midi de la Russie. Il avait étudié à la faculté de mathématiques et de physique de Moscou, tout en suivant par correspondance les cours de l'Institut d'Histoire, Philosophie et Littérature. Il avait à peine fini ses études qu'éclatait la guerre : d'abord soldat dans la cavalerie, puis officier dans l'artillerie, bientôt nommé capitaine, plusieurs fois décoré, Soljénitsyne se bat sous Leningrad, sur le front d'Orel, en Biélorussie, en Prusse Orientale... Mais en janvier 1945, il est brusquement arrêté : on lui reproche d'avoir, dans une correspondance privée, émis des doutes sur les qualités militaires de Staline. Sans jugement, il est condamné à huit ans de déportation dans un camp. Bientôt, à Karaganda, Soljénitsyne n'est plus que le détenu N° 232, et, comme Ivan Denissovitch, il est maçon... En 1953, Soljénitsyne est relâché, mais envoyé en relégation dans un village du Kazakhstan (comme le sera Kostoglotov). L'exil dure trois ans et c'est pendant cet exil que les médecins découvrent à Soljénitsyne le cancer, mais il « se régénère » presque miraculeusement [1]. En 1957, le Tribunal Suprême réexamine le cas de l'ex-capitaine Soljénitsyne. Pour toute défense, l'intéressé lit son œuvre : Une journée d'Ivan Denissovitch. Comme des milliers d'autres déportés, Soljénitsyne est réhabilité. Enfin libre, il accomplit un de ses rêves : s'installer au cœur de la vraie Russie, dans cette Russie centrale aux espaces immenses, aux automnes inépuisables, aux églises à coupoles qui se font signe d'une colline à l'autre, aux isbas décorées, à la langue pure et inventive. L'amour de la Russie, de cette Russie rude, mais pacifiante pour les cœurs, frugale mais aussi prodigue, humble d'aspect et riche de poésie est et restera sans doute le thème central de l'œuvre de Soljénitsyne.

Ainsi, une fois libre, Soljénitsyne redevient professeur de physique dans un collège de la petite ville de Riazan, au sud-est de Moscou, à l'est de Toula. Nous pouvons imaginer sa vie grâce à un admirable récit qu'il écrivit en exil et publia en janvier 1963 dans la revue Novy Mir, qui avait courageusement accueilli sa première œuvre. Avec une simplicité évocatrice des meilleurs récits de Tourgueniev, l'auteur narre son installation dans « un coin paisible de la Russie ». Il prend pension chez une bonne vieille, dans une isba où courent les souris et bruissent les cafards. Et là, peu à peu se révèle à lui ce qu'il cherchait : l'âme de la Russie. Non point le pittoresque de l'ancienne Russie (qu'il aimerait bien malgré tout préserver encore un peu de la négligence ou de l'hostilité de ses contemporains), mais sa valeur morale : car cette Matriona qui donne son nom au récit, La Maison de Matriona, qui n'a pas eu de chance dans sa vie, qui a connu les grands malheurs et les brimades mesquines, qui est un peu païenne tout en gardant les rites de la foi orthodoxe, qui se donne sans compter au

---

1. Ces détails biographiques sont extraits d'une interview accordée par l'auteur au journaliste slovaque Licko et parue dans la revue La Culture et la Vie, à Bratislava, en 1967.

kolkhoze, alors que tous l'ont grugée et la grugent encore, elle détient malgré tout le secret simple de la vie. Ce secret, il est dans sa générosité, sa prodigalité même, si critiquée des bien-possédants, son enjouement au travail, et surtout sa frugalité. Matriona n'est pas de ceux qui s'installent, qui ont cochon et vache, qui amassent dans le coffre. Et, généreuse, elle périt victime de l'avidité de sa famille. « *Tous, nous vivions à côté d'elle et nous n'avions pas compris que c'était elle le Juste du proverbe, sans lequel ni le village ne tiendrait, ni la ville, ni toute notre terre.* »

La Maison de Matriona *est un chef-d'œuvre. Matriona* « *incomprise et abandonnée* » *est une des plus émouvantes images de la Russie qui soit. D'autres récits tout aussi simples et tout aussi humains furent encore publiés par Soljénitsyne dans la revue* Novy Mir, *en 1963. Un incident à la gare de Kretchetovka nous montre un jeune lieutenant probe et candide qui, en 1941, influencé par l'atmosphère de suspiscion dans laquelle il a été élevé, fait arrêter un homme qu'il soupçonne à tort d'être un espion. La bévue du lieutenant Zotov est un de ces actes que l'on ne répare jamais, et le sourire triste de sa victime l'accompagnera toute sa vie. Un autre récit, aussi remarquable par la justesse psychologique,* Pour les besoins de la cause, *confronte deux conceptions du communisme, l'une faite d'enthousiasme, de confiance, de participation, l'autre faite d'obéissance, de méfiance et d'ambitions. Le naïf directeur d'école se voit contraint de trahir la confiance de ses élèves, car, au dernier moment, l'ordre vient d'en haut de leur enlever la nouvelle école qu'ils venaient de bâtir. Dans chaque récit de Soljénitsyne est caché* « *le Juste* », *sans qui rien ne tiendrait. Ici c'est un secrétaire de comité du Parti :* « *Quand la justice et l'injustice se heurtaient de front — et la seconde a toujours le front plus dur —, Gratchikov s'arc-boutait dans la terre et peu lui importait ce qu'il adviendrait.* »

Ces quatre récits sont tout ce qui jusqu'à présent a été publié en Russie de l'œuvre de Soljénitsyne. Non que l'auteur ait vu son inspiration se tarir, bien au contraire. Mais, depuis 1964, l'interdit semble jeté sur cette œuvre. Ecrit de 1963 à 1967, Le Pavillon des Cancéreux, bien qu'approuvé par le Comité de la Section de Moscou de l'Union des Ecrivains, a successivement été rejeté par trois revues. Son roman, Dans le premier cercle, lui a été confisqué ; deux pièces, un scénario de cinéma, des petits récits inédits ne sont pas autorisés à la publication. Le 16 mai 1967, l'écrivain adressa au Quatrième Congrès de l'Union des Ecrivains Soviétiques un appel plein de grandeur, mais qui n'a pas été entendu jusqu'à présent. Demandant la suppression de toute censure, et donnant son propre exemple à l'appui, Soljénitsyne semble plaider au nom de la littérature russe tout entière, celle du passé, celle du présent, et plus encore celle de l'avenir. « Avec sérénité, je peux dire que j'accomplirai ma mission d'écrivain en toutes circonstances, et même dans la tombe, car alors mon action sera encore plus forte et plus indiscutable que moi vivant. Personne ne peut barrer les voies de la vérité, et, pour le progrès de la vérité, je suis prêt à accepter même la mort. Mais peut-être de trop nombreuses leçons nous apprendront enfin à ne pas arrêter la plume d'un écrivain encore vivant. »

Le Pavillon des Cancéreux reprend de nombreux thèmes des récits dont nous avons parlé. Soljénitsyne y reste fidèle au genre très direct du récit. Peut-être est-ce par défiance envers le mensonge de toute forme romanesque ? Comme dans ses œuvres précédentes, Soljénitsyne nous narre encore quelques journées de ses personnages. Mais un même soleil couchant illumine les rêves sensuels d'un Kostoglotov précairement rendu à la vie et les lugubres soubresauts du moribond Poddouïev. Ainsi, en évitant la forme du roman, Soljénitsyne parvient à confronter l'immense diversité des destins humains à ce destin commun, la mort. La façon de mourir est ce qui unit et départage le plus les hommes. La lecture du Pavillon des Cancéreux évoque immédiatement une autre grande œuvre russe consacrée au mê-

me thème, La mort d'Ivan Illitch *de Tolstoï. Un instant, on a l'impression que l'histoire du fonctionnaire
Roussanov pourrait rejoindre celle du magistrat Ivan
Illitch. Mais Soljénitsyne ne nous conduit pas jusqu'à
l'agonie, jusqu'au « sac noir » où Ivan Illitch sent qu'une
main le pousse, et au-delà duquel il y a une lumière qui
est le message de Tolstoï. Le mensonge ne tombe pas de
Roussanov, malgré ses terreurs. Mais à côté de lui, il
y a cet homme rustre et inculte, ce Poddouïev jusqu'alors
insensible à tant de choses : lui est prêt ; pour lui, le
mensonge est tombé. En mettant entre les mains de
Poddouïev un des petits récits allégoriques qu'écrivait
Tolstoï à l'intention du peuple, quand il avait cessé de
croire à la valeur des grandes formes romanesques, Soljénitsyne rend hommage au Tolstoï qui est aujourd'hui
un peu déprécié, le Tolstoï moraliste, simpliste, populaire, non l'auteur d'Anna Karénine, mais l'humble
narrateur de l'apologue du seigneur et de l'apprenti-savetier. Le seigneur ne voyait pas sa propre mort venir,
mais l'apprenti-savetier voyait la mort du seigneur dans
le dos du seigneur. Le peuple voit ce que les maîtres
ne voient pas..., « Qu'est-ce qui fait vivre les hommes »,
ou plutôt (le russe est ici bien difficile à rendre à cause
de sa concision) : « Qu'est-ce qui rend les hommes vivants ? » La question, rappelle Soljénitsyne à ses contemporains, ne s'accommode pas de réponses toutes faites,
surtout à l'heure de la mort, où tous retrouvent la solitude qu'ils fuyaient dans le groupe. On sent que, dans
sa générosité, Soljénitsyne voudrait ne condamner presque personne. Aussi bien Zoé, impudente et naïve à la
fois, que Vadim, intransigeant mais passionné, Lioudmila Afanassievna, avec son dévouement intarissable,
Vera Kornilievna, malgré son désarroi intime, et la vieille
Stéphanie qui a conservé les rites d'antan, et même ce
malheureux conférencier atteint d'un cancer de la gorge,
tous ont quelque chose de pur qui doit les sauver. Peut-
être parce que, dans la vie, ils sont attachés à quelque
chose de vrai : Poddouïev à sa vie de grand air et d'oiseau libre, la pitoyable Assia à son corps sensuel qui*

*naissait à l'amour... Les seuls que l'on sente condamnés
sont ceux qui n'étaient attachés qu'à des apparences,
et qui, pour ces apparences, ont trahi, dénoncé en toute
bonne conscience. A ceux-ci sont réservés des remords
shakespeariens. Car c'est aux grands damnés de Sha-
kespeare que l'on pense en lisant le cauchemar de Roussanov rampant dans son tunnel de béton.*

*Si la confrontation de l'homme et du cancer, version
contemporaine du « fatum », permet à Soljénitsyne une
extraordinaire exploration des âmes, l'heure qu'il choi-
sit pour situer ses personnages est en elle-même géné-
ratrice de désarroi profond. L'action se passe en effet
en 1955 aux premiers moments de la déstalinisation,
quand l'énorme falaise donnait les premiers signes d'affaissement. Alors commence au fond des consciences un
débat qui n'en finira pas, et qui semble destiné à ins-
pirer encore bien d'autres œuvres de Soljénitsyne : comment tout cela a-t-il été possible ? et puis, comme le
mensonge est au cœur de tout, a-t-on le droit de mentir
pour la Cause ? Encore primitif et animal dans l'âme
de Roussanov, le débat devient métaphysique et culmine
dans la seconde partie, avec l'extraordinaire dialogue
entre Kostoglotov et Chouloubine. L'un a été enterré
pendant de longues années dans les camps, l'autre a fait
ce qu'il fallait incessamment faire pour ne pas l'être.
Laquelle de ces deux Russies a le plus souffert ? Car la
seconde rappelle à la première qu'elle aussi a souffert,
qu'elle aussi a sa part de douleur et de vérité. Mais du
fond même de la terrible « caverne des idoles » naît un
espoir, celui de changer les inexorables lois biologiques,
celui de purifier « le ciel de la peur » et de faire apparaître un nouvel homme, socialiste et « moral ». Rebelle dostoïevskien, silhouette sinistre et torturée d'oiseau de nuit en sentinelle sur le monde russe, Chouloubine est absolument inoubliable.*

Cependant, le vrai héros du Pavillon des Cancéreux *semble bien être ce Kostoglotov grossier et généreux qui revient à la vie avec l'ivresse d'un convales-
cent, et dont le rêve serait d'aller au fond des forêts*

*russes chercher, comme font les bêtes, la plante mys-
térieuse qui le guérira. La vraie vie, l'acte de vivre, de
sentir, de voir, de toucher comporte une telle intensité
de bonheur que la mort semble alors contenue dans cette
vie. Cette intensité joyeuse donne à de nombreuses pages
du* Pavillon des Cancéreux *un lyrisme tendre et gauche qui nous émeut. Soljénitsyne prend le monde entier
tel qu'il est, rude, grossier, un peu veule parfois. Parfois
le récit voisine avec la trivialité, tant il se veut proche
des hommes tels qu'ils sont. Mais quand la vie revient,
impétueusement, rien n'est bas ni trivial. Car là où le
mensonge est tombé, il y a le sourire doux et boulever-
sant du malheureux Sigbatov... Une des* Etudes et histoires minuscules *de Soljénitsyne s'achève ainsi :
« C'est terrible à penser, mais alors toutes nos vies sa-
crifiées, nos vies boiteuses, et toutes ces explosions de
nos désaccords, les gémissements des fusillés et les larmes des épouses, — est-ce que tout cela aussi sera oublié tout à fait ? est-ce que tout cela aussi donnera la
même beauté éternelle et achevée ? »*

Georges NIVAT.

PREMIÈRE PARTIE

(1963-1966)

CHAPITRE PREMIER

CE N'EST PAS LE CANCER...

Le pavillon des cancéreux portait... le numéro treize. Paul Nikolaïevitch Roussanov n'avait jamais été superstitieux et il n'était pas question qu'il le fût, mais il ressentit une pointe de découragement lorsqu'il lut sur sa feuille d'entrée : pavillon treize. On n'avait même pas eu le tact de donner ce numéro à un quelconque pavillon des prothèses ou des maladies du tube digestif... Quoi qu'il en soit, dans toute la République, il n'avait maintenant d'autre recours que l'hôpital...

« Je n'ai pas le cancer, n'est-ce pas, docteur ? ce n'est pas le cancer ? » demandait Paul Nikolaïevitch avec espoir et, délicatement, ses doigts effleuraient cette vilaine tumeur qui lui poussait là, sur le côté droit du cou, et qui grossissait presque de jour en jour ; pourtant, la peau qui la recouvrait était toujours aussi blanche et inoffensive...

« Mais non, mais non, bien entendu », lui répondit pour la dixième fois le docteur Dontsova pour le tranquilliser, tout en couvrant de sa large écriture les pages

de son dossier de maladie. Quand elle écrivait elle mettait ses lunettes, des lunettes carrées aux coins arrondis, et dès qu'elle avait terminé, elle les enlevait. Elle
n'était plus très jeune et sa figure était pâle, très lasse.

Ceci s'était passé il y a quelques jours, à la consultation des cancéreux. On n'en dormait déjà pas de la nuit,
quand on était envoyé à cette consultation, et voilà que
le docteur Dontsova avait prescrit à Paul Nikolaïevitch
une hospitalisation immédiate !

Accablé par la maladie imprévue et inattendue qui
avait en deux semaines fondu comme un ouragan sur
l'homme insouciant et heureux qu'il était, Paul Nikolaïevitch se sentait maintenant doublement accablé à l'idée
d'avoir à se soumettre au régime commun de l'hôpital ;
cela ne lui était pas arrivé depuis si longtemps... Alors
on avait téléphoné à Eugène Semionovitch, à Chendiapine, à Oulmasbasbaïev ; ceux-ci, à leur tour, avaient
téléphoné, exploré toutes les possibilités, demandé s'il
n'y avait pas dans cet hôpital de chambre réservée, ou
si l'on ne pouvait pas, au moins provisoirement, en organiser une dans une petite pièce. Mais en raison du
manque de place on n'aboutit à rien.

Le seul point sur lequel on réussit à s'entendre par
l'intermédiaire du médecin-chef de la cité hospitalière
fut que le malade pourrait échapper aux formalités d'ac-
cueil, au bain réglementaire et au pyjama uniforme de
l'hôpital.

Et c'est ainsi que Ioura avait amené, dans leur petite
Moskvitch bleu ciel, son père et sa mère jusqu'au bas
des marches qui conduisaient au pavillon treize.

Bien qu'il gelât un peu, deux femmes en vilaines blouses de futaine étaient debout sur le perron de pierre ;
elles étaient toutes recroquevillées, les bras frileusement
croisés sur la poitrine, immobiles.

A commencer par les blouses sales, tout ici choquait
Paul Nikolaïevitch : le ciment du perron, déformé par
l'usure des pas, les poignées de la porte, toutes ternes,

salies par les mains des malades ; la salle d'attente avec
son plancher dont la peinture s'écaillait, les hauts lam-
bris des murs couleur olive (une couleur qui, déjà, naturellement, faisait sale) ; les grands bancs à barreaux
encombrés de gens et les malades assis par terre, des
Ouzbeks venus de loin, les hommes en long vêtement
ouatiné, les vieilles femmes en fichu blanc et les jeunes
en fichus mauves, rouges ou verts, tout ce monde chaussé de bottes ou de caoutchoucs. Un jeune homme russe
occupait à lui seul tout un banc ; il était allongé et son
manteau déboutonné pendait jusqu'à terre ; lui-même
était décharné mais il avait le ventre tout gonflé et il
n'arrêtait pas de crier de douleur.

Et ces hurlements résonnaient aux oreilles de Paul
Nikolaïevitch et lui firent mal comme si le garçon
criait non son propre mal, mais celui de Paul Nikolaïevitch.

Ses lèvres blêmirent ; il s'arrêta et dit à voix basse :

« Capitoline ! je vais mourir ici ; je ne veux pas ; ren-
trons... »

Capitoline Matveïevna le prit fermement par le bras,
et dit :

« Paul ! Rentrer pour aller où ?... et après que feras-tu ?

— Eh bien, peut-être que l'on pourra encore arranger
quelque chose avec Moscou... »

Capitoline Matveïevna tourna vers son mari sa large
tête que sa coiffure aux boucles cuivrées coupées court
et bouffantes élargissait encore.

« Mon petit Paul, Moscou, cela peut demander encore deux semaines, et peut-être que cela ne réussira
pas. Pouvons-nous encore attendre ? Chaque matin, elle
est plus grosse, tu le sais bien. »

Elle le serrait fortement au poignet, comme pour lui
communiquer son énergie. Inflexible dans tout ce qui
touchait à sa vie civique ou professionnelle, Paul Nikolaïevitch trouvait d'autant plus agréable et reposant de
s'en remettre à sa femme pour tout problème d'ordre
familial : elle tranchait toute question importante avec
promptitude et sans jamais se tromper.

Et ce gars sur son banc tordu de douleur et qui hurlait !

« Peut-être que les médecins accepteront de venir chez nous ?... nous les paierons...., reprit Paul Nikolaïevitch, qui s'obstinait, sans beaucoup de conviction.

— Chéri ! dit avec persuasion sa femme, qui souffrait autant que lui. Tu sais bien que je suis la première disposée à faire venir quelqu'un et à le payer. Mais on nous a clairement dit qu'ici les médecins ne se déplaçaient pas, qu'ils n'acceptaient pas d'argent. Et ils ont tous leurs appareils sur place... Ce n'est pas possible. »

Paul Nikolaïevitch comprenait lui-même que ce n'était pas possible. Il avait dit cela à tout hasard.

Comme il avait été convenu avec le chef du service de cancérologie, l'infirmière-chef devait les attendre à quatorze heures, ici même, au bas de cet escalier qu'un malade, en ce moment, descendait prudemment en s'aidant de ses béquilles. Mais, bien entendu, l'infirmière n'était pas à l'endroit prévu et son petit local, sous l'escalier, était fermé à clef.

« On ne peut vraiment se mettre d'accord avec personne ! explosa Capitoline Matveïevna ; on se demande un peu pourquoi on les paie ! »

Et sans hésiter, enfouie dans les deux renards argentés qui composaient le col gigantesque de sa pelisse, Capitoline Matveïevna s'engagea dans un couloir où était écrit : « Entrée interdite sans la blouse réglementaire. »

Paul Nikolaïevitch resta debout dans le vestibule. Peureusement, la tête légèrement inclinée à droite, il tâtait sa tumeur, entre la clavicule et la mâchoire. Il avait l'impression qu'en une demi-heure, depuis le moment où il l'avait regardée chez lui dans la glace une dernière fois en mettant son cache-nez, elle avait encore grossi. Paul Nikolaïevitch se sentait faible et aurait voulu s'asseoir. Mais les bancs lui semblaient malpropres et, de plus, il fallait demander de se pousser un peu à une femme en fichu qui avait posé par terre, entre ses jambes, un sac crasseux. Paul Nikolaïevitch avait l'odorat sensible et, même de loin, il lui semblait que l'odeur puante de ce sac venait jusqu'à lui.

Quand donc notre population apprendrait-elle à voyager avec des valises propres et convenables ! (Au reste, maintenant, avec cette tumeur, cela lui devenait assez égal.)

Adossé légèrement à une saillie du mur, il souffrait d'entendre les cris de ce garçon, de voir ce que ses yeux voyaient, de sentir ce qui lui pénétrait dans les narines. De l'extérieur entra un paysan qui portait devant lui un bocal d'un demi-litre, étiqueté, rempli presque entièrement d'un liquide jaune. Il portait ce bocal sans se cacher, le levant fièrement, comme un bock de bière obtenue après une longue queue au comptoir. Parvenu à la hauteur de Paul Nikolaïevitch, le paysan s'arrêta et, lui tendant quasiment son bocal, il voulut demander quelque chose, mais son regard se posa sur la toque de loutre de Paul Nikolaïevitch et il se détourna ; cherchant plus loin, il s'adressa au béquillard :

« Où c'est qu'on porte ça, mon gars ? »

L'éclopé lui indiqua la porte du laboratoire.

Quant à Paul Nikolaïevitch, il avait tout simplement mal au cœur.

La porte extérieure s'ouvrit à nouveau et une infirmière en blouse blanche entra, sans manteau malgré le froid. Sa figure un peu trop longue n'était pas jolie. Elle remarqua tout de suite Paul Nikolaïevitch, et, devinant qui il était, elle s'approcha de lui.

« Excusez-moi », dit-elle tout en reprenant son souffle ; ses joues étaient aussi rouges que ses lèvres fardées, tant elle s'était dépêchée. « Excusez-moi, je vous prie ! Vous m'attendez depuis longtemps ? On a apporté des médicaments et j'étais partie le réceptionner. »

Paul Nikolaïevitch allait répondre d'un ton acerbe, mais il se contint. Il était trop heureux que l'attente fût terminée. Une valise et un sac de provisions à la main, Ioura s'approcha, en simple veston, tête nue, tel qu'il était au volant de la voiture, parfaitement calme et la mèche au vent.

« Venez ! dit l'infirmière qui les conduisit à son petit réduit, sous l'escalier. Je sais, Nizamoutdine Bakhramovitch m'a dit que vous garderiez votre propre linge de corps et que vous apporteriez votre pyjama, à condition qu'il n'ait pas encore été porté, n'est-ce pas ?

— Il vient tout droit du magasin.

— C'est obligatoire, sinon il faudrait qu'il aille à la désinfection, vous comprenez ? Tenez, vous allez vous changer ici. »

Elle ouvrit la porte en contre-plaqué et alluma. Le réduit avait un plafond en pente ; il était dépourvu de fenêtres ; aux murs étaient accrochés de nombreux graphiques de toutes couleurs.

Ioura déposa sans un mot la valise et sortit, tandis que Paul Nikolaïevitch entrait se changer. L'infirmière voulait en profiter pour aller faire un saut encore ailleurs, mais sur ces entrefaites survint Capitoline Matveïevna.

« Qu'y a-t-il, mademoiselle ? Vous êtes si pressée ?

— Euh... oui... un peu.

— Quel est votre prénom ?

— Mita.

— Bizarre... Vous n'êtes pas Russe ?

— Non, je suis Allemande.

— Vous nous avez fait attendre.

— Je vous prie de m'excuser, mais je réceptionne les médicaments aujourd'hui...

— Bon, maintenant, écoutez-moi bien, Mita, je veux que vous sachiez. Mon mari n'est pas le premier venu et c'est un travailleur de grande valeur. Il s'appelle Paul Nikolaïevitch.

— Paul Nikolaïevitch ; très bien, je me souviendrai.

— Comprenez-moi, il a toujours été très entouré et maintenant voilà qu'il est gravement atteint... Ne pourrait-on pas mettre une infirmière auprès de lui de manière permanente ? »

Le visage inquiet et soucieux de Mita se rembrunit encore davantage. Elle hocha la tête.

« Ici, sauf pour les opérés, il y a toujours trois infirmières pour cinquante malades et la nuit, deux.

— Alors, vous voyez bien ! On peut agoniser, crier ; personne ne viendra.

— Pourquoi pensez-vous cela ! Nous nous occupons de tout le monde.

— Mais Paul Nikolaïevitch n'est pas « tout le monde » ! De plus, vos infirmières changent.

— Oui, toutes les douze heures.

— Quelle manière affreusement impersonnelle de soigner ! Je voudrais pouvoir veiller mon mari moi-même avec ma fille, à tour de rôle ! Je voudrais faire venir une garde à mon compte ! Ceci aussi, c'est impossible, à ce qu'il paraît ?

— Je crois que oui. C'est quelque chose que je n'ai jamais vu faire. D'ailleurs, dans la salle, il n'y a même pas de place pour mettre une chaise.

— Mon Dieu ! j'imagine ce qu'elle doit être, cette salle ! Cela vaudrait la peine d'aller y voir ! Combien y a-t-il de lits ?

— Neuf ; et c'est déjà bien qu'on l'y installe tout de suite. D'habitude les nouveaux ont un lit dans l'escalier, ou dans le couloir.

— Mademoiselle, j'insiste, néanmoins ; vous connaissez vos subordonnées ; c'est plus facile pour vous d'organiser quelque chose. Arrangez-vous avec une infirmière ou avec une femme de salle pour que mon mari ait droit à mieux que les égards réglementaires... » Et ouvrant son grand sac noir dont le fermoir claqua, elle en sortit trois billets de cinquante roubles.

Son fils qui attendait à quelques pas, toujours aussi silencieux, son toupet bien droit, se détourna.

Mita mit les deux mains derrière son dos.

« Non, non ! ce genre de commissions-là, je ne...

— Voyons, ce n'est pas à vous que je les donne ! reprit Capitoline Matveïevna, et elle essayait d'introduire sous la blouse de l'infirmière les trois billets disposés en éventail. Mais puisque cela ne peut pas se faire officiellement...! C'est le travail que je paie ! Et je vous demande seulement d'avoir l'amabilité de transmettre.

— Non, non, dit l'infirmière, dont le ton devint très froid ; ici, cela ne se fait pas. »

Une porte grinça et Paul Nikolaïevitch sortit du réduit, vêtu d'un pyjama marron et vert et chaussé de confortables pantoufles garnies de fourrure. Sa tête presque chauve s'ornait d'une petite calotte ouzbek, neuve aussi, couleur framboise. Maintenant qu'il n'avait plus ni son gros col de pardessus ni son cache-nez, la tumeur de la grosseur d'un poing qu'il avait sur le côté du cou avait un aspect particulièrement menaçant. Il ne tenait plus la tête droite, mais un peu penchée.

Il mit dans la valise tout ce qu'il venait d'enlever. Capitoline Matveïevna fit disparaître l'argent dans son sac. Elle regardait son mari avec angoisse :

« Ne vas-tu pas avoir froid ? Nous aurions dû te prendre une robe de chambre chaude. J'en apporterai une. Tiens, j'ai ceci sur moi, dit-elle en tirant de sa poche une petite écharpe, mets-la à ton cou pour ne pas prendre froid. (Avec sa pelisse et ses renards, elle paraissait deux fois plus imposante que son mari.) Maintenant, va dans la chambre, installe-toi ; sors tes provisions, fais une première inspection, réfléchis pour voir s'il ne te manque rien ; je vais m'asseoir et t'attendre. Quand tu redescendras, tu me diras ce qu'il en est, et je t'apporterai tout pour ce soir. »

Elle ne perdait jamais la tête ; quelles que soient les circonstances, elle pensait à tout. Elle était, pour lui, une compagne véritable. Il la regarda avec douleur et reconnaissance, puis il regarda son fils.

« Alors, cette fois-ci, tu pars, Ioura ?

— Oui, par le train de ce soir, papa », dit Ioura en s'approchant. Il avait vis-à-vis de son père une attitude respectueuse mais, comme toujours, il n'y avait en lui aucune chaleur, aucun élan vers ce père dont il allait être séparé et qu'on laissait à l'hôpital. Il accueillait toute chose d'un air éteint.

« Ainsi donc, mon fils, c'est ta première mission sérieuse. Prends tout de suite le ton juste. Point d'indulgence ! C'est elle qui te perd ! N'oublie jamais que tu n'es pas Ioura Roussanov, que tu n'es pas une personne privée, mais que tu es le représentant de la loi, tu comprends ? »

Ioura comprenait ou ne comprenait pas ; en tout cas pour son père il était difficile, en ce moment, de trouver des mots plus appropriés. Mita piétinait sur place et brûlait de partir.

« Alors, je t'attends ici avec maman, dit Ioura en souriant ; ce n'est pas encore le moment des adieux ; va, papa.

— Vous trouverez tout seul ? demanda Mita.

— Seigneur ! voilà un homme qui tient à peine sur ses jambes ! Vous ne pourriez pas le conduire jusqu'à son lit ? lui porter son sac ? »

Paul Nikolaïevitch regarda sa femme et son fils avec un air de détresse ; il repoussa la main de Mita qui cherchait à le soutenir et, saisissant fermement la rampe, il commença de monter. Son cœur se mit à battre et ce n'était pas tout à fait à cause de l'effort qu'il faisait. Il gravissait l'escalier comme on monte à ce... comment dit-on ? Bref, à cette sorte de tribune, pour offrir, là-haut, sa tête au bourreau.

L'infirmière-chef l'avait dépassé et escaladait l'escalier en toute hâte, avec son sac ; là-haut, elle cria quelque chose à une certaine Marie et avant même que Paul Nikolaïevitch eût atteint le premier palier, elle dévalait déjà l'escalier par l'autre côté, montrant à Capitoline Matveïevna quelle sorte de sollicitude attendait ici son mari.

Cependant Paul Nikolaïevitch, lentement, avait atteint le palier intermédiaire, un palier large et profond, comme on n'en voit plus que dans les édifices anciens. Deux lits s'y trouvaient, occupés par des malades, deux tables de nuit, également, et tout cela ne gênait aucunement le passage. Un des malades était très mal, à bout de forces, et on lui avait mis un ballon d'oxygène.

S'efforçant de ne pas regarder ce visage de mourant, Roussanov tourna et continua de gravir les marches en regardant vers le haut. Mais rien d'encourageant non plus ne l'attendait à la fin de cette montée. L'infirmière prénommée Marie était là, debout. Aucun sourire, aucune marque d'affabilité n'éclairaient son visage basané d'icône. Grande, maigre et plate, elle l'attendait, comme un soldat, et, sans perdre une minute, elle s'engagea dans le couloir du haut, lui montrant le chemin. Plusieurs portes donnaient sur ce couloir, et, partout où cela ne gênait pas, il y avait des lits, avec des malades. Le couloir faisait un coude et à cet endroit, sans fenêtre, on avait mis le petit bureau de l'infirmière, éclairé par une lampe qui brûlait jour et nuit, ainsi que sa table de soins ; à côté, était accrochée une armoire murale avec une croix rouge, fermée par un verre dépoli. Ils contournèrent ces tables, et puis un autre lit, et Marie dit, en pointant une longue main sèche :

« Le deuxième lit à partir de la fenêtre. »

Et vite, elle s'en allait. C'était un des aspects désagréables de ces hôpitaux publics : on ne restait jamais avec vous, on ne prenait jamais le temps de bavarder.

La porte de la salle était constamment ouverte à deux battants ; cependant, en passant le seuil, Paul Nikolaïevitch sentit une odeur moite de renfermé mêlée de relents de médicaments ; pour lui, si sensible aux odeurs, celle-ci était un vrai supplice.

Les lits étaient rangés perpendiculairement au mur et séparés par d'étroits passages de la largeur des tables de nuit ; un passage central traversait la pièce dans le sens de la longueur, tout juste large pour deux personnes.

Dans ce passage se tenait un malade trapu, aux larges épaules, vêtu d'un pyjama à raies roses. Son cou était étroitement enveloppé d'un épais bandage qui montait très haut, presque jusqu'aux lobes de ses oreilles. Ce blanc carcan de pansement ne lui laissait pas la liberté de bouger sa lourde tête à la tignasse brune et au visage obtus.

Il était en train de raconter quelque chose, d'une voix rauque, aux autres malades, qui l'écoutaient de leur lit.

Lorsque Roussanov entra, il se tourna tout entier vers lui, car sa tête et son buste ne faisaient plus qu'un et, le regardant sans sympathie, il dit :

« Tenez, encore un petit cancer qui s'amène. »

Paul Nikolaïevitch jugea inutile de répondre à une remarque aussi familière. Il sentait que toute la salle le regardait, mais il n'avait pas envie de répondre au regard de ces individus que le hasard avait rassemblés ici ; et il n'avait même pas envie non plus de leur dire bonjour. Il fit seulement un geste de la main, dans l'air, pour inviter le malade à la tignasse brune à s'écarter. L'autre le laissa passer puis, se tournant à nouveau tout d'une pièce vers lui, avec cette tête comme soudée au corps, il lui demanda de sa voix enrouée :

« Dis-moi, mon vieux, tu as un cancer de quoi ? »

A cette question, Paul Nikolaïevitch, qui venait d'arriver à son lit, chancela sur ses jambes. Il leva les yeux sur le malotru, faisant effort pour ne pas s'emporter (et ses épaules eurent un frémissement convulsif), et il dit avec dignité :

« De rien du tout. Ce n'est pas le cancer. »

L'individu renifla puis, bien haut, à travers toute la chambre, il lança sentencieusement :

« Vous avez vu cet imbécile ! s'il n'avait pas un cancer, est-ce que c'est ici qu'on l'aurait mis ? »

CHAPITRE II

L'ÉDUCATION NE REND PAS PLUS MALIN !

DÈS ce premier soir dans la chambre commune, en l'espace de quelques heures, Paul Nikolaïevitch connut la peur.

Il avait fallu la petite boule dure d'une tumeur inattendue, insensée, parfaitement inutile, pour qu'on l'entraînât ici, comme un poisson à l'hameçon, et qu'on le jetât sur ce lit de fer étroit, pitoyable avec sa toile métallique grinçante et son matelas efflanqué. Il lui avait suffi de se changer, sous l'escalier, de dire adieu à sa femme et à son fils, et de monter dans cette chambre pour que toute sa vie d'avant, harmonieuse, réfléchie, se fermât, comme une porte qui claque, supplantée brusquement par une autre vie, si abominable qu'elle lui faisait plus peur encore que sa tumeur même. Il ne lui était plus loisible désormais de poser les yeux sur quoi que ce fût d'agréable, d'apaisant ; il lui fallait contempler huit malheureux, devenus ses égaux, semble-t-il, huit malades en pyjamas blancs et roses déjà passablement défraîchis et usés, rapiécés ici, déchirés là, trop petits pour l'un, trop grands pour l'autre. Il ne lui était plus possible non plus d'écouter ce qui lui plaisait, mais il lui fallait écouter ces êtres grossiers dont les fastidieuses conversations ne le concernaient nullement et ne l'intéressaient point. Il leur aurait volontiers intimé à tous l'ordre de se taire, et particulièrement à ce fâcheux personnage à tignasse brune, au cou bandé et à la tête emprisonnée, que tout le monde appelait simplement Ephrem, quoiqu'il ne fût plus jeune

Mais Ephrem ne se calmait nullement ; il n'était pas question non plus qu'il se couchât, ou sortît de la chambre : il arpentait nerveusement le passage central. Parfois il fronçait le front, son visage se crispait, comme sous l'effet d'une piqûre, et il se prenait la tête à deux mains ; puis il recommençait à marcher. Parfois, au milieu de sa promenade, il s'arrêtait précisément devant le lit de Roussanov, et, inclinant vers lui, par-dessus le montant du lit, le haut rigide de son corps, il disait d'un ton sentencieux, en avançant sa large face brune piquetée de taches de son :

« Maintenant, professeur, c'est fini ! tu ne retourneras plus chez toi, compris ? »

Il faisait très chaud dans la chambre. Paul Nikolaïevitch était couché par-dessus la couverture, revêtu de son pyjama et coiffé de sa petite calotte. Il redressa ses lunettes cerclées d'or, regarda Ephrem avec sévérité, comme il savait le faire, et répondit :

« Je ne comprends pas ce que vous voulez de moi, camarade ; et pourquoi cherchez-vous à me faire peur ? Je ne vous demande rien, moi. »

Ephrem renâcla méchamment — et ce faisant n'envoya-t-il pas quelques postillons sur la couverture de Paul Nikolaïevitch ?

« Tu peux demander tout ce que tu veux, mais ta maison, tu ne la reverras plus. Tu peux renvoyer tes lunettes, et ton pyjama neuf. »

Après avoir lâché cette grossièreté, il redressa son buste raide et se mit à déambuler dans le passage, le maudit !

Paul Nikolaïevitch aurait pu, naturellement, lui couper la parole et le remettre à sa place, mais il ne trouvait pas en lui, pour faire cela, son énergie habituelle : cette énergie avait faibli et les paroles de ce diable emmailloté de pansements l'anéantissaient encore davantage. Il lui aurait fallu un soutien, et on le précipitait dans un abîme. En l'espace de quelques heures, Paul Nikolaïevitch avait tout perdu, sa position, ses nombreux mérites, ses plans d'avenir ; il n'était plus que soixante-dix kilogrammes de chair blanche et tiède, ignorante de son lendemain.

Il est probable que la détresse se refléta sur son visage, car, à l'un de ses parcours suivants, Ephrem se planta devant lui et lui dit d'un ton plus conciliant :

« Et même si tu te retrouves chez toi, ce ne sera pas pour longtemps. Ensuite tu reviendras ici. Le cancer aime son monde. Une fois qu'il vous tient dans ses tenailles, c'est jusqu'à la mort. »

Paul Nikolaïevitch n'eut pas la force de répliquer et Ephrem reprit sa marche. Qui d'ailleurs, dans la chambre, aurait pu lui rabattre le caquet ? Allongés sur leur lit, les autres étaient trop abattus pour le faire ; ou bien alors, ils n'étaient pas Russes. Le long du mur qui faisait face à Paul Nikolaïevitch il n'y avait que quatre lits, à cause de la saillie du poêle ; le lit qui se trouvait juste en face du sien, pieds contre pieds, de l'autre côté du passage, était celui d'Ephrem ; les trois autres étaient occupés par de tout jeunes gens : près du poêle, un gars basané qui avait l'air un peu nigaud, puis un jeune Ouzbek avec une béquille, et près de la fenêtre un garçon au teint tout jaune, maigre comme un fil et qui gémissait, recroquevillé sur son lit. Dans la même rangée que celle où se trouvait Paul Nikolaïevitch, à sa gauche, il y avait deux autochtones, plus loin, près de la porte, un jeune garçon d'origine russe, tondu comme un écolier mais déjà adolescent, lisait, assis sur son lit ; à sa main droite le dernier lit, près de la fenêtre, était occupé par un individu qui avait l'air Russe lui aussi, mais il n'y avait pas de quoi se réjouir d'un tel voisinage :

l'homme avait une gueule de bandit ; ce qui lui donnait cet air-là, c'était probablement la balafre qui allait de la commissure de ses lèvres à la naissance du cou et lui barrait le bas de la joue gauche ; à moins que ce ne fût ses cheveux noirs mal peignés, hirsutes, dressés dans tous les sens, ou encore, peut-être, l'expression générale de sa physionomie, dure et grossière. Ce sinistre bandit se mêlait de culture, lui aussi, et il était en train d'achever la lecture d'un livre.

On avait déjà allumé et une lumière crue tombait des deux lampes du plafond. Dehors, il faisait nuit. L'heure du dîner approchait.

« Tenez, par exemple, il y a un vieux, ici — poursuivait Ephrem, qui ne désarmait pas — il est en bas, demain on l'opère. Eh bien, en quarante-deux, déjà, on lui avait enlevé un petit cancer et on lui avait dit : « Ce « n'est rien du tout, tu peux rentrer chez toi et profiter « de la vie ; d'accord ? » (Ephrem prenait un air dégagé, mais sa voix était telle que l'on aurait dit que c'était lui qu'on allait opérer) — il y a de ça treize ans et il avait même oublié cet hôpital, il buvait sec, courait les filles, — un vieux fêtard, faut voir ça ! Et maintenant il a un cancer du tonnerre de Dieu ! (Ephrem fit claquer ses lèvres de satisfaction.) Ce qui lui pend au nez, après la table d'opération, c'est la morgue, tout droit !

— C'est bon, assez de sombres prédictions ! » dit Paul Nikolaïevitch qui, voulant couper court, se détourna, et il ne reconnut pas sa propre voix tant elle était plaintive et mal assurée.

Les autres, eux, ne disaient rien. Il y avait aussi, pour vous donner le cafard, ce garçon squelettique qui se retournait sans cesse dans son lit près de la fenêtre, dans l'autre rangée. Il n'était ni assis ni couché mais tout recroquevillé, les genoux ramenés sur la poitrine ; renonçant à trouver une position convenable, il avait laissé glisser sa tête vers le pied du lit au lieu de l'appuyer à l'oreiller. Il geignait tout doucement et l'on voyait à ses grimaces et aux crispations de son visage combien il avait mal.

Paul Nikolaïevitch se détourna, chercha du pied ses pantoufles et se mit stupidement à inspecter sa table de nuit, ouvrant et refermant tour à tour la porte du petit placard où étaient rangées ses nombreuses provisions, et le tiroir supérieur qui contenait ses affaires de toilette et son rasoir électrique.

Et Ephrem marchait toujours, les mains jointes sur sa poitrine, frémissant parfois, comme sous l'effet d'une piqûre, et sa voix bourdonnait, monotone, comme un refrain, comme lorsqu'on pleure un mort.

« Oui... nous sommes dans de beaux draps, nous sommes vraiment dans de beaux draps... »

Un léger claquement retentit dans le dos de Paul Nikolaïevitch. Il se retourna avec précaution, car, chaque fois qu'il bougeait même légèrement le cou, cela lui faisait mal, et il vit que son voisin, le type à la mine de bandit, venait de refermer d'un coup sec le livre dont il avait terminé la lecture et le tournait dans ses grandes mains calleuses et rudes.

En biais sur la couverture bleu sombre, ainsi qu'au dos du livre, s'étalait le paraphe de l'écrivain, en lettres d'or déjà ternies.

Paul Nikolaïevitch ne put déchiffrer à qui appartenait ce paraphe ; quant à questionner cet individu, il n'en avait pas envie. Il avait trouvé un surnom pour son voisin. « Grandegueule. » Cela lui allait très bien.

« Grandegueule » regardait le livre avec de grands yeux tristes et soudain, sans se gêner, il claironna d'un bout à l'autre de la chambre :

« Si ce n'était pas Diomka qui avait choisi ce livre dans la bibliothèque, on pourrait difficilement croire qu'il ne nous a pas été apporté en cachette.

— Qu'est-ce qu'on lui veut à Diomka ? Quel livre ? répondit le garçon près de la porte, toujours plongé dans sa lecture.

— On peut fouiller dans toute la ville, sûr qu'on n'en trouverait pas un comme ça. » « Grandegueule » regardait la large nuque obtuse d'Ephrem (ses cheveux, que l'on n'avait pas coupés depuis longtemps faute de pouvoir le faire commodément, retombaient sur son pansement) ; puis il vit son visage tendu : « Ephrem ! tu as assez pleurniché. Tiens, lis plutôt ce livre. »

Ephrem s'arrêta d'un bloc ; il avait l'œil vitreux du taureau.

« Et pourquoi lire ? pourquoi, si on doit tous crever bientôt ? »

La balafre de « Grandegueule » frémit.

« C'est justement parce qu'on doit tous crever qu'il faut se dépêcher. Tiens, prends. »

Il tendait le livre à Ephrem mais celui-ci ne bougea pas.

« Il y en a trop à lire. Je ne veux pas.

— Tu ne sais pas lire, ou quoi ? poursuivit « Grandegueule » sans trop de conviction.

— Je sais lire, et même très bien. Quand il le faut, je sais très bien lire. » « Grandegueule » chercha un crayon sur l'appui de la fenêtre, ouvrit le livre à la dernière page et, parcourant celle-ci des yeux, cocha ici et là.

« N'aie pas peur, grommela-t-il, ce sont de tout petits récits. Essaie un peu ceux-ci. C'est que tu nous embêtes rudement à te lamenter tout le temps. Lis plutôt.

— Ephrem n'a peur de rien ! » Il prit le livre et le jeta sur son lit.

Clopinant sur son unique béquille, dont il ne se servait déjà presque plus, le jeune Ouzbek Akhmadjan, le plus joyeux de tous ici, entra dans la chambre et annonça :

« Les cuillères en batterie ! »

Même le gars basané, près du poêle, s'anima :

« V'là la soupe, les gars ! »

La femme de salle chargée de distribuer les repas apparut, en blouse blanche, portant un plateau au-dessus de l'épaule. Elle le fit passer devant elle et commença à faire le tour des lits. A part le garçon tordu par la douleur là-bas, près de la fenêtre, tout le monde se mit à s'agiter, chacun s'emparant de son assiette. Chaque malade dans la chambre avait droit à une table de nuit ; seul Diomka n'en avait point et partageait celle de son voisin, un Kazakh osseux dont la lèvre supérieure s'ornait d'une horrible croûte, brunâtre et boursouflée, qui n'était pas bandée. Ces temps-ci, Paul Nikolaïevitch n'avait plus guère le cœur à la nourriture, même devant la table familiale, et la seule vue de ce dîner — un gâteau de semoule rectangulaire, élastique, accompagné d'une sauce jaune tremblotante — et de cette cuillère d'aluminium au manche tordu en deux endroits, ne fit que lui rappeler amèrement une fois encore l'endroit où il se trouvait et l'erreur qu'il avait peut-être commise en acceptant de venir se faire soigner ici.

Tous les autres, cependant, à l'exception du gars qui geignait, s'étaient mis à manger. Paul Nikolaïevitch ne prit point sa part, et, frappant de l'ongle le rebord de son assiette, il regarda tout autour de lui pour voir à qui il pourrait la donner. Tout autour, il ne vit que des profils, ou bien des dos, mais là-bas, près du poêle, le garçon basané l'aperçut.

« Comment t'appelles-tu ? lui demanda Paul Nikolaïevitch, sans trop forcer la voix (l'autre devait s'arranger pour entendre). »

Les cuillères cliquetaient, mais le gars comprit qu'on s'adressait à lui et il répondit avec empressement :

« Prochka, euh... euh... Procope Semionytch.

— Tiens, prends.

— Ma foi, oui, je veux bien, dit-il et, s'approchant, il prit l'assiette. Je vous remercie. »

Et Paul Nikolaïevitch, qui sentait sous sa mâchoire la petite boule dure de sa tumeur, comprit soudain qu'il n'était pas ici parmi les moins atteints. De tous les neuf, un seul avait un pansement : Ephrem, et à l'endroit, précisément, où Paul Nikolaïevitch risquait d'être opéré lui aussi. Un seul avait de fortes douleurs. Un seul encore, ce robuste Kazakh, à deux lits du sien, avait cette croûte violacée. Et puis, il y avait aussi la béquille de ce jeune Ouzbek, mais c'est à peine s'il s'y appuyait. Quant aux autres, ils n'avaient extérieurement nulle tumeur, nulle difformité ; ils paraissaient en bonne santé. Prochka, en particulier, avait une mine colorée, comme

s'il était en maison de repos et non à l'hôpital, et il était
en train de lécher le fond de son assiette avec beaucoup d'appétit. « Grandegueule » avait le teint plutôt
gris, mais il se déplaçait facilement, il conversait d'un
ton dégagé et il s'était jeté sur sa part de semoule avec
tant de voracité que Paul Nikolaïevitch s'était soudain
demandé si ce n'était pas un simulateur, encore un qui
vivait aux crochets de l'Etat (vu que dans notre pays
on nourrit les malades gratis).

Paul Nikolaïevitch, lui, avait, sous la mâchoire, cette
grosseur qui lui pesait, l'empêchait de se tourner, et
grossissait d'heure en heure ; mais les médecins, ici,
ne comptaient certes pas les heures ; entre le déjeuner
et le dîner, personne ne l'avait examiné, aucun traitement n'avait été entrepris. Pourtant le docteur Dontsova
l'avait attiré ici justement en lui promettant un traitement d'urgence. Elle était donc complètement irrespon-
sable, sa négligence était criminelle, et Roussanov, qui
lui avait fait confiance, perdait un temps précieux dans
cette salle d'hôpital malpropre, exiguë, à l'atmosphère
viciée, au lieu de téléphoner à Moscou et de prendre
l'avion.

Et la conscience de l'erreur commise, de ces ater-
moiements vexants, venue s'ajouter à l'angoisse où le
jetait sa tumeur, oppressait si violemment Paul Nikolaïevitch qu'il lui devint insupportable d'entendre quoi
que ce fût, à commencer par ce bruit de cuillères frappant les assiettes, et qu'il ne put plus supporter la vue
de ces lits de fer, de ces couvertures grossières, de ces
murs, de ces lampes, de ces gens. Il avait l'impression
d'être tombé dans un piège et, jusqu'au lendemain
matin, il lui serait impossible de prendre aucune mesure
décisive.

Profondément malheureux, il se coucha, et, prenant la
serviette de toilette qu'il avait apportée de chez lui,
il s'en couvrit les yeux pour se protéger de la lumière
et de tout le reste. Pour penser à autre chose, il se mit
à passer en revue sa maison, sa famille, se demandant
à quoi ils pouvaient bien s'occuper en ce moment. Ioura

est déjà dans le train. C'est sa première tournée d'inspection. Il est très important pour lui de s'imposer.
Mais Ioura est un mou, un empoté ; pourvu qu'il ne
se couvre pas de honte. Aviette est à Moscou en vacances ; il s'agit pour elle de se distraire un peu, de courir
les théâtres ; mais surtout, elle a un but bien précis :
tâter le terrain, nouer des relations, peut-être ; c'est
qu'elle est en cinquième année, il lui faut songer à prendre la bonne orientation. Aviette a de l'envergure, elle
voit loin, son futur métier de journaliste la passionne,
elle est très très habile, et, naturellement, il faut qu'elle
aille à Moscou ; ici, elle manquerait bientôt d'air. Elle
est plus intelligente et douée que quiconque dans la
famille. Paul Nikolaïevitch n'est pas jaloux et il est heureux d'avoir une fille considérablement plus développée
que lui-même intellectuellement. Elle a encore peu d'expérience mais comme elle comprend vite ! Lavrik est
un peu fainéant, il est médiocre à l'école, mais en sport
il est très doué, il est déjà allé à des compétitions à
Riga, et il a fait un séjour à l'hôtel, comme un adulte.
Il se débrouille déjà fort bien avec la voiture. En ce
moment, il prend des leçons à la Préparation militaire
pour passer son permis. Au deuxième semestre, il a
eu deux fois un deux, maintenant il faut qu'il rattrape
ça [1]. Maïka suit les cours du matin et, en ce moment, elle
est à la maison, elle joue du piano, probablement (elle
est la première dans la famille à faire du piano) ; et
Djoulbarss est couché dans le couloir sur son tapis.
Cette dernière année, Paul Nikolaïevitch avait pris l'habitude de le promener lui-même chaque matin ; cela
lui faisait du bien à lui aussi — maintenant c'est Lavrik
qui s'en chargera. Il aime cela : d'abord exciter juste un
petit peu le chien contre les passants et puis les rassurer : n'ayez pas peur, je le tiens !

Mais toute la belle et exemplaire famille Roussanov
avec ses deux aînés et ses deux benjamins, toute leur vie

---

1. La notation, en Russie, va de 1 à 5.

bien ordonnée, l'appartement impeccable, qu'on avait
meublé sans lésiner sur rien, tout cela s'était en quelques jours détaché de lui, et se trouvait, par rapport
à sa tumeur, dans quelque au-delà. Ils vivaient et ils
continueraient à vivre quoi qu'il advienne à leur père.
Ils pouvaient bien se tourmenter, se faire du souci,
pleurer, sa tumeur avait dressé entre eux et lui un
mur, et, de ce côté-ci, il était seul.

La pensée des siens ne l'aidant pas, Paul Nikolaïevitch
chercha à se distraire en pensant aux problèmes de
politique générale. Samedi doit s'ouvrir la session du
Soviet Suprême de l'Union. On ne s'attend à rien d'important, apparemment ; le budget sera approuvé. Dans
les parlements d'Italie, de France et d'Allemagne de
l'Ouest, c'est la lutte contre les ignominieux accords de
Paris. Dans le détroit de Formose, on se bat... Ah ! oui,
et puis aussi tout à l'heure quand il partait pour l'hôpital, on avait commencé la diffusion, à la radio, d'un
grand rapport sur l'industrie lourde. Et dire qu'ici, dans
la chambre, il n'y avait même pas de radio, et dans le
couloir non plus ! c'était tout à fait charmant ! Il faudrait au moins pouvoir lire la *Pravda* régulièrement.
Aujourd'hui, c'est l'industrie lourde et, hier, c'était une
résolution sur l'accroissement de la production des produits d'élevage. Oui ! la vie économique se développe
très activement et il faut s'attendre, certainement, à
de grandes transformations dans les divers organismes
étatiques et économiques.

Et Paul Nikolaïevitch se mit à passer en revue les
réorganisations qui pouvaient précisément se produire
à l'échelle de la République et de la province. Ces réorganisations semaient toujours un certain trouble, elles
arrachaient momentanément à la routine, les collègues
se téléphonaient, on se rencontrait, on discutait des
possibilités. Et quelle que fût l'orientation de ces
réformes, même quand c'était un changement de cap
complet, tout le monde, Paul Nikolaïevitch y compris,
n'en avait jamais retiré que de l'avancement.

Mais ces pensées-là ne réussirent pas non plus à le

distraire ni à le tirer de son abattement. Il eut un élancement dans le cou et la tumeur, indifférente, inhumaine, reprit ses droits et balaya tout le reste. Le budget, les accords de Paris, l'industrie lourde, les produits d'élevage, tout cela, comme tout à l'heure, bascula de l'autre côté de son mal. Et de ce côté-ci, il était, lui, Paul Nikolaïevitch Roussanov, tout seul.

Une agréable voix féminine résonna dans la chambre. Bien qu'aujourd'hui rien ne pût être agréable à Paul Nikolaïevitch, cette petite voix lui parut tout simplement délicieuse.

« Nous allons prendre la température ! » disait cette voix, et c'était comme si elle annonçait une distribution de bonbons.

Roussanov enleva la serviette de toilette dont il avait couvert son visage, se redressa légèrement et chaussa ses lunettes. Quel bonheur ! Ce n'était plus cette Marie noiraude et maussade mais une jeune personne potelée et pimpante, coiffée non point de l'austère fichu mais d'une petite coiffe, comme en portent les docteurs, d'où s'échappaient des boucles dorées.

« Azovkine ! Alors ! Azovkine ! » dit-elle d'un ton enjoué en se penchant sur le lit du jeune homme, près de la fenêtre. Il avait une position plus bizarre encore qu'auparavant : il était allongé en travers du lit, la tête en avant, son oreiller sous le ventre, le menton appuyé sur le matelas à la manière d'un chien qui a posé le museau par terre et il regardait à travers les barreaux du lit, ce qui lui donnait l'air d'être dans une cage. Sur son visage émacié, on voyait passer les reflets de ses souffrances intérieures. Son bras pendait jusqu'à terre.

« Voyons ! il ne faut pas se laisser aller comme ça ! dit l'infirmière pour lui faire honte. Vous avez des forces. Prenez vite le thermomètre. »

Il souleva le bras avec effort, comme l'on tire un seau d'un puits, et prit le thermomètre. Il était tellement affaibli, tellement absorbé dans sa souffrance que l'on pouvait difficilement croire qu'il n'avait pas plus de dix-sept ans.

« Zoé ! implora-t-il. Donnez-moi la bouillotte !

— Vous vous nuisez à vous-même, dit sévèrement Zoé ; on vous a donné une bouillotte non pas pour que vous vous la mettiez sur le ventre, mais pour que vous la mettiez sur la piqûre.

— Mais ça me soulage comme ça, insistait-il, avec son visage tout torturé.

— Vous faites grossir votre tumeur en faisant cela, on vous l'a expliqué. Dans le service de cancérologie, les bouillottes sont interdites ; on vous a fait une faveur spéciale.

— Eh bien alors, je ne me laisserai plus piquer. »

Mais Zoé ne l'écoutait déjà plus et, frappant du doigt le lit vide de « Grandegueule », elle demanda :

« Et Kostoglotov, où est-il ? »

(Ça alors ! on peut dire que Paul Nikolaïevitch avait vu juste et que le vrai nom de cet homme concordait avec le surnom qu'il lui avait donné [1].)

« Il est parti fumer, répondit de la porte Diomka, toujours plongé dans sa lecture.

— Il va voir si je le laisse fumer, moi ! » marmonnat-elle.

Mais que les jeunes filles peuvent être menues ! Paul Nikolaïevitch considérait avec satisfaction sa taille ronde bien sanglée dans la blouse et ses yeux légèrement saillants ; il l'admirait, sans arrière-pensée, et sentait qu'il se radoucissait — Souriante, elle lui tendit le thermomètre. Elle se trouvait justement du côté de sa tumeur mais rien, sur son visage, pas le moindre froncement de sourcil, ne put donner à penser qu'elle avait peur ou qu'elle n'avait jamais rien vu de semblable.

« Et pour moi, il n'y a aucun traitement de prescrit ? demanda Roussanov.

— Pas jusqu'à présent, répondit-elle en s'excusant d'un sourire.

— Mais pourquoi donc ? Où sont les médecins ?

---

1. *Kostoglotov* : le mot suggère en russe l'idée d'avaler des os.

— Leur journée de travail est terminée. »

Il était impossible de se fâcher contre Zoé, mais il y avait bien quelqu'un de responsable de l'abandon où Roussanov était laissé ! et il fallait agir ! Roussanov méprisait l'inaction et les caractères pleurnichards. Aussi, lorsque Zoé revint chercher les thermomètres, il lui demanda :

« Où est le téléphone urbain, ici ? Comment peut-on y aller ? »

Après tout, il pouvait très bien décider sur-le-champ et téléphoner à Ostapenko ! La simple pensée du téléphone avait réintroduit Paul Nikolaïevitch dans son monde habituel et lui avait rendu son courage. Il était redevenu le lutteur qu'il était.

« Trente-sept », dit Zoé avec un sourire et sur la feuille de température suspendue au pied du lit elle marqua le premier point de la courbe. « Le téléphone est au bureau des entrées, mais à cette heure-ci vous ne pourrez pas y avoir accès. On y va par l'autre entrée principale.

— Permettez, mademoiselle. » Paul Nikolaïevitch se redressa et sa voix se fit plus sévère. « Comment se peut-il qu'il n'y ait pas de téléphone dans un hôpital ? Et s'il y avait un incident ? Si quelque chose m'arrivait, par exemple ?

— On courrait téléphoner, répondit Zoé sans se démonter.

— Et s'il y avait une tourmente de neige, une pluie torrentielle ? »

Zoé était déjà passée à son voisin, un vieil Ouzbek, et elle prolongeait sa courbe sur la feuille de température.

« Le jour, on n'a pas ce détour à faire, mais à cette heure-ci, c'est fermé. »

Oui, elle était charmante, très charmante, mais c'était une effrontée ; elle était passée au Kazakh sans attendre qu'il ait fini. Haussant involontairement le ton pour qu'elle l'entende, il s'exclama :

« Alors, il faut un autre téléphone ! Ce n'est pas possible qu'il n'y en ait qu'un ! »

— Il y en a un autre, répondit Zoé, mais il est dans le bureau du médecin-chef.

— Alors, vous pouvez m'expliquer ?

— Diomka... trente-six huit... le bureau est fermé à clef. Nizamoutdine Bakhramovitch n'aime pas cela. »

Et elle disparut.

Bien sûr, c'était logique. Il est désagréable qu'en ton absence on aille téléphoner dans ton bureau. Mais, dans un hôpital, il faudrait tout de même trouver une solution...

Le fil qui le reliait au monde extérieur avait vibré, l'espace d'un instant, puis s'était rompu ; et, de nouveau, la tumeur de la grosseur d'un poing qu'il avait sous la mâchoire recouvrit tout le reste.

Paul Nikolaïevitch prit une petite glace de poche et regarda. Oh ! comme elle avait grossi ! voir cela sur soi ! un spectacle aussi effrayant ! Car enfin, des monstruosités pareilles, cela n'existait pas ! Ici, par exemple, il n'avait rien vu de tel à personne !... Le cœur lui manqua et il renonça à établir si sa tumeur avait encore grossi ou non ; il rangea sa glace et, sortant de sa table de nuit un peu de nourriture, il se mit à mâchonner.

Les deux malades les plus désagréables, Ephrem et « Grandegueule », n'étaient pas dans la chambre ; ils étaient sortis. Azovkine, près de la fenêtre, avait pris une nouvelle position biscornue sur son lit mais il ne gémissait pas. Les autres ne faisaient pas de bruit ; on entendait tourner des pages ; certains s'étaient couchés. Il ne restait plus à Roussanov qu'à s'endormir lui aussi. Passer la nuit, ne plus penser et, dès le matin, enguirlander une bonne fois les médecins.

Et il se déshabilla, se glissa sous la couverture, recouvrit sa tête de la serviette-éponge qu'il avait amenée de chez lui et essaya de s'endormir.

Dans le silence lui parvint alors avec une netteté particulière un chuchotement irritant qui venait on ne sait d'où et lui tombait droit dans l'oreille. Excédé, il arracha sa serviette de sa figure, se souleva en s'efforçant de ne pas faire de mal à son cou et découvrit que le responsable de ces chuchotements était son voisin, un vieil Ouzbek grand et maigre, avec une petite barbe noire en pointe, presque marron de peau, coiffé d'une petite calotte usée, marron elle aussi.

Couché sur le dos, les mains croisées sous la nuque, les yeux fixés au plafond, il marmonnait ses prières, sans doute, le vieil imbécile !

« Hé ! Aksakal ! lui dit Roussanov en le menaçant du doigt. Arrête ! Tu me gênes ! »

Aksakal se tut. Roussanov se recoucha et couvrit à nouveau sa tête de la serviette. Mais il ne pouvait toujours pas s'endormir. Il comprit alors que ce qui l'empêchait de se reposer, c'était la lumière crue qui tombait des lampes du plafond ; le verre n'était pas dépoli et leurs abat-jour les dissimulaient mal. Même à travers sa serviette, il percevait cette lumière.

En ahanant, Paul Nikolaïevitch, prenant appui sur les bras, se souleva à nouveau de son oreiller, tout en s'efforçant de ne pas provoquer d'élancements dans sa tumeur.

Prochka était debout près de son lit, à proximité du commutateur, et commençait à se déshabiller.

« Jeune homme ! Eteignez donc la lumière ! lui ordonna Paul Nikolaïevitch.

— Euh... c'est qu'on n'a pas encore apporté les médicaments... », bredouilla Prochka qui, néanmoins, leva la main vers le commutateur.

« Eteignez ! Eteignez ! » Qu'est-ce que ça veut dire ? gronda « Grandegueule » dans le dos de Roussanov. Tout doux, vous n'êtes pas seul ici ! »

Paul Nikolaïevitch s'assit franchement sur son séant, mit ses lunettes, et, avec de grands ménagements pour sa tumeur, il se retourna en faisant grincer sous lui la toile métallique du sommier.

« Vous ne pourriez pas être plus poli ? »

Un rictus tordit la face du malotru et il répondit d'une voix caverneuse :

« Ne détournez pas la conversation, je ne suis pas votre subordonné. »

Paul Nikolaïevitch le foudroya du regard mais ceci n'eut aucun effet sur Kostoglotov.

« Bon, mais pourquoi vous faut-il la lumière ? demanda Roussanov, entamant des pourparlers en bonne et due forme.

— Pour se gratter le trou du c... », lâcha ce goujat.

Paul Nikolaïevitch eut soudain du mal à respirer, pourtant il avait eu largement le temps, semble-t-il, de se faire à l'atmosphère de la chambre.

Il fallait renvoyer cet insolent de l'hôpital, c'était l'affaire de vingt minutes, et l'envoyer au travail ! Mais il n'avait aucun moyen d'action concret entre les mains. (Surtout ne pas omettre de parler de lui à l'administration.)

« Si c'est pour lire, ou pour autre chose, on peut sortir dans le couloir, suggéra avec justesse Paul Nikolaïevitch. Pourquoi vous attribuez-vous le droit de décider au nom de tous ? Les malades ne sont pas tous les mêmes ici et il faut savoir faire la différence.

— On en fera, ricana l'autre en montrant les crocs. Pour vous, on écrira une nécrologie : membre du Parti depuis telle année et nous, on crèvera comme ça. »

Paul Nikolaïevitch n'avait jamais rencontré et ne se souvenait pas d'avoir rencontré une insoumission aussi effrénée, un refus aussi incontrôlable de toute discipline. Et il était tout décontenancé : que pouvait-il opposer à cela ? Il n'allait quand même pas se plaindre à cette péronnelle. Il ne lui restait plus, pour le moment, qu'à cesser la conversation le plus dignement possible. Il ôta ses lunettes, s'allongea avec précaution et remit sa serviette de toilette sur sa figure.

L'indignation et la détresse le tenaillaient à l'idée qu'il s'était laissé faire et était entré dans cet hôpital. Mais demain il serait encore temps d'en sortir.

A sa montre, il était huit heures un peu passées. C'est bon ! il avait décidé maintenant de tout supporter. Ils finiraient bien par se tenir tranquilles.

Cependant, les allées et venues entre les lits et les secousses recommencèrent : c'était Ephrem, naturel-

lement, qui était revenu. Les vieilles lattes du plancher
vibraient sous ses pas et cette vibration se transmettait à Roussanov à travers son lit et son oreiller. Mais
Paul Nikolaïevitch avait décidé de ne plus lui faire de
remarques et de prendre son mal en patience. Que de
goujaterie encore ancrée dans notre population ! et comment la conduire à une société nouvelle avec ce lourd
fardeau qu'elle traîne après elle !

La soirée s'étirait, interminable ! L'infirmière vint une
première fois, puis une seconde, une troisième, une
quatrième, apportant à l'un une potion, à l'autre une
poudre, faisant une piqûre ici et là. Azovkine poussa
plusieurs cris sous la piqûre, quémanda de nouveau la
bouillotte pour dissiper la douleur. Ephrem marchait
toujours pesamment, de long en large, sans trouver
le repos. Akhmadjan et Prochka échangeaient des bavardages, chacun de son lit, comme s'ils n'avaient attendu
que ce moment pour s'animer pour de bon, comme si
rien ne les préoccupait, comme s'ils n'avaient rien à
faire soigner. Diomka lui-même, au lieu de se coucher,
vint s'asseoir sur le lit de Kostoglotov et tous deux
se mirent à marmonner, là, à son oreille.

« J'essaie de lire le plus possible, disait Diomka, pendant que j'ai le temps. J'ai envie d'entrer à l'université.

— C'est très bien. Seulement, retiens bien ceci : l'instruction ne rend pas plus malin. »

(Qu'est-ce qu'il enseigne là à cet enfant, c'te grande
gueule !)

« Comment ça ?

— C'est comme je te dis.

— Qu'est-ce qui rend plus malin, alors ?

— La vie. »

Diomka répondit, après un silence :

« Je ne suis pas d'accord.

— Nous avions dans notre unité un commissaire, qui
s'appelait P... et il disait toujours : « L'instruction ne
« rend pas plus malin, et les grades non plus. Certains
« croient que, parce qu'ils ont une étoile supplémentaire,
« ils sont devenus plus malins. C'est faux. »

— Que faire alors, ne plus étudier ? Je ne suis pas d'accord.

— Pourquoi ne plus étudier ? Mais si, étudie ; seulement n'oublie pas que, l'intelligence, c'est autre chose.

— Mais qu'est-ce que c'est, alors ?

— Qu'est-ce que c'est ? crois ce que tes yeux voient, ne crois pas ce que tes oreilles entendent. Dans quelle faculté tu veux entrer ?

— Justement, je n'ai pas encore décidé. J'aimerais bien la faculté d'Histoire, et j'aimerais bien aussi la faculté des Lettres.

— Et les écoles techniques ?

— Non...

— C'est bizarre. C'était comme ça de mon temps, mais, maintenant, tous les garçons préfèrent la technique. Toi pas ?

— Moi... c'est la vie publique qui me passionne.

— La vie publique ? Oh ! Diomka, avec la technique, on vit bien plus tranquille. Tu ferais mieux d'apprendre à monter des postes de radio.

— Je n'ai pas besoin d'une vie tranquille, moi !... Pour le moment, si je dois rester ici, environ deux mois, il me faut rattraper le programme de première, le programme du deuxième semestre.

— Et les manuels ?

— J'en ai deux. La stéréométrie est très difficile.

— La stéréométrie ? Fais-moi voir un peu ça ! »

On entendit le jeune garçon s'éloigner puis revenir.

« C'est ça, c'est bien ça... la stéréométrie de Kisselev, ce bon vieux bouquin... toujours le même... une droite et un plan parallèles... si une droite est parallèle à une autre droite disposée dans un plan, elle est parallèle aussi à ce plan... Nom d'une pipe, Diomka, ça c'est un bouquin ! Si tout le monde écrivait comme ça ! Il est mince comme tout, pas vrai ? Et qu'est-ce qu'il y en a, là-dedans !

— Il nous sert pendant un an et demi.

— Moi aussi je l'ai utilisé. J'en connaissais un bon bout !

— Quand ça ?

— Je vais te dire... c'était quand j'étais en première, moi aussi, à partir du deuxième semestre, c'est-à-dire en trente-sept et en trente-huit. Cela fait tout drôle de l'avoir dans les mains. C'est la géométrie que je préférais...

— Et après ?

— Que veux-tu dire ?

— Après l'école ?

— Après l'école, je suis entré dans un institut remarquable : l'Institut de Géophysique.

— Où ça ?

— Toujours à Leningrad.

— Et puis ?

— J'ai terminé la première année, mais en septembre trente-neuf est sorti un décret selon lequel on mobilisait à partir de dix-neuf ans, et on m'a embarqué.

— Et après ?

— Et après, tu ne sais pas ce qu'il y a eu ? la guerre.

— Vous étiez officier ?

— Non, sergent.

— Pourquoi ?

— Parce que, si tout le monde devenait général, il ne resterait plus personne pour gagner la guerre... Si un plan traverse une droite parallèle à un autre plan, et coupe ce plan, la ligne d'intersection... Ecoute, Diomka ! Si nous faisions de la stéréométrie tous les deux chaque jour ! On avancerait ! Tu veux ?

— Je veux bien. »

(Il ne manquait plus que cela, là, au-dessous de son oreille !)

« Je te donnerai des devoirs.

— Entendu.

— Autrement, vraiment on perd trop de temps : on va commencer tout de suite. Examinons par exemple ces trois axiomes. Ils ont l'air tout simples, remarque, mais ils seront ensuite dissimulés dans chaque théorème, à toi de voir où. Voici le premier : si deux points d'une droite appartiennent à un plan, chaque point de cette

droite lui appartient. Qu'est-ce que cela veut dire ? Ce
livre, par exemple, disons que c'est un plan et ce crayon
une droite, d'accord ? maintenant essaie de disposer... »

Et les voilà partis à discourir et leurs voix bourdon-
nèrent encore longtemps, discutant d'axiomes et de corollaires. Toutefois, Paul Nikolaïevitch qui, ostensible-
ment, leur tournait le dos, était décidé à tout supporter.
Finalement ils se turent et se séparèrent. Avec une
double dose de somnifère, Azovkine s'était endormi et
avait cessé de gémir. C'est alors qu'Aksakal, du côté de
qui Paul Nikolaïevitch était tourné, commença à tousser.
On avait enfin éteint la lumière et voilà que ce maudit
vieillard toussait et toussait, d'une manière répugnante,
avec de longues quintes coupées de sifflements ; on aurait dit qu'il s'étouffait.

Paul Nikolaïevitch se tourna de l'autre côté. Il enleva
la serviette qu'il s'était mise sur la figure, mais il n'y
avait toujours pas, dans la chambre, de véritable obscurité : de la lumière tombait du couloir, on entendait
du bruit, des allées et venues, des fracas de seaux et de
crachoirs remués.

Le sommeil ne venait pas. La tumeur lui comprimait
le cou. Sa vie, si bien pensée, si harmonieuse et si
utile, menaçait d'être brusquement interrompue. Il était
rempli de pitié pour lui-même. Un rien aurait suffi pour
que les larmes lui montent aux yeux.

Ce dernier coup, ce fut naturellement Ephrem qui le
lui porta. L'obscurité ne l'avait pas calmé et il racontait
à son voisin Akhmadjan un conte tout à fait idiot :

« Pourquoi donc l'homme vivrait-il cent ans ? C'est
parfaitement inutile. Voilà comment ça s'est passé :
Allah distribuait les vies et il donna à toutes les bêtes
sauvages cinquante ans d'existence, jugeant que cela
suffisait. L'homme arriva le dernier et il ne restait plus
à la disposition d'Allah que vingt-cinq ans.

— Le quart, donc ? demanda Akhmadjan.

— C'est ça. Et l'homme fut vexé : c'est bien peu !
Allah répond : « Cela suffit. » Mais l'homme insiste. « Eh
« bien, alors, répond Allah, va toi-même demander, peut-

« être quelqu'un aura-t-il quelques années en trop à te
« donner. » L'homme s'en alla ; et voici qu'il rencontre un
cheval. « Ecoute, dit-il, on m'a donné peu de vie, cède-
« m'en une part de la tienne. — C'est bon, tiens, prends
« vingt-cinq ans. » L'homme poursuivit sa route ; voici
qu'arrive un chien : « Ecoute, chien, cède-moi un peu
« de vie ! — Tiens, prends vingt-cinq ans ! » Il alla plus
loin ; un singe se présente. Il obtient de lui aussi vingt-
cinq ans et retourne auprès d'Allah. Ce dernier lui dit :
« Ce sera comme tu l'auras voulu : les premiers vingt-
« cinq ans, tu vivras comme un homme ; les vingt-cinq
« années suivantes, tu travailleras comme un cheval ;
« les vingt-cinq autres années tu glapiras comme un
« chien, et les vingt-cinq dernières années, tu seras,
« comme un singe, un objet de risée... »

CHAPITRE III

LA PETITE FRANGE

QUOIQUE Zoé fût très dégourdie et qu'elle parcourût son étage sans perdre une seconde, courant de sa table aux lits des malades, puis revenant à sa table, elle vit qu'elle ne réussirait pas à faire toutes les tâches prescrites pour l'heure de l'extinction des lumières. Alors, elle pressa tout le monde afin de terminer et d'éteindre dans la salle des hommes et dans la petite salle des femmes. Dans la grande salle des femmes, en revanche, une salle immense qui contenait plus de trente lits, les malades ne se calmaient jamais, qu'on éteignît ou pas. Un bon nombre de ces femmes étaient hospitalisées depuis longtemps, elles étaient lasses de l'hôpital, leur sommeil était mauvais, il faisait étouffant dans la pièce et c'était d'incessantes discussions pour savoir s'il fallait laisser la porte-fenêtre donnant sur le balcon ouverte ou fermée. Il y avait aussi parmi elles des virtuoses de la conversation en chassé-croisé d'un angle de la pièce à l'autre. Jusqu'à minuit et une heure du matin on débattait là de tout : prix, produits alimentaires, mobilier, enfants, maris, voisines, et sans reculer devant les détails les plus impudiques.

Ce soir, justement, Nelly, une des femmes de salle, était encore là et lavait le plancher ; c'était une fille criarde et fessue, aux gros sourcils et aux grosses lèvres. Elle avait commencé son travail depuis déjà longtemps, mais elle se mêlait à chaque conversation et n'en finissait pas. Pendant ce temps, Sigbatov, dont le lit était dans le vestibule, devant la porte de la chambre des hommes, attendait son bain de siège. A cause de ces bains de chaque soir, et aussi parce qu'il avait honte de la mauvaise odeur de son dos, Sigbatov était resté volontairement dans le vestibule, quoiqu'il fût dans la maison plus ancien que tous les vétérans, et se trouvât ici en service permanent, pour ainsi dire, plutôt que comme malade. Tandis qu'elle courait ici et là, apparaissant puis disparaissant, Zoé fit à Nelly une première remarque puis une seconde ; Nelly se rebiffa, mais n'en continua pas moins au même train qu'avant : elle n'était pas plus jeune que Zoé et jugeait offensant de se soumettre à une gamine. Zoé était arrivée aujourd'hui à son travail dans une humeur excellente, mais l'opposition de cette femme de salle l'irritait. D'une manière générale, Zoé considérait que tout homme a droit à sa part de liberté et qu'on n'est pas obligé, quand on vient à son travail, de s'y consacrer jusqu'à l'épuisement, mais il y avait quand même, quelque part, une mesure raisonnable, surtout quand on se trouvait avec les malades.

Finalement Zoé termina sa distribution, Nelly acheva de frotter son plancher, on éteignit chez les femmes, on éteignit également dans le vestibule et il était déjà minuit passé lorsque Nelly descendit faire chauffer de l'eau au rez-de-chaussée et apporta à Sigbatov sa cuvette quotidienne remplie d'un liquide tiède.

« Ah... ah... ah..., je suis morte de fatigue, dit-elle en bâillant bruyamment. Je vais m'éclipser pour quelques heures. Ecoute, tu vas bien rester dans ta cuvette au moins une heure, c'est pas possible de t'attendre. Alors, tu pourrais aller vider toi-même ta cuvette en bas, non ? »

(Dans ce vieil édifice solidement construit, aux vastes vestibules, on n'avait mis l'eau qu'au rez-de-chaussée.)

Il était désormais impossible de deviner l'homme qu'avait naguère été Charaf Sigbatov ; aucun élément ne permettait d'en juger ; ses souffrances duraient depuis si longtemps que rien ne lui restait, semblait-il, de sa vie d'avant. Mais après trois années d'une maladie accablante et implacable, ce jeune Tatar était le malade le plus courtois, le plus doux de tout le service. Souvent il souriait, d'un pauvre petit sourire, comme s'il s'excusait de tous les tracas qu'il donnait. Après les séjours de quatre puis de six mois qu'il avait faits ici, il connaissait tous les médecins, toutes les infirmières et les femmes de salle, et tout le monde le connaissait. Mais Nelly était une nouvelle, elle était là depuis quelques semaines seulement.

« Ce sera lourd pour moi, répondit doucement Sigbatov. S'il faut le faire, je le ferai plutôt en plusieurs fois. »

La table de Zoé était proche ; elle entendit et bondit :

« Tu n'as pas honte ! Il ne peut pas plier le dos et il devrait te porter sa cuvette, c'est ça ? »

Elle avait presque crié tout cela, mais à mi-voix, personne d'autre qu'eux trois ne pouvait entendre. Nelly, sans perdre de son calme, répondit d'une voix de stentor :

« Honte de quoi ? Je suis crevée, moi aussi.

— Tu es de service ! On te paie pour cela ! reprit Zoé avec indignation, d'une voix encore plus étouffée.

— Ah ouiche ! on me paie ! c'est de l'argent, ça ? même à l'usine textile j'en gagnerais plus.

— Chut !... tu ne peux pas parler plus bas !

— Oh !... oh !... oh !... soupira bruyamment Nelly en agitant ses grosses boucles, mon petit oreiller chéri ! c'est fou comme j'ai envie de dormir... l'autre nuit, j'ai fait la noce avec les chauffeurs... Bon, d'accord, tu n'auras qu'à fourrer ta cuvette sous le lit, je l'enlèverai demain matin. »

Et elle bâilla longuement, profondément, sans mettre la main devant sa bouche, puis elle dit à Zoé en achevant son bâillement :

« Je serai là, dans la salle des réunions, sur le divan. »

Et sans attendre sa permission, elle se dirigea vers une porte qui s'ouvrait dans un coin du vestibule et donnait accès à une pièce au mobilier moelleux réservée aux réunions entre médecins et aux « staffs » quotidiens.

Elle laissait encore beaucoup de travail à faire, des crachoirs à nettoyer ; on aurait pu aussi laver le plancher dans le vestibule ; mais Zoé regarda son large dos et se contint. Elle ne travaillait pas depuis si longtemps elle-même, mais elle commençait à comprendre ce regrettable principe : à ceux qui bossent, on demande toujours double, à ceux qui ne fichent rien, on ne demande rien.

Demain matin Elisabeth Anatolievna la remplacerait, elle nettoierait et laverait pour Nelly et pour elle.

Lorsque Sigbatov se retrouva seul, il dénuda le bas de son dos, s'accroupit dans la cuvette, par terre, près de son lit, et resta là, dans cette position incommode, sans faire de bruit. Le moindre mouvement imprudent lui provoquait une douleur dans le sacrum, et, de plus, tout contact avec l'endroit atteint entraînait une sensation de brûlure, en particulier le contact permanent des draps, aussi essayait-il de se coucher le moins souvent possible sur le dos. Il n'avait jamais vu ce qu'il avait là, par-derrière ; il ne pouvait que tâter cet endroit avec les doigts de temps à autre. Deux ans auparavant, on l'avait amené dans cet hôpital sur une civière : il ne pouvait plus se lever, ni remuer les jambes. De nombreux médecins l'avaient alors examiné, mais c'est Lioudmila Afanassievna qui l'avait toujours soigné. Et en quatre mois le mal avait complètement disparu ! Il pouvait marcher, se pencher, et il se plaignait plus de rien. Au moment de sa sortie de l'hôpital, il avait embrassé les mains de Lioudmila Afanassievna ; elle, de son côté, l'avait mis en garde avec insistance : « Sois prudent, Charaf ! Ne saute pas, ne te donne pas de coups ! » Mais

on ne l'avait pas pris, là où cela aurait convenu ; il avait
donc retrouvé son ancien métier d'expéditeur ; comment
alors se dispenser de sauter de la benne ? Comment ne
pas aider à charger ? Comment ne pas seconder le chauffeur ? Tout ceci ne fut rien, cependant, jusqu'à un certain jour où un tonneau dégringola d'un véhicule et
heurta Charaf juste à l'endroit malade ; et, à l'endroit
du coup, la plaie se mit à suppurer et ne se referma plus.
Et depuis lors, Sigbatov était comme enchaîné au dispensaire des cancéreux.

Toujours contrariée, Zoé s'assit à sa table et vérifia
une fois encore qu'elle avait bien donné tous les soins
prescrits tandis qu'à petits traits d'encre qui, sur ce
mauvais papier, faisaient taches aussitôt sous la plume,
elle repassait sur les lignes déjà pompées par le papier.
Il était inutile de faire un rapport. D'ailleurs ce n'était
pas dans la nature de Zoé. Il fallait venir à bout seule
de cette situation, mais, précisément, dans le cas de
Nelly, elle ne savait pas comment en sortir. Il n'y avait
rien de mal à dormir un peu. Avec une femme de salle
dévouée, Zoé aurait elle-même dormi une moitié de la
nuit. Mais, maintenant, il fallait rester là.

Tandis qu'elle regardait la feuille devant elle, elle
entendit qu'on s'approchait tout près de son bureau.
Elle releva la tête : c'était Kostoglotov, avec son grand
corps, sa tête hirsute et noire comme du charbon et ses
grandes mains qui n'entraient qu'à peine dans les petites poches de côté de sa veste d'hôpital.

« Il est l'heure de dormir depuis longtemps, lui fit
observer Zoé ; pourquoi vous promenez-vous ?

— Bonsoir, petite Zoé, dit Kostoglotov d'une voix
aussi douce que possible, presque chantante même.

— Bonne nuit, répondit-elle avec un bref sourire,
c'était agréable pour moi tout à l'heure, quand je vous
cherchais partout avec mon thermomètre.

— Cela, c'était pendant le travail, ne me grondez pas,
mais maintenant, je suis venu en visite.

— Tiens, tiens ! (Elle relevait les cils, ouvrait de grands
yeux, et cela se faisait tout seul, sans qu'elle s'en rendît

compte.) Pourquoi pensez-vous que je reçois des visites en ce moment ?

— Parce que d'habitude, pendant vos gardes de nuit, vous potassiez toutes sortes de bouquins et qu'aujourd'hui je ne vois pas de manuels. Vous avez fini vos examens ?

— Vous êtes observateur. Oui, j'ai fini.

— Et quelle note avez-vous eue ? Mais c'est sans importance après tout.

— Après tout, j'ai quand même eu quatre. Et pourquoi ce serait sans importance ?

— J'ai pensé que peut-être vous aviez eu un trois et que cela vous déplairait d'en parler. Alors, maintenant, vous êtes en vacances ? »

Elle battit des paupières avec une expression de joyeuse insouciance et, soudain, tout devint clair : et, en effet, pourquoi être de mauvaise humeur ? Deux semaines de vacances, un vrai bonheur ! A part l'hôpital, rien d'autre à faire ! Que de temps libre ! Et pendant ses services de nuit, elle pourrait lire un bon livre, ou bavarder, comme maintenant.

« Donc, j'ai bien fait de venir en visite ?

— Tenez, asseyez-vous.

— Mais dites-moi, Zoé, voyons, les vacances d'hiver, avant, si je me souviens bien, commençaient le 25 janvier.

— Oui, mais à l'automne on est allé cueillir le coton. C'est comme ça chaque année.

— Et combien d'années d'étude vous reste-t-il ?

— Un an et demi.

— Et où peut-on vous nommer ? »

Elle haussa ses petites épaules rondes.

« La patrie est immense. »

Ses yeux qui saillaient, même lorsqu'elle regardait normalement, semblaient ne pas trouver place sous les paupières et vouloir s'échapper.

« Mais on ne pourra pas vous laisser ici ?

— Certainement pas.

— Alors il vous faudra quitter toute votre famille ?

— Quelle famille ? Je n'ai que ma grand-mère. Je la prendrai avec moi.

— Et papa et maman ? »

Zoé poussa un soupir.

« Ma mère est morte. »

Kostoglotov la regarda et ne lui demanda rien sur son père.

« D'où êtes-vous ? d'ici ?

— Non, de Smolensk.

— Ah, ah ! et vous êtes partie depuis longtemps ?

— Quand voulez-vous donc, pendant l'occupation !

— Cela vous faisait... neuf ans environ ?

— C'est ça. Je suis allée deux années à l'école primaire là-bas. Et puis nous sommes venues nous perdre ici, grand-mère et moi. »

Zoé tendit le bras vers un grand sac fourre-tout orange vif, par terre, près du mur ; elle en sortit une glace de poche, ôta sa petite coiffe de docteur, fit bouffer d'une main légère ses cheveux que le petit chapeau avait raplatis et lissa la mince frange dorée qui s'incurvait sur son front.

Un reflet de sa blondeur passa sur le visage dur de Kostoglotov. Son expression s'adoucit et il se mit à l'observer avec satisfaction.

« Et votre grand-mère à vous, où est-elle ? plaisanta Zoé en abaissant sa glace.

— Ma grand-mère, répondit Kostoglotov avec beaucoup de sérieux, et ma maman (ce mot de maman ne lui allait pas), sont mortes toutes deux pendant le blocus.

— Le blocus de Leningrad ?

— Mmm... Et ma sœur a été tuée par un obus. Elle était infirmière. Une fille tout à fait comme vous. Un vrai microbe !

— Oui, dit Zoé gravement, combien sont morts dans ce blocus ! Maudit soit ce Hitler ! »

Kostoglotov eut un sourire sibyllin.

« Qu'Hitler soit maudit, il n'est pas besoin de le prouver une seconde fois. Mais malgré tout, je ne mets pas le blocus de Leningrad sur son compte !

— Quoi ! mais pour quelle raison ?

— Pour quelle raison ? eh bien, voilà : Hitler venait précisément pour nous anéantir. Attendait-on réellement qu'il entrouvre la porte et propose aux assiégés : sortez un par un, et ne vous bousculez pas ? Il faisait la guerre, il était l'ennemi. Non, c'est quelqu'un d'autre qui est responsable du blocus.

— Et qui donc ? chuchota Zoé stupéfaite. Elle n'avait jamais rien entendu dire ni supposé de tel. »

Kostoglotov fronça ses noirs sourcils.

« Eh bien, disons, celui ou ceux qui étaient prêts à la guerre même si avec Hitler s'étaient alliées l'Angleterre, la France et l'Amérique ! Ceux qui, depuis des années, étaient payés pour prévoir la position excentrique de Leningrad. Ceux qui avaient évalué l'intensité des futurs bombardements et avaient pensé à cacher des réserves de provisions sous terre. Ce sont ceux-là, avec Hitler, qui ont fait mourir ma mère. »

C'était simple, mais étonnamment nouveau.

Sigbatov était toujours sagement assis dans sa cuvette, derrière eux, dans le coin.

« Mais alors... mais alors, il faut les juger..., dit Zoé dans un souffle.

— Je ne sais pas, dit Kostoglotov, et un rictus tordit ses lèvres déjà grimaçantes. Je ne sais pas. »

Zoé n'avait pas remis sa coiffe. Le haut de sa blouse déboutonné laissait voir le col d'une robe gris mordoré.

« Ma petite Zoé, à vrai dire je suis venu en partie aussi pour vous demander quelque chose.

— Ah ! ah ! » Ses cils tressaillirent. « Alors, s'il vous plaît, pendant mon service de jour. Et maintenant, il faut dormir ! C'est bien une visite que vous m'aviez annoncée ?

— C'est une visite que je vous fais... Zoé, avant que vous ne perdiez ce que vous avez de bon, avant que vous ne deveniez définitivement médecin, tendez-moi une main fraternelle.

— Alors les médecins, selon vous, ne tendent pas de main fraternelle ?

— Comment vous dire ? Leurs mains ne sont pas comme ça... et puis, d'ailleurs, ils ne vous tendent pas la main. Petite Zoé, toute ma vie je me suis distingué par mon refus d'être traité comme un singe. On me soigne ici, mais on ne m'explique rien. Je ne puis pas l'admettre. J'ai vu que vous aviez un livre intitulé *Anatomie pathologique*. C'est bien ça ?

— Oui.

— C'est sur les tumeurs, n'est-ce pas ?

— Oui.

— Eh bien, soyez compréhensive, apportez-le-moi ! Je veux le feuilleter et me faire une opinion sur certains points. Pour moi tout seul. »

Zoé arrondit les lèvres et hocha la tête.

« Mais les malades ne doivent pas lire de livres de médecine. C'est contre-indiqué. Même lorsque nous, étudiants, nous étudions une maladie, il nous semble toujours...

— C'est peut-être contre-indiqué pour certains, mais pas pour moi ! dit Kostoglotov en frappant la table de sa grosse patte. J'ai connu dans ma vie toutes les peurs possibles et imaginables, et j'ai cessé d'avoir peur. Dans l'hôpital régional où j'étais, un chirurgien coréen, celui qui avait établi mon diagnostic, quelques jours avant le Nouvel An, ne voulait rien m'expliquer non plus et moi je lui ai ordonné de parler. « Ce n'est pas la règle « chez nous », a-t-il dit ; et moi je lui ai répondu : « Par-« lez ! Je dois prendre des dispositions concernant ma « famille !» Alors, il a fini par lâcher : « Vous avez trois « semaines devant vous, ensuite, je ne me prononce « pas ! »

— Il n'en avait pas le droit !

— Voilà quelqu'un de bien ! Voilà un homme ! Je lui ai serré la main. Je dois savoir ! Enfin, cela faisait six mois que je souffrais comme un martyr, j'en étais arrivé le dernier mois à ne plus pouvoir rester ni couché, ni assis, ni debout sans avoir mal, je ne dormais plus que quelques minutes par vingt-quatre heures, eh bien, tout de même, j'avais eu le temps de réfléchir ! Cet automne-

là, j'ai appris que l'homme peut franchir le trait qui le
sépare de la mort tout en restant dans un corps encore
vivant. Il y a encore en vous, quelque part, du sang qui
coule mais, psychologiquement, vous êtes déjà passé par
la préparation qui précède la mort et vous avez déjà
vécu la mort elle-même. Tout ce que vous voyez autour
de vous, vous le voyez déjà comme depuis la tombe, sans
passion, et vous avez beau ne pas vous mettre au nombre
des chrétiens, et même parfois vous situer à l'opposé,
voilà que vous vous apercevez tout à coup que vous avez
bel et bien pardonné à ceux qui vous avaient offensé et
que vous n'avez plus de haine pour ceux qui vous ont
persécuté. Tout vous est devenu égal, voilà tout ; il n'y
a plus en vous d'élan pour réparer quoi que ce soit ; vous
n'avez aucun regret. Je dirai même que l'on est dans un
état d'équilibre, un état naturel, comme les arbres, comme les pierres. Maintenant, on m'a tiré de cet état, mais
je ne sais pas si je dois m'en réjouir ou non. Toutes les
passions vont revenir, les mauvaises comme les bonnes.

— Comment pouvez-vous faire le difficile ! Ne pas se
réjouir, il ne manquerait plus que cela ! Quand vous
êtes entré ici... Ça fait combien de jours ?...

— Douze.

— Eh bien, vous étiez là, dans le vestibule, à vous
tordre sur le divan, vous étiez effrayant à voir, vous
aviez un visage de cadavre, vous ne mangiez rien, vous
aviez trente-huit de fièvre soir et matin, et maintenant ?
Vous faites des visites... C'est un vrai miracle de revivre
comme cela en douze jours ! Cela arrive rarement ici. »

En effet, il avait à ce moment-là, sur tout le visage,
creusées comme par un ciseau, de profondes rides grises, provoquées par la tension constante où il était.
Et maintenant, il y en avait infiniment moins, et son
teint s'était éclairci.

« Toute ma chance, c'est qu'apparemment je supporte
bien les rayons.

— C'est loin d'être fréquent, cela ! C'est un vrai succès ! » dit Zoé avec chaleur.

Kostoglotov eut un sourire amer.

« Ma vie a été tellement riche en malchance que dans
ce succès il y a une justice. Je fais même maintenant
des sortes de rêves, très flous et agréables. Je pense que
c'est un signe de guérison.

— C'est tout à fait possible.

— Raison de plus pour que je comprenne et que je
m'y retrouve ! Je veux comprendre en quoi consiste le
traitement qu'on me fait, je veux savoir quelles sont
les perspectives, quelles sont les complications possibles. Je me sens tellement mieux que peut-être il serait
bon d'arrêter le traitement ? Il faut que j'y voie clair.
Ni Lioudmila Afanassievna ni Vera Kornilievna ne
m'expliquent quoi que ce soit, elles me soignent comme
si j'étais un singe. Apportez-moi ce livre, Zoé, je vous
en prie ! Je ne vous trahirai pas et personne ne s'aper-
cevra de rien, soyez-en sûre. »

Il parlait avec véhémence et avec une animation grandissante.

Zoé, très embarrassée, posa la main sur la poignée de
son tiroir.

« Vous l'avez ici ? devina Kostoglotov. Petite Zoé !
Donnez-le-moi ! — et il tendait déjà la main — Quand
êtes-vous de service la prochaine fois ?

— Dimanche après-midi.

— Je vous le rendrai dimanche ! C'est entendu ! Nous
sommes d'accord ! »

Qu'elle était gentille, qu'elle lui semblait proche avec
cette petite frange dorée, avec ces jolis yeux un peu
saillants !

Il ne se voyait pas lui-même ! Sa tête, aux mèches
tire-bouchonnées dans tous les sens, gardait encore le
désordre de l'oreiller ; il était débraillé comme tous les
malades d'hôpitaux, sa veste bâillait au col et l'on
apercevait un coin du maillot de coton délivré par
l'administration.

« Bien, bien, bien. Il feuilletait le livre et chercha la table des matières. Très bien. Je vais tout trouver là-dedans.
Merci, vraiment. Après tout, qui me dit qu'ils ne vont pas
le faire trop durer, leur traitement. Ce qui les intéresse,

c'est faire des statistiques, c'est bien connu. Mais qui sait si je ne leur fausserai pas compagnie ? A trop guérir, on fait mourir.

— Alors, c'est comme ça ! s'exclama Zoé en joignant les mains de surprise indignée. J'avais bien besoin de vous donner ce livre ! Si c'est comme ça, rendez-le-moi. »

Et elle tira sur le livre, d'abord d'une main, puis à deux mains. Mais Kostoglotov tenait bon.

« Vous allez déchirer la fiche de bibliothèque ! Rendez-le-moi ! »

La blouse d'hôpital modelait et soulignait ses épaules rondes et dodues, ses petits bras potelés. Son cou n'était ni maigre, ni gros, ni court, ni long ; il était tout à fait harmonieux.

En se disputant le livre, ils s'étaient rapprochés l'un de l'autre et se regardaient maintenant dans le blanc des yeux. Le visage sans grâce de Kostoglotov s'élargit dans un sourire. Et sa balafre ne paraissait plus aussi affreuse ; d'ailleurs, c'était une cicatrice ancienne, déjà pâlie. Tandis que de sa main libre il détachait doucement du livre les doigts de la jeune fille, Kostoglotov essayait à mi-voix de la convaincre :

« Petite Zoé, enfin, vous n'êtes pas partisan de l'obscurantisme, vous êtes bien pour l'instruction. Comment peut-on empêcher les gens de développer leurs connaissances ? »

Avec la même véhémence elle lui répondit en chuchotant :

« Je vais vous dire pourquoi vous êtes indigne de lire ce livre : comment avez-vous pu en arriver là ? Pourquoi n'êtes-vous pas venu plus tôt ? Pourquoi fallait-il que vous arriviez déjà mourant ?

— Hé hé hé », soupira Kostoglotov, et il ajouta d'une voix plus forte : « Il n'y avait pas de transport.

— Mais qu'est-ce que c'est que cet endroit où il n'y a pas de transport ? Il fallait prendre l'avion, alors ! Mais pourquoi attendre la dernière extrémité ? Pourquoi n'être pas venu plus tôt dans un endroit un peu

plus civilisé ? Vous avez bien un médecin, un aide-médecin là-bas ? »

Elle lâcha le livre.

« Il y a un médecin, un gynécologue ; ils sont deux
même...

— Deux gynécologues ? dit Zoé, interloquée. Alors il n'y
a que des femmes là-bas avec vous ?

— Au contraire, les femmes manquent. Il y a deux
gynécologues, mais il n'y a pas d'autres médecins ; pas
de laboratoire non plus. On ne pouvait pas me faire
d'analyse de sang. J'avais une vitesse de sédimentation
de soixante, et personne ne le savait.

— Quelle horreur ! Et vous voilà à tergiverser encore :
vais-je me laisser soigner ou non ? Si vous ne voulez pas
faire cela pour vous, faites-le au moins pour vos proches, pour vos enfants !

— Mes enfants ! » dit Kostoglotov qui parut se réveiller, comme si tout ce joyeux remue-ménage avec le livre
n'était qu'un rêve ; et il retrouvait peu à peu son visage
dur, sa parole lente.

« Je n'ai pas d'enfants.

— Et votre femme, elle ne compte pas ? »

Sa parole se ralentit encore.

« Je n'ai pas de femme non plus.

— Les hommes n'ont qu'un mot à la bouche : non.
Et ce que vous avez dit au Coréen ? Ces affaires de
famille que vous aviez à régler ?

— Je lui ai menti.

— Ou bien c'est à moi que vous mentez, en ce moment ?

— Non, croyez-moi, non, dit Kostoglotov et son visage
s'alourdissait. Je ne suis pas facile à contenter, vous
savez.

— Elle n'a pas supporté votre caractère, peut-être ? »
demanda Zoé, hochant la tête avec sympathie.

Kostoglotov fit signe que non.

Perplexe, Zoé évaluait mentalement l'âge qu'il pouvait avoir. Elle ouvrit la bouche une première fois
pour le lui demander et renonça à sa question. Elle

ouvrit la bouche une seconde fois, mais se retint encore.

Zoé tournait le dos à Sigbatov, tandis que Kostoglotov se trouvait en face de lui, et il le vit se lever de sa cuvette avec d'infinies précautions, les deux mains soutenant ses reins, puis il le vit s'essuyer. Il avait l'air d'un homme qui, ayant souffert tout ce qu'on peut souffrir, a déjà du recul en face du plus extrême malheur, mais que plus rien n'appelle à aucune joie.

Kostoglotov inspira profondément, puis expira, comme si respirer était un vrai travail.

« Oh ! Quelle envie j'ai de fumer ! Ce n'est vraiment pas possible, ici ?

— Non, ce n'est pas possible. Et, pour vous, fumer, c'est la mort.

— Il n'y a donc pas moyen ?

— Pas moyen, surtout en ma présence. »

Mais elle souriait.

« Peut-être je pourrais en fumer une quand même ?

— Les malades dorment, ce n'est pas possible ! »

Il tira quand même de sa poche un long porte-cigarette démontable, fait à la main, et se mit à le suçoter.

« Vous savez ce que les gens disent : pour se marier, quand on est jeune, c'est trop tôt ; quand on est vieux, c'est trop tard. (Il s'appuya des deux coudes sur la table de Zoé et fourra les doigts qui tenaient le porte-cigarette dans ses cheveux.) J'ai presque failli me marier après la guerre ; j'étais étudiant, pourtant, et elle aussi était étudiante. On se serait marié de toute manière, mais tout est tombé par terre. »

Zoé observait le visage rébarbatif mais énergique de Kostoglotov, ses épaules et ses bras osseux (mais c'était à cause de la maladie).

« Cela n'a pas marché ?

— Elle a... comment dire ça ?... Elle a sombré, dit-il en faisant une vilaine grimace qui lui fit fermer un œil tandis que l'autre continuait de la fixer. Elle a sombré, mais, en fait, elle est en vie. L'année dernière, nous avons échangé quelques lettres. »

Son visage se détendit. Apercevant entre ses doigts

son porte-cigarette, il le remit à sa place dans sa poche.

« Et savez-vous, en lisant certaines phrases de ces lettres, je me suis tout d'un coup demandé si, alors, elle était vraiment aussi parfaite que je la voyais... Peut-être que non ? Que comprenons-nous à vingt-cinq ans ? »

Il regardait Zoé bien en face, de ses grands yeux marron foncé.

« Tenez, vous, par exemple, qu'est-ce que vous comprenez aux hommes ? Rien de rien. »

Zoé se mit à rire.

« Peut-être que je comprends très bien justement ?

— C'est radicalement impossible, dit Kostoglotov sentencieusement ; ce que vous croyez comprendre, vous ne le comprenez pas ; et quand vous vous marierez, vous vous tromperez, immanquablement !

— C'est réjouissant ! » dit Zoé et, hochant la tête, elle tira de son grand sac orange et déplia un ouvrage de broderie : un petit morceau de canevas, tendu sur un tambour, avec un héron vert déjà brodé et un renard et un vase qui n'étaient encore que dessinés.

Kostoglotov regardait, éberlué.

« Vous brodez ?

— Et pourquoi ! cela vous étonne ?

— Je n'imaginais pas qu'à l'heure actuelle une étudiante en médecine pût faire de la broderie.

— Vous n'avez jamais vu de jeunes filles broder ?

— Jamais, sauf peut-être dans ma plus tendre enfance. Pendant les années 20. Et encore, cela passait pour une occupation bourgeoise. On vous aurait fouettée pour cela à l'assemblée du Komsomol.

— Maintenant, c'est très répandu. Vous n'aviez pas encore vu ? »

Kostoglotov secoua la tête.

« Et vous désapprouvez ?

— Pas du tout ! C'est si charmant, si intime. J'admire. »

Alignant point après point, elle se laissait admirer. Elle regardait son ouvrage et lui la regardait. Dans la lumière jaune de la lampe, ses cils dorés brillaient et le

coin de robe qui dépassait de son col de blouse cha-
toyait doucement.

« Vous êtes ma petite mésange à frange...

— Comment ? » dit-elle en le regardant par en dessous,
les sourcils relevés.

Il répéta.

« Ah oui ? »

On eût dit que Zoé attendait un compliment plus
flatteur.

« Mais là où vous habitez, puisque personne ne brode,
peut-être trouve-t-on facilement des moulinets ?

— Des quoi ?

— Des moulinets. Tenez, ces fils-là, verts, bleus, rouges, jaunes. Ici, c'est très difficile à trouver.

— Des moulinets. Je n'oublierai pas. S'il y en a, je
vous en enverrai, vous pouvez y compter. Mais s'il se
trouve que nous en avons des réserves illimitées, pourquoi ne viendriez-vous pas tout simplement vous installer chez nous ?

— Mais où est-ce donc enfin, chez vous ?

— C'est un peu les terres vierges, si vous voulez.

— Alors vous venez des terres vierges ? Vous êtes
un pionnier ?

— A vrai dire, quand je suis arrivé, personne n'appelait cela la terre vierge. Mais depuis, on a découvert
que c'était une terre vierge et on nous envoie des pionniers. Quand on fera la répartition de postes, demandez
à venir chez nous ! On ne refusera certainement pas.
Venir chez nous, cela ne se refuse jamais.

— C'est donc si peu attrayant ?

— Nullement. Seulement les notions de bon et de
mauvais sont complètement renversées. On trouve très
bien de vivre dans une cage de quatre étages avec au-
dessus de sa tête des gens qui tapent et qui marchent
et avec la radio de tous côtés, mais vivre parmi de labo-
rieux cultivateurs dans une petite maison en pisé,
au bord de la steppe, passe pour la pire des malchan-
ces. »

Il parlait très sérieusement, avec la conviction lasse

de celui qui ne veut pas donner de force à ses arguments, même en élevant la voix.

« Mais c'est la steppe ou c'est le désert ?

— C'est la steppe. Il n'y a pas de dunes et il y a quand même un peu d'herbes. Il y a du « kantak », c'est le chardon des chameaux, vous ne connaissez pas ? C'est un épineux, mais qui a des fleurs rosées en juillet et même un parfum très délicat. Les Kazakhs en tirent une centaine de médicaments.

— Donc, c'est au Kazakhstan ?

— Oui, c'est ça.

— Comment cela s'appelle ?

— Ouch-Terek.

— C'est un aoul ?

— Oui, un aoul, ou un chef-lieu de district, si vous voulez. Il y a un hôpital, seulement on manque de médecins. Vous devriez venir ! »

Il ferma à demi les yeux.

« Et rien d'autre ne pousse ?

— Si, pourquoi, on irrigue ; il y a de la betterave, du maïs. On trouve de tout dans les jardins, mais il faut en mettre un coup. Avec son « tchekmène » de toile sur le dos. Au marché les Grecs ont toujours du lait à vous vendre. Les Kurdes, du mouton, les Allemands, du porc. Quels marchés pittoresques nous avons ! Si vous voyiez ! Tout le monde est en costume national et arrive à dos de chameau.

— Vous êtes agronome ?

— Non. Administrateur rural.

— Mais pourquoi vivez-vous là-bas ? »

Kostoglotov se gratta le nez.

« Le climat me plaît beaucoup.

— Et il n'y a pas de transport ?

— Si, pourquoi, il y a des voitures autant que vous voulez.

— Mais pour quelle raison irais-je là-bas, moi ? »

Elle le regardait du coin de l'œil. Pendant qu'ils bavardaient, le visage de Kostoglotov s'était humanisé et adouci.

« Vous ? Il leva haut les sourcils comme s'il allait porter un toast ; et comment savez-vous, petite Zoé, en quel point de la terre vous serez heureuse ? En quel autre vous serez malheureuse ? Qui peut prétendre connaître son avenir ? »

CHAPITRE IV

INQUIETUDES DES MALADES

On manquait de place, dans les salles du rez-de-chaussée, pour les « chirurgicaux » (ceux dont il était prévu d'opérer la tumeur) et on les mettait également à l'étage, mélangés avec les « radiothérapiques » (que l'on traitait, eux, aux rayons, ou par chimiothérapie). Aussi, en haut, chaque matin, y avait-il deux visites : les radiologues venaient voir leurs malades et les chirurgiens venaient voir les leurs.

Mais le 4 février était un vendredi, jour où l'on opérait, et les chirurgiens ne firent pas de visite. De son côté, le docteur Vera Kornilievna Gangart, le médecin traitant des « radiothérapiques », n'alla pas non plus faire de visite lorsque le « staff » fut terminé. Parvenue à hauteur de la salle des hommes, elle se borna à jeter un coup d'œil par la porte.

Vera Gangart était petite et très bien faite ; l'étranglement très marqué de sa taille renforçait cette impression. Ses cheveux noués en chignon sur la nuque, sans souci de la mode, étaient moins sombres que des cheveux noirs ; ils n'étaient pas non plus châtains ; ils étaient de cette couleur qu'on nous propose bizarrement d'appeler auburn, mais je préfère dire : châtain roux.

Akhmadjan l'aperçut et la salua joyeusement de la tête. Kostoglotov leva les yeux du gros livre qu'il lisait juste à temps pour s'incliner de loin lui aussi. Elle leur sourit à tous les deux et leva le doigt, comme on fait signe aux enfants de rester sages. Puis, tout de suite, elle disparut de l'embrasure de la porte.

Aujourd'hui, elle devait faire le tour des malades en compagnie du chef de service de radiothérapie, le docteur Lioudmila Afanassievna Dontsova, mais celle-ci, pour le moment, était retenue par le médecin-chef de l'hôpital, Nizamoutdine Bakhramovitch, qui l'avait convoquée.

Ces jours de visite, une fois par semaine, étaient les seuls que le docteur Dontsova sacrifiât à la radioscopie. D'ordinaire, avec son interne, elle passait devant l'écran les deux premières heures de la matinée, celles où l'œil est le plus vif et l'esprit le plus clair. Elle estimait que c'était la partie la plus difficile de son travail et, en vingt ans et plus de ce travail, elle avait compris ce qu'il en coûte de faire des erreurs de diagnostic. Elle avait trois médecins dans son service, trois jeunes femmes, et afin que l'expérience de chacune d'elles fût égale et qu'aucune d'entre elles ne se déshabituât du diagnostic, le docteur Dontsova leur faisait faire un roulement et, tous les trois mois, elle les envoyait à tour de rôle à la consultation, puis en salle de radio, et enfin en hôpital, comme médecin traitant.

Le docteur Gangart en était actuellement à cette troisième période. Le problème le plus important, ici, le plus dangereux et le plus mal connu était de veiller à un dosage précis des rayons. Il n'existait pas de formule permettant de calculer l'intensité et la dose de rayons les plus mortelles pour chaque tumeur et les moins nocives pour le reste du corps ; une telle for-

mule n'existait pas ; en revanche il y avait une certaine
part d'expérience, un certain flair, et aussi la possibilité de se référer à l'état du malade. Il s'agissait, là
aussi, d'une opération, mais d'une opération aux rayons,
menée à l'aveuglette, étirée dans le temps. Il était
impossible de ne pas léser, de ne pas détruire des cellules saines.

Les autres obligations du médecin traitant n'exigeaient que de la méthode : il fallait faire faire les
analyses à temps, contrôler les résultats, les reporter
dans trente dossiers de maladie. Aucun médecin n'aime
remplir des colonnes de formulaires. Mais Vera Kornilievna, ces trois derniers mois, avait pris son parti
de ce travail depuis qu'elle avait devant elle non plus
un pâle lacis de lumières et d'ombres sur un écran, mais
des malades bien à elle, des hommes et des femmes
bien vivants qu'elle avait appris à connaître, qui lui
faisaient confiance et attendaient d'elle des paroles
d'encouragement et des regards leur redonnant espoir.
Et lorsqu'il lui fallait céder sa place de médecin
traitant, elle se séparait toujours avec beaucoup de
regrets de ceux dont elle n'avait pas achevé le traitement.

L'infirmière de service, Olympiade Vladislavovna, une
femme d'âge mûr, grisonnante, qui en imposait beaucoup à tous et avait plus de prestance que certains
médecins, vint annoncer de salle en salle que les
« radiothérapiques » ne devaient pas s'éloigner. Dans
la grande salle des femmes, cette information agit
comme un signal : sur-le-champ, l'une derrière l'autre,
dans leurs blouses grises toutes semblables, les malades s'enfilèrent dans l'escalier, et disparurent quelque
part en bas, l'une pour voir si le vieux qui vendait de
la crème ou la marchande de lait n'étaient pas encore
arrivés ; une autre pour jeter un coup d'œil, du perron,
par les fenêtres de la salle d'opération (par-dessus les
carreaux du bas, qui étaient badigeonnés de blanc, on
apercevait les bonnets des chirurgiens et des infirmières et la lumière vive des lampes, au-dessus de leurs

têtes) ; celle-ci pour laver un peu de linge dans le lavabo ; celle-là pour faire une visite.

Ce n'était pas seulement leur destin de futures opérées, c'était aussi ces blouses grises de futaine, tout élimées, sales d'aspect même lorsqu'elles étaient tout à fait propres, qui mettaient ces femmes à part, les enlevaient à leur destin de femme, à leur charme de femme. La coupe de ces blouses était inexistante : elles étaient toutes suffisamment amples pour que n'importe quelle grosse femme puisse s'en envelopper et les manches pendaient comme de gros tuyaux informes. Les vestes à raies roses des hommes étaient beaucoup plus seyantes ; aux femmes on ne délivrait pas de robes, mais seulement ces blouses, dépourvues de boutons et de boutonnières. Toutes, elles serraient à leur taille les mêmes ceintures de futaine pour que la blouse ne s'ouvrît pas sur leur chemise, et toutes, du même geste, retenaient leur blouse de la main sur la poitrine. Accablée par la maladie, rendue misérable dans cette blouse, la femme ne pouvait réjouir le regard de personne et elle en était consciente.

Dans la chambre des hommes, cependant, tout le monde, sauf Roussanov, attendait sagement et tranquillement la visite.

Le vieil Ouzbek (il était gardien de kolkhoze et s'appelait Moursalimov) était allongé sur le dos sur son lit fait. Il était coiffé, comme toujours, de sa petite calotte usée, archi-usée, il semblait tout heureux que la toux ne le déchirât point. Les mains croisées sur sa poitrine oppressée, il regardait un point du plafond. Son crâne saillait sous sa peau basanée. On distinguait nettement les ailes du nez, les pommettes, l'os aigu du menton sous la barbiche en pointe. Ses oreilles amincies n'étaient plus que de petits cartilages plats. Encore un peu plus sombre de peau et un peu plus desséché, il aurait tout à fait l'air d'une momie.

Son voisin, le Kazakh entre deux âges (il s'appelait Eguenbourdiev et était berger), n'était point couché mais assis sur son lit, les jambes croisées, tout comme

chez lui sur son tapis. Les paumes de ses larges et fortes mains enserraient ses gros genoux ronds et son
corps râblé et charnu était si solidement ajusté que,
s'il lui arrivait parfois d'osciller, dans son immobilité,
c'était, pour ainsi dire, imperceptible, comme pour une
tour ou une cheminée d'usine. Ses épaules et son dos
gonflaient sa veste rayée de rose et à l'endroit de ses
biceps le tissu était tendu à craquer. Le petit ulcère
qu'il avait à la lèvre en entrant dans cet hôpital s'était
transformé ici, sous le tube irradiant, en une grosse
croûte violacée qui lui couvrait la bouche et l'empêchait de boire et de manger. Mais il ne s'emportait pas,
il ne se démenait pas, il ne criaillait pas non plus ;
sagement, il avalait toutes ses assiettées, sans rien
laisser, et il pouvait rester tranquillement assis, comme
maintenant, des heures entières, le regard perdu.

Plus loin, près de la porte, le garçon de seize ans
qui s'appelait Diomka avait allongé sa jambe malade
sur son lit et il caressait et massait doucement, sans
relâche, l'endroit douloureux de son mollet. Il avait
replié sous lui son autre jambe, comme un petit chat,
et il lisait, indifférent à tout le reste : on peut dire
que tout le temps où il ne dormait pas, tout le temps
qui n'était pas réservé aux soins, il le passait à lire.
Au laboratoire d'analyses, il y avait une bibliothèque
dont s'occupait la laborantine principale et Diomka
avait déjà réussi à avoir ses entrées là-bas, il échan-
geait lui-même ses livres sans attendre le tour de rôle
de sa chambre. En ce moment il lisait une revue à
couverture bleu foncé, une vieille revue fatiguée, man-
gée par le soleil : il n'y avait pas de livres neufs dans
l'armoire de la laborantine.

Prochka qui avait fait son lit consciencieusement,
sans rides ni bosses, attendait lui aussi gravement,
patiemment, assis sur le bord de son lit, comme un
homme en parfaite santé. Il était d'ailleurs en parfaite
santé ; il ne se plaignait de rien, il n'avait aucune
affection visible, le hâle qui couvrait ses joues lui donnait une mine superbe, une mèche bien lissée descen-

dait sur son front. C'était un gars splendide, les filles devaient certainement se le disputer au bal.

Ne trouvant personne avec qui jouer, son voisin Akhmadjan avait posé sur sa couverture son damier, un des coins face à lui, et il jouait tout seul « aux quatre coins ».

Ephrem avait interrompu ses déambulations dans le passage central qui donnaient à tous le cafard ; bien calé sur son lit, le dos redressé par deux oreillers, avec son pansement qui lui faisait comme une cuirasse et sa tête toute rigide, il lisait, d'une traite, le livre que Kostoglotov lui avait passé la veille. A vrai dire, il tournait les pages si rarement qu'on pouvait se demander s'il ne somnolait pas sur sa lecture.

Quant à Azovkine, il souffrait tout autant que la veille. Peut-être même n'avait-il pas dormi du tout. Ses affaires étaient jetées en désordre sur la table de nuit et sur l'appui de la fenêtre ; son lit était tout défait. La sueur perlait à son front et à ses tempes ; comme la veille, on voyait son visage jaune se crisper par moments sous l'effet de ses souffrances intérieures. Plié en deux, il se tenait le ventre à deux mains. Déjà, depuis de nombreux jours, il ne répondait plus aux questions qu'on lui posait dans la chambre, il ne parlait plus de son état. Il n'ouvrait la bouche que pour réclamer des médicaments supplémentaires aux infirmières et aux médecins. Et, lorsque les membres de sa famille venaient le voir, il les envoyait lui acheter davantage encore de ces médicaments qu'on lui donnait ici.

Dehors, le jour était maussade, terne, immobile. Revenu de la séance des rayons à laquelle il allait le matin, Kostoglotov ouvrit le vasistas, au-dessus de sa tête, sans demander l'avis de Roussanov, et, de là-haut, venaient des bouffées d'air, plus humides que froides, il est vrai.

Craignant le courant d'air pour sa tumeur, Paul Nikolaïevitch emmitoufla son cou et s'assit un peu plus loin du mur. Quel ramassis d'arriérés, tous là sans réaction, de vraies bûches ! Visiblement, à part Azovkine, personne ne souffre vraiment ici ; donc, personne n'est digne de guérir. C'est Gorki, je crois, qui a dit que seul est digne de liberté celui qui lutte quotidiennement pour elle. Paul Nikolaïevitch, lui, sans plus attendre, avait entrepris, le matin, des démarches décisives. Dès l'ouverture du bureau des entrées, il était allé téléphoner chez lui et avait fait part à sa femme de sa décision de la nuit : il fallait essayer par tous les moyens de le faire transférer à Moscou ; il ne pouvait pas courir le risque de rester ici, ce serait sa perte. Débrouillarde comme il la connaissait, Capitoline devait déjà être en action. Bien sûr, cela avait été de la lâcheté de s'effrayer d'une tumeur et d'entrer dans cet hôpital. D'ailleurs, qui l'aurait cru ?... depuis hier, à trois heures de l'après-midi, personne n'était venu palper sa tumeur et se rendre compte si elle grossissait ! Personne ne lui avait donné de médicaments ! « Des assassins en blouses blanches ! », comme c'était bien trouvé ! Et cette feuille de température, elle est là pour des imbéciles ? Aucune femme de salle n'était venue lui faire son lit ; débrouille-toi tout seul ! Non, vraiment, nos établissements hospitaliers ont bien besoin de s'améliorer sérieusement !

Enfin, les médecins apparurent, mais ils n'entrèrent pas tout de suite : arrêtés là-bas, derrière la porte, ils entouraient Sigbatov. Cela dura pas mal de temps. Le jeune homme avait découvert son dos et le leur montrait. (Kostoglotov profita de ces quelques minutes pour cacher son livre sous son matelas.)

Ils finirent quand même par entrer dans la chambre, à trois : le docteur Dontsova, le docteur Gangart et l'imposante infirmière de service, une serviette de toilette sur le bras et un carnet à la main. L'arrivée simultanée de plusieurs blouses blanches provoque toujours un afflux d'attention, de crainte et d'espoir, et ces trois sentiments sont d'autant plus forts que les blouses et les coiffes sont plus blanches et les visages plus sévères. Dans le petit groupe, c'était l'infirmière Olympiade Vladislavovna qui avait l'air le plus sévère et le plus solennel : la visite, pour elle, était comme la messe pour le diacre. Elle faisait partie de ces infirmières pour qui le médecin est supérieur au commun des gens et qui, persuadés que les médecins comprennent tout, ne se trompent jamais et ne donnent jamais de prescriptions erronées, inscrivent dans leur carnet chacune des prescriptions avec un sentiment proche du bonheur, que n'éprouvent même pas les jeunes infirmières débutantes.

Quoi qu'il en soit, une fois entrés, les médecins ne se dépêchèrent nullement de venir voir Roussanov ! Lioudmila Dontsova, une femme corpulente, avec un visage simple et rude et des cheveux déjà gris mais coupés courts et ondulés, dit bonjour à la cantonade, sans élever la voix, puis, s'arrêtant près du premier lit, celui de Diomka, elle posa sur le jeune homme un regard scrutateur.

« Que lis-tu, Diomka ? »

(Elle n'aurait pas pu trouver une question un peu plus intelligente ! Un docteur dans l'exercice de ses fonctions !)

Selon l'habitude de beaucoup, Diomka ne répondit pas et retourna sa revue, montrant à la doctoresse la couverture bleu fané qui la couvrait. Le docteur Dontsova cligna les yeux.

« Oh ! c'est une vieille revue, elle date de l'année dernière. Pourquoi lis-tu cela ?

— Il y a un article intéressant, dit Diomka gravement.

— A quel sujet ?

— Sur la sincérité ! répondit Diomka d'un ton encore plus important ; sur l'absence de sincérité dans la littérature, qui... »

Il voulait poser sa jambe malade par terre, mais Lioudmila Afanassievna le retint avec vivacité.

« Non, ne fais pas cela ! remonte ta jambe de pantalon. »

Il remonta sa jambe de pantalon, elle s'assit sur son lit et, prudemment, à distance, avec deux ou trois doigts, elle se mit à lui palper la jambe.

Vera Kornilievna, qui était debout derrière elle, appuyée au montant du lit, et regardait par-dessus son épaule, lui dit à voix basse :

« Quinze séances, trois mille unités R.

— Tu as mal ici ?

— Oui.

— Et ici ?

— Ici, et encore plus loin.

— Pourquoi ne le dis-tu pas ? Quel héroïsme ! Il faut me dire où tu as mal. » Et ses doigts, lentement, localisaient la douleur.

« Et quand on n'y touche pas, ça fait mal ? La nuit, par exemple ? »

Il n'y avait pas encore l'ombre d'un duvet sur le pur visage de Diomka, mais l'expression de tension constante qu'on y lisait l'avait beaucoup mûri.

« Cela me fait mal jour et nuit. »

Lioudmila Afanassievna et le docteur Gangart échangèrent un regard.

« Mais quand même, depuis que tu es ici, tu as l'impression d'avoir plus ou moins mal ?

— Je ne sais pas ; un peu moins mal peut-être ; mais peut-être que je me trompe.

— Le sang », demanda Lioudmila Afanassievna, et le docteur Gangart lui tendit aussitôt le dossier de maladie du jeune garçon. Lioudmila Afanassievna le parcourut, puis son regard se posa à nouveau sur Diomka.

« Tu as de l'appétit ?

— J'ai toujours plaisir à manger, répondit Diomka avec le plus grand sérieux.

— Il nous réclame du supplément, maintenant, ajouta Vera Kornilievna d'une voix caressante et douce, presque maternelle, et elle sourit à Diomka qui lui rendit son sourire. — Une transfusion ? demanda-t-elle brièvement à voix plus basse, en reprenant le dossier de maladie.

— Oui. Bon, alors, Diomka ? reprit Lioudmila Afanassievna, qui scrutait à nouveau le visage du garçon... On continue les rayons ?

— Bien sûr qu'on continue ! » dit-il, et sa figure s'éclaira tandis qu'il la regardait avec reconnaissance.

Pour lui, cela signifiait qu'on ne lui ferait pas d'opération ; et il lui semblait que, pour le docteur Dontsova,

cela signifiait la même chose. (En fait, le docteur Dontsova savait très bien qu'avant d'opérer un sarcome osseux, il fallait réduire son activité en le traitant aux
rayons pour barrer la route aux métastases !)

Eguenbourdiev, qui était prêt depuis longtemps, ne
perdait pas un geste du docteur Dontsova et, dès qu'il
la vit se lever du lit voisin, il se dressa de toute sa
hauteur dans le passage central, bombant le torse, planté
comme un soldat.

Le docteur Dontsova lui sourit, s'approcha de sa lèvre
et examina la croûte qui s'y étalait. A voix basse, le
docteur Gangart lui lisait quelques chiffres.

« Bien, très bien ! dit Lioudmila Afanassievna d'un
ton encourageant, parlant plus fort qu'il ne fallait,
comme on fait toujours lorsqu'on s'adresse à un interlocuteur de langue différente.

— Tout va bien, Eguenbourdiev ! Tu vas bientôt rentrer chez toi ! »

Conscient de ses attributions, Akhmadjan traduisit en
ouzbek (Eguenbourdiev et lui se comprenaient, quoique
chacun d'eux ait l'impression que l'autre écorchait la
langue).

Eguenbourdiev posa sur la doctoresse un regard où
brillaient l'espoir, la confiance et même l'admiration,
cette admiration que les âmes simples comme la sienne
vouent à ceux dont la grande instruction et le dévouement ne font de doute pour personne. Néanmoins, indiquant de la main la croûte de sa lèvre, il prononça
quelques mots qu'Akhmadjan traduisit :

« Est-ce que cela s'est étalé ? est-ce que cela a grossi ?

— Tout cela va disparaître ! C'est normal ainsi ! dit
le docteur Dontsova en forçant exagérément la voix.
Tout va disparaître ! Tu vas aller te reposer trois mois
chez toi, puis tu reviendras nous voir ! »

Elle passa au vieux Moursalimov. Il était assis, les
pieds posés par terre, et essayait de se lever pour aller
au-devant d'elle, mais elle l'en empêcha et s'assit à son
côté. Le regard que ce vieillard desséché et noirâtre
fixait sur elle exprimait la même foi totale en l'omni-

potence du médecin. Toujours secondée par Akhmadjan,
elle l'interrogea sur sa toux et lui demanda de remonter
sa chemise ; elle appuya sur sa poitrine, là où cela lui
faisait mal, elle l'ausculta en tapant d'une main sur
l'autre, se fit dire par Vera Kornilievna le nombre de
transfusions et de piqûres qu'on lui avait faites, regarda,
sans mot dire, le dossier de maladie. Hier, tout avait
une utilité, tout était à sa place dans un corps sain,
aujourd'hui, tout était inutile, et ce corps n'était plus
que des nœuds et des pointes qui saillaient.

Le docteur Dontsova lui prescrivit encore d'autres
piqûres et lui demanda de sortir de sa table de nuit
les comprimés qu'il prenait et de les lui montrer.

Moursalimov prit dans son tiroir un flacon de polyvi-
tamines vide... « Quand l'as-tu acheté ? » demanda le
docteur Dontsova. Akhmadjan traduisit : avant-hier.
« Et où sont les comprimés ? » — « J'ai tout pris. »

« Comment cela ? dit le docteur avec surprise ; tout
en une fois ?

— Non, en deux fois », traduisit Akhmadjan.

Les docteurs, les infirmières, les malades d'origine
russe, Akhmadjan, tous éclatèrent de rire ; Moursalimov
lui-même esquissa un sourire, sans bien comprendre
encore.

Et Paul Nikolaïevitch fut seul à s'indigner de ce rire,
qu'il jugea criminel, déplacé, insensé. Mais on allait voir
comme il allait les rendre à la raison ! Il chercha la
pose qui serait la meilleure pour recevoir ces médecins
et décida qu'à demi couché, les jambes repliées, il aurait davantage d'autorité.

« Ce n'est pas grave, ce n'est pas grave ! » dit le docteur Dontsova à Moursalimov pour le réconforter et elle
lui prescrivit encore de la vitamine C, puis elle s'essuya
les mains à la serviette que lui tendait avec ferveur
l'infirmière et, le visage soucieux, elle se tourna vers le
lit voisin. La lumière de la fenêtre proche souligna alors
le teint grisâtre et malsain de ce visage, et son expression profondément lasse, presque maladive.

Chauve, coiffé d'une petite calotte et chaussé de lunettes, assis sévèrement dans son lit, Paul Nikolaïevitch faisait penser à un maître d'école ; non point à n'importe quel maître d'école, mais à un de ces maîtres d'école émérites, qui ont, durant leur carrière, formé des centaines d'élèves. Il attendit que Lioudmila Afanassievna fût parvenue au pied de son lit, redressa ses lunettes et déclara :

« C'est bon, camarade Dontsova. Je serai forcé de parler de l'organisation de ce service au ministère de la Santé et il faudra téléphoner au camarade Ostapenko. »

Elle n'eut pas un tressaillement, son visage ne pâlit point, peut-être devint-il seulement un peu plus terreux. Elle fit un étrange mouvement simultané des deux épaules, un mouvement circulaire comme si ses épaules étaient lasses des sangles qui les opprimaient et ne pouvaient s'en libérer.

« Si vous avez accès facilement au ministère de la Santé, pourquoi pas ? admit-elle aussitôt, et même, vous pouvez téléphoner au camarade Ostapenko, je vous fournirai d'autres sujets de récriminations, voulez-vous ?

— La mesure est suffisamment comble comme cela ! une indifférence comme la vôtre dépasse toute imagination ! cela fait dix-huit heures que je suis ici et personne ne me soigne ! Je ne suis pourtant pas le premier venu et j'ai droit à certains égards ! »

Tous, dans la chambre, s'étaient tus et le regardaient. Ce coup porté par Roussanov, ce ne fut point le docteur Dontsova qui l'accusa, mais le docteur Gangart : les lèvres devenues aussi minces qu'un fil, le visage crispé, le front contracté, elle semblait constater l'irréparable sans pouvoir rien faire.

Quant au docteur Dontsova, lourdement penchée sur Roussanov, elle ne se permit pas le moindre froncement de sourcil ; seules, ses épaules eurent à nouveau cet étrange mouvement circulaire, puis elle dit doucement, d'un ton conciliant :

« Me voici ici pour vous soigner.

— Trop tard ! coupa Paul Nikolaïevitch. J'ai vu suf-

fisamment comment cela se passait ici et je m'en vais.
Personne ne s'intéresse à vous, personne n'établit de
diagnostic. »

Et, brusquement, sa voix trembla ; car il se sentait
véritablement offensé.

« Votre diagnostic est déjà établi, dit-elle d'un ton
mesuré, les deux mains appuyées sur le montant de
son lit, et vous ne pouvez aller ailleurs qu'ici ; avec la
maladie que vous avez, vous ne trouverez nulle part
dans notre République un autre hôpital qui vous accepte.

— Mais enfin, vous avez bien dit que je n'avais pas
le cancer !... Alors, dites-moi ce que j'ai !

— En général, nous ne sommes pas obligés de pré-
ciser à nos malades le nom de leur maladie. Mais si
cela peut vous soulager, je vais vous dire ce que vous
avez : une lymphogranulomatose...

— Donc, ce n'est pas le cancer ?

— Nullement. (Son visage et sa voix ne laissaient rien
paraître, pas même cette irritation naturelle qui naît de
toute discussion. Elle avait vu la tumeur de la grosseur
du poing qu'il avait sous la mâchoire. Contre qui pouvait-elle se fâcher ? Contre cette tumeur ?) Personne ne
vous a forcé à entrer ici. Vous pouvez partir tout de
suite si vous voulez. Seulement, souvenez-vous... » Elle
hésitait et puis, très calmement, elle le mit en garde :
« Il n'y a pas que le cancer qui fasse mourir...

— Vous voulez me faire peur, c'est cela ? s'écria Paul
Nikolaïevitch. Pourquoi me faites-vous peur ? Ce n'est
pas la bonne méthode, poursuivit-il, en reprenant son
ton coupant et agressif, mais, au mot de « mourir », il
avait senti tout son être se glacer, et il demanda d'un
ton déjà radouci : « C'est si grave, ce que j'ai, c'est cela
que vous voulez dire ?

— Si vous commencez à aller d'un hôpital à l'autre,
alors oui, certainement. Enlevez donc votre écharpe.
Levez-vous, s'il vous plaît. »

Il enleva son écharpe et se mit debout. Lentement, le
docteur Dontsova se mit à palper sa tumeur, puis la
partie saine de son cou, comparant l'une avec l'autre.

Elle lui demanda ensuite de renverser la tête en arrière aussi loin que possible (et sa tête n'alla pas bien loin, tout de suite, il sentit sa tumeur qui la retenait) ; pu.s elle voulut qu'il penche la tête le plus possible en avant, qu'il la tourne à droite, à gauche.

Et voilà que, manifestement, sa tête avait perdu presque toute aisance dans ses mouvements, cette aisance si légère, si étonnante et que nous ne remarquons pas quand nous l'avons.

« Enlevez votre veste, s'il vous plaît. »

La veste de son pyjama marron et vert avait de gros boutons et était plutôt ample ; elle semblait facile à enlever, mais, lorsqu'il allongea le bras, il sentit une douleur poignante dans le cou et poussa un gémissement. Oh ! que tout cela était mauvais ! L'imposante infirmière à cheveux gris l'aida à se libérer de ses manches.

« Sous le bras, vous n'avez pas mal ? demanda la doctoresse. Vous n'êtes pas gêné ?

— Comment ? Là aussi, c'est menacé ? »

La voix de Roussanov était presque éteinte, et il parlait plus bas, maintenant, que Lioudmila Afanassievna.

« Ecartez les bras. » Et, d'un air concentré, par pressions vigoureuses, elle se mit à palper ses aisselles.

« Et comment allez-vous me soigner ? demanda Paul Nikolaïevitch.

— Je vous l'ai déjà dit : par des piqûres.

— Des piqûres où cela ? directement dans la tumeur ?

— Non, des intraveineuses.

— Souvent ?

— Trois fois par semaine... Rhabillez-vous.

— Et il n'est pas possible de m'opérer ? »

(Il posait cette question, mais, ce qu'il redoutait le plus, c'était précisément la table d'opération. Comme tout malade, il préférait à cela n'importe quel traitement, même long.)

« Une opération serait insensée », dit-elle en s'essuyant les mains à la serviette qu'on lui tendait.

L'opération était insensée ? très bien ! pensa Paul

Nikolaïevitch, il commençait à réfléchir ; de toute façon, il fallait prendre conseil de Capitoline ; les chemins détournés n'étaient pas si faciles ; il n'avait pas toute l'influence qu'il aurait aimé avoir, et sûrement pas autant qu'il en affichait ici ; téléphoner au camarade Ostapenko, par exemple, était loin d'être une petite affaire.

« Très bien, je vais réfléchir ; nous déciderons demain, alors ?

— Non, répondit le docteur Dontsova d'un ton catégorique. Aujourd'hui seulement. Demain, c'est samedi et nous ne pouvons pas faire de piqûres. »

Encore ces règlements ! comme si les règlements n'étaient pas faits pour être enfreints !

« Par quel hasard est-ce impossible justement un samedi ?

— Parce que les réactions du malade sont à surveiller de près le jour où l'on fait la piqûre et le jour qui suit. Et le dimanche, ce n'est pas possible.

— Mais alors, cette piqûre est quelque chose de très sérieux ? »

Lioudmila Afanassievna, qui était déjà passée au malade suivant, ne répondit pas.

« Et si on attendait lundi ?...

— Camarade Roussanov ! Vous nous avez reproché de vous laisser sans soins depuis dix-huit heures et vous accepteriez que la même situation se prolonge encore trois jours ? (Il se sentait vaincu, écrasé par cette femme, et il ne pouvait rien faire !...) Ou bien nous vous soignons, ou bien nous ne vous soignons pas. Si oui, vous aurez votre première piqûre aujourd'hui à onze heures. Si c'est non, vous déclarerez par écrit que vous renoncez à être traité par nous et vous pourrez sortir aujourd'hui même. Mais nous n'avons pas le droit d'attendre trois jours sans rien faire. Réfléchissez, pendant que je termine ma visite ici, et puis vous me direz votre décision. »

Roussanov cacha son visage dans ses mains.

Serrée dans sa blouse blanche boutonnée dans le dos qui lui montait presque jusqu'au menton, le docteur

Gangart passa sans bruit devant lui. Olympiade Vladislavovna passa à son tour, majestueuse comme un navire.

Fatiguée par la discussion, le docteur Dontsova comptait trouver quelque réconfort auprès du lit voisin :

« Alors, Kostoglotov, qu'est-ce que vous nous racontez ? »

Kostoglotov avait fait un effort pour lisser tant soit peu sa tignasse ; il répondit d'une voix forte et assurée, une voix d'homme en bonne santé :

« C'est magnifique, Lioudmila Afanassievna, je vais on ne peut mieux ! » Les deux doctoresses échangèrent un regard. Les lèvres de Vera Kornilievna souriaient à peine, mais ses yeux riaient de plaisir.

« Voyons quand même, dit le docteur Dontsova en s'asseyant sur le lit. Décrivez-nous votre état un peu plus longuement. Que ressentez-vous exactement ? Qu'est-ce qui a changé depuis votre arrivée ?

— Très bien, dit Kostoglotov, qui s'exécuta de la meilleure grâce ; les douleurs que je ressentais ont diminué dès la deuxième séance ; elles ont totalement disparu après la quatrième. La température est tombée à ce moment-là aussi. Maintenant, je dors comme un loir, dix heures de suite, dans n'importe quelle position, et je n'ai pas mal. Avant, je n'arrivais pas à trouver de position pour dormir. Je ne pouvais plus voir la moindre nourriture et maintenant j'avale tout et je demande du supplément. Et je n'ai pas mal.

— Et vous n'avez pas mal ? reprit le docteur Gangart, qui riait tout à fait maintenant.

— Et on vous en donne, du supplément ? ajouta le docteur Dontsova qui riait elle aussi.

— Oui, parfois. Que vous dire encore ? Ma vision du monde a radicalement changé. J'étais un homme mort, quand je suis arrivé ici, et, maintenant, je revis.

— Et vous n'avez pas de nausées ?

— Non. »

Le docteur Dontsova et le docteur Gangart regardaient Kostoglotov avec le visage rayonnant du maître d'école qui, interrogeant son meilleur élève, s'enorgueillit davan-

tage d'une réponse brillante que de ses propres connaissances et de sa propre expérience. Cette sorte d'élève
attire toujours la sympathie.

« Et votre tumeur, vous la sentez ?

— Elle ne me gêne plus maintenant.

— Mais vous la sentez encore ?

— Disons que, lorsque je me couche, je sens encore
une lourdeur anormale, une boule, qui semble se déplacer dans mon ventre. Mais cela ne me gêne pas, souligna encore une fois Kostoglotov.

— Couchez-vous, s'il vous plaît. »

Presque machinalement (ces dernières semaines, dans
les différents hôpitaux où il était passé, bon nombre de
médecins et même de stagiaires avaient palpé sa tumeur,
puis, allant chercher leurs collègues, ils les invitaient à
palper à leur tour et tous poussaient des exclamations
de surprise), Kostoglotov se coucha sur le dos, complètement à plat, plia les jambes et découvrit son ventre.
Aussitôt, il sentit ce crapaud qui vivait en lui, son compagnon de tous les jours, se tapir quelque part au fond
de son corps et peser dans son ventre.

Lioudmila Afanassievna, doucement, par pressions circulaires, cernait peu à peu sa tumeur.

« Détendez-vous, il le faut », dit-elle ; il le savait fort
bien, mais, sans qu'il le veuille, par un réflexe de
défense, son corps s'était crispé et gênait l'examen ;
enfin, le ventre devint souple et confiant sous les doigts
de Lioudmila Afanassievna qui sentit nettement, en profondeur, derrière l'estomac, le bord de la tumeur ; elle
suivit alors son contour d'abord délicatement, une seconde fois plus fermement, une troisième fois plus fermement encore.

Le docteur Gangart regardait par-dessus son épaule
et Kostoglotov regardait le docteur Gangart. Elle était
très sympathique. Elle voulait être sévère et ne le pouvait pas : elle s'habituait trop vite aux malades. Elle
voulait se conduire en grande personne et n'y parvenait
pas non plus : il y avait en elle quelque chose d'une
petite fille.

« Les contours sont toujours aussi nets, dit finalement Lioudmila Afanassievna. Elle s'est aplatie, c'est incontestable ; elle s'est enfoncée, et libère maintenant l'estomac, ce qui explique qu'il n'ait plus mal. Elle est devenue plus molle. Mais le contour est presque identique. Vous voulez voir ?

— Oh ! non, je le fais chaque jour, je préfère laisser un intervalle plus long entre mes examens. Vitesse de sédimentation : 25, leucocytes 5 800, plaquettes... Tenez, regardez vous-même. »

Roussanov leva la tête de ses mains et demanda tout bas à l'infirmière :

« Et les piqûres, elles sont très douloureuses ? »

Kostoglotov lui aussi voulait savoir :

« Lioudmila Afanassievna ! combien me faudra-t-il encore de séances de rayons ?

— C'est impossible à dire, actuellement.

— Mais quand même, vers quelle date pensez-vous que je pourrai sortir ?

— Quoi ? (Elle leva la tête de son dossier de maladie.) Qu'est-ce que vous demandez ?

— Quand pourrai-je sortir ? » répéta Kostoglotov, sur le même ton très assuré.

Assis, les bras noués autour des jambes, il avait un air presque farouche.

Il n'y avait plus trace, dans le regard du docteur Dontsova, de l'admiration du maître pour son brillant élève. Elle avait devant elle un patient difficile, au visage buté !

« Mais enfin, je le commence seulement, votre traitement ! dit-elle pour le remettre en place ; je le commence à partir de demain. Jusqu'ici, ce n'était qu'un réglage de tir. »

Mais Kostoglotov ne s'avouait pas battu.

« Lioudmila Afanassievna, je voudrais m'expliquer un peu. Je comprends bien que je ne suis pas encore guéri, mais je ne prétends pas non plus à une complète guérison. »

Qu'avaient-ils donc enfin, ces malades ! Ils se surpassaient tous aujourd'hui ! Lioudmila Afanassievna se rembrunit ; cette fois-ci, elle était en colère.

« Qu'est-ce que vous me racontez ? Vous êtes normal ou non ?

— Lioudmila Afanassievna, dit Kostoglotov, l'interrompant d'un geste calme de sa grande main, une discussion sur ce qu'il y a de normal et d'anormal dans l'homme moderne nous entraînerait très loin. Je vous suis profondément reconnaissant de m'avoir ramené à l'état si agréable où je me trouve en ce moment ; et maintenant, parvenu à ce stade, je voudrais vivre un petit peu, car ce que me réserve la suite du traitement que vous voulez me faire, je l'ignore. »

Au fur et à mesure qu'il parlait, Lioudmila Afanassievna avançait une lèvre impatiente et indignée. Un tic nerveux contractait les sourcils du docteur Gangart, ses yeux allaient de l'un à l'autre, elle aurait voulu s'interposer, apaiser. Olympiade Vladislavovna regardait le rebelle avec hauteur ; lui poursuivait toujours :

« En un mot, je ne voudrais pas, aujourd'hui, payer d'un prix trop cher une espérance de survie remise à un avenir incertain. Je veux faire confiance aux forces de défense de mon organisme.

— C'est en faisant confiance aux forces de défense de votre organisme que vous êtes arrivé ici, en rampant à quatre pattes ! rétorqua vertement le docteur Dontsova en se levant du lit ; vous ne comprenez même pas avec quoi vous jouez ! Je refuse de parler davantage avec vous ! »

Avec un geste rageur, d'une brusquerie toute masculine, elle se retourna vers Azovkine, mais Kostoglotov, les jambes toujours pliées, la relança d'un air hargneux de chien méchant :

« Et moi, Lioudmila Afanassievna, je vous prie de m'écouter ! Vous êtes peut-être en train de faire une expérience intéressante et vous aimeriez bien savoir comment elle va finir, mais moi je veux vivre tranquillement, même si cela devait durer seulement une année. Voilà tout.

— Bon, lança le docteur Dontsova par-dessus son épaule. On vous convoquera. »

Profondément indignée, le visage et la voix encore altérés, elle s'approcha d'Azovkine.

Le jeune homme ne s'était pas levé. Assis dans son lit, il se tenait le ventre.

Entendant venir les médecins, il releva la tête seulement. Ses lèvres semblaient ne plus former une seule bouche, mais chacune exprimait sa propre souffrance particulière. Son regard n'exprimait qu'une chose : il implorait l'aide, mais c'était une prière adressée à des sourds.

« Alors, comment te sens-tu, Kolia ? dis ? demanda Lioudmila Afanessievna en lui passant le bras derrière les épaules.

— Ma-al », répondit-il très bas, et seules ses lèvres remuèrent ; il s'efforçait de ne pas chasser d'air de sa poitrine, car le moindre effort de ses poumons se répercutait aussitôt dans son ventre, sur sa tumeur.

Six mois auparavant, il marchait en tête de l'équipe Komsomol du dimanche, une pelle sur l'épaule, en chantant à tue-tête ; aujourd'hui, interrogé sur son mal, il n'était plus capable que de répondre en chuchotant.

« Ecoute, Kolia, si nous réfléchissions tous les deux, dit la doctoresse, tout bas elle aussi ; peut-être es-tu fatigué du traitement ? peut-être en as-tu assez de l'hôpital ? dis, tu en as assez ?

— Oui...

— Tu es d'ici ; tu pourrais peut-être aller te reposer chez toi ? Veux-tu ? Pendant un mois, un mois et demi ?

— Et ensuite, vous me reprendrez ?

— Naturellement. Tu nous appartiens, maintenant, voyons. Comme cela, tu te reposeras des piqûres ; à leur place, tu achèteras dans une pharmacie un médicament que tu te mettras trois fois par jour sous la langue.

— Du synoestrol ?

— Oui. »

Le docteur Dontsova et le docteur Gangart ignoraient

que, pendant tous ces mois, Azovkine avait fanatiquement poursuivi un seul but : obtenir de chaque infirmière remplaçante, de chaque médecin de garde, des somnifères supplémentaires, des sédatifs supplémentaires, et toutes les poudres et les comprimés possibles, en plus de ceux qu'on lui faisait avaler ou qu'on lui administrait sous forme de piqûres, selon les prescriptions des docteurs. Cette provision de médicaments — un petit sac de toile bourré — représentait pour lui la dernière planche de salut pour le jour, justement, où les médecins ne voudraient plus de lui.

« Il te faut du repos, Kolia, crois-moi... »

Dans le grand silence qui s'était fait dans la pièce, on entendit distinctement Roussanov soupirer ; puis, levant son visage de ses mains, il déclara :

« Je cède, docteur. Faites-moi la piqûre ! »

CHAPITRE V

INQUIETUDE DES MEDECINS

QUAND notre âme est oppressée, comment cela s'appelle-t-il, du désarroi ? de l'accablement ? Une brume invisible, mais dense et lourde, pénètre en nous, nous envahit tout entier, et nous étreint, quelque part au milieu de notre poitrine. Et nous sentons en nous cet étau trouble, et il nous faut un certain temps pour comprendre ce qui nous oppresse si vivement.

Vera Kornilievna ressentait tout cela tandis qu'elle achevait la visite puis descendait l'escalier avec le docteur Dontsova. Elle était très mal à l'aise.

Dans ces cas-là, ce qui aide, c'est de rentrer en soi-même et d'essayer d'y voir clair ; puis, on dresse un écran.

Mais elle n'y voyait même pas très clair encore.

Non, voici ce qu'il y avait : elle avait peur pour Lioudmila Afanassievna, pour « maman », comme ses collègues internes et elle l'appelaient entre elles. Ce nom répondait aussi bien à son âge (elle avait près de cinquante ans, et ses internes, la trentaine) qu'à cette

ardeur toute particulière qu'elle mettait à les instruire,
pendant le travail : elle était elle-même zélée jusqu'à
l'acharnement et elle voulait que ses trois « filles » fussent gagnées par le même zèle et le même acharnement ;
elle était l'une des dernières qui eussent une expérience
égale de la radioscopie et de la radiothérapie et, malgré
la tendance de l'époque au morcellement des connaissances, elle faisait tout pour que ses internes fussent
instruites de l'une comme de l'autre. Il n'y avait pas de
secret qu'elle gardât pour elle, qu'elle ne partageât point.
Et, lorsque le docteur Gangart faisait preuve d'une plus
grande rapidité, d'une plus grande acuité de jugement
qu'elle-même, « maman » se réjouissait purement et simplement. Vera travaillait avec elle depuis huit ans, depuis
sa sortie de l'institut, et toute la force qu'elle sentait
aujourd'hui en elle, cette force qui lui permettait d'arracher au piège de la mort des êtres qui la suppliaient,
toute cette force lui venait de Lioudmila Afanassievna.

Ce Roussanov pouvait faire à « maman » les pires ennuis. Il est plus facile de couper les têtes que de les
recoller.

Et s'il n'y avait eu que Roussanov ! Mais il y en avait
bien d'autres, tous ceux dont le cœur était aigri ; on
sait bien que toute calomnie, une fois lancée, se répand
comme la poudre. Ce n'est pas une trace sur l'eau, c'est
un sillon dans la mémoire. On peut ensuite aplanir ce
sillon, le combler avec du sable, mais il suffit qu'un jour
quelqu'un crie, tout simplement peut-être parce qu'il a
trop bu : « Sus aux médecins ! » ou bien « Sus aux ingénieurs ! », et chacun brandit son gourdin.

Du noir nuage de soupçon accumulé au-dessus des
blouses blanches, il ne restait plus ici et là que des
lambeaux qui s'en allaient. Tout récemment, un chauffeur du Guépéou avait été hospitalisé ici pour une tumeur à l'estomac. C'était un « chirurgical » et Vera Kornilievna n'avait rien à voir avec lui ; mais, une nuit, elle
avait été de garde, et c'était elle qui avait fait la visite
du soir. Cet homme s'était plaint de mal dormir. Elle lui
avait prescrit du bromural ; là-dessus, l'infirmière lui

avait dit que les comprimés étaient minuscules, et elle
avait répondu : « Donnez-lui-en deux ! » Le malade les
avait pris et Vera Kornilievna n'avait même pas remarqué le regard qu'il lui avait lancé. L'affaire en serait
restée là si l'une des laborantines de service, voisine du
chauffeur dans l'appartement communal où ils habitaient, n'était venue lui rendre visite dans sa chambre
d'hôpital. Elle avait ensuite couru chez Vera Kornilievna,
toute retournée : le chauffeur n'avait pas pris les comprimés (pourquoi deux d'un coup ?), il n'avait pas dormi de
la nuit, et il venait de la questionner : « Pourquoi s'ap-
pelle-t-elle Gangart ? — lui avait-il dit — parle-moi un
peu d'elle en détail. Elle a voulu m'empoisonner. Il faut
que nous nous occupions d'elle. »

Et, pendant plusieurs semaines, Vera Kornilievna avait
attendu qu'on vînt s'occuper d'elle. Et pourtant, toutes
ces semaines, elle avait dû, sans la moindre défaillance,
sans la moindre erreur, et même avec enthousiasme,
établir des diagnostics, évaluer de manière irréprochable les doses de rayons nécessaires à chaque traitement,
encourager du regard et réconforter par son sourire les
malades tombés dans le cercle infernal du cancer, et
surprendre dans chaque regard la même question : « Tu
n'es pas une empoisonneuse, au moins ? »

Et puis il y avait eu autre chose encore de pénible
pendant la visite d'aujourd'hui : Kostoglotov, l'un de
ceux parmi les malades dont l'état était le plus satis-
faisant et pour lequel Vera Kornilievna, sans bien savoir
pourquoi, éprouvait une réelle sympathie, ce même Kostoglotov avait ouvertement pris à partie « maman » et
la soupçonnait visiblement de se servir de lui pour quelque obscure expérimentation.

La visite avait tout aussi péniblement impressionné
le docteur Dontsova et des souvenirs lui revenaient à
elle aussi, tandis qu'elle quittait ses malades ; cet incident désagréable, par exemple, qui l'avait opposée à
Pauline Zavodtchikova, une vraie mégère. Ce n'était pas
elle la malade, mais son fils, et elle venait coucher avec
lui à l'hôpital. On avait enlevé au garçon une tumeur

interne, et, dès qu'elle avait aperçu le chirurgien dans
le couloir, elle avait sauté sur lui pour lui réclamer un
petit bout de la tumeur de son fils. Son idée était la
suivante : elle voulait porter ce petit bout dans un autre
hôpital, faire faire un autre diagnostic et, au cas où ce
deuxième diagnostic n'aurait pas coïncidé avec celui du
docteur Dontsova, faire poursuivre celle-ci en justice et
se venger.

Et chacune des deux doctoresses aurait pu citer bien
d'autres cas semblables.

Maintenant que la visite était finie, elles avaient à se
dire l'une à l'autre ce qu'elles n'avaient pu dire en présence des malades, puis il leur faudrait prendre quelques
décisions.

On manquait de locaux dans le pavillon 13 et les
docteurs radiologistes n'avaient point de bureau à elles.
Elles ne pouvaient se réunir ni dans la salle de la bombe
au cobalt ni dans celle où se trouvaient les appareils de
radiothérapie pénétrante fonctionnant sur cent vingt
mille et deux cent mille volts. Il y aurait eu de la place
dans la salle de radioscopie réservée aux diagnostics,
mais il y faisait toujours sombre. Aussi avaient-elles
installé la table où elles réglaient les affaires courantes
et remplissaient les dossiers de maladie dans le cabinet
de soins où se trouvaient les appareils de radiothérapie
superficielle, comme si elles n'en avaient pas encore
assez, après toutes ces années de leur travail de radiologues, de l'atmosphère écœurante des salles d'appareils,
avec leur odeur et leur tiédeur particulières.

Elles entrèrent et s'assirent côte à côte à leur grande
table dépourvue de tiroirs et grossièrement taillée. Vera
Kornilievna commença par trier les fiches des malades,
hommes et femmes, mettant d'un côté ceux dont elle
s'occuperait elle-même et de l'autre ceux dont il leur
fallait décider ensemble. Lioudmila Afanassievna regardait tristement devant elle ; sa lèvre inférieure avançait
imperceptiblement et, de son crayon, elle tapotait distraitement la table.

Vera Kornilievna lui lançait des regards pleins de

sympathie, mais elle hésitait à parler de Roussanov, de Kostoglotov et du sort général des médecins ; à quoi bon, en effet, répéter ce que chacune d'elles avait fort bien compris ; et puis, elle pouvait, en parlant, manquer de délicatesse, ou de doigté, et blesser au lieu de consoler.

Ce fut Lioudmila Afanassievna qui parla la première :
« Qu'il est enrageant d'être aussi impuissant, n'est-ce pas ? » (Cela pouvait s'appliquer à beaucoup de malades vus aujourd'hui.) Tapotant toujours la table de la pointe de son crayon, elle poursuivit : « Pourtant, nous savons que nous n'avons commis aucune erreur. (Ceci pouvait s'appliquer à Azovkine, à Moursalimov...) Il a pu nous arriver de tâtonner dans notre diagnostic, mais notre traitement a toujours été correct. Et nous ne pouvions pas administrer des doses moindres de rayons. Mais ce tonneau nous a perdues ! »

Sigbatov ! Elle pensait à Sigbatov ! Il y a vraiment des maladies ingrates pour lesquelles on dépense trois fois plus d'ingéniosité qu'à l'ordinaire, et on est, finalement, impuissant à sauver le malade. Lorsqu'on avait amené Sigbatov la première fois sur sa civière, le cliché radiographique avait montré une fracture complète de presque tout le sacrum. Les tâtonnements résidaient en ceci que tous avaient d'abord diagnostiqué un sarcome osseux, même le professeur appelé en consultation, et qu'ensuite seulement, petit à petit, on avait conclu que c'était une tumeur à cellules géantes, quand dans l'os apparaît du liquide et que tout l'os se transforme en une sorte de gelée. Toutefois, le traitement était le même dans les deux cas.

Un sacrum, cela ne s'enlève pas, cela ne se scie pas : c'est la pierre angulaire sur laquelle tout repose. Il restait les rayons, et tout de suite à forte dose, car les faibles doses étaient impuissantes. Et Sigbatov avait guéri ! Son sacrum s'était raffermi ! Il avait guéri, mais, par suite des doses massives de rayons qu'on lui avait administrées, tous les tissus environnants étaient devenus ultra-sensibles et favorables à la formation de nou-

velles tumeurs malignes. Et, lorsqu'il avait reçu ce tonneau sur le dos, un ulcère trophique était apparu. Et
maintenant que son sang et ses tissus refusaient les
rayons, voilà qu'une nouvelle tumeur ravageait son organisme et il n'y avait aucun moyen de l'enrayer, on
ne pouvait que retarder ses effets.

Pour le médecin, c'était l'aveu de son impuissance, de
l'imperfection de ses méthodes ; mais, pour le cœur du
médecin, c'était la pitié, la pitié la plus banale : voilà
un Tatar nommé Sigbatov, si doux, si gentil, si triste,
tellement capable de gratitude, et tout ce qu'on pouvait
faire pour lui, c'était prolonger ses souffrances...

Ce matin, Nizamoutdine Bakhramovitch avait convoqué le docteur Dontsova à ce propos, justement : il
voulait qu'on accélérât la rotation des malades et, pour
cela, que, dans tous les cas incertains où une amélioration décisive ne pouvait être garantie, ceux-ci fussent invités à rentrer chez eux. Le docteur Dontsova était d'accord : leur vestibule, en bas, ne désemplissait pas de malades qui attendaient leur tour, parfois pendant plusieurs
jours, et de tous les centres de dépistage du cancer
établis dans chaque district leur arrivaient des demandes d'admission de malades. Elle était d'accord sur le
principe ; or, nul mieux que Sigbatov ne tombait sous
le coup de cette règle ; mais voilà ! lui, elle était incapable de le renvoyer. Trop longue et trop épuisante
avait été la lutte pour sauver ce simple sacrum
d'homme ; il lui était impossible, maintenant, de céder
devant un raisonnement de bon sens, impossible de
renoncer, dans cette partie d'échecs, à la simple répé-
tition des coups que l'on tentait, avec l'espoir infime
que ce serait en définitive la mort qui se tromperait, et
non le médecin. A cause de Sigbatov, le docteur Dontsova
avait même modifié l'orientation de ses recherches scientifiques : elle s'était plongée dans la pathologie de l'os,
poussée par un seul désir : sauver Sigbatov. Peut-être y
avait-il en bas, dans le vestibule, des malades dont la
détresse était aussi grande, mais voilà, elle ne pouvait
pas laisser partir Sigbatov, et elle emploierait toutes les

ruses qu'il faudrait pour tourner la décision du médecin-chef.

Nizamoutdine Bakhramovitch avait aussi insisté pour que l'on ne gardât pas les malades condamnés. Leur mort devait survenir, autant que possible, hors de l'hôpital ; cela libérerait de nouveaux lits, épargnerait un spectacle pénible aux malades qui restaient et améliorerait les statistiques, ces malades étant rayés non pour raison de décès, mais avec mention : « Etat aggravé. »

C'était ce qui s'était produit aujourd'hui pour Azovkine. Son dossier de maladie, qui s'était transformé au cours des mois en un épais cahier de feuilles brunâtres grossièrement collées, parsemées de petits bouts de bois blancs incrustés çà et là, qui accrochaient la plume, ce dossier était tout couvert de lignes et de chiffres bleus et violets. Et, à travers les pages de ce cahier aux feuillets rajoutés, c'était le jeune garçon que les médecins voyaient, recroquevillé sur son lit, tout trempé de sueur tant il avait mal ; toutefois, les chiffres, lus à voix basse et douce, étaient plus inexorables que les foudres d'un tribunal, et personne ne pouvait faire appel. Il y avait là vingt-six mille unités R, dont douze mille dans la dernière série, cinquante injections de synoestrol, sept transfusions sanguines, soit au total mille deux cent cinquante cc, et, malgré tout cela, il n'y avait toujours que trois mille quatre cents leucocytes ; quant aux hématies... Les métastases, comme des tanks, mettaient le système de défense en pièces ; déjà, elles s'étaient fixées dans le médiastin, elles étaient apparues dans les poumons, elles infectaient les ganglions sus-claviculaires, et l'organisme n'était d'aucun secours pour les arrêter.

Tandis que les doctoresses examinaient et complétaient chaque fiche, l'infirmière-radiologiste continuait la consultation. Elle venait de faire entrer une petite fille de quatre ans, en roble bleue, accompagnée de sa mère. L'enfant avait sur la figure de petits angiomes rouges encore minuscules et bénins jusqu'ici, mais il était d'usage d'appliquer des rayons à cette sorte de tumeur, pour qu'elle ne dégénère point. Quant à la petite fille, ignorante de la lourde menace de mort qu'elle portait déjà, peut-être, sur sa petite lèvre, elle n'était pas très inquiète. Ce n'était pas la première fois qu'elle venait, elle n'avait plus peur, elle gazouillait, tendait la main vers les appareils nickelés, tout heureuse dans cet univers rutilant. Pour elle, la séance ne durait que trois minutes, mais elle n'était pas du tout disposée à rester immobile trois minutes sous l'étroit tube que l'infirmière dirigeait avec précision sur l'endroit malade. Elle se contorsionnait sans cesse, se détournait, et la technicienne débranchait nerveusement l'appareil, rectifiant interminablement l'orientation du tube. La mère essayait de retenir l'attention de la petite avec un jouet qu'elle avait à la main, lui en promettant d'autres, à condition qu'elle se tînt sage. Puis ce fut le tour d'une vieille femme renfrognée, qui mit un temps infini à dénouer son fichu et à ôter son corsage. Puis une femme en blouse grise arriva de l'hôpital ; elle avait sous le pied une pustule colorée, de la grosseur d'une bille, provoquée par un clou dépassant de sa semelle ; joyeusement, elle bavardait avec l'infirmière, sans se douter que cette petite boule insignifiante d'un centimètre de diamètre, qu'on se refusait Dieu sait pourquoi à lui enlever, n'était autre que la reine des tumeurs malignes, le mélanoblastome.

Distraites dans leur travail, les deux doctoresses, involontairement, s'intéressaient à chaque cas, examinaient les malades et donnaient des conseils à l'infirmière ; là-dessus, arriva pour Vera Kornilievna le moment de faire à Roussanov sa piqûre d'embychine ; elle posa alors devant Lioudmila Afanassievna la dernière fiche, celle qu'elle avait tout exprès gardée pour la fin, la fiche de Kostoglotov.

« Alors que son état était si compromis au départ, quels brillants débuts ! dit-elle ; seulement, c'est un bonhomme particulièrement têtu. J'ai bien peur qu'il ne refuse de continuer !

— Qu'il essaie un peu ! répondit Lioudmila Afanassievna, en tapant la table de son crayon. (Kostoglotov

avait le même mal qu'Azovkine, mais le traitement prenait un tour si prometteur ! On allait bien voir s'il
oserait refuser !)

— Avec vous, oui, convint aussitôt le docteur Gangart.
Mais moi, je ne suis pas sûre d'arriver à le convaincre.
Peut-être pourrais-je vous l'envoyer ? (Elle essayait d'enlever de son ongle une petite poussière qui y était collée.) Mes rapports avec lui sont assez difficiles... Je
n'arrive pas à lui imposer mon avis. Je ne sais pas
pourquoi. »

Leurs rapports difficiles dataient de leur première
rencontre.

C'était une froide et pluvieuse journée de janvier. Le
docteur Gangart avait pris son tour de garde pour la
nuit quand, vers neuf heures, une grosse et robuste
femme de salle du rez-de-chaussée vint se plaindre à
elle :

« Docteur, il y a en bas un malade qui m'en fait voir
de toutes sortes ; je n'en viendrai jamais à bout toute
seule. Si vraiment on ne prend pas certaines mesures,
il va nous faire tourner en bourriques. »

Vera Kornilievna descendit et vit au pied de l'escalier
un grand diable d'homme allongé à même le plancher,
près du réduit fermé à clef de l'infirmière en chef ; il
était chaussé de bottes et vêtu d'un manteau militaire
roussâtre ; un bonnet à oreillettes trop petit, qui n'avait,
lui, rien de militaire, descendait bas sur son front. Il
avait mis son sac en boule sous sa tête et, de toute évidence, s'apprêtait à dormir là. La doctoresse s'approcha
tout près, sur ses jambes fines chaussées de hauts talons
(elle s'habillait toujours avec soin) et le regarda sévèrement, espérant que ce regard lui ferait honte et qu'il
se lèverait, mais lui, en la voyant, ne s'émut pas le moins
du monde et ne bougea pas le petit doigt ; il sembla
même à la jeune femme qu'il refermait les yeux.

« Qui êtes-vous ? demanda-t-elle.

— Un homme..., répondit-il à mi-voix, indolemment.

— Avez-vous votre feuille d'entrée ?

— Oui.

— Quand l'avez-vous reçue ?

— Aujourd'hui. »

Les traces qu'on voyait autour de lui, sur le plancher, laissaient supposer que son manteau était tout mouillé comme du reste ses bottes et son sac.

« Mais vous ne pouvez pas rester ici... C'est... interdit. Et puis, c'est... très inconfortable...

— Pas du tout, répondit-il en traînant la voix. D'ailleurs, je suis dans ma patrie, pourquoi me gênerais-je ? »

Vera Kornilievna était très embarrassée. Elle sentait qu'il n'était pas possible de crier après cet homme ; du reste, il n'obéirait pas...

Elle se retourna du côté du vestibule où, pendant la journée, se tenaient toujours beaucoup de visiteurs et de malades attendant leur tour et où trois bancs de jardin accueillaient les familles venues voir les leurs ; la nuit, lorsqu'on fermait l'hôpital, on autorisait les malades graves, venus de loin et qui ne savaient où aller, à passer la nuit là. Ce soir, il n'y avait que deux bancs dans le vestibule ; une vieille femme couchée occupait l'un d'eux ; sur l'autre, était assise une jeune Ouzbek en fichu bariolé, qui avait posé son enfant à côté d'elle.

Là-bas, dans ce vestibule, rien n'empêchait de dormir par terre, mais le plancher était sale, sans cesse piétiné.

Ici, au contraire, tout était aseptisé et on n'y entrait qu'en tenue de malade, ou bien en blouse blanche. Vera Kornilievna baissa à nouveau la tête vers ce malade farouche dont le visage émacié avait entre-temps perdu quelque chose de son indolence.

« Et vous n'avez personne en ville ?

— Non.

— Vous n'avez pas essayé les hôtels ?

— Si, dit-il avec lassitude.

— Il y en a cinq ici.

— Ils ne veulent rien entendre, dit-il en fermant les paupières, comme pour marquer que l'audience était terminée.

— Si vous étiez venu plus tôt ! reprit la doctoresse, qui réfléchissait. Nous avons certaines de nos infirmières qui hébergent des malades pour la nuit, et elles ne prennent pas cher. »

L'homme avait fermé les yeux.

« Il a dit qu'il restera couché là une semaine s'il le faut ! intervint aigrement la femme de salle. Dans le passage ! Tant qu'on ne lui aura pas donné de lit, qu'il dit ! Dis donc, farceur, lève-toi ! Ne fais pas l'imbécile ! C'est aseptisé ici ! ordonna-t-elle.

— Mais pourquoi n'y a-t-il que deux bancs ? demanda le docteur Gangart avec étonnement. Il me semble bien qu'il y en avait un troisième.

— On l'a fait passer par là, le troisième », dit la femme de salle en montrant de la main une porte vitrée.

C'était exact ; derrière cette porte, dans le couloir qui menait aux salles d'appareil, on avait transporté un banc pour les malades qui venaient à la consultation de l'après-midi se faire traiter aux rayons.

Vera Kornilievna dit à la femme de salle d'ouvrir cette porte et se tourna vers le malade :

« Je vais vous installer mieux ; levez-vous », dit-elle.

Il la regarda d'abord avec méfiance. Puis, au prix de visibles souffrances, avec des crispations de douleur, il se mit sur ses jambes. Il était clair que le moindre mouvement, la moindre torsion du buste, lui était très pénible. Il n'avait pas pris son sac avec lui en se relevant, et, maintenant qu'il fallait se baisser pour le ramasser, il appréhendait la douleur.

Vera Kornilievna se pencha légèrement, prit dans ses doigts blancs son sac trempé et graisseux et le lui donna.

« Merci, dit-il en grimaçant un sourire, faut-il que je sois tombé bien bas... »

Une tache humide et oblongue marquait, sur le plancher, l'endroit où il était resté allongé.

« La pluie vous a-t-elle mouillé ? dit-elle en l'observant avec une commisération grandissante. Là-bas, dans le couloir, il fait chaud. Enlevez votre manteau. Vous n'avez pas de frissons ? Vous n'avez pas de fièvre ? »

Son front disparaissant tout entier sous ce vilain bonnet noir à oreillettes pendantes qui lui emboîtait le crâne, elle lui appliqua deux doigts sur la joue.

A ce simple attouchement, elle comprit qu'il avait de la fièvre.

« Vous prenez quelque chose ? »

Le regard qu'il lui lança n'était déjà plus le même ; on n'y voyait plus le farouche isolement qui s'y lisait tout à l'heure.

« De l'analgine...

— Vous en avez ?

— Oui.

— Faut-il vous apporter du somnifère ?

— Oui, si vous pouvez.

— Ah ! c'est vrai, dit-elle, se souvenant brusquement de quelque chose, votre feuille d'entrée, montrez-la-moi ! »

Il sourit railleusement (à moins que ce ne fût tout simplement la douleur qui faisait mouvoir ses lèvres).

« Et, sans ce papier, vous me renvoyez sous la pluie ? »

Il dégrafa le haut de son manteau et tira de la poche de la vareuse qu'il portait par-dessous une feuille d'entrée rédigée effectivement ce jour même à la consultation. Elle la lut et vit que le nouveau venu était un de ses malades à elle, un radiothérapique. La feuille d'entrée à la main, elle fit volte-face et partit chercher le somnifère :

« Je vous l'apporte tout de suite. Couchez-vous.

— Attendez, attendez ! lança-t-il avec vivacité, rendez-moi mon papier. On les connaît ces petits procédés !

— Mais qu'est-ce que vous craignez ? dit-elle en se retournant, piquée par sa question. Vous n'avez pas confiance en moi ? »

Il la regarda avec hésitation, puis marmonna :

« Pourquoi est-ce que j'aurais confiance ? Nous n'avons pas été nourris au même biberon, que je sache ! »

Et il partit se coucher.

Il l'avait mise en colère et elle décida de ne pas revenir ; ce fut la femme de salle qui lui rapporta le somnifère avec sa feuille d'entrée ; en haut de cette

feuille, la doctoresse avait inscrit le mot : « Cito »,
l'avait souligné et ponctué d'un point d'exclamation.

Elle ne repassa que plus tard dans la nuit. Il dormait.
Le banc était parfait pour cela ; impossible de tomber ;
la courbure du dossier rejoignait la courbure du siège
qui s'incurvait, comme un chéneau. Il avait enlevé son
manteau trempé mais s'en était quand même couvert et
avait étalé l'un des pans sur ses jambes et tiré l'autre
sur ses épaules. Ses pieds pendaient au bout du banc.
Les semelles de ses bottes, usées jusqu'à la corde, étaient
rapetassées de bouts de cuir rouges et noirs, cloués dans
tous les sens. Des fers protégeaient les talons et les bouts.

Au matin, Vera Kornilievna parla à l'infirmière-chef
et celle-ci installa le nouveau venu sur le palier du premier étage.

Désormais, Kostoglotov ne lui avait plus dit d'insolence, c'est vrai. Il bavardait avec elle sur un ton neutre
et poli de citadin, il la saluait le premier et lui souriait
amicalement. Mais elle avait toujours le sentiment qu'il
pouvait d'un moment à l'autre se livrer à quelque bizar-
rerie.

Ainsi, avant-hier, elle l'avait fait venir pour vérifier
son groupe sanguin mais, après qu'elle eut préparé une
seringue vide pour prendre du sang dans sa veine, il
avait rabaissé la manche qu'il venait de remonter et
avait dit d'un ton ferme :

« Vera Kornilievna, je regrette beaucoup, mais trouvez
un moyen de vous passer de cet examen.

— Mais pourquoi donc, Kostoglotov ?

— On m'a déjà suffisamment tiré de sang comme ça ;
maintenant, c'est fini ; qu'on aille en prendre à ceux qui
en ont beaucoup.

— Et vous n'avez pas honte ? Un homme ! dit-elle, lui
lançant ce regard ironique, bien féminin, et vieux comme
le monde, qui pour un homme est quelque chose d'insupportable. Je ne vais vous prendre que trois centimètres
cubes.

— Trois centimètres cubes ! Rien que ça ! Mais pour
quoi faire, enfin ?

— Pour déterminer votre groupe sanguin, faire une recherche de compatibilité, et, si elle est favorable, nous vous ferons une transfusion de deux cent cinquante grammes.

— A moi ? Une transfusion ? Grand merci ! Je n'en ai que faire. Le sang des autres, je n'en veux pas, et le mien, je le garde. Vous n'avez qu'à noter mon groupe sanguin, je le connais depuis le front. »

Elle eut beau tout faire pour le convaincre, il se livra à d'autres considérations tout aussi inattendues et ne céda pas. Il était convaincu que tout cela était inutile.

Il finit par la vexer.

« Vous me mettez dans une situation stupide et ridicule. Je vous en prie, pour la dernière fois. »

Naturellement, c'était une faute et une humiliation de sa part ; pourquoi l'en prier ?

Mais lui découvrit aussitôt son bras et le lui tendit.

« C'est pour vous, uniquement ; prenez-moi trois centimètres cubes, je vous prie. »

Avec lui, elle perdait toujours contenance et ceci entraîna un jour un petit épisode comique. Kostoglotov venait de lui dire : « Vous n'avez vraiment rien d'une Allemande ; Gangart est le nom de votre mari, sans doute ? » Et elle lui répondit : « Oui », étourdiment...

Pourquoi avait-elle répondu cela ? Il lui eût semblé vexant de répondre autre chose à cet instant-là...

Il ne demanda rien de plus. En fait, Gangart était le nom de son père, de son grand-père. Ils étaient des Allemands russifiés.

Fallait-il lui dire : « Je ne suis pas marié » ? « Je n'ai jamais été mariée » ?

Non, ce n'était pas possible.

CHAPITRE VI

HISTORIQUE D'UNE ANALYSE

AVANT toute chose, Lioudmila Afanassievna conduisit Kostoglotov dans la salle d'appareils, d'où venait juste de sortir une malade après sa séance de rayons. A partir de huit heures du matin, sans interruption, fonctionnait dans cette salle un tube de Crookes à cent quatre-vingt mille volts qui pendait du plafond, accroché par des supports métalliques, et, le vasistas restant fermé du matin au soir, l'air de la pièce était tout imprégné de cette tiédeur douceâtre et légèrement écœurante, propre aux salles de radio.

Cette tiédeur de l'air que les poumons ressentaient (d'ailleurs, c'était plus qu'une simple tiédeur) écœurait les malades au bout de six ou dix séances ; mais, agréable ou pas, Lioudmila Afanassievna s'y était habituée ; pendant les vingt années de son travail ici, quand rien encore ne protégeait les tubes (et plusieurs fois, elle avait failli heurter un fil à haute tension et elle avait manqué d'être tuée), le docteur Dontsova avait, chaque jour, respiré l'air de ces salles et, chaque jour, plus longtemps qu'il n'est permis, elle était restée là à établir ses diagnostics. Et, malgré tous les écrans, malgré tous les gants, elle avait reçu probablement plus de R que les malades les plus atteints et les plus endurants ; seulement, personne ne les avait comptés, personne n'en avait fait la somme.

Elle se dépêchait, mais ce n'était pas seulement pour sortir plus vite : il ne fallait surtout pas immobiliser les appareils, même quelques minutes de trop. Elle fit signe à Kostoglotov de s'allonger sur la dure couchette en bois, sous le tube, et de découvrir son ventre. Puis, lui passant sur la peau une sorte de petit balai qui le chatouilla et lui fit froid, elle traça d'étranges contours qui ressemblaient à des chiffres.

Sans perdre une minute, elle expliqua alors à l'infirmière radiologiste le schéma des quadrants qu'elle avait dessinés et comment il fallait amener le tube sur chacun de ces quadrants. Puis elle dit à Kostoglotov de se tourner sur le ventre et lui badigeonna pareillement le dos. En terminant, elle déclara :

« Après la séance de rayons, venez me voir. »

Et elle partit. L'infirmière demanda à Kostoglotov de se remettre sur le dos et recouvrit le premier quadrant d'un drap ; ensuite, elle apporta de lourds tapis en caoutchouc plombé qu'elle plaça sur les endroits limitrophes qui ne devaient pas, pour le moment, recevoir l'impact direct des rayons. Les tapis élastiques épousèrent son corps et leur poids lui fut agréable.

L'infirmière s'en alla et ferma la porte. Maintenant, elle ne le voyait plus que par une petite ouverture vitrée percée dans l'épaisseur du mur. Un léger grésillement se fit entendre ; les lampes auxiliaires s'allumèrent, le tube principal se mit à rougeoyer.

Alors, à travers ce carré de peau de ventre que rien ne protégeait, puis à travers des tissus intermédiaires, à travers des organes, dont leur possesseur le premier ignorait le nom, à travers le corps de la tumeur, tapie comme un crapaud, à travers l'estomac ou l'intestin, à travers le sang qui parcourait veines et artères, à travers la lymphe, à travers les cellules, à travers la colonne vertébrale et les vertèbres, à travers de nouvelles couches de tissus, des vaisseaux et la peau du dos, puis à travers la couchette, les lattes de quatre centimètres du plancher, à travers doubleaux et hourdis, et plus loin, plus loin encore, s'enfonçant dans les fondements de la pierre et dans la terre, se déversèrent les rayons X durs, vecteurs vibrants des champs électrique et magnétique, difficilement concevables pour l'esprit humain, ou encore plus intelligibles à l'homme, projectiles-quanta, qui déchiquetaient et criblaient tout sur leur passage.

Et cette lourde et barbare mitraille de quanta, qui s'effectuait silencieusement, sans que les tissus bombardés ne ressentissent quoi que ce fût, avait, en douze séances, rendu à Kostoglotov l'envie et le goût de vivre, l'appétit et la bonne humeur. Délivré dès la deuxième et la troisième séance des souffrances qui lui rendaient l'existence insupportable, il avait voulu savoir et comprendre comment ces petits projectiles qui le perçaient de part en part pouvaient bien bombarder sa tumeur sans toucher le reste de son corps. Kostoglotov ne pouvait vraiment accepter un traitement que lorsqu'il en avait clairement compris le sens et qu'il y adhérait sans réserves.

Pour essayer de se faire une idée nette de la radiothérapie, il avait interrogé Vera Kornilievna, cette douce jeune femme qui avait désarmé toutes ses préventions et sa méfiance dès leur première rencontre, au bas de l'escalier, alors qu'il était bien décidé à ne partir de là que délogé par les pompiers ou par la police.

« N'ayez pas peur de m'expliquer, lui avait-il dit pour la tranquilliser. Je suis comme ce guerrier lucide qui ne pourra combattre que s'il comprend les buts de son combat. Comment se fait-il que les rayons X détruisent les tumeurs sans toucher aux autres tissus ? »

Tout ce que ressentait Vera Kornilievna, ses lèvres l'exprimaient avant même ses yeux. Les lèvres de cette jeune femme avaient quelque chose de frémissant, de léger comme des ailes. Et maintenant, c'était l'incertitude qui s'y exprimait : le souffle de ses lèvres trahissait ses doutes.

(Que pouvait-elle lui dire ? Cette artillerie aveugle ne mitraillait-elle pas avec la même satisfaction aussi bien les siens que les autres ?)

« Oh ! à quoi bon !... Enfin, soit... Bien sûr, les rayons détruisent tout à la fois. Seulement, les tissus sains se reconstituent très vite et les autres, non. »

Vrai ou faux, ce qu'elle avait dit plut à Kostoglotov.

« Oh ! dans ces conditions, j'accepte de jouer. Merci. Maintenant, je sais que je vais guérir ! »

Effectivement, il allait mieux. Il s'allongeait de bonne grâce sous les rayons, et, qui plus est, tout au long de la séance, il s'appliquait mentalement à convaincre ses cellules malades qu'on était en train de les anéantir et qu'elles étaient pour ainsi dire kaput.

Ou bien alors, il pensait à n'importe quoi, et même il somnolait.

Pour le moment, il parcourait des yeux les nombreux tuyaux et fils qui pendaient au-dessus de sa tête ; il cherchait à comprendre pourquoi il y en avait tant et se demandait si le système de refroidissement était à l'eau ou à l'huile. Mais sa pensée vagabonda plus loin et la question resta sans réponse.

Il pensait, en fait, à Vera Gangart. Il se disait qu'une femme aussi charmante ne viendrait jamais vivre chez eux à Ouch-Terek ; que toutes les femmes comme elle étaient mariées, obligatoirement. Du reste, il pensait à elle indépendamment de ce mari hypothétique. Il songeait qu'il serait agréable de bavarder avec elle non point à la sauvette, mais longuement, tranquillement, par exemple le temps d'une promenade, dans la cour de l'hôpital. De temps à autre, il lui ferait peur avec une opinion un peu tranchée, et elle se troublerait. Elle était amusante quand elle se troublait. Sa gentillesse brillait dans son sourire, comme un soleil, chaque fois qu'elle vous croisait dans le couloir, ou qu'elle entrait dans la chambre. Chez elle, la bonté n'était pas de commande, elle était naturelle ; son sourire était bon, son sourire, ou plutôt ses lèvres. Elle avait des lèvres qu'on aurait dit vivantes, indépendantes, prêtes à s'envoler, à piquer vers le ciel, comme l'alouette. Toutes les lèvres sont faites pour le baiser ; ces lèvres-là aussi, mais elles avaient en plus une mission qui leur était propre : murmurer des paroles de bonheur.

Le tube grésillait légèrement.

Il pensait à Vera Gangart, mais il pensait aussi à Zoé. Apparemment, la plus forte impression que lui avait laissée la soirée d'hier et qui avait resurgi en lui dès le matin, était celle que lui avaient donnée les seins fermes et tendus de la jeune fille qui, à eux deux, formaient une petite plate-forme presque horizontale. Pendant leur bavardage de la veille, il y avait, sur la table à côté d'eux, une grosse règle assez lourde (elle n'était pas en contre-plaqué, mais en bois plein) qui servait à tracer les colonnes des registres ; et toute la soirée, Kostoglotov avait été très tenté de saisir cette règle et de la poser sur la petite plate-forme que formaient les seins de Zoé pour voir si elle glisserait ou ne glisserait pas. Il lui semblait qu'elle n'aurait pas glissé.

Mais il avait eu peur d'offenser la jeune fille.

Et puis il pensait encore, avec reconnaissance, à ce lourd tapis plombé qu'on avait placé sur le bas de son ventre. Ce tapis qui pesait sur son corps semblait dire joyeusement : « Je te défends, n'aie pas peur ! »

Mais peut-être que non, après tout ? Peut-être qu'il n'était pas assez épais ? Peut-être qu'on ne le mettait pas comme il fallait ?

Pourtant, pendant ces douze derniers jours, Kostoglotov n'était pas seulement revenu à la vie, retrouvant le goût de manger, de bouger, et la bonne humeur ; il était revenu aussi, pendant ces douze jours, à ce qui est la sensation la plus forte dans une vie d'homme, mais que ses souffrances des derniers mois avaient complètement annihilé. Autrement dit, le plomb assurait bien sa défense !

Peu importe ! Il fallait qu'il file de cet hôpital pendant qu'il était encore entier.

Il n'avait même pas remarqué que le bourdonnement avait cessé et que les fils roses commençaient à se refroidir. L'infirmière entra et le débarrassa des tapis protecteurs et des draps qui le couvraient. Il mit les pieds par terre et vit alors distinctement, sur son ventre, des carrés et des chiffres violets.

« Je voudrais bien enlever ça, dit-il à l'infirmière.

— Seulement quand les médecins le permettront.

— Vraiment très pratique ! Si je comprends bien, je suis bon pour au moins un mois de ce régime ?... »

En sortant, il alla chez le docteur Dontsova qu'il trouva assise dans la salle de radiothérapie ; elle avait chaussé ses lunettes carrées aux coins arrondis et elle était en train d'examiner par transparence des clichés radiographiques. Les appareils étaient débranchés, les deux vasistas ouverts, et il n'y avait plus personne.

« Asseyez-vous », dit-elle sèchement.

Il s'assit.

Elle comparait deux radios et poursuivit son examen.

Certes, il lui tenait tête parfois, mais c'était là sa défense contre les excès de la médecine, tels qu'ils découlent des règlements. Personnellement, Lioudmila Afanassievna lui inspirait de la confiance par sa fermeté quasi masculine, par la précision des ordres qu'elle lançait d'une voix claire devant l'écran, dans le noir, par son âge aussi, et par son dévouement absolu à sa tâche ; mais ce qui lui inspirait confiance par-dessus tout, c'était la sûreté de sa main qui, dès le premier jour, avait palpé franchement sa tumeur et avait suivi son contour sans la moindre hésitation. Cette précision de la main du médecin lui avait été confirmée par sa propre tumeur qui, elle aussi, était capable de sentir. Seul le malade peut apprécier si le docteur, avec ses doigts, comprend réellement la tumeur. Le docteur Dontsova palpait sa tumeur avec une telle dextérité qu'elle pouvait parfaitement se passer de radio.

Elle mit les clichés de côté, ôta ses lunettes et lui dit :

« Kostoglotov, dans votre dossier de maladie, il y a

une lacune trop importante. Il nous faut une confirmation exacte de l'origine de votre tumeur primaire. (Lorsque le docteur Dontsova employait un langage technique, son débit s'accélérait considérablement : longues phrases et termes de médecine s'enfilaient tout d'une haleine.) Ce que vous nous racontez de l'opération qu'on vous a faite il y a deux ans, d'une part, et la localisation actuelle de la métastase, d'autre part, concordent parfaitement et justifient notre diagnostic. Toutefois, nous ne devons pas non plus exclure d'autres possibilités ; et ceci nous rend le traitement plus difficile. Faire un prélèvement de votre tumeur est, pour le moment, impossible ; je n'ai pas besoin de vous le dire.

— Dieu merci ! Je m'y serais opposé, d'ailleurs.

— Je n'arrive toujours pas à comprendre pourquoi nous ne recevons pas la préparation sur lamelle de votre premier prélèvement. Vous êtes bien toujours sûr qu'une analyse histologique a été faite ?

— Oui, tout à fait sûr.

— Alors pourquoi ne vous a-t-on pas donné le résultat ? » poursuivit-elle d'une voix brève et pressée d'homme d'affaires, et il fallait deviner certains des mots qu'elle prononçait.

Mais Kostoglotov, lui, avait perdu l'habitude de se dépêcher.

« Le résultat ? C'est que nous étions pris dans des événements si violents, Lioudmila Afanassievna, et la situation était telle que, ma foi... j'aurais eu tout bonnement honte à demander des nouvelles de ma biopsie. C'est que, voyez-vous, les têtes tombaient tout autour de nous. D'ailleurs, je ne comprenais même pas la raison de cette biopsie. (Lorsqu'il parlait avec des médecins, Kostoglotov aimait à recourir à leur vocabulaire.)

— Vous, vous ne compreniez pas, c'est naturel. Mais les médecins, eux, auraient dû comprendre qu'on ne joue pas avec ces choses-là.

— Les médecins ? »

Son regard se posa sur ses cheveux gris qu'elle ne dissimulait pas et se refusait à teindre, puis s'abaissa sur son visage aux pommettes un peu larges dont l'expression était grave et tendue.

La vie était bizarre... Cette femme assise devant lui était sa compatriote ; ils avaient vécu la même époque et, de plus, elle ne lui voulait que du bien ; pourtant, bien qu'ils parlassent la même langue, il ne pouvait lui expliquer les choses les plus simples. Peut-être parce qu'il lui fallait remonter trop loin dans le temps, ou alors s'interrompre trop tôt...

« Les médecins non plus ne pouvaient rien faire, Lioudmila Afanassievna. Le premier chirurgien (un Ukrainien) qui avait décidé l'opération et m'y avait préparé fut embarqué dans un convoi, juste la veille.

— Et alors ?

— Et alors ? Eh bien, on l'emmena.

— Mais pardon, on l'avait prévenu, et il pouvait... »

Kostoglotov se mit à rire de bon cœur. Il s'amusait beaucoup.

« Un convoi, c'est quelque chose dont on ne prévient jamais, Lioudmila Afanassievna. L'intéressant est justement de tirer les gens de chez eux sans qu'ils s'y attendent. »

De grosses rides barraient le front du docteur Dontsova. Ce que disait Kostoglotov n'avait ni queue ni tête.

« Mais puisqu'il avait un malade à opérer ?

— Ha ! On en avait amené un encore mieux arrangé que moi : un Lituanien, qui avait avalé une cuillère en aluminium, une cuillère à soupe.

— Mais enfin, pourquoi ?

— Exprès. Pour qu'on le sorte de son cachot. Il ne savait pas, bien sûr, qu'on allait embarquer le chirurgien...

— Et après ?... Car votre tumeur grossissait vite, je suis sûre ?

— Oui, de jour en jour, sérieusement... Eh bien, après, au bout de cinq ou six jours, on amena un autre chirurgien d'un autre camp, un Allemand, Karl Fiodorovitch. Bon... Le temps de se mettre au courant et, au bout de vingt-quatre heures, il me fit mon opération. Ceci dit,

jamais il n'a été question devant moi de tumeur maligne ou de métastase. Je ne connaissais même pas l'existence de ces mots.

— Et la biopsie, c'est lui qui l'a envoyée ?

— J'ignorais tout, à l'époque, je n'avais aucune idée
d'une quelconque biopsie. Après mon opération, je restai
couché avec des sacs de sable sur le ventre, puis, vers la
fin de la semaine, je réappris à poser le pied par terre, à
me tenir debout ; et brusquement, voilà qu'on rassemble
un nouveau convoi de détenus, sept cents hommes environ, des fortes têtes, soi-disant. Et mon Karl Fiodorovitch, si paisible, est dans le lot !... J'ai su ensuite qu'on
était allé le chercher dans son baraquement, sans lui
laisser le temps de voir ses malades une dernière fois.

— Quelle sauvagerie !

— Oh ! ce n'est rien encore, poursuivit Kostoglotov,
plus animé que de coutume : un de mes amis vient en
courant me prévenir que je suis aussi sur la liste, que
le responsable de l'infirmerie, « Madame » Doubinskaïa,
a donné son accord. Son accord ! Alors qu'elle savait que
je ne pouvais pas marcher et qu'on ne m'avait pas encore
enlevé les fils, la garce !... Excusez-moi... Alors je prends
ma décision : partir dans des wagons à bestiaux avec
des coutures mal refermées qui vont s'envenimer, c'est
la mort ; dans quelques minutes, ils sont là... Eh bien, je
vais leur dire : Fusillez-moi, ici, sur mon lit, je refuse de
partir. J'étais fermement décidé ! Mais personne ne vint
me chercher. Non pas que Mme Doubinskaïa m'eût pris
en pitié, elle était la première étonnée de me voir
rester là ; en fait, ceux du centre de répartition avaient
découvert qu'il me restait moins d'un an à faire. Mais
je m'écarte de mon sujet... Donc, je m'approche de la
fenêtre et je vois derrière la palissade de l'hôpital, à une
vingtaine de mètres, le lieu de rassemblement et les
détenus qu'on pousse avec leurs affaires. Karl Fiodorovitch m'aperçoit de loin à la fenêtre et me crie : « Kosto-
« glotov ! Ouvrez le vasistas ! » Les surveillants hurlent :
« Ta gueule, charogne ! » mais il continue : « Kostoglo-
« tov ! Surtout, n'oubliez pas ! C'est très important ! J'ai

« envoyé un prélèvement de votre tumeur pour une
« analyse histologique à Omsk, à la chaire d'Anatomie
« pathologique ! Retenez bien cela ! » Et puis... on les
embarqua. Voilà quels furent mes médecins et vos pré-
décesseurs. De quoi sont-ils coupables ? »

Kostoglotov se rejeta en arrière. Il était très ému,
repris par l'atmosphère de cet autre hôpital.

Ne gardant de ce récit que ce qu'elle jugeait utile
(dans leurs récits, les malades brodent toujours beaucoup), le docteur Dontsova revint à ce qui l'intéressait :

« Et alors, la réponse d'Omsk ? Vous l'avez eue ? On
vous en a fait part ? »

Kostoglotov haussa ses épaules anguleuses.

« Personne ne m'a fait part de quoi que ce soit. Je
n'avais d'ailleurs pas compris pourquoi Karl Fiodorovitch m'avait crié cela. Ce n'est qu'à l'automne dernier,
une fois en relégation, alors que mon mal avait beaucoup gagné, qu'un vieux gynécologue de mes amis insista
longuement pour que je réclame ce résultat. J'écrivis à
mon camp. Pas de réponse. J'adressai alors une réclama-
tion à la direction du camp. Au bout de deux mois environ, je reçus la réponse suivante : « Après vérification
« attentive de votre dossier, il n'apparaît pas possible de
« faire un bilan d'analyse. » J'étais déjà si bas à cause
de ma tumeur que j'aurais bien tout laissé tomber, mais,
comme de toute façon la Sûreté me refusait l'autorisation d'aller me faire soigner, j'écrivis à tout hasard à
la chaire d'Anatomie pathologique d'Omsk. Et, très vite,
en quelques jours, j'eus la réponse ; c'était en janvier,
tenez, avant qu'on m'autorise à venir ici.

— Enfin, nous y voilà ! Et cette réponse, où est-elle ?

— Lioudmila Afanassievna, je venais ici, je... bref,
tout m'était égal. D'ailleurs, le papier était sans en-tête,
sans cachet, c'était une simple lettre écrite par une
laborantine. Elle m'informait aimablement qu'ils avaient
bien reçu de la localité que j'indiquais, une coupe histologique portant la date que j'indiquais, et que l'analyse
avait été faite et confirmait... justement la sorte de
tumeur que vous soupçonnez. Elle ajoutait qu'une ré-

ponse avait aussitôt été envoyée à l'hôpital intéressé,
c'est-à-dire à l'infirmerie de notre camp. Et cela ressemble
tout à fait aux usages de cet établissement, je les
connais bien ; la réponse arriva, on n'en avait que faire,
et Mme Doubinskaïa... »

Non, décidément, le docteur Dontsova ne comprenait
pas cette logique-là ! Elle avait les bras croisés et ses
mains battaient nerveusement ses bras, au-dessus du
coude...

« Mais enfin une telle réponse impliquait qu'il fallait
immédiatement vous soumettre à la radiothérapie !

— De quoi ! s'exclama Kostoglotov, plissant les yeux
d'un air ironique en la regardant — la radiothérapie ? »

Et voilà, cela faisait un quart d'heure qu'il essayait de
lui raconter, et pour en arriver à quoi ? De nouveau, elle
n'avait rien compris...

« Lioudmila Afanassievna, reprit-il avec feu, on ne peut
pas se représenter le monde de là-bas... Personne n'en a
la moindre idée !... Me soumettre à la radiothérapie !
Mais l'endroit de l'opération me faisait encore mal
(comme maintenant pour Akhmadjan), qu'on m'envoyait
déjà travailler comme les autres et couler du béton ! Et
je ne pensais même pas que je pouvais être mécontent.
Savez-vous combien pèse une grande caisse de béton
liquide quand on la soulève à deux ? »

Elle baissa la tête, comme si c'était elle qui l'avait
envoyé couler ce béton.

Oui, mettre à jour ce dossier de maladie était plutôt
compliqué.

« Bon, admettons. Mais cette réponse que vous avez
reçue de la chaire d'Anatomie pathologique, pourquoi est-elle
sans cachet ? Pourquoi est-ce une lettre personnelle ?

— Mais c'est encore une chance qu'il y ait eu au moins
cela ! reprit Kostoglotov avec chaleur. Grâce à une brave
laborantine ! Quand même, il y a davantage de braves
gens parmi les femmes que parmi les hommes, je crois...
et cette lettre personnelle résulte de notre maudite manie
du secret ! Cette femme poursuivait dans sa lettre :
« Cependant, comme ce prélèvement de tissu nous a été

« envoyé anonymement, sans le nom du malade, nous ne
« pouvons vous donner aucune information officielle et
« nous ne pouvons pas davantage vous envoyer la
« coupe. »

L'irritation gagnait Kostoglotov (la colère se marquait
sur son visage plus rapidement que tout autre sentiment).

« Le grand secret d'Etat ! poursuivit-il ; les idiots !
Ils travaillent en pensant que, quelque part, dans un laboratoire, on pourrait apprendre que dans un certain camp
se meurt un prisonnier nommé Kostoglotov ! Frère d'un
certain Louis ! Et maintenant, le document anonyme
traîne, là-bas, pendant qu'ici vous vous cassez la tête
pour savoir comment me soigner. Mais le secret est
sauf ! »

Le docteur Dontsova posa sur lui un regard clair et
ferme. Elle poursuivait son idée.

« Eh bien, cette lettre, je dois la joindre à votre dossier de maladie.

— Entendu. Quand je serai rentré, je vous l'enverrai
tout de suite.

— Non, il me la faut avant. Ce gynécologue dont vous
m'avez parlé ne pourrait pas la retrouver et vous l'envoyer ?

— Pour ce qui est de la retrouver, il la retrouverait
certainement. Mais moi, quand vais-je partir ? demanda
Kostoglotov en regardant par en dessous.

— Vous partirez, dit le docteur Dontsova, détachant
chaque mot avec force, le jour où je jugerai nécessaire
d'interrompre votre traitement, et encore vous ne partirez que temporairement. »

Cette minute, Kostoglotov l'attendait depuis le début
de leur conversation ! Et maintenant, il fallait attaquer,
sur-le-champ !

« Lioudmila Afanassievna ! Sérieusement ! Si vous ces-
siez de me traiter en enfant ! Si nous parlions entre
adultes ! Ce matin, à la visite, je vous ai...

— Ce matin à la visite, l'interrompit le docteur Dontsova dont le visage rude s'était assombri, vous m'avez

fait une scène honteuse. Que recherchez-vous ? Vous voulez semer le trouble parmi les malades ? Leur monter la tête ?

— Ce que j'ai voulu ce matin ? dit-il, et il parlait sans s'échauffer, pesant ses mots lui aussi, solidement calé sur sa chaise, le dos bien adossé. J'ai seulement voulu vous rappeler que j'ai le droit de disposer de ma propre vie. Un homme peut disposer de sa propre vie, n'est-ce pas ? Vous me reconnaissez ce droit ? »

Le docteur Dontsova regardait le tracé pâle et sinueux de sa balafre, et ne répondit pas. Kostoglotov poursuivit son raisonnement.

« D'emblée, vous partez d'une situation fausse : une fois qu'un malade est entre vos mains, c'est vous, désormais, qui pensez pour lui, vous, vos règlements, vos staffs, le programme, le plan et l'honneur de votre établissement. Et moi, de nouveau, je ne suis plus qu'un grain de sable, comme dans le camp ; et de moi, plus rien ne dépend.

— Nous demandons aux malades une autorisation écrite avant chaque opération », lui rappela le docteur Dontsova.

(Qu'est-ce qu'elle avait à parler d'opération !... En tout cas, une opération, c'est quelque chose qu'il n'accepterait pour rien au monde !)

« Merci ! Pour cela au moins, merci ! (Mais, au fond, elle n'agissait ainsi que pour se mettre à couvert.) Mais, à part l'opération, vous savez bien que vous ne demandez rien aux malades, que vous ne leur expliquez rien ! Pourtant, on sait ce que cela coûte, une seule séance de rayons !

— Où avez-vous ramassé tous ces racontars à propos des rayons ? essaya de deviner le docteur Dontsova. Ce ne serait pas Rabinovitch le responsable ?

— Je ne connais personne de ce nom, répondit Kostoglotov, en secouant énergiquement la tête. Je parle du principe. »

(Oui, c'était bien de Rabinovitch qu'il tenait ces sombres récits sur les conséquences qu'entraînaient les

rayons, mais il avait promis de ne pas le trahir. Rabinovitch était un malade qui venait à la consultation ; il
en était au moins à sa deux centième séance ; chacune
d'elles lui était pénible et il sentait que chaque dizaine
d'irradiations le rapprochait moins de la guérison que de
la mort. Là où il vivait, dans son appartement, dans sa
maison, dans sa ville, personne ne le comprenait : tous
ces gens bien portants couraient du matin au soir, pensant Dieu sait à quels succès ou à quels échecs, qui leur
paraissaient très importants. Même sa famille en avait
assez de lui. Il n'y avait qu'ici, sur le petit perron du
dispensaire anticancéreux, qu'on l'écoutât pendant des
heures et que l'on compatît à son sort ; chaque malade,
en effet, comprenait ce que cela veut dire lorsque le tri-
gone souple du cartilage thyroïdal s'est complètement
durci et que tous les endroits irradiés portent des cica-
trices considérablement épaissies...)

Voyez-vous ça ? Il parlait de principe !... Il ne restait
plus au docteur Dontsova et à ses internes qu'à conférer,
des jours durant, avec leurs malades, des principes de
chaque traitement ! Quand les appliquerait-on, alors, ces
traitements ?

Mais des entêtés aussi insatiables et aussi pointilleux
que celui-ci ou que ce Rabinovitch, la harcelant de toutes sortes de questions sur leur maladie, surgissaient
dans son service, inévitablement, à raison d'un tous les
cinquante malades environ, et, tôt ou tard, on était
condamné à s'expliquer avec eux. En outre, le cas de
Kostoglotov était aussi très spécial du point de vue
médical ; ceci pour une double raison : d'une part cette
négligence, cette malveillance voulue avec laquelle la
maladie avait d'abord été soignée et qui avaient conduit
et poussé cet homme à une mort presque sûre, et, d'autre part, ce retour à la vie brutale et exceptionnellement
rapide que les rayons avaient provoqué.

« Kostoglotov ! Douze séances de rayons ont fait du
moribond que vous étiez un homme bien vivant ; comment osez-vous dire du mal des rayons ? Vous vous plai-
gniez de n'avoir été soigné ni dans le camp où vous

étiez, ni en relégation, et d'avoir été méprisé, et voilà que maintenant vous vous plaignez parce qu'on vous soigne et parce qu'on s'occupe de vous. Où est la logique dans tout cela ?

— Visiblement, il n'y en a pas, dit Kostoglotov en secouant ses boucles noires ; mais peut-être qu'il ne doit pas y en avoir, Lioudmila Afanassievna ? L'homme est un être très complexe, pourquoi vouloir l'expliquer par la logique ? Ou bien par l'économie ? Ou par la physiologie ? Oui, je suis arrivé ici quasi mourant, et j'ai réclamé vos soins, et je me suis couché par terre, au pied de l'escalier, mais vous, vous en déduisez aussitôt que je veux être sauvé à n'importe quel prix. Non, je ne veux pas être sauvé à n'importe quel prix ! Il n'y a rien au monde que j'admettrais de payer à n'importe quel prix ! »

Il parlait vite, maintenant, quoiqu'il n'aimât pas cela ; mais le docteur Dontsova cherchait à l'interrompre et il avait encore beaucoup à dire.

« Je suis venu ici pour chercher un allégement à mes souffrances ! J'ai très mal, aidez-moi ! disais-je, et vous m'avez aidé, et je n'ai plus mal. Merci ! Merci ! Je vous suis infiniment obligé. Seulement, maintenant, laissez-moi partir ! Laissez-moi me retirer, comme le chien dans sa niche, laissez-moi reprendre des forces et lécher mes plaies !

— Et lorsque vous serez de nouveau écrasé de douleur, vous vous traînerez une seconde fois jusqu'ici ?

— Oui, peut-être.

— Et nous devrons vous accepter ?

— Oui ! Et c'est là que vous serez charitable !... Ce qui vous inquiète, c'est quoi enfin ? Le pourcentage de guérison ? Votre responsabilité ? Comment mettre noir sur blanc que j'ai été renvoyé après quinze séances, alors que l'Académie de Médecine n'en recommande pas moins de soixante ? »

Elle n'avait jamais entendu une telle salade de sornettes. Justement, du point de vue des statistiques, il aurait fait très bon effet de le renvoyer maintenant en

alléguant une « soudaine et franche amélioration », ce
qui ne serait plus possible au bout de cinquante séances.

Et lui discourait toujours :

« Il me suffit, à moi, que vous ayez fait reculer ma
tumeur, que vous lui ayez barré la route. Elle est en
position de repli ; moi aussi, c'est parfait. Un soldat
n'est jamais mieux qu'en position de défense. De toute
façon, vous n'arriverez pas à me guérir « jusqu'au bout »
car il n'y a jamais de fin au traitement du cancer.
D'ailleurs, en général, tous les processus naturels sont
caractérisés par un assouvissement asymptotique, quand
les grands efforts n'aboutissent qu'à des résultats de plus
en plus petits. Au début, ma tumeur régressait rapidement ; maintenant, ce sera lent ; alors, laissez-moi partir
avec ce qu'il me reste de sang.

— D'où tenez-vous tous ces renseignements, je serais
curieuse de le savoir ? demanda le docteur Dontsova en
fronçant le sourcil.

— J'ai toujours aimé consulter les livres de médecine,
voyez-vous.

— Mais que craignez-vous exactement dans notre traitement ?

— Ce que je crains ? Je ne le sais pas, Lioudmila
Afanassievna, je ne suis pas médecin ; mais vous, vous
le savez, peut-être, et vous ne voulez pas me l'expliquer.
Par exemple, tenez : Vera Kornilievna veut me prescrire une piqûre de glucose...

— C'est absolument nécessaire.

— Eh bien, moi, je ne veux pas.

— Et pourquoi donc ?

— D'abord, c'est contre nature. Si j'ai vraiment besoin
de sucre de raisin, donnez-le-moi par la bouche ! Qu'est-
ce que c'est que cette invention du xxᵉ siècle qui consiste
à faire des piqûres pour un oui ou pour un non ? Où
voit-on cela dans la nature ? Chez les animaux ? Dans
cent ans, on se moquera de nous, comme de sauvages.
Deuxièmement, il y a la manière de faire des piqûres !
Telle infirmière trouve tout de suite, telle autre vous
perfore toute la peau, là au pli du coude. Je ne veux

pas ! Par ailleurs, je constate qu'on cherche insidieusement à me faire une transfusion...

— Vous devriez vous en réjouir ! Quelqu'un vous donne son sang ! C'est la santé ! C'est la vie !

— Mais moi je ne veux pas ! J'ai vu faire une transfusion à un Tchètchène, ici, et ensuite il est resté trois heures à gigoter sur son lit : « la compatibilité n'était pas parfaite » à ce qu'il paraît ! A un autre on a introduit du sang à côté de sa veine, et il a eu tout de suite une grosse boule sur le bras. Maintenant, depuis un mois, on lui fait des compresses chaudes. Je ne veux pas !

— Mais sans transfusion, on ne peut pas faire beaucoup de rayons.

— Eh bien, n'en faites pas ! Pourquoi vous arrogez-vous le droit de décider pour les autres ? C'est un droit redoutable et qui ne mène à rien de bon. Méfiez-vous-en ! Ce droit n'est donné à personne, pas même au médecin.

— Si, justement, ce droit appartient au médecin ! au médecin d'abord ! s'écria impétueusement le docteur Dontsova, que la conversation avait fortement échauffée. Sans ce droit, il n'y aurait pas de médecine du tout !

— Et cela mène à quoi ? à cette communication sur la maladie des rayons que vous allez bientôt faire, c'est ça ?

— Comment le savez-vous ? dit la doctoresse avec surprise.

— Ce n'est pas difficile à supposer... »

(C'était simple, en effet ; il y avait sur la table une épaisse chemise contenant des feuillets dactylographiés. Sur la couverture s'étalait une inscription que Kostoglotov voyait à l'envers, mais il avait eu tout le temps de la lire et d'y réfléchir pendant la conversation.)

« Ce n'est pas sorcier à deviner... Puisqu'un nouveau terme vient de faire son apparition, il faut bien faire des communications ! Seulement, vous le savez fort bien, il y a vingt ans de cela, vous irradiez un autre type, un autre Kostoglotov, et ce Kostoglotov protestait qu'il avait peur du traitement, tandis que vous, vous lui affirmiez que tout était normal, parce que vous ne la connaissiez pas encore, cette maladie des rayons ! Eh bien, c'est comme moi aujourd'hui ; je ne sais pas encore ce qui me menace ; mais, s'il vous plaît, laissez-moi partir ! Je veux guérir par mes propres forces. Et si j'avais brusquement un mieux, hein ? »

Il y a un principe chez les médecins : il ne faut pas effrayer le malade, il faut lui remonter le moral. Mais un malade aussi insupportable que Kostoglotov, il fallait au contraire le désarçonner.

« Un mieux ? il n'y aura pas de mieux ! Je puis vous l'assurer, dit-elle, et sa main claqua sec sur la table, comme un tue-mouches ; il n'y en aura pas ! En revanche, ajouta-t-elle, et elle prenait la mesure du coup qu'elle allait lui porter, vous mourrez ! »

Elle le regarda, s'attendant à le voir tressaillir. Mais il demeura coi.

« Vous aurez le sort d'Azovkine. C'est clair, oui ? Vous avez la même maladie, et elle a été prise presque aussi tard. Akhmadjan, lui, sera sauvé, car nous avons commencé les rayons tout de suite après l'opération. Mais vous, vous avez perdu deux ans, réfléchissez-y ! Il aurait fallu faire d'emblée une deuxième opération, au ganglion lymphatique le plus proche, qui devait normalement être atteint à son tour ; et cette opération, on ne vous l'a pas faite, rappelez-vous, et les métastases se sont répandues partout ! Votre tumeur est l'une des formes les plus dangereuses du cancer ! elle est dangereuse parce qu'elle se développe très vite et que c'est une tumeur particulièrement maligne, qui donne très vite des métastases. Tout récemment encore, sa mortalité était de quatre-vingt-dix pour cent, cela vous convient ? Tenez, je vais vous montrer... »

Elle tira une chemise d'une pile de dossiers et commença à farfouiller dans les papiers qui s'y trouvaient.

Kostoglotov se taisait. Puis il se mit à parler, mais d'une voix douce, qui n'avait plus la belle assurance de tout à l'heure.

« A franchement parler, je n'y tiens pas tant que ça, à

la vie. Non seulement je n'en ai plus devant moi, mais
même je n'en ai jamais eu derrière moi ; et si j'ai la
moindre chance de vivre six petits mois, eh bien, il faut
que je les vive. Mais planifier dix ou vingt ans d'avance,
ça, je ne le veux pas. A trop guérir, on fait trop souffrir.
Les nausées vont commencer, les vomissements, à quoi
bon ?...

— Voilà ! j'ai trouvé ! ce sont nos statistiques. » Et
elle lui mit sous les yeux une feuille de cahier double.
Le nom de sa tumeur barrait cette feuille dans toute
sa largeur ; en haut de la page de gauche, on lisait
« Décédés » ; en haut de celle de droite « Non encore
décédés ». Des noms de malades hommes s'étalaient sur
trois colonnes, écrits à différents moments, au crayon,
à l'encre. Du côté gauche, rien n'était biffé ; mais, du
côté droit, il y avait des ratures, des ratures, des ratures... « Alors voilà : chaque fois que nous renvoyons
un malade, nous l'inscrivons dans la liste de droite, et
ensuite nous le faisons passer dans celle de gauche...
Mais il y a quand même quelques heureux qui restent
dans celle de droite, vous voyez ? »

Elle lui donna la feuille pour qu'il la regarde de plus
près et pour qu'il réfléchisse.

« Il vous semble que vous êtes guéri ! reprit-elle énergiquement ; mais vous êtes malade, comme avant. Tel
vous étiez quand vous êtes arrivé, tel vous êtes
encore. La seule chose qui soit devenue claire, c'est
qu'avec la tumeur que vous avez, il est possible de lutter,
et que tout n'est pas encore perdu. Et c'est le moment
que vous choisissez pour annoncer que vous partez ?
Eh bien, allez-vous-en, allez-vous-en ! aujourd'hui, si vous
voulez ! Je ferai le nécessaire tout de suite... et je vous
inscrirai de ma propre main dans cette liste-là, celle
des « Non encore décédés ».

Il se taisait.

« Alors ? Décidez !

— Lioudmila Afanassievna, dit-il enfin, en manière
de conciliation, si c'est une quantité raisonnable de
séances qu'il me faut, cinq ou dix...

— Ni cinq ni dix, mais pas une, ou autant qu'il en faudra ! Par exemple, à partir d'aujourd'hui, deux séances par jour au lieu d'une ; et toutes les formes de traitement qui seront nécessaires ! et puis il faut cesser de fumer ! et puis il y a encore une autre condition obligatoire : supporter le traitement non seulement avec confiance, mais aussi avec joie ! Alors seulement vous pourrez guérir ! »

Il baissa la tête. En fait, aujourd'hui, il avait en quelque sorte d'autant plus marchandé qu'il redoutait le pire ; il craignait qu'on lui proposât de l'opérer ; mais il n'avait pas été question d'opération et les rayons, on pouvait les continuer, cela ne le gênait pas. Kostoglotov avait en réserve un remède qu'il tenait secret, une racine qui poussait sur les bords du lac Issyk-Koul et, s'il comptait regagner son lointain village, c'était avec l'arrière-pensée de se soigner avec cette racine. Ayant ce remède en réserve, Kostoglotov n'était venu à la consultation des cancéreux qu'à titre d'essai.

Voyant qu'elle avait le dessus, le docteur Dontsova se montra magnanime :

« C'est bon, nous ne vous donnerons pas de glucose. A la place, nous vous ferons une autre piqûre, une intramusculaire. »

Kostoglotov sourit :

« Celle-là, je vous la concède volontiers.

— Et puis, je vous en prie, faites venir au plus vite cette lettre d'Omsk. »

En la quittant, il songeait qu'il marchait entre deux éternités. D'un côté, la liste des « Non encore décédés », avec ses inévitables ratures ; de l'autre, l'exil éternel, éternel comme les étoiles, comme la Galaxie.

CHAPITRE VII

LE DROIT A SOIGNER

SEULEMENT voilà ! s'il avait tenté d'élucider le pourquoi et le comment de cette piqûre, s'il s'était fait dire ce qu'il en coûterait, s'il avait exigé de savoir en quoi elle était réellement nécessaire et moralement justifiée, si Lioudmila Afanassievna avait été contrainte de lui dévoiler le sens et les possibles conséquences de ce nouveau traitement, presque sûrement Kostoglotov se serait définitivement rebellé. Mais à ce moment précis, ayant épuisé tous ses brillants arguments, il avait cédé.

Quant à elle, elle avait consciemment rusé quand elle lui avait parlé de ces piqûres comme d'une chose insignifiante : elle était lasse maintenant de ces explications et elle savait avec certitude que, dès lors qu'était vérifiée sur le malade l'action d'une thérapie exclusivement basée sur les rayons, le temps était venu de porter à la tumeur un nouveau coup, tel que le recommandaient vivement, pour cette forme de cancer, tous les manuels contemporains. Pressentant un succès hors série dans le traitement de Kostoglotov, elle ne pouvait pas se faire le complice de son obstination et renoncer à mettre en œuvre tous les moyens auxquels elle croyait pour lutter contre son mal. Bien sûr, les résultats de la première analyse étaient perdus. Mais toute son intuition, tout son flair, toute son expérience lui suggéraient qu'elle était tombée exactement sur la tumeur à laquelle elle pensait, et pas sur un tératome ou un sarcome.

C'était précisément sur ce type de tumeur, et sur la migration des métastases qu'elle entraînait, que le docteur Dontsova était en train d'écrire sa thèse. A vrai dire, elle n'y travaillait pas vraiment de façon suivie ; elle s'y était mise, l'avait abandonnée, s'y était remise à plusieurs reprises ; son maître, le docteur Orechtchenkov, et ses amis lui répétaient que tout irait très bien, mais, dominée, écrasée par les circonstances, elle avait cessé de croire qu'un jour viendrait où elle la soutiendrait. Non point qu'elle manquât d'expérience ou de matériau, au contraire, elle en avait en surabondance et chaque jour en rajoutait : elle se rendait tantôt devant son écran, tantôt au laboratoire, tantôt au chevet d'un malade ; mais s'occuper du tri et de l'exploitation des clichés radiographiques, rédiger les exemples cliniques, systématiser et présenter quelque chose qui ressemblât à une thèse, dépassait les forces humaines. Elle aurait pu obtenir un détachement de six mois à la Recherche, mais jamais ni les malades ni l'hôpital ne lui offriraient l'occasion favorable à un tel départ, et jamais n'arriverait ce jour impossible à partir duquel il serait loisible d'abandonner à elles-mêmes les trois jeunes internes qu'elle dirigeait, et de s'en aller pour un semestre.

Léon Tolstoï, avait-on dit un jour à Lioudmila Afanassievna, aurait déclaré à propos de son frère qu'il avait toutes les qualités de l'écrivain, mais qu'il lui manquait les défauts qui font un écrivain. Il faut croire qu'il lui manquait, à elle, les défauts qui permettent de devenir docteur. Elle n'éprouvait vraiment aucun besoin d'entendre chuchoter dans son dos : « Ce n'est pas un simple médecin ; elle est docteur en médecine, c'est Dontsova », ni de voir figurer au début de ses articles (elle avait déjà à son actif une dizaine de publications, courtes, mais pertinentes) les quelques lettres supplémentaires, en petits caractères, qui ont tant de poids. Bien sûr, de l'argent en plus, ça n'est jamais de l'argent en trop. Mais puisque cela ne s'était pas réalisé, eh bien, tant pis, il ne fallait plus en parler.

Du travail dit d'intérêt public et scientifique, elle en avait déjà bien assez comme cela sans rédiger une thèse. Il y avait dans leur hôpital des conférences clinico-anatomiques avec études des erreurs de diagnostic et de traitement, et exposés des méthodes nouvelles ; on était tenu d'y assister et d'y prendre une part active (à vrai dire, chirurgiens et radiologues n'attendaient point ces conférences pour se consulter mutuellement chaque jour, discuter de leurs erreurs et appliquer de nouvelles méthodes, mais, de toute façon, il y avait aussi ces conférences). Et puis il y avait également la section locale de la Société savante de Radiologie qui organisait des débats et des séances pratiques. De plus, tout récemment, s'était créée la Société savante de Cancérologie à laquelle le docteur Dontsova, non seulement avait adhéré, mais dont elle était devenue la secrétaire et où, comme dans toute organisation nouvelle, les tracas étaient énormes. Et puis il y avait encore l'Institut de Perfectionnement des Médecins ; et puis il y avait toute la correspondance avec le Courrier de Radiologie, le Courrier de Cancérologie, l'Académie de Médecine, le Centre d'Information ; et tout ceci conjugué faisait que, même si la « Grande Science » semblait tout entière cantonnée à Moscou et à Leningrad, eux, ici, se bornant soi-disant à soigner, en fait, il ne se passait pas de jour qu'ils n'eussent non seulement à soigner, mais à se préoccuper de science.

C'était le cas aujourd'hui ; elle devait téléphoner au président de la Société de Radiologie au sujet de sa communication dont la date était proche maintenant ; il lui fallait parcourir d'urgence deux petits articles d'une revue ; écrire une réponse à Moscou ; et une autre réponse à un centre de dépistage du cancer, perdu quelque part dans la campagne, qui lui avait demandé certains éclaircissements.

Bientôt, dès qu'elle aurait fini d'opérer, Eugénie Oustinovna, le chirurgien-assistant, devait, comme convenu, lui montrer pour consultation une de ses malades du service de gynécologie ; et puis il fallait aussi trouver le temps d'aller au dispensaire pour y examiner, avec une de ses internes, le malade arrivé de Tachaouz et que l'on soupçonnait d'avoir un cancer de l'intestin grêle.

De plus, elle-même avait fixé à aujourd'hui une réunion avec les techniciens-radiologistes, pour discuter avec eux de la manière dont ils pourraient augmenter le rendement des divers appareils afin de faire passer davantage de malades. Il y avait aussi la piqûre d'embychine faite à Roussanov qu'elle ne devait pas oublier, et il faudrait qu'elle monte le voir (ils ne soignaient eux-mêmes ce genre de malades que depuis peu, jusqu'à tout récemment ils les envoyaient à Moscou).

Et voilà qu'elle avait perdu son temps à se disputer stupidement avec cet entêté de Kostoglotov ! C'était de l'enfantillage systématique ! Par deux fois, pendant leur conversation, les ouvriers-monteurs qui étaient en train de perfectionner l'appareillage de la bombe au cobalt avaient passé la tête à la porte : ils voulaient démontrer au docteur Dontsova la nécessité de certains travaux qui n'étaient pas prévus dans leur devis, et ils voulaient qu'elle leur signe une autorisation pour ces travaux et qu'elle convainque le médecin-chef de leur nécessité. Maintenant, ils venaient justement de l'entraîner dans la salle des appareils, mais entre-temps, dans le couloir, une infirmière lui avait apporté un télégramme. Ce télégramme venait de Novotcherkass, il était d'Anne Zatsyrko. Elles ne s'étaient plus vues ni écrit depuis quinze ans, mais c'était une très vieille amie qu'elle avait connue à l'école des sages-femmes de Saratov, avant même d'entrer à l'Institut de Médecine, en 1924. Anne télégraphiait que son fils aîné, Vadim, de retour d'une expédition de géologie, allait entrer dans son service aujourd'hui ou demain ; elle le recommandait

à son amitié et la priait de lui écrire ce qu'il avait, sans
rien cacher. Préoccupée par cette nouvelle, Lioudmila
Afanassievna laissa là les ouvriers-monteurs pour aller
demander à l'infirmière-chef Mita de réserver jusqu'au
soir le lit d'Azovkine à l'intention de Vadim Zatsyrko.
Mita, comme toujours, trottait aux quatre coins de l'hôpital, et ce n'était pas si facile de la trouver. Quand enfin
Lioudmila Afanassievna dénicha Mita et obtint d'elle
la promesse de garder le lit pour Vadim, ce fut pour
apprendre une nouvelle stupéfiante : la meilleure infirmière du service de radiologie, Olympiade Vladislavovna, était convoquée pour un stage syndical de dix
jours, destiné à former des trésoriers de syndicat.
Ainsi pendant dix jours, il faudrait lui trouver une
remplaçante. C'était tellement inadmissible et tellement impensable que, d'un même pas décidé, les deux
femmes se rendirent sur-le-champ, à travers toute une
enfilade de salles, au bureau des entrées pour téléphoner à la section locale du syndicat.

Mais le téléphone n'était pas libre ; puis il sonna
« occupé », puis on les renvoya à la section régionale ;
là, on s'étonna beaucoup de leur insouciance politique ;
croyaient-elles vraiment que la caisse syndicale pouvait être abandonnée à son sort ?... Visiblement, ni les
membres de la section locale, ni ceux de la section
régionale, ni leurs proches, n'avaient encore été mor-
dus par le cancer et chacun devait se dire que cela
ne lui arriverait pas. Pendant qu'elle était là, Lioudmila
Afanassievna téléphona à la Société de Radiologie, puis
elle courut chez le médecin-chef pour lui demander
d'intervenir ; mais Nizamoutdine Bakhramovitch était
en réunion avec des personnes extérieures à l'hôpital
et il discutait d'un projet de rénovation rationnelle
d'une des ailes du bâtiment ; la question resta donc
en suspens et Lioudmila Afanassievna retourna au cabinet de radiothérapie, en passant par la salle de radioscopie réservée aux diagnostics où, aujourd'hui, elle-
même ne travaillait pas. C'était le moment de la pause ;
à la lumière d'une lampe rouge, les infirmières étaient

en train d'inscrire les résultats ; à peine entrée, la doctoresse fut avertie qu'on avait fait le compte des réserves de pellicule et que, si l'on se basait sur la consommation de ces derniers jours, il n'en restait plus que pour trois semaines ; autrement dit, c'était la panne, de toute manière, car les demandes de pellicule ne mettaient jamais moins d'un mois pour être satisfaites. La doctoresse en déduisit qu'il fallait que le pharmacien et le médecin-chef se voient aujourd'hui même ou bien demain, ce qui n'était pas chose facile, et qu'ils acceptent d'envoyer cette demande au plus vite.

Puis, elle fut arrêtée par les ouvriers-monteurs qui travaillaient dans la salle de la bombe au cobalt et elle signa l'autorisation qu'ils réclamaient. L'heure était venue de rejoindre les techniciens-radiologistes. Elle s'assit avec eux et les calculs commencèrent. Les conditions techniques traditionnelles voulaient que chaque appareil travaillât une heure et se reposât une demi-heure, mais ceci avait été abandonné depuis longtemps, et tous les appareils travaillaient neuf heures de suite sans interruption, c'est-à-dire une fois et demie le temps de travail d'une équipe de techniciens-radiologistes. Et pourtant, en dépit de ce rendement, et malgré la promptitude avec laquelle les techniciens-radiologistes, tous expérimentés, faisaient se relayer les malades sous les appareils, on ne parvenait pas à faire autant de séances qu'on aurait voulu. Il fallait, en une journée, trouver le temps de faire passer tous les malades du dispensaire chacun une fois, et certains malades hospitalisés jusqu'à deux fois (comme c'était prescrit à partir d'aujourd'hui pour Kostoglotov); le but était double : d'une part attaquer la tumeur avec plus de vigueur encore, d'autre part, accélérer la rotation des malades. Toutes ces raisons faisaient qu'à l'insu du personnel de vérification technique, le courant électrique avait été porté à vingt milliampères au lieu de dix. En conséquence, on allait deux fois plus vite (les tubes, manifestement, s'usaient eux aussi plus vite...).

Eh bien, malgré tout cela, on n'avait pas encore le temps de faire passer tout le monde ! Et aujourd'hui, Lioudmila Afanassievna était venue pour cocher, sur la liste des malades, d'une part ceux pour qui elle autorisait un certain nombre de séances sans le filtre de cuivre d'un millimètre qui protégeait la peau (cela raccourcissait les séances de moitié) et, d'autre part, ceux à qui l'on pouvait ne mettre que le filtre d'un demi-millimètre.

Ensuite, elle monta au premier étage pour aller voir comment Roussanov se comportait après la piqûre. Après quoi elle regagna le cabinet de radiothérapie où, entre-temps, les séances d'irradiation avaient repris, et elle allait enfin s'occuper des articles qu'elle voulait lire et se mettre à sa correspondance, lorsque soudain, poliment, on frappa à la porte : c'était Elisabeth Anatolievna qui sollicitait l'autorisation de lui parler.

Cette Elisabeth Anatolievna n'était qu'une simple fille de salle du service de radiologie... pourtant il ne serait venu à l'idée de personne de la tutoyer ou de l'appeler par son diminutif, Lisa, habitude qu'ont pourtant les médecins, même jeunes, quand ils s'adressent aux femmes de salle et quel que soit l'âge de celles-ci. C'était une femme qui avait de l'éducation ; à ses moments de liberté pendant les gardes de nuit, elle lisait des livres en français ; or, pour une raison qu'elle ne disait pas, elle était devenue fille de salle dans un centre anticancéreux, et une fille de salle tout à fait consciencieuse. Bien sûr, elle avait ici un salaire une fois et demie plus important et pendant un certain temps il y avait même eu une prime de cinquante pour cent, en raison de la nocivité des rayons, mais voilà que pour les filles de salle cette prime avait été ramenée à quinze pour cent, et Elisabeth Anatolievna n'était pourtant pas partie.

« Lioudmila Afanassievna ! dit-elle en s'inclinant légèrement comme pour s'excuser, ainsi que font les gens suprêmement polis. Je me sens très gênée de vous déranger pour une raison si futile, mais vraiment c'est à désespérer ! Il n'y a pas un chiffon nulle part ! Je ne trouve absolument rien ! Avec quoi faire le ménage ? »

Eh oui, c'était un vrai malheur ! Le ministère avait prévu de munir le centre anticancéreux d'aiguilles de radium, d'une bombe au cobalt, d'appareils « Stabili-volt », d'installations ultra-modernes pour les transfusions sanguines, des médicaments synthétiques les plus nouveaux, mais quelle place pouvait-il y avoir dans une liste aussi savante pour de simples brosses ou de simples chiffons ?... Nizamoutdine Bakhramovitch disait quand on lui en parlait : « Si le ministère n'a rien prévu, je ne vais quand même pas les payer de ma poche ! » Pendant un certain temps, on avait fait des vieux chiffons avec du linge hors d'usage, mais les services de l'économat s'étaient ravisés et ils avaient interdit cela, car ils soupçonnaient certains d'en profiter pour voler du linge neuf. Désormais, ils exigeaient que le linge usé soit apporté et remis à un endroit déterminé où une commission autorisée l'enregistrait officiellement avant de le transformer en chiffons.

« Je pense, reprit Elisabeth Anatolievna, que peut-être chacun de nous, dans le service de radiologie, pourrait s'engager à apporter de chez lui un chiffon, ce serait un moyen de sortir de cette situation. Qu'en pensez-vous ?

— Eh bien, ma foi, dit la doctoresse en soupirant, c'est probablement notre seule issue. Je suis d'accord. Parlez-en, s'il vous plaît, à Olympiade Vladislavovna... »

Mais au fait, Olympiade Vladislavovna, elle aussi, avait besoin qu'on la tire d'un mauvais pas ! C'était vraiment pure stupidité que de leur enlever pendant dix jours leur meilleure infirmière !

Et elle repartit téléphoner ; et, de nouveau, elle n'aboutit à rien. Sans perdre une seconde, elle partit alors voir le malade qui venait de Tachaouz. Elle resta d'abord assise un moment à attendre que ses yeux s'habituent à l'obscurité. Puis, tantôt debout, tantôt penchée sur son écran protecteur qu'elle abaissait comme une table, elle regarda la solution de baryum dans l'intestin grêle du malade ; de temps à autre, elle tournait le malade sur un côté puis sur l'autre pour pouvoir prendre des clichés. De ses mains gantées de caoutchouc, elle pétrissait le ventre du patient tout en comparant les cris du malade « ça fait mal » avec le jeu mystérieux des contours incertains de taches et d'ombres, et elle traduisait ces taches et ces ombres en un diagnostic.

Absorbée comme elle était par ces multiples occupations, elle avait manqué la pause du déjeuner ; à vrai dire, elle n'observait jamais d'interruption et jamais elle n'allait manger son sandwich dans le square, même l'été.

Sur ces entrefaites, on vint la chercher pour le « consilium » prévu avec le chirurgien et elle se rendit à la salle de soins. Eugénie Oustinovna la mit d'abord au courant du dossier de sa patiente, puis elles firent entrer celle-ci et l'examinèrent. La conclusion du docteur Dontsova fut qu'il n'y avait plus qu'un seul moyen de sauver la malade : la stérilisation. La malade, qui avait tout au plus la quarantaine, se mit à pleurer ; on la laissa faire quelques minutes. « Mais c'est la fin de la vie !... Mais mon mari va me quitter ! répétait-elle.

— Eh bien, vous n'avez qu'à ne rien lui dire, à votre mari ! disait Lioudmila Afanassievna, qui essayait de la convaincre. Comment voudriez-vous qu'il l'apprenne ? Il ne l'apprendra jamais. Vous avez assez de force de caractère pour le lui cacher ! »

Chargée de sauver la vie de ses malades, rien moins que leur vie — car, dans son service, c'était presque toujours la vie qui était en jeu, il n'était pas question d'autre chose — Lioudmila Afanassievna était absolument persuadée que tout préjudice se justifiait si c'était pour qu'une vie soit sauvée.

Aujourd'hui, pourtant, elle avait beau se dépenser tant et plus dans son service, quelque chose était là, depuis le matin, qui entravait son assurance, son sens de la responsabilité, son autorité.

Est-ce que cela venait de la douleur qu'elle ressentait nettement dans son propre corps, dans la région de l'estomac ? Cela avait disparu pendant quelques jours, puis réapparu, plus faible d'abord et, depuis ce matin, plus fort. Si elle n'avait pas été cancérologue, elle n'aurait accordé aucune importance à cette douleur, ou bien alors, au contraire, elle serait allée sans crainte se faire examiner. Mais elle connaissait trop bien tout cet engrenage pour ne pas redouter de s'y mettre elle aussi, en confiant cela à sa famille ou à ses collègues. En son for intérieur, elle se raccrochait au fataliste « on verra bien ! » si cher au peuple russe, et elle se disait : « Qui sait, ça passera peut-être ? Après tout, c'est peut-être tout simplement nerveux ? »

Non, ce n'était pas cela, c'était encore autre chose qui, depuis le matin, la gênait, comme une écharde. C'était diffus, mais obsédant. Maintenant enfin, revenue à sa table dans son petit coin, et effleurant de la main cette chemise dont le titre *La maladie des rayons* n'avait pas échappé au clairvoyant Kostoglotov, elle venait de comprendre ce qui, depuis le matin, la troublait, et même la mortifiait : c'était sa querelle avec Kostoglotov sur le droit à soigner.

Elle entendait encore la phrase qu'il lui avait dite : « Il y a vingt ans, vous irradiez peut-être un autre Kostoglotov qui vous suppliait alors de ne pas le faire, mais vous, vous ne saviez encore rien de la maladie des rayons ! »

Elle devait effectivement faire bientôt une communication à la Société de Radiologie sur le thème des « Modifications tardives dues aux rayons ». A peu de chose près, cela même que lui reprochait Kostoglotov...

Tout récemment, il y a un an ou deux seulement, avaient surgi dans son service, chez d'autres radiologues, ici, à Moscou, à Bakou, des cas qu'on n'avait pas compris tout de suite. Des soupçons étaient nés ; puis une hypothèse ; une correspondance s'était établie à ce sujet ; on commençait à en parler, non point encore dans le cadre des conférences, mais dans les couloirs, avant et après les conférences. Puis quelqu'un avait lu un article à ce sujet dans une revue américaine, puis deux puis trois... Quelque chose de très voisin était en

train de mûrir du côté des Américains aussi. Quant aux
cas, ils se multipliaient ; un nombre croissant de malades venait se plaindre, et soudain tous ces cas avaient
reçu un même nom : les modifications tardives dues aux
rayons ; le moment était arrivé d'aborder le sujet du
haut des chaires et de chercher des solutions.

Voici de quoi il s'agissait : les radiothérapies prati-
quées il y a dix ou quinze ans avec de hautes doses
d'irradiation et qui s'étaient terminées de façon positive,
réussie, ou même brillante, donnaient lieu, aujourd'hui,
aux endroits irradiés, à des lésions et à des atrophies
inattendues.

Cela pouvait encore s'admettre, ou, du moins, se justifier, quand ces irradiations d'il y a dix ou quinze ans
avaient été administrées dans des cas de tumeur maligne. Dans ces cas-là, il n'y avait pas d'issue, même du
point de vue actuel : on n'avait que ce seul moyen de
sauver le malade d'une mort certaine, et seules les fortes doses pouvaient agir, les petites doses n'étant d'aucun secours ; le malade qui venait montrer son membre
atrophié devait lui-même comprendre que c'était là le
prix du surcroît d'années qu'il avait vécues et qu'il lui
restait encore à vivre.

Mais, il y a dix, quinze, dix-huit ans, quand on ignorait
jusqu'au terme de maladie des rayons, l'irradiation apparaissait un moyen si direct, si sûr, si absolu, un progrès si grandiose dans la technique médicale, que l'on
traitait d'arriération mentale et quasiment de sabotage
le fait de refuser ce moyen et de chercher d'autres voies,
parallèles ou détournées. La seule chose qu'on craignait,
c'était les affections aiguës primitives des tissus et des
os, mais on avait appris à les éviter, et on irradiait !
On irradiait avec ferveur ! Même les tumeurs bénignes,
même les petits enfants.

Aujourd'hui, ces enfants, devenus des adultes, ces
jeunes gens et ces jeunes filles, dont certaines, même,
étaient mariées, venaient montrer les mutilations irré-
versibles qu'ils portaient aux endroits soumis naguère
avec tant de zèle aux radiations.

L'automne dernier était arrivé — pas ici, au pavillon des cancéreux, mais au service de chirurgie (Lioudmila Afanassievna l'avait appris et avait obtenu d'examiner elle aussi ce malade) — un garçon de quinze ans chez qui le bras et la jambe d'un même côté avaient leur croissance retardée par rapport à l'autre côté ; il en était de même pour les os du crâne, d'où il résultait que ce jeune homme avait l'air de s'incurver de bas en haut, comme une caricature. En étudiant les archives, Lioudmila Afanassievna avait identifié en lui un jeune enfant de deux ans et demi que sa mère avait amené à la cité hospitalière et qui présentait alors une multitude d'altérations des os, d'origine tout à fait inconnue, mais nullement tumorale, ainsi qu'un profond trouble du métabolisme ; alors, les chirurgiens le lui avaient envoyé, à tout hasard... Qui sait, peut-être que les rayons pourraient faire quelque chose ! Le docteur Dontsova avait entrepris le traitement, et les rayons avaient eu de l'effet ! Le résultat avait été magnifique ! La mère pleurait de joie et disait qu'elle n'oublierait jamais celle qui avait sauvé son fils.

Cette fois-ci, le garçon était venu seul ; sa mère n'était plus ; et personne, désormais, ne pouvait l'aider, personne ne pouvait effacer de ses os les irradiations d'il y a treize ans.

Tout à fait récemment, fin janvier, une jeune mère était venue se plaindre de ne pas avoir de lait. Elle n'était pas venue ici directement, on se l'était passée de pavillon en pavillon, et elle avait abouti au pavillon des cancéreux. Le docteur Dontsova ne se souvenait pas d'elle, mais comme dans leur service on conservait indéfiniment toutes les fiches des malades, il avait suffi d'aller à la réserve, et, après quelques recherches, on avait effectivement trouvé sa fiche, datée de 1941 ; il s'était confirmé qu'elle était venue, petite fille confiante, s'allonger sous les tubes irradiants et offrir aux rayons une tumeur bénigne que plus personne, aujourd'hui, n'aurait l'idée de traiter de cette façon.

Il ne restait plus au docteur Dontsova qu'à reprendre

cette vieille fiche pour y inscrire que les fragiles tissus s'étaient atrophiés et que, selon toute vraisemblance, on se trouvait devant le cas de « modification tardive due aux rayons ».

Naturellement, pas plus à ce jeune homme tout de guingois qu'à cette mère infortunée, on n'avait jugé bon d'expliquer qu'on ne les avait pas soignés comme il fallait quand ils étaient enfants ; pour eux personnellement, c'eût été inutile, et, sur un plan général, cela eût nui à la propagande sanitaire qu'on essayait d'introduire un peu partout dans la population.

Mais tous ces cas avaient profondément secoué Lioudmila Afanassievna ; ils avaient provoqué en elle le sentiment douloureux d'une faute ineffaçable et irréparable ; et, aujourd'hui, justement, Kostoglotov avait frappé là, en ce point douloureux.

Les bras étroitement croisés sur sa poitrine, les mains étreignant ses épaules, elle se mit à arpenter la pièce, de la porte à la fenêtre, de la fenêtre à la porte, empruntant la portion libre de plancher qui séparait les deux appareils maintenant débranchés.

Mais pouvait-on admettre cela ? Pouvait-on admettre que fût remis en question le droit du médecin à soigner ? Si on admettait cela, si on commençait à se demander, à propos de chaque méthode scientifiquement reconnue aujourd'hui, si elle n'allait pas demain être décriée et rejetée, eh bien alors, bon sang, où en arriverait-on ! Après tout enfin, les manuels rapportaient même des cas de morts provoquées par de l'aspirine : quelqu'un avait pris le premier cachet d'aspirine de sa vie, et il était mort ! Dans ce cas, il n'y avait qu'à ne plus soigner du tout ! Et c'en serait fini de tous les soulagements quotidiens qu'apportait la médecine !

Elle avait certainement aussi un caractère universel, la loi qui voulait que tout homme qui agit engendre aussi bien le bon que le mauvais. Seulement, l'un engendrait davantage de bon, et l'autre davantage de mauvais.

Mais Lioudmila Afanassievna avait beau essayer de se tranquilliser, elle avait beau savoir parfaitement que, mis

ensemble, ces cas malheureux et les cas de diagnostics
erronés, de mesures prises tardivement ou à tort, ne
constitueraient peut-être que deux pour cent de toute
son activité, tandis que les jeunes et les vieux, femmes
et hommes, qu'elle avait soignés, ramenés à la vie, sauvés, guéris, marchaient dans les labours, dans l'herbe,
sur l'asphalte, volaient dans les airs, cueillaient le coton,
grimpaient aux pylônes, balayaient les rues, servaient
des clients, étaient assis à des bureaux, ou dans des cafés
ouzbeks, qu'il y en avait au service de l'armée, de la
flotte, qu'ils étaient des milliers, et que beaucoup ne
l'avaient pas oubliée et que beaucoup ne l'oublieraient
pas ; elle avait beau savoir parfaitement tout cela, elle
savait aussi qu'elle-même les oublierait facilement, tous
ses cas les meilleurs, toutes ses victoires les plus difficiles, mais que, jusqu'à la tombe, elle se rappellerait ces
quelques-uns, ces quatre ou cinq malheureux qui étaient
tombés sous les roues du destin.

Sa mémoire était ainsi faite.

Non, décidément, aujourd'hui elle ne pouvait plus se
mettre à sa communication ; d'ailleurs, la journée tirait
à sa fin. (Allait-elle emporter la chemise chez elle ?
C'était quasiment sûr qu'elle n'en ferait rien ; n'avait-
elle pas déjà plus de cent fois emporté du travail chez
elle pour rien...)

Non, voilà ce qu'elle avait encore le temps de faire :
achever la lecture des deux petits articles de la *Radiologie médicale* pour pouvoir rendre la revue ; et répondre aux questions de cet aide-médecin de Takhta-Koupyr.

La lumière maussade qui tombait de la fenêtre devenait insuffisante ; elle alluma la lampe de bureau et
s'assit ; l'une de ses internes glissa la tête par l'entre-
bâillement de la porte ; elle avait déjà ôté sa blouse :

« Vous ne venez pas, Lioudmila Afanassievna ? »

Vera Gangart, elle aussi, vint voir si elle partait.

« Comment va Roussanov ?

— Il dort. Il n'a pas eu de vomissement mais il a
de la température. »

Vera Kornilievna enleva sa blouse boutonnée dans le

dos ; elle portait par-dessous une robe en taffetas gris-vert, trop jolie pour le travail.

« Vous n'avez pas peur de l'abîmer ? demanda le docteur Dontsova, désignant la robe d'un mouvement du menton.

— A quoi bon la ménager ? Dans quel but ? répondit le docteur Gangart d'un ton qu'elle voulait enjoué, mais son sourire avait quelque chose d'un peu pitoyable.

— Très bien, Vera, si c'est comme ça, la prochaine fois nous lui injecterons la dose normale de dix milli-grammes, reprit-elle avec ce débit accéléré qui, chez elle, signifiait que les mots ne sont bons qu'à faire perdre du temps, et elle poursuivit sa lettre à l'aide-médecin.

— Et Kostoglotov ? demanda doucement Vera Gan-gart, la main déjà sur la porte.

— Il y a eu combat, mais j'ai triomphé et il s'est soumis ! » répondit Lioudmila Afanassievna avec un rire bref et, au même instant, une douleur la traversa de nouveau, près de l'estomac. Elle eut presque envie de se confier tout de suite à Vera, à elle la première, et elle leva sur la jeune femme ses yeux qui clignaient, mais elle l'aperçut, dans la demi-obscurité du fond de la pièce, parée comme pour une soirée de théâtre, en robe habillée, chaussée de hauts talons.

Et elle décida de remettre à une autre fois.

Maintenant, tout le monde était parti, mais elle restait encore. Il était parfaitement inutile qu'elle passât une demi-heure de plus dans ces locaux soumis chaque jour aux rayons, seulement voilà, il y avait un enchaînement inéluctable. Immanquablement, quand arrivait son congé, elle avait le teint terreux et ses leucocytes, qui dimi-nuaient régulièrement toute l'année, tombaient à deux mille, taux jugé criminel pour n'importe quel malade. Selon les normes, un radiologue devait examiner trois estomacs par jour, or, elle en examinait dix (et, pendant la guerre, jusqu'à vingt-cinq). A la veille de son congé, elle avait elle-même besoin d'une transfusion sanguine ; et ce qu'elle avait perdu en un an ne pouvait se re-constituer en un mois.

Mais elle était prisonnière de l'impérieuse inertie du travail. A la fin de chaque journée, elle voyait avec dépit que, cette fois encore, elle n'avait pu tout faire. Ce soir, entre autres problèmes, elle se reprit à songer au cas douloureux de Sigbatov et nota les conseils qu'elle voulait demander au docteur Orechtchenkov à la prochaine réunion de la Société de Radiologie. Jadis, avant la guerre, le docteur Orechtchenkov l'avait guidée dans son travail, pas à pas, la dirigeant avec prudence, comme elle-même aujourd'hui guidait et dirigeait ses jeunes internes, et c'est de lui qu'elle avait hérité sa répugnance pour toute spécialisation. « La spécialisation, ma chère Lioudmila, cela peut vous racornir comme un vieux jambon », l'avait-il prévenue ; « Laissez-les tous choisir de se spécialiser, mais vous, tenez bon ! agrippez-vous ! radioscopie dans une main, radiothérapie dans l'autre ! Peut-être serez-vous la dernière de votre espèce, mais au moins, il y aura vous ! » Et aujourd'hui, son vieux maître était toujours en vie, et habitait ici même, dans la ville.

Elle avait déjà éteint la lampe et ouvert la porte lorsqu'elle revint sur ses pas pour noter encore certaines choses à faire demain. Puis elle enfila son manteau bleu marine, qui n'était plus tout neuf, et voulut, avant de partir, passer par le bureau du médecin-chef, mais il était fermé à clef.

Enfin, elle descendit les marches, entre les peupliers, et longea les allées de la cité hospitalière, mais son travail absorbait encore toutes ses pensées et elle ne s'efforçait même pas et n'avait aucun désir de s'en arracher. Le temps était quelconque, elle n'y prêta d'ailleurs pas attention. Il faisait encore clair. Dans les allées, elle croisa de nombreux visages inconnus mais nulle curiosité, pourtant bien naturelle chez une femme, ne se manifesta en elle à l'égard de ces personnes de rencontre, de leur vêtement, de ce qu'elles avaient sur la tête ou des chaussures qu'elles portaient. Elle marchait, les sourcils froncés, et posait sur tous ces visages un regard aigu, qui semblait déceler en chacun l'emplacement d'éventuelles tumeurs, encore ignorées aujourd'hui, mais prêtes à se manifester demain.

Elle passa devant le café ouzbek de la cité hospitalière, devant le jeune gamin indigène installé là en toute saison, qui vendait ses amandes à la livre dans des cornets en papier journal, et elle atteignit le portail de l'entrée principale.

On aurait pu penser qu'en franchissant ce portail, qu'une grosse gardienne braillarde, toujours aux aguets, ouvrait aux seuls gens bien portants tandis qu'elle repoussait à grands cris les malades, on aurait pu penser, donc, qu'en franchissant ce portail Lioudmila Afanassievna devait nécessairement laisser derrière elle la moitié professionnelle de sa vie, et retrouver son existence domestique et familiale. Mais non, son temps et ses forces ne se partageaient point également entre son travail et sa maison ; c'est à l'intérieur de la cité hospitalière qu'elle vivait la part la plus fraîche, la part la meilleure de sa vie active, et les pensées professionnelles tourbillonnaient autour de sa tête, comme des abeilles, longtemps après qu'elle eut passé le portail de l'hôpital, et, le matin, longtemps avant qu'elle ne l'atteigne.

Elle mit à la boîte la lettre pour Takhta-Koupyr. Elle traversa la rue pour aller prendre le tramway. La station était une station-terminus et les tramways décrivaient une large courbe. Son numéro s'approcha en ferraillant. Les gens commencèrent à monter, se pressant aux portes de devant et aux portes de derrière. Lioudmila Afanassievna se dépêcha de prendre une place ; et ce souci était le premier qui lui venait du dehors ; il transforma l'oracle des destinées humaines qu'elle était jusqu'ici en une simple passagère de tramway qu'on bousculait sans ménagement.

Cependant, tandis que le tramway tressautait en grinçant sur les rails vétustes de cette ligne qui était encore à voix unique, et pendant les longs arrêts aux aiguillages, Lioudmila Afanassievna, qui regardait par la fenêtre sans rien voir, ne songeait déjà plus à nouveau qu'aux métastases pulmonaires de Moursalimov ou à l'influence possible des piqûres sur Roussanov. Le ton sentencieux et vexant, les menaces aussi, par lesquels cet homme s'était signalé ce matin à la visite, mais que d'autres impressions, depuis, avaient pu sembler effacer, avaient en fait laissé en elle un obscur sentiment d'accablement qui resurgissait maintenant, après la fin de sa journée : elle en avait pour toute la soirée et pour toute la nuit.

Nombreuses étaient les femmes, dans le tramway, munies, comme Lioudmila Afanassievna, non point de ces petits sacs de dame où il n'entre presque rien, mais de ces énormes sacs tout en longueur où on pourrait introduire un cochonnet vivant ou encore quatre miches de pain. A chaque arrêt nouveau, à chaque magasin surgissant puis disparaissant dans la nuit, les soucis domestiques et familiaux accaparaient un peu plus Lioudmila Afanassievna. Tous ces soucis reposaient sur elle, sur elle seule, car peut-on demander quoi que ce soit à des hommes ? Quand elle partait pour Moscou à un congrès, son mari et son fils ne lavaient même pas la vaisselle de toute la semaine ; non qu'ils voulussent lui en laisser le soin à son retour, mais ils jugeaient que ce travail, éternellement recommencé, n'avait aucun sens.

Lioudmila Afanassievna avait aussi une fille qui était mariée et avait déjà un enfant sur les bras ; ou plutôt, elle n'était déjà presque plus mariée, car on parlait de divorce. Et, pensant à sa fille pour la première fois depuis le matin, elle s'assombrit encore davantage.

Aujourd'hui était un vendredi. Ce dimanche, Lioudmila Afanassievna devait absolument faire une grosse lessive. Les affaires à laver s'accumulaient depuis plusieurs jours. Donc, il fallait coûte que coûte qu'elle préparât dès samedi soir les repas de la première moitié de la semaine (elle s'arrangeait pour n'avoir à faire de la cuisine que deux fois par semaine). Il faudrait aussi qu'elle mette le linge à tremper ce soir sans faute. Et puis, tout de suite, quoiqu'il fût déjà tard (mais elle n'avait pas le choix), il lui fallait passer par le marché central ; on était toujours sûr d'y trouver un vendeur, même à une heure tardive.

Elle descendit pour changer de tramway, mais, apercevant les hautes glaces d'un grand magasin alimentaire
voisin, elle décida d'aller y faire un tour. Le rayon de
la boucherie était désert et le vendeur était déjà parti.
Au rayon du poisson, du hareng, de la limande salée,
des conserves : rien de bien tentant. Elle passa devant
les étalages pittoresques des vins, devant les fromages,
cylindriques et brunâtres, qui avaient l'air de vrais sau-
cissons, et décida, au rayon de l'épicerie, d'acheter deux
bouteilles d'huile de tournesol (avant, on ne trouvait que
de l'huile de coton) et une boîte de flocons d'orge. Ainsi
fit-elle et, traversant le paisible magasin, elle alla chercher son ticket à la caisse puis revint au rayon de
l'épicerie.

Tandis qu'elle attendait son tour derrière deux autres
clients, une sorte de rumeur anima soudain le magasin ;
de la rue affluèrent des gens, et des queues se formèrent
devant le rayon d'alimentation et devant la caisse. Lioudmila Afanassievna tressaillit et, sans attendre de se faire
servir, elle courut se joindre à la queue. Il n'y avait
encore rien, derrière la paroi bombée des vitrines, mais
les femmes qui se pressaient devant le comptoir assu-
raient qu'on allait mettre en vente des blocs de jambon
haché et que chacun aurait le droit d'en acheter un kilo.

L'occasion était trop belle : quelques minutes plus
tard, Lioudmila Afanassievna décidait de faire une
deuxième queue...

CHAPITRE VIII

CE QUI FAIT VIVRE LES HOMMES

SANS l'oppression de ce cancer qui lui étreignait le cou, Ephrem Poddouïev aurait été un homme en plein épanouissement. Ça ne lui faisait pas encore la cinquantaine et il était aussi fort des épaules et solide des jambes que sain d'esprit. C'est peu de dire qu'il était costaud pour deux, on eût dit qu'il avait double échine et, après une journée de huit heures, il était capable d'en faire une seconde comme si de rien n'était. Dans sa jeunesse, lorsqu'il travaillait sur la rivière Kama, Ephrem Poddouïev coltinait des sacs de cent kilos et il n'avait pas perdu grand-chose de cette force-là ; aujourd'hui encore il n'aurait pas refusé de donner un coup de main pour installer une bétonnière sur son affût. C'était un homme qui avait roulé sa bosse dans Dieu sait combien de régions, tâté de Dieu sait combien de métiers, tour à tour démolisseur, terrassier, camionneur, bâtisseur... Un homme qui ne s'abaissait pas à compter en dessous du rouble, qu'un demi-litre de vodka ne faisait pas chanceler et qui savait s'arrêter

avant le deuxième litre. Bref, cet homme-là sentait au
fond de lui-même, et vérifiait autour de lui que pour
Ephrem Poddouïev il n'y avait rien d'infranchissable
ou d'inaccessible et qu'il en serait toujours ainsi. Malgré sa force de colosse, il n'avait pas été au front (on
l'avait requis pour les chantiers spéciaux) et il n'avait
connu ni les blessures ni l'hôpital. Jamais il n'avait
été malade, pas la moindre grippe ou maladie conta-
gieuse et même il n'avait jamais eu mal aux dents.
C'était seulement il y a deux ans que, pour la première
fois, il était tombé malade ; et, du premier coup, ç'avait
été... le cancer... le cancer ! c'était maintenant qu'il se
l'avouait tout de go, mais il avait drôlement longtemps
finassé avec lui-même : ce n'était rien, une broutille...
et, tant qu'il avait pu tenir le coup, il avait retardé le
moment d'aller chez les médecins. Et puis, une fois
qu'il avait vu les médecins, et que, de dispensaire en
dispensaire, on avait fini par l'envoyer à la consultation
des cancéreux, où, à tous les malades sans exception,
on disait toujours que « ça n'était pas le cancer »,
Ephrem n'avait toujours pas voulu comprendre, et,
plutôt que d'écouter son bon sens naturel, il avait écouté
son propre désir : ce n'était pas le cancer qu'il avait,
et tout finirait par s'arranger.

Or, la maladie d'Ephrem avait commencé par la langue, cette langue déliée, active, discrète, jamais visible
mais toujours si utile dans la vie... En un demi-siècle
d'existence, comme il l'avait fait travailler, sa langue !
Elle lui rendait en discours ce que ne lui avait pas
gagné son travail. Elle jurait qu'il avait fait ce qu'il
n'avait pas fait. Elle se donnait un mal de chien pour ce
dont il ne croyait pas un mot. C'était elle qui injuriait
les supérieurs, elle qui engueulait les ouvriers, elle encore qui, avec d'effroyables jurons, harponnait au passage
ce qu'il y avait de plus sacré sur terre ; elle aussi qui,
comme un rossignol, trouvait sa joie aux modulations
nombreuses d'une chanson... C'était elle qui colportait les
anecdotes, toujours des histoires de fesses, jamais de
politique. C'était elle qui chantait les chansons de la

Volga et qui, à tant de femmes dispersées sur la terre, avait débité tant de bobards, et qu'il n'était pas marié, et qu'il n'avait pas d'enfant, et qu'il reviendrait dans une semaine et qu'ils construiraient ensemble une maison. « Puisse-t-elle se dessécher, ta maudite langue ! » lui avait lancé une de ses éphémères belles-mères. Mais il fallait qu'Ephrem fût complètement soûl pour que sa langue refusât de le servir.

Et puis soudain elle avait commencé à grandir, à se prendre dans les dents. Elle ne tenait plus dans la douceur humide du pharynx.

Mais Ephrem continuait à crâner devant les camarades et disait avec le même sourire : « Poddouïev ? y a rien au monde pour lui faire peur ! » Et eux commentaient : « Poddouïev... en voilà un au moins qui a de la force de caractère... »

Mais ce n'était pas de la force de caractère, c'était une peur décuplée. Et ce n'était pas par force de caractère, c'était par peur qu'il s'accrochait, s'agrippait à son travail et reculait autant qu'il le pouvait l'opération. Toute la vie de Poddouïev l'avait préparé à vivre, pas à mourir. Une telle conversion était au-dessus de ses forces, il ne savait pas comment mener à bien cette conversion et c'était pour mieux la repousser qu'il restait à son poste, allant tous les matins au travail, comme si de rien n'était et écoutant les éloges que l'on faisait de sa force de caractère.

Il avait refusé l'opération, et le traitement avait commencé avec des aiguilles. On lui enfonçait ces aiguilles dans la langue, comme à un pécheur en enfer, et il devait les garder pendant plusieurs jours. Ephrem aurait bien voulu en être quitte avec cela, c'était tout son espoir : eh bien ! non, la langue avait continué de gonfler...

Alors, perdant cette fameuse force de caractère, Ephrem avait cédé : il avait posé sur la table blanche de l'hôpital sa tête au cou de taureau. L'opération avait été faite par Léon Nikolaïevitch et ç'avait été une opération remarquable. Comme promis, la langue avait rac-

courci, elle s'était rétrécie, rapidement elle s'était à nouveau habituée à son ancien va-et-vient et elle avait
recommencé à dire les mêmes choses qu'avant, peut-être
seulement un peu moins distinctement. On lui avait
encore mis des aiguilles, on l'avait renvoyé chez lui,
puis convoqué à nouveau et Léon Nikolaïevitch avait
dit : « Eh bien, maintenant, reviens dans trois mois et
nous te ferons encore une opération, cette fois-ci au
cou, mais ça ne sera pas grave. »

Des « opérations pas graves au cou », Poddouïev n'en
avait que trop vu... Aussi, il n'apparut pas au jour fixé.
On lui envoya plusieurs convocations par la poste, il
n'y répondit pas. En règle générale, il avait l'habitude
de ne jamais rester longtemps au même endroit et, sur
un coup de tête, il était capable de filer à tire-d'aile,
jusque sur les bords de la Kolyma ou même, si ça lui
chantait, jusqu'en Khakassie. Il n'avait rien nulle part
pour le retenir, ni biens, ni logis, ni famille et tout ce
qu'il aimait, c'était d'être libre comme l'oiseau et d'avoir
les poches bien garnies. Cette fois-ci, cependant, Ephrem
résista à l'envie de partir. De la clinique, on lui écrivait : si vous ne vous présentez pas de vous-même, on
vous fera chercher par la police. Car tel était le pouvoir
du pavillon des cancéreux, même à l'encontre de ceux
qui n'avaient pas le moindre cancer...

Ephrem s'était présenté. Bien sûr, il pouvait encore
refuser son accord, mais Léon Nikolaïevitch avait palpé
son cou et l'avait copieusement attrapé pour son retard
à revenir... On lui avait donc entaillé le cou à droite et
à gauche, comme on se l'entaille à coups de couteau
dans le monde des truands ; longtemps encore, il était
resté à l'hôpital, le cou bandé, puis on l'avait renvoyé
en hochant la tête...

Seulement, la liberté n'avait plus le même goût
qu'avant : il n'avait plus le cœur à rien, ni à travailler,
ni à rigoler, ni à boire, ni à fumer. Son cou ne perdait
rien de sa rigidité, au contraire ; ça cognait, ça tirait,
ça élançait, ça crépitait jusque dans sa tête. Le mal avait
gagné vers le haut, presque jusqu'aux oreilles. Et lors-

que, enfin, il y avait tout juste un petit mois de cela, il était retourné dans ce même immeuble vétuste de briques sales, avec son cou solidement couturé où l'on voyait le dessin des points, lorsqu'il avait gravi ce même petit perron usé par des milliers de pas, dans cette même cour avec ces mêmes peupliers, et qu'aussitôt les chirurgiens l'avaient empoigné comme un vieil ami, lorsqu'il s'était retrouvé habillé du même pyjama rayé, dans cette même salle attenante à la salle d'opération, avec cette même palissade qui bouchait les mêmes fenêtres, attendant une nouvelle opération, la seconde pour son pauvre cou, mais au total la troisième, alors seulement Ephrem n'avait plus pu se mentir à lui-même, le mensonge était fini, il s'était avoué qu'il avait bien le cancer.

Et depuis, comme pour rétablir l'égalité, il s'était mis avec acharnement à convaincre ses voisins qu'eux aussi avaient bien le cancer. Qu'aucun n'en réchapperait. Que tous, ils finiraient par revenir ici. Ce n'était pas qu'il trouvât du plaisir à les accabler et à les écouter grincer, mais au moins, qu'ils ne se mentent pas, qu'ils sachent la vérité !

On lui fit une troisième opération qui lui fit plus mal et qui alla plus profond. Mais il remarqua qu'après l'opération, lorsqu'on refaisait ses bandages, les docteurs avaient un curieux air morose, et qu'ils échangeaient en bougonnant des mots pas russes et refaisaient les pansements toujours plus haut, toujours plus serrés, au point que sa tête était comme soudée au tronc. Et, dans sa tête, les élancements se faisaient toujours plus forts, plus fréquents, presque continuels.

Alors, à quoi bon se jouer la comédie ? Il fallait voir plus loin que le cancer et accepter ce qui, depuis deux ans, le faisait se renfrogner et se détourner : l'heure était venue pour Ephrem de crever ! Dit comme ça, avec rage, ça apportait même une sorte de soulagement : non pas mourir, mais crever...

Cependant, ce sont là des choses que l'on dit, mais que l'esprit ne conçoit pas vraiment, que le cœur répugne à se représenter : comment était-ce possible que cela lui arrivât, à lui Ephrem ? Et d'ailleurs, comment cela arriverait-il ? Et que fallait-il faire ?

Cette chose dont il se cachait dans le travail et parmi les hommes, maintenant, elle était devant lui face à face et elle l'étranglait par ce pansement au cou.

Et rien ne pouvait le consoler de ce qu'il entendait dire à ses voisins, que ce fût dans les salles, les couloirs, au rez-de-chaussée ou au premier. Tout était dit et redit — tout sonnait faux.

Et c'est alors que s'était emparé de lui ce mouvement pendulaire qui, pendant cinq à six heures par jour, le menait de la fenêtre à la porte et de la porte à la fenêtre. C'était sa façon à lui de courir chercher de l'aide.

Depuis qu'Ephrem vivait et partout où il avait roulé sa bosse (et hormis les grandes villes, il avait arpenté tout le pays jusqu'aux provinces les plus reculées), il y avait toujours eu pour lui, comme pour les autres, une réponse claire à la question : Qu'est-ce qu'on demande à un homme ? Ce qu'on demande à un homme, c'est ou bien une bonne spécialisation, ou bien une solide poigne dans la vie. Quand on a l'une ou l'autre, l'argent vient tout seul. D'ailleurs, quand les hommes lient connaissance, après la question « Comment t'appelles-tu ? » vient tout de suite : « Que fais-tu ? Combien gagnes-tu ? » Et, si un homme ne réussit pas à gagner de l'argent, ça veut dire que c'est un benêt ou un type qui n'a pas de chance, de toute façon un minus.

La vie comprise comme ça, ça allait tout seul et c'était cette vie-là qu'Ephrem avait rencontrée aussi bien à Vorkouta que sur l'Iénisseï, en Extrême-Orient ou en Asie Centrale. Les gens gagnaient beaucoup d'argent et puis ils le dépensaient, les uns chaque samedi, les autres en une seule fois, pendant leur congé.

Tout ça se tenait, tout ça était valable tant que les gens n'avaient pas le cancer ou une autre maladie mortelle. Mais, quand la maladie venait, ni la spécialisation, ni la poigne dans la vie, ni la fonction occupée, ni le salaire reçu n'étaient plus rien. Et, à leur façon d'être tout de suite désemparés, au désir forcené qui les prenait tous de se mentir à eux-mêmes, de se persuader qu'ils n'avaient pas le cancer, il devenait clair que c'était tous des mauviettes et que tous avaient négligé quelque chose dans leur vie.

Mais quoi ?

Depuis sa jeunesse, Ephrem savait et avait entendu répéter à son sujet et au sujet de ses camarades, qu'eux, les jeunes, avaient plus de jugeote que leurs anciens. Les anciens n'avaient même pas mis le pied à la ville de toute leur vie, ils n'osaient pas, alors qu'Ephrem savait déjà galoper et tirer au pistolet à treize ans, et qu'à cinquante il avait palpé le pays tout entier, comme un corps de femme. Et voilà que, maintenant, en allant et venant dans la salle d'hôpital, il se remémorait la façon qu'ils avaient de mourir, ces vieux, dans leur coin, là-bas sur la rivière Kama, aussi bien les Russes que les Tatars ou les Oudmourtes. Sans fanfaronnade, sans faire d'histoires, sans se vanter qu'ils ne mourraient pas, tous ils admettaient la mort *paisiblement*. Non seulement ils ne retardaient pas le moment des comptes, mais ils s'y préparaient tout doucement et à l'avance, désignant à qui irait la jument, à qui le poulain, à qui le sarrau, à qui les bottes. Et ils s'éteignaient avec une sorte de soulagement, comme s'ils devaient simplement changer d'isba. Et à aucun d'entre eux, on n'aurait fait peur avec le cancer. D'ailleurs, personne, parmi eux, n'avait le cancer...

Ici, au contraire, à la clinique, les types étaient déjà collés à leur ballon d'oxygène, c'est à peine s'ils remuaient encore les yeux, mais leur langue continuait d'affirmer : je ne mourrai pas ! je n'ai pas le cancer !

De vraies poules, quoi ! Les poules ont beau savoir que chacune d'elles aura le couteau en travers de la gorge, elles n'en continuent pas moins à glousser et à grattouiller pour trouver leur nourriture. Et on peut bien en prendre une pour l'égorger, ça n'empêchera pas les autres de grattouiller.

Ainsi, jour après jour, Poddouïev arpentait le vieux parquet dont les lames ondulaient sous son poids, mais il n'arrivait aucunement à éclaircir la question : comment faut-il donc accueillir la mort ?

Inventer la réponse ? Ça n'était pas possible... La recevoir de quelqu'un ? Personne n'était capable de la donner... Quant aux livres, c'était bien la dernière chose qu'Ephrem aurait pensé à consulter...

Jadis, il avait été à l'école primaire, puis à une école du bâtiment, mais il n'avait jamais senti personnellement le besoin de lire : la radio lui remplaçait les journaux ; pour ce qui est des livres, ils lui semblaient parfaitement inutiles dans la vie de tous les jours, et puis, ce n'était pas dans les coins perdus et un peu sauvages où il avait traîné toute sa vie parce qu'on y était bien payé, qu'il aurait pu voir beaucoup d'amateurs de bouquins. Poddouïev n'avait jamais lu que par nécessité : des brochures sur son métier, des notices d'emploi sur les appareils de levage, les circulaires officielles et la « Petite Histoire du PC (b.) » jusqu'au chapitre IV. Dépenser de l'argent pour des livres ou bien encore se fatiguer à aller les chercher dans une bibliothèque lui semblait tout bonnement ridicule. Et si, d'aventure, il lui en tombait un sous la main pendant un voyage ou dans une salle d'attente, il en lisait vingt à trente pages, et toujours il finissait par abandonner, n'ayant rien trouvé qui traitât du juste emploi de la vie.

Ici aussi, à l'hôpital, il y en avait sur les tables de nuit et sur le rebord des fenêtres, mais il n'y touchait même pas. Et il n'aurait pas non plus touché à ce petit livre bleu avec des arabesques dorées, si Kostoglotov ne le lui avait pas refilé un certain soir, encore plus vide et plus écœurant que les autres soirs. Ephrem s'était bien calé les reins à l'aide de deux oreillers et il avait commencé à feuilleter. Ajoutons qu'il n'aurait pas entamé la lecture si ç'avait été un roman. Mais c'était de petits contes de rien du tout où tout était dit en cinq, six pages et quelquefois en une seule. La table des matières fourmillait de titres. Poddouïev se mit à les parcourir et tout de suite il eut la sensation que ça devait parler de l'essentiel. « Le travail, la mort et la maladie. » « La loi essen-

tielle. » « La source. » « Qui sème le vent, récolte la
tempête. » « Trois cœurs. » « Marchez dans la lumière
tant qu'il y a de la lumière. »

Ephrem en chercha un plus court que les autres. Il
le lut. Ça lui donna envie de réfléchir. Il réfléchit. Il eut
envie de relire. Il relut. Et, à nouveau, il eut envie de
réfléchir. Et il réfléchit à nouveau.

La même chose se produisit avec le second récit.

A ce moment-là, on éteignit la lumière. De peur qu'on
ne lui chipe le livre, et pour ne pas avoir à le chercher
le lendemain, Ephrem le fourra sous son matelas. Dans
l'obscurité, il raconta une fois encore à Akhmadjan la
vieille fable d'Allah qui avait divisé la vie en plusieurs
parts, et comment l'homme avait reçu en partage beaucoup de parts inutiles (d'ailleurs, lui-même n'était pas
d'accord, aucune part de vie ne lui semblait inutile, à
condition qu'on ait la santé). Puis, avant de s'endormir,
il réfléchit encore à ce qu'il avait lu.

Seulement, il y avait les élancements dans sa tête, et
cela l'empêchait de réfléchir.

La matinée du vendredi fut maussade, et, comme toutes les autres matinées d'hôpital, elle fut pénible. Pas un
matin ne commençait dans cette salle sans les discours
macabres d'Ephrem. Si quelqu'un exprimait un quelconque espoir ou souhait, Ephrem se chargeait aussitôt de
le refroidir et de l'accabler. Mais, aujourd'hui, la seule
idée d'ouvrir la bouche le dégoûtait et il s'apprêta à lire
le livre modeste et apaisant de la veille. Il n'avait guère
de toilette à faire puisque même ses joues étaient à
moitié bandées ; le petit déjeuner, il pouvait le prendre
au lit ; quant aux médecins, il n'y avait pas de visite
« chirurgicale » aujourd'hui... Et voilà qu'Ephrem tournait lentement les pages épaisses et rugueuses du livre
et que, pour une fois, il tenait sa langue, lisant et réfléchissant tour à tour. La visite des médecins eut lieu,
pour ceux qu'on soignait aux rayons ; le type aux lunettes dorées engueula un peu les médecins, puis il
s'écrasa et se laissa piquer ; Kostoglotov brandissait ses
droits, s'en allait puis revenait ; Azovkine reçut son bil-

let de sortie, fit ses adieux, et partît, courbé en deux, en
se tenant le ventre ; les autres étaient convoqués soit
pour les rayons, soit pour les transfusions. Poddouïev,
lui, en oubliait d'arpenter l'étroit passage entre les lits ;
il était tout absorbé dans sa lecture et il se taisait.
C'est avec le livre qu'il conversait aujourd'hui et ce
livre-là ne ressemblait à rien, c'était passionnant.

Une vie entière qu'il avait vécue... et jamais un livre
aussi sérieux ne lui était tombé sous la main.

A vrai dire, il y aurait eu peu de chances qu'il le lût
sans ce lit d'hôpital, sans ce cou bandé et sans ces
élancements dans la tête... Ce n'était pas ces petits récits
de rien du tout qui auraient pu émouvoir un bien-portant.

Déjà, hier au soir, Ephrem avait remarqué le titre
suivant : « Qu'est-ce qui fait vivre les hommes ? » Ça,
c'était un titre bien envoyé, à croire qu'Ephrem lui-
même l'avait trouvé. Car, tout en arpentant le parquet
de l'hôpital, à quoi d'autre pensait-il donc ces dernières
semaines, sinon à cette question, encore informulée :
« Qu'est-ce qui fait vivre les hommes ? »

Le récit n'était pas court, mais, dès les premiers mots,
il se lisait facilement, il se déposait dans le cœur doucement et simplement.

« Il y avait un savetier qui vivait avec sa femme et
ses enfants chez un paysan. Il n'avait ni maison à lui
ni terre, et il nourrissait sa famille par son travail de
savetier. Le pain était cher et le travail bon marché, et
tout le gain était mangé. Le savetier n'avait qu'une
pelisse pour lui et sa femme, et encore elle tombait
en loques. »

Ça, ça se comprenait ! Et la suite aussi se comprenait
très bien : Siméon était tout efflanqué, son apprenti
Mikhaïlo lui aussi était décharné, tandis que le seigneur...

« C'était un homme venu d'un autre monde : une
gueule rouge, apoplectique, un cou de taureau... et l'air
solide comme un roc... Avec une vie pareille, comment
ne seraient-ils pas repus ? Un malabar comme ça, la
mort même ne saurait le saisir... »

Des types comme ça, Ephrem en avait vu un bon peu, lui aussi : Karatchouk, le directeur des charbonnages, était de ce genre-là, Antonov était comme ça, et puis Tchetchev, et puis Koukhtikov...

Et puis même est-ce qu'Ephrem lui aussi ne commençait pas à prendre le même chemin ?

Lentement, comme s'il déchiffrait syllabe après syllabe, Poddouïev lut tout le récit jusqu'au bout.

Il était déjà presque l'heure du déjeuner.

Ephrem ne se sentait l'envie ni de parler ni de marcher. C'était comme si quelque chose était entré en lui et y avait tout retourné. Et les yeux n'étaient plus à la place des yeux. Et, à la place de son ancienne bouche, il n'y avait plus de bouche.

Le premier dégauchissage d'Ephrem avait été l'œuvre de l'hôpital, mais l'hôpital n'avait fait que dégrossir. Maintenant, le travail allait bon train.

Toujours dans la même position, calé entre les oreillers, les genoux ramenés vers la poitrine et tenant sur ses genoux le livre refermé, Ephrem contemplait le mur blanc et nu. Le jour venu du dehors était maussade.

Sur le lit, en face d'Ephrem, assommé par la piqûre, dormait le rouquin, l'habitué des maisons de repos gouvernementales... On l'avait chaudement couvert, à cause des frissons.

Sur le lit voisin, Akhmadjan jouait aux dames avec Sigbatov. Leurs langues avaient peu de chose de commun et ils conversaient en russe. Sigbatov était assis et faisait attention à ne pas tordre ni courber son dos malade. Il était encore jeune, mais il avait le haut du crâne tout dégarni.

Ephrem, lui, n'avait pas perdu un seul cheveu, il avait une épaisse tignasse brune et rebelle, un vrai fourré. Et, sur le chapitre des femmes, il n'avait rien perdu de son ardeur. Mais à quoi bon, maintenant ?

Ce qu'il avait pu s'en envoyer, des bonnes femmes ! C'était pas possible à imaginer ! Au début, il tenait un compte — les « légitimes » étaient à part — mais, ensuite, il ne s'était même plus donné ce mal. Sa première

femme, ç'avait été Amina, une Tatare d'Elabouga ; elle
avait un teint de lait et elle était si délicate, elle avait
la peau du visage si fine, qu'à peine on l'effleurait de
l'ongle, elle saignait. Et avec ça, pas commode ! A preuve
qu'elle était partie d'elle-même, en emmenant la gosse.
Depuis ce temps-là, Ephrem ne tolérait plus pareil op-
probre et c'était toujours lui qui partait le premier. La
vie qu'il menait était une vie itinérante, libre : une em-
bauche ici, un contrat là ; traîner une famille avec soi
n'aurait pas été bien pratique. Une femme pour tenir
son logis, il en trouvait toujours à chaque nouvel endroit. Et, quant aux autres, toutes les femmes de rencontre, celles qui étaient libres et celles qui ne l'étaient
pas, il ne leur demandait même pas toujours leur nom,
se contentant de leur payer ce qui était convenu. Et
maintenant, tout était brouillé dans sa mémoire, les
visages, les manières d'être, les circonstances ; il ne gardait un souvenir que si ça ne s'était pas passé comme
d'habitude. C'est ainsi qu'il se rappelait Eudoxie, la
femme d'un ingénieur : c'était pendant la guerre, elle
était devant la fenêtre de son wagon, à la gare d'Alma-
Ata, à frétiller du croupion pour qu'il l'emmène. Eux,
ils étaient tout un groupe qui allait à Ili pour ouvrir un
nouveau chantier et de nombreux camarades étaient venus les accompagner. Il y avait aussi le mari d'Eudoxie ;
il avait les foies, il n'était pas loin et tenait un discours
à quelqu'un. La locomotive avait sifflé une première fois.
Alors, Ephrem avait crié à la femme, en lui tendant la
main : « Eh bien, si tu m'aimes, grimpe ici et partons ! »
Et elle s'était agrippée, elle s'était hissée jusqu'à lui, par
la fenêtre, devant tous les collègues et devant le mari,
et elle avait vécu avec lui deux bonnes petites semaines.
Oui, ça, il ne l'avait pas oubliée, cette Eudoxie qu'il avait
hissée dans le wagon !...

Ainsi, ce qu'Ephrem avait remarqué chez les femmes
pendant sa vie entière, c'était leur façon de se cram-
ponner. Avoir une femme, c'était facile, mais s'en débarrasser était difficile. Bien sûr, on parlait partout d' « égalité » et Ephrem ne le contestait pas, mais, en son for

intérieur, il n'avait jamais tenu les femmes pour des êtres complets — à l'exception de sa première épouse, Amina. Et il aurait sûrement été bien étonné s'il s'était trouvé un bonhomme pour lui expliquer sérieusement qu'il se conduisait mal avec les femmes.

Et voilà qu'à lire ce livre merveilleux, il en ressortait qu'Ephrem était entièrement coupable...

On alluma la lumière plus tôt que d'habitude.

Le radoteur bilieux venait de s'éveiller et avait sorti sa caboche chauve de dessous la couverture, puis il avait aussitôt chaussé ses besicles qui lui donnaient l'air d'un professeur, et il s'était empressé d'annoncer la bonne nouvelle, comme quoi il avait supporté la piqûre pas mal du tout, et qu'il croyait que cela serait pire. Et il avait plongé vers sa table de nuit, à la recherche d'un morceau de poulet.

Ces mauviettes-là, remarquait Ephrem, c'est toujours du poulet qu'il leur faut. Du mouton ? C'est toujours « trop lourd ». Ephrem aurait bien souhaité avoir quelqu'un d'autre devant les yeux, mais, pour cela, il lui aurait fallu exécuter une rotation de tout le corps. Et, s'il regardait devant lui, il était bien forcé de voir ce vieux chialeur ronger ses os de poulet.

Poddouïev, avec un gémissement, se retourna vers la droite.

« Tenez, annonça-t-il à haute voix, il y a ici une histoire. Ça s'appelle : « Qu'est-ce qui fait vivre les hom- « mes ? »...

Il y eut un petit rire.

« Ça, c'est une question ! Qui nous dira ce qui fait vivre les hommes ? »

Sigbatov et Akhmadjan, qui jouaient aux dames, relevèrent la tête. Akhmadjan dit d'une voix joyeuse, pleine d'assurance (il était en train de guérir) :

« La ration et le paquetage, ça suffit ! »

Avant l'armée, Akhmadjan n'avait jamais quitté son aoul, ni parlé autrement qu'en ouzbek. Tout ce qu'il savait de russe, les mots et les concepts, la discipline et la désinvolture, il le devait à l'armée.

« Eh bien, qui dit mieux ? » demanda Poddouïev de sa voix rauque. L'énigme que posait ce titre, si inattendue pour lui, était aussi difficile à résoudre pour les autres que pour lui. « Qui dit mieux ? Qu'est-ce qui fait vivre les hommes ? »

Le vieux Moursalimov, qui ne comprenait pas le russe, aurait peut-être bien répondu mieux que tous les autres. Mais l'infirmier Tourgoun, un étudiant, qui entrait pour lui faire une piqûre, lança :

« Leur salaire, voilà tout ! »

Prochka le noiraud était bouche bée, les yeux écarquillés comme devant une vitrine de magasin et ne trouvait rien à dire.

« Eh bien ? Eh bien ? » disait Ephrem avec un ton d'inquisiteur.

Diomka repoussa l'ouvrage qu'il lisait et fronça le sourcil en entendant la question. Ce livre qu'avait Ephrem, c'était Diomka qui l'avait apporté, mais il n'avait pas vraiment réussi à s'y intéresser. Ça parlait toujours en dehors du vrai sujet, un peu comme un interlocuteur sourd qui répond toujours à côté. Ça affaiblissait et embrouillait tout, là où l'on aurait eu besoin d'un conseil pour agir. Aussi, Diomka n'avait pas lu « Qu'est-ce qui fait vivre les hommes ? » et il ne connaissait pas la réponse qu'attendait Ephrem. Diomka chercha sa propre réponse :

« Alors, mon gars ? dit Ephrem pour l'encourager.

— Ça y est !... à mon avis... »

Diomka prononçait chaque mot avec lenteur, comme s'il était au tableau et répondait au professeur en essayant de ne pas se tromper. Et même il réfléchissait encore entre les mots.

« ... à mon avis, avant tout, l'air. Ensuite, l'eau ; ensuite, la nourriture. »

C'était comme ça qu'Ephrem aurait répondu auparavant, si on l'avait interrogé. Avec cette différence, qu'il aurait ajouté : et aussi la gnôle. Mais le livre n'allait guère dans ce sens.

Il fit claquer ses lèvres.

« Eh bien, qui dit mieux ? »

Prochka se décida :

« C'est le travail professionnel... »

Ça aussi c'était juste. Toute sa vie Ephrem avait pensé comme ça.

Sigbatov, de son côté, eut un soupir et dit timidement :

« C'est leur patrie.

— Comment ça ? »

Ephrem était étonné.

« Leur lieu de naissance, quoi... Vivre là où ils sont nés...

— Ah ! oui, je vois... Ça n'est pas obligatoire. Moi j'ai quitté la Kama très jeune et ça ne me fait ni chaud ni froid, l'idée qu'elle soit encore là-bas ou non. Une rivière ou une autre, est-ce que ça n'est pas égal ?

— Là où on est né, c'est plus facile.

— Bon, d'accord. Et qui encore ?

— De quoi ? de quoi ? fit Roussanov tout requinqué. De quelle question s'agit-il ? »

En geignant, Ephrem se retourna vers la gauche. Du côté des fenêtres, les lits étaient inoccupés et il ne restait plus que le « pensionnaire des maisons de repos ». Celui-ci dévorait une cuisse de poulet qu'il tenait à deux mains par les deux bouts.

Ils étaient face à face, comme si le diable avait fait exprès de les placer ainsi. Ephrem plissa les yeux.

« Eh bien, professeur, qu'est-ce qui fait vivre les hommes ? »

Paul Nikolaïevitch n'eut pas le moindre embarras et dit, sans même abandonner sa cuisse de poulet :

« Pas le moindre doute n'est possible. Retenez bien ceci. Les hommes vivent d'idéologie et de causes communes. »

Sur quoi, il arracha le morceau le plus tendre, près de l'articulation. Maintenant, sauf un peu de peau épaisse et quelques tendons, il ne restait plus rien autour des os et il les déposa sur la table de nuit, dans un papier.

Ephrem ne répondit rien. Il était vexé que la mauviette s'en soit sortie si habilement. Quand il est question d'idéologie, mieux vaut la fermer.

Il rouvrit le livre, s'y plongea à nouveau. Il voulait comprendre pour lui-même quelle était la réponse juste.

« Et de quoi parle le livre ? Qu'est-ce qu'on y dit ? demanda Sigbatov en délaissant son damier.

— Voilà, voilà... »

Poddouïev lut les premières lignes : « Il y avait un savetier qui vivait avec sa femme et ses enfants chez un paysan. Il n'avait ni maison à lui ni terre... »

Cependant, lire à voix haute était difficile et trop long. Aussi, bien étayé par les oreillers, Ephrem commença à résumer l'histoire à sa façon, s'efforçant, une fois encore, d'en bien saisir le sens.

« Pour tout dire, le savetier picolait. Un jour qu'il rentrait et qu'il était soûl, il ramassa un type qui mourait de froid, Mikhaïlo qu'il s'appelait. Sa femme l'attrapa. Où c'est qu'on va le mettre, ce fainéant ? Et puis le Mikhaïlo s'est mis à trimer d'arrache-pied et il apprit à faire les bottes encore mieux que le savetier. Une fois, en hiver, il y a un seigneur qui vient et qui apporte un cuir très cher. Il commande des bottes, mais des bottes qui s'usent sans bâiller, ni se découdre. Et gare au savetier ! S'il gâche la peau, il paiera de la sienne... Mikhaïlo, lui, il souriait curieusement : c'est qu'il avait aperçu quelque chose dans le coin, derrière le seigneur. Celui-ci avait à peine tourné le dos que Mikhaïlo se mit à découper cette peau et gâcha tout : ce n'était plus des bottes à contrefort et tirants qu'on pouvait en faire mais tout juste des pantoufles. Le savetier se prit la tête à deux mains : « Tu veux m'égorger, « qu'il lui dit, qu'as-tu donc fait ? » Mais Mikhaïlo lui dit : « L'homme fait des provisions pour un an et il « ne sait pas s'il vivra jusqu'au soir. » Et c'était juste : sur le chemin du retour, le seigneur avait crevé. Et sa femme chargea un garçon de dire au savetier de ne plus faire des bottes mais d'envoyer au plus vite des pantoufles pour le mort.

— En voilà des sornettes ! dit Roussanov en faisant

siffler le « s » d'indignation. Est-ce que vous ne pourriez pas changer un peu de disque ? Ça pue à un kilomètre que ça n'est pas notre morale à nous. Et puis d'ailleurs, qu'est-ce qui fait donc vivre les gens dans votre bouquin ? »

Ephrem s'était arrêté de raconter et il avait tourné ses yeux gonflés vers son contradicteur chauve. Il se sentait dépité que le chauve ait frappé si juste. Il était écrit dans le livre que ce qui fait vivre les hommes n'est pas l'égoïsme, mais l'amour d'autrui. Le vieux chialeur avait dit : L'homme vit de causes communes. C'était un peu la même chose.

« Ce qui les fait vivre ?... »

Ephrem n'osait même pas prononcer le mot à haute voix. C'était presque inconvenant.

« Eh bien, l'amour, comme il dit...

— L'a-mour ? Je peux vous dire que ça, ça n'est pas notre morale à nous ! s'esclaffèrent les besicles dorées. Dis voir, et qui a écrit ça ?

— Quoi ? beugla Poddouïev qui sentait qu'on le faisait dévier de l'essentiel.

— Eh bien oui, celui qui a écrit tout ça, qui c'est ? Qui est l'auteur ? Tu n'as qu'à regarder en tête, sur la première page... »

Qu'est-ce que ça pouvait bien faire le nom ? Qu'est-ce que ça avait à voir avec l'essentiel, avec leur maladie ? Avec leur vie ou avec leur mort. Ephrem n'avait pas l'habitude de lire sur les livres ce nom qu'on met tout en haut de la première page, et s'il le lisait, c'était pour l'oublier aussitôt.

Il chercha pourtant la première page et lut à haute voix :

« Tols-toï !

— Ça n'est pas possible ! protesta Roussanov. Tols-toï ? Mais voyons, Tolstoï n'a écrit que des choses optimistes et patriotiques, sinon on ne l'aurait pas imprimé. *Le pain*, *Pierre Premier*. Il a reçu trois fois le prix Staline, sachez au moins cela !

— Mais ce n'est pas ce Tolstoï-là ! intervint Diomka

dans son coin. C'est Léon Tolstoï, tout bonnement.

— Ah ! ce n'est pas *notre* Tolstoï..., dit Roussanov en traînant sur le *o* (il était moitié soulagé, moitié piqué). Ah bon, alors c'est l'autre... Celui du miroir de la Révolution et des boulettes de riz [1]... C'est un petit zozoteur, Tolstoï ! Le mal, il faut lui résister, mon garçon, il faut lutter avec !

— Moi aussi, je pense comme ça », répondit Diomka.

---

1. Roussanov, qui parle par clichés, fait allusion ici à un célèbre article de Lénine sur Tolstoï et au végétarisme du maître de Iasnaïa-Poliana (N. d. T.).

CHAPITRE IX

« TUMOR CORDIS »

EUGÉNIE OUSTINOVNA, qui était chirurgien-assistant, n'avait presque aucune des caractéristiques d'un chirurgien : ni le coup d'œil décidé, ni la ride autoritaire barrant le front, ni les impérieuses mâchoires de fer, ni l'air de sagesse infuse émanant de toute la personne. Elle avait passé la soixantaine et pourtant, quand ses cheveux étaient relevés sous sa coiffe de médecin, les gens qui la voyaient de dos l'interpellaient avec un : « Dites donc, mademoiselle, est-ce que... » Autrement dit, elle avait une silhouette de jeune fille avec des rides de grand-mère. Ses yeux faisaient des poches et avaient l'air gonflés, son visage était toujours fatigué. Elle essayait de compenser cela par un éternel et éclatant rouge à lèvres qu'elle devait renouveler plusieurs fois par jour parce qu'il partait au contact des cigarettes.

Sans perdre un instant, sitôt sortie de la salle d'opération, ou de la salle de soins, ou des chambres des malades, elle fumait. A la première occasion, elle courait se jeter sur une cigarette comme pour la manger.

Pendant les visites aux malades, il lui arrivait de porter à la bouche l'index et le majeur, en sorte qu'ensuite on pouvait discuter pour savoir si, oui ou non, elle avait fumé pendant la visite.

Ils étaient deux pour faire toutes les opérations de l'hôpital : le patron de chirurgie, Léon Léonidovitch, un homme vraiment très grand, avec de longs bras, et puis cette femme toute menue, déjà vieillie, et qui amputait des membres, pratiquait des trachéotomies, enlevait des estomacs, pénétrait dans les derniers recoins des intestins, sévissait dans le fin fond des bassins et gardait pour la fin de sa journée d'opérations, comme un travail aisé et déjà bien rodé, l'ablation d'une ou deux glandes mammaires atteintes par le cancer. Il ne se passait pas un mardi ou un vendredi sans qu'Eugénie Oustinovna procédât à plusieurs mammectomies ; et à la femme de charge qui nettoyait la salle des opérations, elle disait souvent, en tirant sur sa cigarette avec ses lèvres pâles, qu'en rassemblant tous ces seins de femmes qu'elle avait enlevés, on pourrait faire une colline.

Eugénie Oustinovna, toute sa vie, n'avait été que chirurgien. En dehors de la chirurgie, elle n'avait jamais rien été, ni rien fait. Et pourtant, elle se rappelait et comprenait les paroles que prononce Erochka, le vieux cosaque de Tolstoï, à propos des médecins européens : « Ils ne savent qu'amputer. Ce sont des ânes. Dans les montagnes, là, il y a de vrais docteurs ; eux, ils connaissent les herbes. »

Et si demain un quelconque traitement chimique, traitement aux rayons ou aux herbes, ou même encore par la lumière, les couleurs ou la télépathie, avait pu sauver ses malades en leur épargnant le scalpel et qu'ainsi la chirurgie eût été menacée de disparition, eh bien, Eugénie Oustinovna ne l'aurait pas défendue un seul jour. Ce n'était peut-être pas par conviction, mais parce que, toute sa vie, elle n'avait fait qu'amputer, amputer ; toute sa vie ç'avait été le scalpel, les chairs à nu...

Une des contraintes les plus assommantes de l'humanité, c'était que les hommes ne pouvaient pas se renouveler vers le milieu de leur vie en changeant radicalement d'occupations.

La visite se faisait ordinairement à trois ou quatre : Léon Léonidovitch, elle-même et les internes. Mais Léon Léonidovitch était parti depuis quelques jours pour Moscou à un séminaire consacré aux opérations du thorax. Ce samedi-là, le hasard fit qu'elle entra dans la salle des hommes, au premier étage, sans être accompagnée de personne : ni médecin traitant ni même infirmière.

Ou plutôt, elle n'entra pas, mais s'arrêta dans l'embrasure de la porte, s'appuya contre le jambage. C'était une attitude de jeune fille. Seule une très jeune fille peut ainsi s'appuyer à un mur, car elle sait que c'est d'un effet agréable, que c'est mieux que de rester toute droite, avec un dos bien droit, des épaules bien droites et une tête bien droite.

Arrêtée dans cette attitude, Eugénie Oustinovna observait pensivement le jeu auquel se livrait Dioma. Dioma avait allongé sa jambe malade et ramené sous lui l'autre jambe, de façon à l'utiliser comme table en y posant un livre et, au-dessus de ce livre, il faisait une construction à l'aide de quatre grands crayons qu'il tenait des deux mains. Il était absorbé dans la contemplation de cette figure et le serait resté longtemps, s'il n'avait pas été interpellé. Il releva la tête et rassembla les crayons.

« Qu'est-ce que tu construis là, Dioma ? demanda tristement Eugénie Oustinovna.

— Un théorème ! » répondit Dioma crânement, plus fort que nécessaire.

Tels furent les mots échangés, mais en même temps leurs yeux se scrutaient mutuellement, et il était clair que l'essentiel n'était pas les mots échangés.

« C'est que le temps file », expliqua encore Dioma, moins crânement et moins fort.

Elle hocha la tête.

Elle garda un instant le silence, toujours appuyée

au jambage de la porte — non, ce n'était plus par coquetterie de jeune fille, mais par fatigue.

« Bon, je vais t'examiner. »

Dioma, toujours raisonneur, répliqua avec plus de vivacité que d'ordinaire :

« Lioudmila Afanassievna m'a examiné hier ! Elle a dit qu'on continuerait les rayons. »

Eugénie Oustinovna hochait la tête. Une sorte de beauté mélancolique émanait d'elle.

« C'est parfait, mais je vais quand même t'examiner. »

Dioma se renfrogna. Il écarta son manuel de stéréométrie, se remonta sur son séant pour faire de la place sur son lit, et dénuda, jusqu'au genou, sa jambe malade.

Eugénie Oustinovna s'assit à côté de lui. Elle retroussa d'un seul geste les manches de sa robe et de sa blouse au-dessus du coude. Ses mains délicates et souples se mirent à parcourir la jambe de Dioma, comme deux êtres vivants.

« Ça fait mal ? Ça fait mal ? demandait-elle seulement.

— Oui, oui, confirmait Dioma en se renfrognant toujours plus fort.

— La nuit, tu sens ta jambe ?

— Oui... Mais Lioudmila Afanassievna... »

Eugénie Oustinovna hocha la tête d'un air compréhensif et elle lui dit avec une gentille tape à l'épaule :

« C'est bien, mon ami. Continue les rayons. »

Et ils se regardèrent une fois encore, droit dans les yeux.

Dans la chambre, tout était devenu silencieux et l'on entendait chaque mot qu'ils disaient.

Cependant, Eugénie Oustinovna se leva et se tourna du côté du poêle : Prochka aurait dû être là, mais il avait changé de lit la veille au soir (bien qu'il fût de mauvais augure d'occuper le lit d'un malade qu'on a renvoyé mourir ailleurs). Le lit près du poêle avait maintenant un autre occupant : c'était Friedrich Federau, un petit blondin paisible qui n'était pas tout à fait un nouveau puisqu'il avait passé trois nuits dans l'escalier. Federau s'était levé, au garde-à-vous, et il regardait Eugénie Oustinovna d'un air affable et respectueux. Il était plus petit qu'elle.

Lui, au moins, était en bonne santé ! Lui n'avait mal nulle part !

La première opération l'avait complètement guéri. Et s'il était revenu au pavillon des cancéreux, ce n'était pas pour se plaindre de quelque chose, mais par simple scrupule : sur son précédent bulletin de sortie, il était écrit qu'il devait se présenter le 1er février 1955 pour vérification. Et il était revenu de bien loin, par des chemins difficiles, avec de nombreuses étapes, d'abord dans la benne d'un camion, chaudement calfeutré dans sa pelisse de mouton et dans ses bottes de feutre, puis en train, de la gare la plus proche jusqu'ici, cette fois-ci vêtu d'un manteau et chaussé de souliers, et il ne s'était présenté ni le 31 janvier ni le 2 février, mais aussi ponctuellement que la lune pour les éclipses qui lui sont fixées.

Et l'éclipse avait eu lieu ; son visage s'était obscurci : on l'avait à nouveau hospitalisé. Dieu sait pourquoi. Il espérait beaucoup être renvoyé aujourd'hui.

Marie, l'infirmière grande et sèche, aux yeux éteints, entra. Elle apportait une serviette. Eugénie Oustinovna s'essuya les mains, leva ses bras, toujours découverts jusqu'au coude, et, dans le même silence complet, elle palpa longuement le cou de Federau. Puis elle lui dit de se dégrafer et l'examina encore au creux derrière la clavicule, puis sous les aisselles.

Enfin, elle dit :

« Tout va bien, Federau, tout va très bien pour vous. »

Il s'illumina comme un homme qui reçoit une décoration.

« Tout va bien », reprit-elle ; son ton était affectueux, elle étirait les mots, tout en le palpant encore sous la mâchoire inférieure. « Nous vous ferons encore une petite opération, et c'est tout. »

Federau s'affaissa presque.

« Comment ça ? Pourquoi une opération si tout va bien, Eugénie Oustinovna ?

— Pour que tout aille mieux encore, dit-elle avec un pauvre sourire.

— Ça sera ici ? » dit-il, et la paume de la main faisait le geste de trancher son cou par le milieu. Son visage doux prit une expression implorante. Il avait les sourcils lourds, presque blancs.

« Oui, ici. Mais ne vous faites pas de soucis, chez vous, tout est pris à temps. Si vous voulez bien, on va vous préparer pour mardi prochain (Marie inscrivit dans son cahier). Fin février, vous rentrerez chez vous et qu'on ne vous voie plus revenir ici !

— Et est-ce qu'il y aura encore une vérification, dit Federau qui esquissa un sourire, sans succès d'ailleurs.

— Euh ! peut-être une vérification, mais c'est tout », dit-elle ; et son sourire voulut être une excuse : qu'avait-elle d'autre pour le réconforter, à part ce sourire fatigué ?

Elle le laissa donc à méditer, debout à côté de son lit, puis assis sur ce même lit, tandis qu'elle-même poursuivait sa visite. Au passage, elle eut un sourire imperceptible pour Akhmadjan, qu'elle avait opéré à l'aine, trois semaines auparavant, et elle s'arrêta au chevet d'Ephrem.

Ephrem avait posé le petit livre bleu à côté de lui et attendait qu'elle s'approchât. Il était assis dans son lit, les jambes ramenées contre sa poitrine : avec sa large tête, avec ce pansement qui lui grossissait incroyablement le cou, avec ses larges épaules, on eût dit quelque gnome sorti des contes. Il la regardait par en dessous, comme sur la défensive.

Elle s'accouda au montant de son lit et porta deux doigts à ses lèvres, comme si elle fumait.

« Eh bien ? Comment va le moral, Poddouïev ? »

Le moral, le moral !... Ils n'avaient que ça à la bouche ! Elle, tout ce qu'elle avait à faire, c'était de parler un peu et puis de s'en aller, son numéro serait fini !...

« J'en ai assez d'être opéré », fit Ephrem.

Elle leva le sourcil, comme si elle s'étonnait qu'on pût en avoir assez d'être opéré.

Elle ne répondit rien.

Et lui, il avait dit tout ce qu'il avait à dire.

Ils restaient silencieux, comme on fait après une brouille. Comme avant une séparation.

« C'est toujours au même endroit ? »

La question avait été dite par Ephrem presque sans qu'il le veuille. (Il voulait dire : mais alors, comment vous y êtes-vous prise la dernière fois où vous m'avez opéré ? Qu'est-ce que vous croyez ? Mais lui qui n'avait jamais épargné les supérieurs, lui qui avait toujours lancé leurs quatre vérités aux gens, il ménageait Eugénie Oustinovna. Elle devinerait bien toute seule.)

« C'est tout à côté », répondit-elle.

(A quoi bon te dire, malheureux, que le cancer de la langue, ce n'est pas la même chose que le cancer de la lèvre inférieure ? Si on enlève les ganglions submaxillaires, on découvre tout à coup que les chaînes lymphatiques profondes sont atteintes... On ne pouvait pas te les enlever plus tôt.)

Ephrem eut une sorte de râle, comme quelqu'un qui manque d'air.

« C'est pas la peine. Je ne veux plus rien. »

Et elle, curieusement, ne faisait guère d'efforts pour le convaincre.

« Je ne veux plus d'opération. Je ne veux plus rien. »
Elle restait, sans rien dire, à le regarder.

« Laissez-moi repartir ! »

Elle le regardait droit dans ses yeux rougeâtres, que tant de perturbations semblaient avoir maintenant rendus imperturbables, et elle se disait, elle aussi : à quoi bon ? A quoi bon le tourmenter, puisque le scalpel ne rattrapait pas les métastases ?

« Lundi, on défera ton pansement, Poddouïev, et on verra. Ça va comme ça ? »

(Il avait exigé qu'on le laisse repartir, mais, au fond, il espérait encore qu'elle dirait : « Tu es fou, Poddouïev ? Comment ça, te laisser repartir ? Nous allons te soigner. Et te guérir ! »)

Mais non, elle était d'accord.

Autrement dit, il était bon pour aller chez les taupes...

Il eut une inclinaison de tout son corps qui indiquait une acceptation. Il ne pouvait plus hocher simplement la tête.

Elle passa à Prochka. Prochka se leva et lui sourit. Sans l'examiner, elle demanda :

« Eh bien, comment vous sentez-vous ? »

Le sourire de Prochka s'élargit encore.

« Ça va... ces comprimés m'ont beaucoup aidé. »

Il montra un flacon de vitamines. Il ne savait pas comment s'y prendre pour la disposer au mieux à son égard. Pour la convaincre d'écarter toute idée d'opération.

Elle hocha la tête comme pour approuver les comprimés. Elle palpa de la main le côté gauche de sa poitrine.

« Ici, est-ce que ça fait des élancements ?

— Un peu, oui.

— Aujourd'hui vous pourrez sortir de l'hôpital. »

C'est pour le coup qu'il se réjouit, Prochka ! Et ses sourcils noirs se haussèrent, étonnés.

« Qu'est-ce que vous dites ? Et l'opération ? Y en aura pas ? »

Elle secouait la tête, avec ce même sourire triste.

Ça faisait une semaine qu'on le palpait, quatre fois on l'avait envoyé à la radio, et tantôt on le faisait asseoir, tantôt on le couchait, puis on le relevait ; on l'avait emmené voir des vieillards en blouses blanches... Bref, il s'attendait à quelque maladie épouvantable et voilà qu'on le renvoyait sans opération !

« Alors, je vais bien ?

— Pas tout à fait...

— Ces comprimés font drôlement du bien, n'est-ce pas ? »

Ses yeux noirs étincelaient de gratitude, de compréhension. Il lui était agréable de lui faire plaisir, à elle aussi, par cette guérison si aisée.

« Ces comprimés, vous en achèterez vous-même dans les pharmacies. Mais je vais vous ordonner encore autre chose, vous le prendrez avec un peu d'eau. »

Elle tourna la tête vers l'infirmière et ajouta :
« Vitamine antiscorbutique. »
Marie inclina la tête d'un air sévère, et prit note dans son cahier.
« Seulement, il faudra vous ménager, dit encore Eugénie Oustinovna avec douceur. Vous ne devez pas marcher vite. Ne pas soulever de poids lourds et faire très attention pour vous baisser. »
Prochka rit à l'idée que même Eugénie Oustinovna pouvait ne pas tout comprendre sur terre.
« Comment ça, pas soulever de poids ? C'est que je conduis des tracteurs, moi !
— Pour l'instant, vous ne pouvez pas travailler.
— Comment ça ? Vous me ferez un arrêt de travail ?
— Non. Vous allez recevoir une pension d'invalidité.
— D'invalidité ? »
Prochka la regardait avec des yeux effarés.
« Qu'est-ce que j'ai à fiche d'une invalidité ? Comment que je vivrai avec une invalidité ? Je suis jeune encore, je veux travailler. »
Et il montra, comme pour appuyer ses dires, ses mains solides, aux doigts épais, et qui ne demandaient qu'à travailler.
Mais rien ne pouvait dissuader Eugénie Oustinovna.
« Vous descendrez à la salle de soins dans une demi-heure. Votre certificat sera prêt et je vous expliquerai tout. »
Elle sortit et, avec elle, Marie, toujours maigre et raide.
Aussitôt toutes les langues se délièrent dans la chambrée. Prochka parlait de son invalidité — il n'avait rien à foutre de cette invalidité et il faudrait en parler avec les gars, mais les autres commentaient plutôt le cas de Federau. C'était pour tous quelque chose d'extraordinaire : voilà un cou intact, blanc, net, rien ne fait mal, et une opération !
Poddouïev, toujours assis sur son lit avec les jambes ramenées contre la poitrine, pivota de tout son corps

en s'aidant des bras (un peu comme un cul-de-jatte) et il lança avec colère, presque cramoisi :

« Ne te laisse pas faire, Friedrich ! Fais pas l'imbécile ! Si tu te laisses faire, ils auront ta peau, comme pour moi. »

Mais il y avait aussi Akhmadjan qui avait son mot à dire :

« Faut les laisser opérer, Federau. S'ils le disent, c'est pas pour rien.

— Pourquoi l'opérer, si rien ne fait mal ? » dit Diomka tout indigné. La voix de basse de Kostoglotov intervint :

« Qu'est-ce que tu nous chantes, mon vieux ? Si on se met à charcuter les cous en bonne santé, y a de quoi devenir fou ! »

Roussanov se renfrogna en entendant ces cris, mais s'abstint de toute remarque. La veille, après la piqûre, il s'était beaucoup réjoui de l'avoir bien supportée. Mais tout restait exactement comme avant, la tumeur de son cou l'avait empêché toute la nuit et tout le matin de bouger la tête, et aujourd'hui il se sentait tout à fait malheureux : visiblement, elle n'avait pas diminué.

Bien sûr, il avait eu la visite du docteur Gangart. Elle l'avait soumis à un interrogatoire très détaillé pour savoir chaque nuance de ce qu'il avait ressenti la veille au soir, la nuit et ce matin, elle l'avait longuement questionné sur son degré de faiblesse, puis elle lui avait expliqué que la tumeur ne devait pas nécessairement céder à la première piqûre, et que c'était même tout ce qu'il y avait de plus normal. Elle avait réussi, en partie, à le calmer. A la bien regarder, il s'était dit qu'elle n'avait pas l'air sotte, son nom, bien sûr, était suspect. En fin de compte, les médecins de cet hôpital n'étaient pas les derniers des derniers, ils avaient de l'expérience, il fallait seulement savoir être exigeant avec eux.

Mais ce calme n'avait pas duré longtemps. Le docteur Gangart était partie et la tumeur avait continué à lui étouffer le cou, les malades avaient continué à l'agacer, et voilà qu'on proposait à quelqu'un d'autre de l'opérer au cou, alors qu'il n'y avait absolument rien. Roussanov, lui, avait un vrai goitre et on ne l'opérait pas, on ne lui proposait même pas de l'opérer ! Est-ce qu'il allait vraiment si mal ?

L'avant-veille, en pénétrant dans cette chambre, Paul Nikolaïevitch n'aurait jamais pu imaginer qu'il se sentirait si vite comme lié à tous ces gens.

Maintenant, n'est-ce pas, c'était le cou qui était l'essentiel. Ils étaient trois, trois pour qui tout dépendait du cou...

Federau était tout démoralisé. Il écoutait tous les conseils avec un sourire désemparé. Tous lui disaient avec assurance ce qu'il devait faire, lui seul n'arrivait pas à y voir clair dans sa propre affaire. (Eux aussi, d'ailleurs, n'y voyaient pas clair dès qu'il s'agissait d'eux-mêmes.) Opérer était dangereux ; ne pas opérer était aussi dangereux. Il avait déjà fait le tour de la question à son dernier séjour à l'hôpital, quand on avait soigné sa lèvre inférieure aux rayons, exactement comme on faisait maintenant pour Eguenbordiev. Depuis, l'escarre avait grossi, puis s'était desséchée et finalement était tombée, mais Federau comprenait pourquoi il fallait opérer les glandes du cou : c'était pour empêcher le cancer de progresser.

Cependant il y avait le cas de Poddouïev ! Il avait eu deux opérations et pour quel résultat ?... D'ailleurs, le cancer avait peut-être renoncé à s'infiltrer ? Peut-être n'y en avait-il plus de trace ? De toute façon, il faudrait aviser avec sa femme et surtout avec sa fille Henriette, qui était la plus instruite et la plus vaillante de la famille... Cependant Federau savait qu'il occupait ici un lit et que l'hôpital n'attendrait pas qu'il ait échangé des lettres avec sa famille (dire que depuis la gare jusque chez eux, au fond de la steppe, les lettres ne voyageaient que deux fois par semaine, et encore, quand les chemins étaient praticables !) Quant à quitter l'hôpital pour aller consulter les siens, c'était chose difficile, bien plus difficile que ne le pensaient les médecins et

tous les malades qui lui prodiguaient tant de conseils.
Pour ça, il fallait aller à la Sûreté locale faire annuler
le permis de séjour provisoire obtenu au prix de tant
de démarches, se faire rayer du registre, et partir...
d'abord en train, jusqu'à la petite gare, puis là-bas
récupérer pelisse et bottes de feutre confiées à la garde
des bonnes gens de rencontre (c'est que là-bas le temps
n'était pas le même qu'ici, c'était encore l'hiver avec
des vents déchaînés) et puis se trimbaler encore cahin-
caha sur plus de cent cinquante kilomètres, dans une
cabine ou peut-être une benne de camion, jusqu'à la
Station de Machines agricoles ; et aussitôt arrivé, il
faudrait écrire à la Sûreté pour solliciter une nouvelle
autorisation de voyage et attendre deux, trois, quatre
semaines ; et quand l'autorisation arriverait, demander
à nouveau un congé — sûrement ça tomberait au
moment de la fonte des neiges, les chemins seraient
impraticables, les camions immobilisés ; et une fois
revenu à la petite gare où les deux trains quotidiens
s'arrêtaient chacun une minute, il faudrait encore
courir comme un fou d'un wagon à l'autre pour
demander une place au chef de wagon ; et de retour
à la ville, retourner à la Sûreté, se faire à nouveau enre-
gistrer et puis attendre son tour, Dieu sait combien
de jours, avant d'avoir une place à l'hôpital...

Cependant, toute la chambrée commentait les affaires
de Prochka. Après ça, va donc croire aux mauvais pré-
sages ! Comme s'il y avait vraiment des lits qui portent
la guigne ! Tous le félicitaient et lui conseillaient de se
soumettre à sa nouvelle invalidité, puisqu'on la lui donnait. Puisqu'on te la donne, prends-la ! Si on te la
donne, c'est qu'il le faut ! Ils auront toujours le temps
de te la supprimer ! Prochka rétorquait qu'il avait envie
de travailler. Mais imbécile, qu'on lui disait, t'auras
toujours le temps de travailler, la vie est assez longue.

Prochka partit donc chercher ses certificats. La
chambrée commença à retrouver le calme. Ephrem rouvrit son livre, mais il avait beau lire les lignes, il ne les
comprenait pas ; et bientôt il s'en aperçut.

Il ne les comprenait pas parce qu'il était tout agité, parcouru de frissons, et qu'il observait ce qui se passait dans la chambre et dans le couloir. Pour bien comprendre, il aurait fallu qu'il n'oublie pas que, pour lui, le temps était compté, qu'il ne changerait plus rien, qu'il ne convaincrait plus personne, et que lui-même n'avait plus que quelques jours pour mettre de l'ordre en lui-même.

Et ce n'était qu'à cette condition qu'il aurait accès aux lignes de ce livre. C'était des petites lettres noires très ordinaires, alignées sur du papier blanc. Mais pour les lire à fond, il ne suffisait pas de savoir lire.

Prochka remonta bientôt avec ses certificats et il rencontra Kostoglotov sur le palier du premier. Il lui montra les papiers :

« Y a même les tampons tout ronds, tiens, regarde ! »

Le premier certificat était pour la gare : prière de délivrer sans attendre un billet au malade Untel qui vient de subir une opération. (Si on ne parlait pas d'opération, à la gare, on renvoyait les malades dans la queue et ils ne pouvaient pas partir avant deux ou trois jours.)

Le deuxième était pour l'autorité médicale du lieu de domicile de Prochka : « Tumor cordis, casus inoperabilis. »

Prochka dit, en montrant l'endroit du doigt :

« J'y pige rien ! Qu'est-ce qu'il y a d'écrit ici ? »

Kostoglotov plissa les yeux avec une grimace de mécontentement.

« Laisse-moi réfléchir... Tiens, tu peux le reprendre ; je vais y réfléchir. »

Prochka reprit ses précieux papiers et alla se préparer.

Kostoglotov s'appuya à la balustrade et resta longuement penché au-dessus de la cage d'escalier ; sa mèche de cheveux pendait dans le vide.

Le latin, il n'y connaissait, pour ainsi dire, rien ; d'ailleurs, en règle générale, il ne savait bien aucune langue étrangère, non plus qu'aucune science, excepté

la topographie, et encore ne s'agissait-il que de la topographie militaire niveau sous-officier. Partout et toujours il dénigrait violemment l'instruction et, pourtant,
il était perpétuellement aux aguets et ne laissait pas
perdre une seule miette de tout ce qui pouvait élargir
ses propres connaissances. En 1938, il avait pu suivre
un cours de géographie physique, et puis, pendant
l'hiver 46-47, il avait eu un cours incomplet de géodésie.
Entre les deux, ç'avait été l'armée et la guerre, qui sont
peu propices au développement des connaissances. Mais
jamais Kostoglotov n'oubliait le proverbe de son grand-
père préféré : « Le sot aime à faire la leçon, le malin
préfère la recevoir », et, même à l'armée, il avait toujours saisi au passage ce qu'il est utile de savoir, prêtant l'oreille à tout discours sensé, qu'il vînt d'un
officier d'un autre régiment ou d'un soldat de sa propre
section. Bien sûr, pour que son amour-propre n'ait pas
à souffrir, il tendait l'oreille sans en avoir l'air, comme
si rien de tout ça ne lui était bien utile. En revanche,
lorsqu'il faisait la connaissance d'un homme, Kostoglotov ne se dépêchait jamais de se présenter, n'essayait jamais de poser, mais au contraire il cherchait
aussitôt à savoir qui était cette nouvelle connaissance,
de quel bord, de quel endroit, de quel genre. Grâce à
cela, il parvenait à entendre et apprendre beaucoup de
choses. Et s'il y avait eu un endroit où il avait pu
se rassasier à souhait, c'était bien les geôles surpeuplées
de la banlieue moscovite pendant les années d'après-
guerre. Là, chaque soir, on organisait des conférences
que faisaient des professeurs de facultés, des agrégés,
et plus généralement les gens compétents ; les sujets
étaient aussi bien la physique atomique, l'architecture
occidentale ou la génétique, que la poétique ou l'apiculture — et Kostoglotov était l'auditeur le plus assidu
de toutes ces conférences. Que ce fût sous les châlits
de la prison de Krasnaïa Presnia, ou sur les bat-flanc
grossiers des wagons à bestiaux aménagés, ou encore
aux étapes lorsqu'on les faisait asseoir cul contre terre,
ou bien encore dans sa vie de déporté au camp, partout

il se conformait au proverbe de son grand-père et cherchait à absorber ce qu'il n'avait pas eu le temps d'apprendre sur les bancs des facultés.

C'est ainsi qu'une fois, au camp, il avait questionné l'aide médical ; c'était un vieil homme timoré qui était chargé des écritures à l'infirmerie, quand il ne devait pas courir chercher l'eau bouillie... Or, en fait, il s'agissait d'un professeur de philologie classique et de littérature antique à la faculté de Leningrad. Kostoglotov s'était mis dans la tête de lui demander des leçons de latin. Pour ce faire, ils devaient aller et venir à l'intérieur de leur zone, malgré le gel, sans le moindre crayon ni papier ; de temps à autre, l'aide médical enlevait son gant et écrivait avec un doigt dans la neige. (L'aide médical donnait ces leçons de façon absolument désintéressée : sa seule récompense était de se sentir à nouveau, pour un bref instant, redevenu homme. D'ailleurs Kostoglotov eût été incapable de le payer. Mais l'affaire faillit leur coûter cher à tous deux : le sous-off de garde les avait convoqués séparément et soumis à un long interrogatoire, car il les soupçonnait de préparer une fuite et de tracer sur la neige un plan des lieux. L'explication des leçons de latin le laissa sceptique et les leçons durent cesser.)

De ces leçons, Kostoglotov avait retenu que « casus » signifiait un cas, que « in » était la particule de négation et il savait ou, à tout le moins, pouvait aisément deviner que « cordis » était de la même racine que cardiogramme. Or, le mot se rencontrait à chaque page du manuel d'Anatomie pathologique qu'il avait pris à Zoé [1].

C'est ainsi qu'il avait compris sans peine le dia-

---

1. Le lecteur remarquera que les médecins soviétiques ont encore recours au latin pour leurs ordonnances ou diagnostics. Les racines latines étant bien plus éloignées du russe que du français, la formule « Tumor cordis, casus inoperabilis » est absolument indéchiffrable pour un Russe non lettré. (N. du T.).

gnostic en latin concernant Prochka : « Cancer du cœur,
cas non opérable. » Ni une opération ni même aucun
traitement ne pouvait rien y faire, puisqu'on lui prescrivait seulement de la vitamine antiscorbutique.

Penché au-dessus de la cage d'escalier, Kostoglotov
ne pensait donc pas à la traduction du latin, mais
plutôt à son principe favori, et qu'hier encore il avait
exposé à Lioudmila Afanassievna, selon lequel le
malade doit tout savoir.

Seulement voilà, c'était un principe valable pour les
hommes qui en avaient vu de toutes les couleurs,
comme lui-même.

Mais était-il valable pour Prochka ?

Prochka n'avait presque pas de bagages à porter :
ses effets personnels se réduisaient à rien. Il était
accompagné par Sigbatov, Diomka, Akhmadjan. Tous
trois marchaient précautionneusement : l'un séna-
geait son dos, l'autre sa jambe, le troisième marchait
avec une béquille. Quant à Prochka, il avançait joyeusement en découvrant ses dents blanches, étincelantes.

Là-bas, n'est-ce pas, une fois de temps en temps, on
avait aussi l'occasion d'accompagner un camarade qui
allait être libéré...

Et est-ce qu'on lui disait, à ce camarade, qu'à peine
il aurait passé les portes, on l'arrêterait à nouveau ?

« Alors, qu'est-ce qu'il y a d'écrit ? » demanda Prochka
au passage, d'un air insouciant...

Kostoglotov fit une grimace, sa balafre aussi grimaça :

« Du diable si j'y pige quoi que ce soit, dit-il. Les
médecins sont devenus si malins qu'y a rien à comprendre.

— Eh bien, bonne chance ! Guérissez bien, les gars !
Retrouvez vite maison et femme ! »

Prochka leur serra la main à tous et, une fois dans
l'escalier, il se retourna encore et leur fit un signe de
la main.

Il descendait l'escalier avec assurance.

Il descendait vers la mort.

CHAPITRE X

LES ENFANTS

ELLE n'avait fait que palper du doigt les contours de sa tumeur et puis elle l'avait comme étreint amicalement aux épaules avant de passer au suivant. Mais c'est à ce moment-là que l'irréparable s'était produit. Diomka l'avait bien senti. Les rameaux fragiles de l'espoir étaient tombés.

Il n'en avait pas eu conscience tout de suite. Il y avait eu d'abord, dans la chambrée, les discussions autour du cas de Prochka, puis les adieux à Prochka ; puis il avait envisagé d'émigrer sur le lit qui venait de se libérer et qui maintenant semblait porter chance ; ce lit était à côté d'une fenêtre, il aurait plus de lumière pour lire, et il serait plus près de Kostoglotov pour les discussions. Mais à ce moment-là était entré un nouveau.

C'était un jeune homme au teint hâlé, aux cheveux noirs de jais, bien lissés et légèrement bouclés dans le cou. Il avait sûrement plus de vingt ans. Il portait trois livres sous le bras gauche, trois livres sous le bras droit.

« Salut ! les amis, déclara-t-il dès le seuil, et tout de suite il plut beaucoup à Diomka par sa simplicité et la franchise de son regard. Où dois-je m'installer ? »

Curieusement, il inspectait moins les lits que les murs.

« Vous allez beaucoup lire ? demanda Diomka.

— Tout le temps. »

Diomka réfléchit :

« C'est sérieux ou bien c'est pour le plaisir ?

— C'est sérieux.

— Bon, alors prenez le lit près de la fenêtre, c'est d'accord. On va venir faire votre lit. Et vos livres, c'est quoi ?

— De la géologie, mon vieux », répondit le nouveau.

Diomka lut un des titres : *Recherches géochimiques des gisements métalliques.*

« Prenez la fenêtre, d'accord. Et où est-ce que vous avez mal ?

— A la jambe.

— Moi aussi, c'est à la jambe. »

Effectivement, le nouveau déplaçait une jambe précautionneusement, mais à voir sa silhouette, on l'aurait fort bien imaginé faisant des figures sur la glace !

On fit le lit du nouveau et lui, comme s'il n'était venu que pour ça, d'étaler aussitôt ses cinq bouquins sur le rebord de la fenêtre et de s'enfoncer dans la lecture du sixième... Il resta une petite heure à lire sans rien demander ni rien raconter, puis il fut convoqué par les médecins.

Diomka, lui aussi, s'efforçait de lire. D'abord il reprit le livre de stéréométrie et essaya de construire des figures avec ses crayons. Mais il ne mordait pas aux théorèmes et les dessins — segments de droites, surfaces découpées en dents de scie — le ramenaient continuellement à la même obsession.

Alors il prit un petit livre plus facile ! C'était *L'Eau vive* d'un certain Kojevnikov, un livre qui avait décroché le Prix Staline. Il s'agissait d'A. Kojevnikov, qu'il ne fallait pas confondre avec S. Kojevnikov, ni avec V. Kojevnikov. Diomka était un peu terrifié à l'idée qu'il y eût tant d'écrivains. Au siècle précédent, il n'y avait qu'une dizaine d'écrivains, et tous de grands écrivains. Et maintenant, les écrivains se comptaient par milliers ; en changeant une seule lettre à leur nom, on obtenait encore le nom d'un autre écrivain. Il y avait Safronov, mais il y avait aussi Safonov et peut-être même deux Safonov. Et qui sait si Safronov n'avait pas, lui aussi, un homonyme ? Lire tous leurs livres était chose impossible. Et si l'on en lisait un jusqu'au bout, on avait comme l'impression de n'avoir rien lu. On voyait émerger tour à tour des écrivains inconnus de tous, ils recevaient des prix Staline, et puis ils sombraient à tout jamais. Chaque livre tant soit peu volumineux était primé l'année suivant sa parution, et il y avait chaque année de quarante à cinquante prix.

Les titres, eux aussi, s'embrouillaient dans la tête de Diomka. On avait beaucoup écrit au sujet des films *La Grande Vie* et *La Grande Famille*. Il y en avait un des deux qui était extrêmement valable, l'autre extrêmement nuisible, mais Diomka n'arrivait absolument pas à se rappeler lequel était bon, lequel mauvais ; et ce d'autant plus qu'il n'avait lu ni l'un ni l'autre. Les concepts, eux aussi, s'embrouillaient, et plus Diomka lisait, plus ça s'embrouillait. Par exemple, il venait à peine d'assimiler l'idée qu'analyser avec objectivité, ça signifiait voir les choses comme elles sont dans la vie, et voilà qu'il lisait un article où l'on tançait l'écrivain Panova, parce qu'elle « s'était aventurée sur le terrain dangereux de l'objectivisme ».

Et pourtant Diomka se devait de tout maîtriser, de tout comprendre, et de tout retenir !

Diomka avait lu *L'Eau vive* et n'arrivait pas à y voir clair : était-ce vraiment le livre qui était si médiocre, ou bien était-ce lui qui n'était pas en forme ?

Il sentait croître en lui-même la pression de l'échec, du désespoir. Que désirait-il au fond ? Une âme à qui se plaindre, auprès de qui chercher conseil ? Ou encore, tout simplement, parler humainement à quelqu'un et même qu'on le plaigne un petit peu ?

Bien sûr il avait lu, on lui avait dit que la pitié était un sentiment humiliant, qui humiliait celui qui avait pitié, comme celui dont on avait pitié.

Et, malgré cela, il avait envie d'être plaint.

Parce qu'en général, dans la vie, personne n'avait jamais plaint Diomka.

Ici, dans la chambrée, on pouvait dire et écouter des choses intéressantes, mais ce n'était ni le ton ni vraiment les choses dont Diomka éprouvait le besoin. Avec ces hommes, il fallait sans cesse se conduire en homme.

Des femmes, il y en avait certes beaucoup dans l'hôpital, mais Diomka n'avait jamais osé franchir le seuil de leur vaste et bruyante salle. Si toutes les femmes réunies ici avaient été en bonne santé, il eût été intéressant de jeter un coup d'œil là-bas, au passage, comme par hasard, et d'apercevoir quelque chose. Mais ce repaire de femmes malades lui faisait détourner les yeux et redouter d'apercevoir quelque chose. Leur maladie était un tabou plus puissant que la simple pudeur. Quelques-unes de ces femmes, lorsque Diomka les croisait dans l'escalier ou sur le palier, étaient si négligées, si abattues, qu'elles oubliaient de fermer leurs peignoirs, et il lui était arrivé de voir leurs chemises de nuit, soit à la hauteur des seins, soit en dessous de la taille. Mais ces rencontres n'éveillaient pas en lui une sensation de joie, mais de douleur.

Aussi baissait-il toujours les yeux en face d'elles. Ce n'était vraiment pas facile de lier connaissance ici.

Il n'y avait guère que la vieille Stéphanie à l'avoir remarqué ; elle s'était mise à le questionner et alors il avait lié amitié avec elle. La vieille Stéphanie était déjà mère et grand-mère et possédait déjà les traits caractéristiques de toutes les grand-mères : les rides, et un sourire indulgent pour toutes les faiblesses. Ils restaient plantés dans un coin du palier du premier, elle et lui, et ils passaient de longs moments à bavarder. Et comme c'était aisé de parler avec Stéphanie ! Diomka lui avait révélé, sur lui-même et même sur sa mère, des choses qu'il n'aurait jamais confiées à personne d'autre.

Diomka n'avait que deux ans quand son père avait été tué à la guerre. Ensuite, il avait eu un beau-père, certes pas très affectueux, mais juste ; avec lui, la vie était parfaitement possible, seulement, la mère de Diomka était devenue... (le mot ne fut pas dit à Stéphanie, mais, depuis longtemps, c'était clairement établi dans son esprit) une putain. Le beau-père les avait abandonnés et il avait bien fait. Depuis cette époque, sa mère amenait régulièrement des hommes dans leur unique pièce ; ça commençait obligatoirement par la boisson (ils voulaient forcer Diomka à boire, mais lui refusait) et les hommes restaient plus ou moins longtemps, qui jusqu'à minuit, qui jusqu'au matin. Et pas la moindre cloison dans la pièce, même pas l'obscurité à cause des réverbères de la rue. Aussi Diomka avait été pris d'un tel dégoût qu'il ne voyait que cochonnerie là où ses compagnons d'âge en étaient encore aux rêveries et aux frissons.

Cela avait duré pendant la classe de cinquième, puis celle de quatrième, mais, une fois en troisième, Diomka était allé vivre chez le concierge de l'école qui était un vieillard. Deux fois par jour, l'école nourrissait Diomka. Quant à sa mère, elle n'avait rien tenté pour le faire revenir — elle avait passé la main et s'était réjouie.

Diomka, en parlant de sa mère, ne pouvait garder son calme, la colère le prenait. La vieille Stéphanie l'avait écouté jusqu'au bout en hochant la tête, puis elle avait eu cette étrange conclusion :

« Il faut que tous vivent sur cette terre. Il n'y a qu'une même terre pour tous les hommes. »

L'an dernier, Diomka avait émigré dans une cité ouvrière qui avait une école du soir. On lui avait donné une place dans un dortoir. Diomka était apprenti tourneur et avait eu son C.A.P. Il ne réussissait pas particulièrement dans son travail, mais tout en lui était à l'opposé du dérèglement de sa mère : il ne buvait pas, ne gueulait pas de chansons, et il bossait. Il avait terminé avec succès sa seconde et avait déjà fait un semestre en première.

Son seul écart était pour le football : parfois il allait jouer avec les copains. Et pour cette seule et minime licence qu'il s'était accordée, il avait été puni par le destin : quelqu'un dans une mêlée lui avait donné, sans le faire exprès, un coup de soulier dans le tibia ; Diomka n'y avait pas accordé attention, il avait un peu boité, puis ça avait passé. Pendant l'automne, sa jambe lui avait fait de plus en plus mal, mais il ne la montrait toujours pas aux médecins ; on l'avait engueulé, son état avait empiré ; enfin, on l'avait expédié, par décision médicale, d'abord au chef-lieu du district, puis, en fin de compte, ici...

Mais pourquoi donc, demandait à présent Diomka à Stéphanie, pourquoi donc une telle injustice dans le destin ? Pourquoi des gens pour qui tout va comme sur des roulettes pendant toute leur vie, et d'autres pour qui tout est toujours gâché ? Et dire qu'on prétend que l'homme est maître de son destin ! Rien ne dépend de lui.

« C'est de Dieu que tout dépend, disait la vieille Stéphanie pour l'apaiser. Dieu y voit clair. Il faut se soumettre, mon pauvre Diomka.

— Mais alors, raison de plus, si tout vient de Dieu, si Dieu seul y voit clair ? Pourquoi toujours accabler les mêmes ? Il faut bien qu'il y ait un peu d'ordre, non ? »

Et pourtant il fallait se soumettre, il n'y avait pas à discuter. D'ailleurs, si l'on ne se soumettait pas, que pouvait-on faire d'autre ?

Stéphanie était de la région ; ses filles, ses fils et ses brus venaient souvent la voir et lui apportaient des cadeaux. Mais les cadeaux ne faisaient pas long ménage avec Stéphanie, elle les distribuait à ses voisines et aux femmes de salle, et elle faisait aussi venir Diomka de sa chambre et lui fourrait dans les mains un œuf ou un pâté.

Diomka n'avait jamais été repu ; toute sa vie, il avait connu la faim. Et même une constante obsession concernant la nourriture lui faisait paraître sa propre faim plus grande qu'elle n'était en réalité. Et pourtant il avait scrupule de dépouiller Stéphanie et, s'il acceptait l'œuf, il se défendait de son mieux pour ne pas prendre le pâté.

« Prends-le donc, fiston ! disait-elle avec de grands gestes. Il est farci de viande. Il faut le manger tant que c'est jour gras.

— Comment ça, après on ne pourra plus ?

— Bien sûr que non ! Tu ne sais donc pas ça ?

— Et qu'est-ce qu'il y aura après ?

— La Semaine grasse[1] !

— Mais alors, ce sera encore mieux ! C'est encore mieux, Stéphanie, n'est-ce pas ?

— Tout est bien, fiston. Mieux ou pire, je ne sais pas, mais faudra plus manger de viande.

— Bon, mais alors, est-ce que ça aura une fin ?

— Bien sûr que ça aura une fin. Une semaine est vite envolée.

— Et après, qu'est-ce que nous aurons ? »

Diomka s'amusait à la questionner ; mais déjà il attaquait à pleines dents le pâté odorant, cuit à la maison, un pâté comme on n'en avait jamais fait chez lui.

« Quelle génération de païens ! Ça ne sait vraiment rien. Eh bien, après, il y aura le Grand Carême.

— Et quel besoin on en a, du Grand Carême ? A quoi ça sert un Carême, et, qui plus est, un Grand Carême ?

— Eh bien, mon petit Diomka, c'est parce que, quand on s'en met plein la bedaine, on ne peut plus se détacher de la terre ! De temps à autre, on a besoin de s'alléger.

— Et pourquoi diable s'alléger ? (Diomka ne pouvait pas comprendre ; les allégements, il ne connaissait que ça.)

— Il faut s'alléger pour avoir plus de lumière. A jeun, on se sent plus frais, n'as-tu pas remarqué ?

---

1. La première semaine de Carême, où la viande est interdite, mais où l'on prépare crêpes, beignets et gâteaux au fromage. (N. du T.)

— Non, Stéphanie, jamais je n'ai remarqué ça. »

Dès le cours préparatoire, alors qu'il ne savait encore ni lire ni écrire, Diomka était déjà initié au matérialisme ; déjà, il savait dur comme fer et il comprenait clair comme le jour que la religion est un opium, une doctrine trois fois réactionnaire, et dont seuls les bandits tirent profit. Il y avait encore des endroits où la religion empêchait même les travailleurs de s'affranchir de l'exploitation. Mais sitôt qu'on avait réglé ses comptes à la religion, tout devenait possible, c'était la liberté.

Et Stéphanie, elle-même, avec son drôle de calendrier, avec ce Dieu qu'ell' avait sans cesse à la bouche, avec ce sourire radieux qui ne la quittait pas dans le plus lugubre des hôpitaux, avec son pâté, qu'il dévorait maintenant, même la vieille Stéphanie était incontestablement un phénomène réactionnaire...

Malgré tout cela, voilà qu'aujourd'hui, en ce samedi après-midi où les médecins étaient repartis, abandonnant chaque malade à la petite pensée qui l'obsédait, où un jour morose achevait d'éclairer tant bien que mal les chambres, alors que dans les couloirs et sur les paliers les ampoules brûlaient déjà, voilà qu'aujourd'hui Diomka allait et venait en clopinant, et cherchait partout cette réactionnaire de Stéphanie, qui ne savait rien lui conseiller de bon que la résignation...

Pourvu surtout qu'on ne lui coupe pas la jambe, qu'on ne l'ampute pas ! Pourvu qu'il ne soit pas obligé de la sacrifier !

« Sacrifier... Pas sacrifier... Sacrifier... Pas sacrifier... »

Mais avec cette douleur lancinante, en fin de compte, le mieux était, peut-être, de la sacrifier quand même ?

Stéphanie restait introuvable. En revanche, dans le couloir du rez-de-chaussée, là où le couloir s'élargit pour former une sorte de petit vestibule qu'on appelait dans la clinique le « salon des journaux », bien qu'il n'y eût là que la table de l'infirmière du rez-de-chaussée, et son armoire à médicaments, Diomka aperçut une jeune fille, presque une gamine, vêtue d'un peignoir gris usé par les lessives, et qui avait l'air tout entière sortie d'un film :

elle avait des cheveux dorés comme il n'en existe pas
dans la réalité, et ces cheveux étaient relevés en une
étrange construction, aérienne et mouvante.

Déjà la veille, Diomka l'avait entr'aperçue pour la première fois, et la vue de ce blond buisson de cheveux
l'avait même ébloui. La jeune fille lui avait semblé si
belle qu'il n'avait même pas osé attarder son regard sur
elle ; il avait détourné les yeux et poursuivi son chemin.
Bien sûr, elle était, de toute la clinique, presque la seule
à être de son âge (il y avait aussi Sarkhom, qui était
amputée d'une jambe) mais d'aussi belles jeunes filles
lui paraissaient, en général, tout à fait inaccessibles.

Ce matin encore, il l'avait vue un court instant, de dos.
Même avec le peignoir uniforme de l'hôpital, elle avait
la grâce d'un jonc, on l'aurait reconnue entre mille. Et
l'on voyait frémir la petite gerbe dorée sur sa tête.

Assurément, Diomka n'était nullement en quête d'elle
aujourd'hui. Comment l'eût-il été, puisqu'il n'aurait jamais pu se décider à lier connaissance ? Il savait bien
que, s'il essayait, la langue lui manquerait, et qu'il saurait tout juste ânonner quelque chose d'informe et de
niais. Mais il venait de l'apercevoir, et il avait eu comme
un saisissement au cœur. Aussi, avec mille efforts pour
ne pas boiter, pour marcher le plus normalement possible, Diomka pénétra dans le « salon des journaux » et
se mit à feuilleter la collection de la *Pravda* locale, dont
beaucoup de pages avaient été arrachées pour envelopper des objets, et pour les autres besoins des malades.

Une moitié de la table, recouverte de sa nappe en ca-
licot, était encombrée par un buste en bronze de Staline,
plus grand que nature. A l'autre bout, à un angle, se tenait une fille de salle, replète, avec de grosses lèvres
charnues : elle avait l'air de faire pendant à Staline.
Comptant sur la torpeur des samedis d'hôpital, ne prévoyant plus de bousculade, elle avait versé un petit tas
de graines de tournesol sur un journal étalé devant elle
sur la table, et elle grignotait chaque graine avec délices
et recrachait les cosses directement sur le journal. Sans
doute s'était-elle approchée de la table pour un instant,

et elle ne pouvait plus s'arracher au plaisir de mâchonner du tournesol.

Le haut-parleur accroché au mur diffusait de sa voix
enrouée une sorte de musique de danse. Assis à un gué-
ridon, deux malades jouaient aux dames.

Quant à la jeune fille, Diomka l'apercevait du coin de
l'œil, assise contre le mur sans rien faire, ou plutôt trô-
nant, toute droite, une main ramenée sur la gorge pour
tenir fermé le peignoir car il n'y avait jamais d'agrafe
au cou, à moins que les femmes n'en cousissent une
elles-mêmes.

On eût dit un ange à chevelure d'or, un ange tendre
et évanescent, qu'on n'aurait jamais osé toucher du
doigt. Quelle merveille c'eût été de deviser avec elle !...
de parler de sa jambe malade, par exemple.

Fâché contre lui-même, Diomka feuilletait les journaux. Pour comble il se rappela tout à coup que, pour
ne pas perdre de temps, il avait adopté pour ses cheveux la coupe la plus simple possible, et s'était tondu
tout le dessus du crâne à la tondeuse, ce qui lui donnait
un air de parfait idiot.

Mais, soudain, l'ange en personne lui adressa la
parole :

« T'es un drôle d'empoté ? Ça fait deux jours que tu
tournes autour sans approcher !... »

Diomka sursauta, se retourna. Comment ça ? A lui ?
C'était à lui qu'on parlait ?

La houppe, ou plutôt le plumet, ondulait au sommet
de la tête comme au sommet d'une fleur.

« Eh bien ? T'as donc si peur que ça ? Prends une
chaise, tire-la à côté de moi, et faisons un peu connaissance.

— Non, j'ai pas peur, dit Diomka, mais il avait dans
la voix quelque chose de noué et qui l'empêchait de parler haut.

— Alors, magne-toi, installe-toi. »

Il prit une chaise et la porta à bout de bras en re-
doublant d'effort pour ne pas boiter. Il posa la chaise
contre le mur, à côté d'elle, et il lui tendit la main.

« Diomka.

— Assia. » (Elle lui tendit une petite main très douce et la retira.)

Diomka s'assit. Comme c'était ridicule ! Ils étaient maintenant assis côte à côte, comme deux fiancés. Et puis ça l'empêchait de bien la voir. Il se releva à moitié et déplaça un peu la chaise.

« Qu'est-ce que tu fais là, assise à rien faire ? demanda Diomka.

— Comment ça, à rien faire ? Je suis occupée.

— A quoi ?

— J'écoute la musique. Je m'imagine que je danse. Et toi, pour sûr que tu sais pas ?

— Danser en imagination ?

— Mais non, avec les jambes, benêt ! »

Diomka eut un soupir de dénégation.

« J'ai vu ça tout de suite. T'es pas dégrossi. On aurait bien fait quelques tours tous les deux, ajouta Assia en inspectant les lieux, mais y a pas la place. D'ailleurs, c'est des danses à la noix ! Si je les écoute, c'est parce que, le silence, ça m'accable toujours.

— Et quelles sont les danses bien ? dit Diomka, heureux de cette occasion de conversation. Le tango ? »

Assia soupira :

« Tu parles ! C'est nos grand-mères qui dansaient le tango ! La vraie danse d'aujourd'hui, c'est le rock'n roll. Ici, on le danse pas encore. A Moscou, ils le dansent. Et drôlement bien ! »

Diomka ne saisissait pas bien tout ce qu'elle disait, mais ça lui faisait plaisir de bavarder comme ça et d'avoir le droit de la regarder en face. Elle avait des yeux étranges, avec une pointe de vert. C'est que les yeux, on peut pas les teindre, on les garde comme on les a ! Et tels qu'ils étaient, ils étaient quand même bien agréables.

« Ça, c'est une danse ! disait Assia en faisant claquer ses doigts. Seulement, je peux pas te montrer exactement, je l'ai pas vue moi-même. Dis voir, comment tu passes le temps, toi ? Est-ce que tu chantes des chansons ?

— Oh non ! je ne chante pas.

— Et pourquoi donc ? Nous, nous chantons. Quand on en a marre du silence. Et qu'est-ce que tu fais donc ? Tu joues de l'accordéon ?

— Euh, non... »

Diomka était tout penaud. Vraiment, il ne valait rien à côté d'elle. Il ne pouvait quand même pas lui dire tout crûment que, la vie de société, ça l'embêtait !

Assia était comme interloquée : un drôle de gars, celui-là !

« Peut-être que tu fais de l'athlétisme ? Moi, d'ailleurs, je me suis un peu entraînée pour le pentathlon. Je fais cent quarante centimètres en hauteur et treize secondes deux dixièmes...

— Moi, non, je fais rien... Un peu de foot seulement... »

(C'était dur pour Diomka d'avouer ainsi sa propre nullité, comparé à elle. Il y avait tant de gens qui savaient organiser leur vie en toute liberté ! Diomka, lui, n'en serait jamais capable ! Il n'avait que ce qu'il méritait !)

« Bon... au moins tu fumes ? Tu bois ? demanda Assia avec un reste d'espoir. Ou bien, tu ne bois que de la bière ?

— Oui, rien que de la bière... Diomka eut un profond soupir. (En fait, il ne prenait jamais une goutte de bière, mais il ne pouvait quand même pas se déshonorer jusqu'au bout...)

— Aïe, aïe, aïe ! gémit Assia, comme si elle avait reçu un coup au creux de l'estomac. Bon sang ! ce que vous pouvez être encore dans les jupes de maman, tous, tant que vous êtes ! Et pas le moindre esprit sportif ! A l'école aussi, on avait des gars comme ça. En septembre dernier, on nous a fait passer chez les garçons. Eh bien, le directeur, il n'a gardé que les tordus et les prix d'excellence. Et tous les gars bien, il les a renvoyés chez les filles. »

Elle n'avait pas l'intention de l'humilier, elle avait seulement pitié de lui ; mais Diomka se sentit quand même offensé à cause des « tordus ».

« Et dans quelle classe tu es ? demanda-t-il.

— En terminale.

— Et qui donc vous autorise à avoir des coiffures comme ça ?

— Comment ça « autorise » ? On lutte pour... Nous aussi, nous luttons pour... »

Non, non, c'était une brave fille... D'ailleurs, même si elle l'avait blagué, même si elle avait cogné Diomka à coups de poing, ça n'aurait rien changé ! Comme c'était bien qu'elle lui parle comme ça, ouvertement !

La musique de danse s'était tue et un speaker avait commencé une longue déclaration sur la lutte des peuples et sur les honteux accords de Paris, dangereux pour la France parce qu'ils la livraient, pieds et poings liés, à l'Allemagne, mais intolérables aussi pour l'Allemagne, parce qu'ils la livraient, pieds et poings liés, à la France.

Assia poursuivit son enquête.

« Et qu'est-ce que tu fais, en général ?

— En général ?... je suis tourneur », dit Diomka d'un ton dégagé et digne.

Mais même cela n'éblouit pas Assia.

« Et tu te fais combien par mois ? »

Diomka était très fier de l'argent qu'il touchait parce que c'était son premier argent et un argent gagné à la sueur de son front. Mais maintenant, il pressentit tout de suite qu'il refuserait de dire combien exactement il gagnait.

« Oh ! des bricoles, bien sûr ! dit-il en faisant effort sur lui-même.

— Tout ça, c'est de la frime, affirma péremptoirement Assia. Tu ferais mieux de faire du sport. Tu as ce qu'il faut pour.

— Il faut être capable...

— Capable de quoi ? Tout le monde peut devenir un sportif ! Seulement, il faut beaucoup s'entraîner ! Mais le sport, ça rapporte drôlement ! Voyages gratis, hôtels, restaurants à trente roubles par jour ! Et puis les médailles ! Et toutes les villes que ça fait voir !

— Et toi, où as-tu été ?

— A Leningrad, à Voronej.

— Ça t'a plu, Leningrad ?

— Tu parles ! Les passages couverts, les grandes gale-
ries... Ici, rien que des bas, là rien que des sacs à main !
Ils sont tous spécialisés. »

Diomka n'avait aucune idée de tout ça et cela lui faisait envie. Parce qu'après tout, elle avait peut-être raison, cette fille qui raisonnait si hardiment, et c'était lui
qui était un pauvre provincial, entêté dans ses idées
fausses.

La fille de salle était toujours plantée là, comme une
statue, et elle continuait à recracher des graines de tournesol sur le journal, sans même se pencher.

« Mais toi qui es une sportive, comment ça se fait
que tu te retrouves ici ? »

Il n'aurait jamais osé lui demander où elle avait mal.
Ça pouvait être impudique.

« Bah ! je ne suis venue que pour trois jours, pour
des analyses, dit Assia avec un geste impatient du bras.
(Une de ses mains était continuellement occupée à retenir ou à rattraper le col de son peignoir.) On m'a collé
le diable sait quel peignoir, j'ai honte de porter ça. S'il
fallait rester ici une semaine, y aurait de quoi devenir
folle... Et toi, au fait, comment es-tu ici ?

— Moi... », fit Diomka, et il émit un claquement de
lèvres, évasif.

Il aurait bien voulu parler de sa jambe, mais en parler sérieusement. La question, posée à brûle-pourpoint,
le désarçonnait.

« J'ai mal à la jambe... »

Jusqu'à présent, ces quelques mots « J'ai mal à la
jambe... » avaient signifié pour lui quelque chose de
grave et de douloureux. Mais, confronté à l'insouciance
d'Assia, il se prenait à douter de cette même gravité. Et
il adopta, pour parler de sa jambe, presque le même
ton que pour son salaire, comme s'il en avait eu honte.

« Et qu'est-ce qu'ils te disent ?

— Eh bien, vois-tu... pour ce qui est de parler, ils disent pas trop rien... Mais ils veulent m'amputer. »

Ce disant, il leva un regard tout assombri vers la figure rayonnante d'Assia.

« Qu'est-ce que tu racontes ? (Assia lui donna une grande tape dans le dos, comme à un vieux copain.) Comment ça, t'amputer ? Ils sont fous ? Ils refusent de te soigner ! Surtout ne te laisse pas faire ! Mieux vaut mourir que vivre sans jambe, tu comprends ? Tu te figures un peu, une vie de cul-de-jatte ! La vie, c'est fait pour le bonheur ! »

Oui, naturellement, elle avait encore raison ! La belle existence, avec une béquille ! Par exemple, maintenant, il était assis à côté d'elle... que ferait-il donc de sa béquille ? Et de son moignon de jambe ? Il n'aurait même pas pu apporter une chaise, il aurait fallu que ce soit elle ! Non, sans jambe, ça n'était plus une vie !...

La vie, c'est fait pour le bonheur.

« Et ça fait longtemps que tu es ici ?

— Combien de temps ? (Diomka calculait.) Ça doit faire trois semaines.

— Quelle horreur ! dit Assia en haussant les épaules. Ce qu'on doit s'embêter ! Pas de radio, pas d'accordéon ! Et pour ce qui est des parlotes dans les chambres, je vois d'ici ce que c'est. »

Une fois encore, Diomka se retint d'avouer qu'il passait des journées entières à travailler, à étudier. Aucune des valeurs chères à Diomka ne résistait au souffle rapide des lèvres d'Assia. Elles lui paraissaient, maintenant, agrandies et comme en carton.

Diomka dit avec un petit rire (mais au fond de lui-même, cela ne le faisait pas rire du tout) :

« Par exemple, on a discuté pour savoir ce qui fait vivre les hommes.

— Comment ça ?

— Eh bien, pour quoi ils vivent ?

— Ah oui ! dit Assia, qui avait réponse à tout. Nous aussi, on nous avait donné une dissertation sur ce sujet : « Pour quoi vivent les hommes ? » On avait même le plan : les cultivateurs de coton, les trayeuses de vaches, les héros de la guerre civile, l'héroïsme de Pavel

Kortchaguine et ce que tu en penses, l'héroïsme de Ma-
trossov et ce que tu en penses...

— Et qu'est-ce que tu en penses, justement ?

— Comment ça, ce que j'en pense ? Si je l'aurais fait
moi-même ou pas, n'est-ce pas ? Faut absolument le dire !
Tous nous écrivons : oui ! nous l'aurions fait ! à quoi
bon tout gâcher avant les examens ? Il y en a un, Sacha
Gromov, qui demande : « Et si je répondais pour de bon,
« comme je pense ? » « Je t'en donnerai, moi, des
« comme je pense », dit la prof. Je te collerai un beau
« zéro !... » Et puis y avait une fille, elle avait écrit —
tu vas rire — « Je ne sais pas encore si j'aime ou non
« ma patrie. » Alors t'as la prof qui coasse : « Etrange
« pensée ! Comment peux-tu ne pas l'aimer ? — Peut-
« être bien que je l'aime, mais je ne sais pas.. Il fau-
« drait vérifier. — Il n'y a rien à vérifier ! L'amour de
« la patrie, ça doit se sucer en même temps que l'amour
« maternel. Refais tout pour la prochaine fois. » On
l'appelait tous la crapaude. Elle entrait en classe, jamais un sourire ! D'ailleurs, c'est pas étonnant : une
vieille fille, une vie personnelle ratée — elle se vengeait
sur nous. Elle s'en prenait particulièrement aux filles
qui étaient jolies. »

Assia avait dit cela mine de rien, mais elle savait
pertinemment ce que vaut une jolie frimousse. Assia,
visiblement, n'avait pas encore parcouru les étapes de
la maladie, de la douleur, de la torture, elle ne connaissait pas encore le manque d'appétit et l'insomnie, elle
n'avait encore rien perdu de sa fraîcheur, de son teint
éclatant ; elle s'était seulement échappée pour trois
jours de ses salles de sport et de ses pistes de danse,
et venait pour un simple examen...

« Et les professeurs sont bons ? demanda Diomka
pour qu'elle ne se taise pas, pour qu'elle parle encore
et pour que lui puisse la regarder encore.

— Non, pas du tout, de vraies dindes ! Et puis d'ailleurs, l'école !... C'est pas intéressant d'en parler ! »

Cet entrain, cette bonne santé rejaillissaient sur
Diomka. Il se sentait plein de gratitude pour ce bavar-

dage, il n'y avait plus en lui de timidité, il était détendu.
Il n'avait aucune envie de la contredire, il avait envie
d'être d'accord en toute chose, fût-ce contre ses convictions. Et même avec cette jambe malade, il aurait pu
se sentir soulagé et être réellement d'accord, n'eût été
la douleur lancinante par laquelle cette même jambe lui
rappelait qu'elle était prise au piège, et qu'il ne savait
pas du tout dans quelle mesure il parviendrait à la sauver : serait-ce jusqu'à mi-mollet ? jusqu'au genou ? ou
jusqu'à la hanche ? Et à cause, précisément, de cette
jambe, le problème de savoir « qu'est-ce qui fait vivre
les hommes » demeurait, pour lui, essentiel. Et il demanda :

« Mais enfin, sincèrement, qu'est-ce que tu en penses ? Pour quelle raison vit l'homme ? »

Décidément, pour cette gamine, tout était clair. Elle
fixa sur Diomka ses yeux verdâtres, comme si elle n'arrivait pas à croire qu'il ne jouait pas la comédie, qu'il
parlait sérieusement.

« Comment ça, pour quelle raison ? C'est pour l'amour,
bien sûr ! »

Pour l'amour !... C'était aussi ce que disait Tolstoï,
mais comment fallait-il comprendre ? Et ce professeur
dont Assia avait parlé, elle aussi, elle réclamait qu'on
agisse « pour l'amour », mais dans quel sens ? Diomka
était habitué à la précision et il réfléchissait à tout avec
sa propre tête.

« Mais enfin, dit-il d'une voix enrouée (c'était une
vérité bien simple, mais, quand même, pas facile à énon-
cer), l'amour, ce n'est pas toute la vie... C'est quelque
chose... de temps à autre. A partir d'un certain âge. Et
jusqu'à un certain âge.

— A partir de quel âge ? De quel âge ? reprenait
Assia, en colère, comme s'il l'avait offensée. C'est à
notre âge que c'est bon ! Sinon, quand donc ça serait ? Et qu'y a-t-il d'autre dans la vie, en dehors de
l'amour ? »

Il y avait tant d'assurance dans ses petits sourcils
relevés qu'il était hors de question de répliquer quoi

que ce fût, et Diomka s'en gardait bien. D'ailleurs, il
était là pour écouter, non pour répliquer.

Elle se tourna vers lui, se pencha, et, sans lui tendre
les bras, mais comme si elle les lui tendait tous les
deux par-delà les ruines de toutes les murailles de la
terre, elle dit :

« C'est à nous, pour toujours ! Et c'est à nous aujour-
d'hui ! Et peu importe ce que les autres peuvent nous
seriner — on n'en finirait pas de les écouter, qu'ils aient
raison, ou qu'ils aient tort ! Il y a l'amour — et puis
c'est tout. »

Sa façon d'être avec lui était tellement simple ! Ça ne
faisait pas un soir, ça faisait vingt, cinquante, cent soirs
qu'ils philosophaient, philosophaient... Et n'eussent été
la fille de salle avec ses graines de tournesol, et l'infirmière, et les deux joueurs de dames, et les malades qui
passaient d'une démarche traînante, on aurait pu croire
qu'ici même, dans ce recoin, à cet instant, qui était le
meilleur de leur vie, elle était prête à l'aider à comprendre ce qui fait vivre les hommes...

Et la jambe malade de Diomka, cette jambe qui lui
faisait mal continuellement, même en rêve, et qui encore
l'instant d'avant lui faisait mal, voilà qu'elle se laissait
enfin oublier, et voilà qu'il n'avait plus de jambe malade ! Diomka contemplait le peignoir d'Assia, maintenant entrebâillé, et sa bouche était entrouverte. Cela
même qui éveillait en lui tant de répulsion quand sa
mère le faisait, pour la première fois lui apparut comme quelque chose d'absolument innocent, d'absolument
immaculé, comme un juste contrepoids à tout le mal de
cette terre...

« Au fait, et toi..., demanda Assia à mi-voix, toute
prête à rire, mais avec compassion, est-ce que tu
serais encore... Mon petit chou, tu n'as jamais encore... ? »

Diomka sentit le rouge lui monter au visage, aux oreilles, au front, comme s'il avait été pris en flagrant délit
de vol. En vingt minutes, cette fille l'avait délogé de
toutes les positions auxquelles il se cramponnait depuis

des années. La gorge sèche, comme s'il implorait merci, il dit :

« Et toi ?... »

Alors, de but en blanc, de même qu'elle n'avait sous son peignoir qu'une simple chemise, et puis son sein, et puis son âme, de la même façon, sans rien dissimuler sous les mots, sans même imaginer à quoi bon rien cacher, elle répondit :

« Peuh ! moi, c'est fait depuis la première !... Et chez nous, y a une fille, elle a été enceinte en seconde ! Et une autre, on l'a pincée dans un appartement où elle faisait ça... pour de l'argent, quoi, tu comprends ? Elle avait déjà un livret de caisse d'épargne à son nom. Maintenant chez nous, y a bien la moitié des filles !... Plus on commence tôt, plus c'est intéressant ! D'ailleurs à quoi bon tarder ? On est au siècle de l'atome, pas vrai... ? »

CHAPITRE XI

LE CANCER DU BOULEAU

MALGRÉ tout, le répit du samedi soir, imperceptiblement, était ressenti. Même dans les chambres du pavillon des cancéreux, où, pourtant, il n'y avait guère de raisons à cela : les malades ne bénéficiaient d'aucune trêve dominicale avec leurs maladies, et moins encore avec les pensées obsédantes qu'elles leur inspiraient. Mais ils étaient affranchis des conversations avec les médecins, ainsi que de la majeure partie du traitement, et c'était cela qui, de toute évidence, faisait vibrer en eux je ne sais quelle fibre de joie enfantine et impérissable.

Après sa conversation avec Assia, Diomka gravit avec peine l'escalier ; il prenait le moins possible appui sur sa jambe malade, qui lui faisait de plus en plus mal ; lorsqu'il pénétra dans la chambre, l'animation y était à son comble. Il y avait là, réunis, non seulement tous les occupants de la chambre, plus Sigbatov, mais aussi des hôtes venus du rez-de-chaussée ; parmi eux, il y avait des connaissances comme le vieux Coréen Ni, enfin libéré de la chambre spéciale de radiologie (tant qu'il avait gardé dans la langue des aiguilles radioactives, on l'avait tenu sous clef comme une valeur bancaire) et puis aussi des visages tout à fait nouveaux.

Un de ces nouveaux était un Russe ; c'était un homme d'aspect imposant, avec une abondante chevelure grise ; il était atteint au gosier et parlait dans un murmure ; il était justement assis sur le lit de Diomka, dont il occupait une moitié. Et tous écoutaient, même Moursalimov et Eguenbourdiev qui ne comprenaient pas le russe.

L'orateur était Kostoglotov. Il était assis non sur le lit, mais plus haut, sur le rebord de sa fenêtre, et ce simple détail ajoutait, lui aussi, à l'importance du moment. (S'il y avait eu aujourd'hui des infirmières à cheval sur le règlement, elles ne l'auraient pas laissé trôner ainsi ; mais le tour de garde était assuré par l'infirmier Touroun, qui était copain avec les malades et comprenait parfaitement que la médecine n'en mourrait pas.) Kostoglotov était en chaussettes ; il avait posé le pied gauche sur son lit et ramené le pied droit sur le genou de la jambe gauche, comme une guitare ; il se balançait légèrement, et, très excité, à voix haute, il tenait discours à toute la chambrée.

« Il y a eu un philosophe qui s'appelait Descartes. Eh bien, il disait : « Soumets toujours tout au doute ! »

— Oui, mais ça ne s'applique pas à notre réalité soviétique, dit Roussanov en guise de rappel à l'ordre, en levant un index sévère.

— Bien sûr que non ! répliqua Kostoglotov, qui parut même étonné par cette objection. Tout ce que je veux dire, c'est que nous ne devons pas nous confier comme des cobayes aux médecins. Tenez, je suis en train de lire ce livre (il prit sur le rebord de la fenêtre un livre épais, de grand format, qu'il brandit devant l'assistance). « Abrikossov et Stroukov : *Traité d'Anatomie pathologique*, manuel à l'usage des facultés.» Eh bien, ils disent que le lien entre l'évolution de la tumeur et l'activité des centres nerveux est encore très mal étudié. Or, ce lien va vous étonner ! Il est écrit noir sur blanc (Kostoglotov retrouva la ligne en question) que « dans

« certains cas, assez rares, on assiste à des guérisons « spontanées ». Vous vous rendez bien compte ? des guérisons spontanées !... »

Un remous parcourut la chambre. Il semblait que, de ce grand bouquin ouvert à la page fatale, venait de s'envoler, tel un papillon bigarré, l'espoir palpable de cette guérison spontanée, et chacun tendait le front et la joue pour que le papillon bienfaiteur l'effleurât dans son vol.

« Spontanée ! » reprit Kostoglotov ; il avait reposé le livre et scandait ses paroles en battant l'air de ses mains grandes ouvertes ; sa jambe droite était toujours ramenée sur le genou gauche, comme une guitare. « Ça veut dire qu'un beau jour, sans rime ni raison, la tumeur se met à régresser. Elle diminue, s'étiole et, finalement, plus de tumeur ! Hein ? qu'en dites-vous ? »

Ils restaient tous bouche bée, médusés par ce conte de fées, qu'une tumeur, que leur tumeur, cette tumeur maléfique qui avait gâché toute leur vie, tout à coup, d'elle-même, s'en aille, se rétracte, s'épuise, et disparaisse ?

Tous restaient muets, le visage offert à ce merveilleux papillon, et seul Poddouïev, dont on entendit crisser le lit, prononça de sa voix enrouée, en tendant son cou de taureau :

« Pour ça, faut sûrement... avoir la conscience propre ! »

Etait-ce une façon d'intervenir dans la conversation, ou bien une simple réflexion, sans rapport avec le débat ? La chose n'était pas claire, mais Roussanov qui, pour une fois, avait écouté son voisin Kostoglotov non seulement avec attention, mais presque avec sympathie, se retourna nerveusement vers Poddouïev et le chapitra :

« Mais c'est du délire idéaliste ! Qu'est-ce que la conscience a à voir ici ? Vous devriez avoir honte, camarade Poddouïev ! »

Cependant Kostoglotov avait déjà repris à son compte les paroles d'Ephrem :

« Bien envoyé, Ephrem ! Bravo ! Tout est possible et

nous sommes tous dans le cirage. Tiens, par exemple,
j'ai lu après la guerre, dans la revue *Zvezda*, une chose
drôlement intéressante. Figurez-vous que la tête de
l'homme est protégée par une barrière cervicale, et tant
que les substances ou microbes nocifs pour l'homme
n'ont pas franchi ce barrage, eh bien, l'homme est sauf.
Et savez-vous pourquoi ? »

Le jeune géologue qui était plongé dans ses bouquins
depuis son arrivée dans la chambre était présentement
assis sur son lit, près de la fenêtre qui faisait pendant
à celle de Kostoglotov ; il tenait un livre à la main, mais
il lui arrivait de relever la tête à certains épisodes du
débat. A la question posée par Kostoglotov, il releva la
tête. Tous écoutaient, intrus et habitués de la chambre.
Quant à Federau, dont le cou était encore intact et blanc,
mais déjà condamné, il était pelotonné sur son lit, près
du poêle, la tête enfouie dans l'oreiller, mais il écoutait
quand même...

« Eh bien, figurez-vous que tout, dans cette barrière,
dépend de la combinaison entre les sels de sodium et
les sels de calcium. Il y a certains de ces sels, je ne sais
plus lesquels, disons ceux de sodium, s'ils prédominent,
tout va bien, l'homme n'attrape rien, rien ne franchit
la barrière et il ne meurt pas. Mais si, au contraire, ce
sont les sels de calcium, alors la barrière ne protège
plus, et l'homme meurt. Et de quoi dépendent le calcium et le sodium ? C'est là le point le plus intéressant !
Leur combinaison dépend de l'humeur de l'homme !
Vous vous rendez compte ? Ça veut dire que, si l'homme
est en bonne forme, s'il est moralement fort, c'est le
sodium qui va prédominer dans la barrière et pas de
maladie qui tienne ! aucune n'est mortelle ! Seulement
il suffit que le même homme se laisse aller moralement,
et voilà le calcium qui prend le dessus ! il reste plus
qu'à commander le cercueil ! »

Le géologue écoutait de l'air serein d'un homme qui
pèse le pour et le contre, comme un étudiant chevronné
qui devine à peu près ce qui va apparaître sur le tableau
noir, à la ligne suivante. Il approuva :

« C'est une physiologie de l'optimisme. L'idée est bonne. Très bonne. »

Et comme s'il craignait de perdre du temps, il se replongea dans son livre.

Roussanov lui-même ne trouva rien à répliquer : en l'occurrence « Grandegueule » raisonnait tout à fait scientifiquement. D'ailleurs, Kostoglotov poursuivait son développement :

« Alors, moi je ne trouverais rien d'étonnant à ce que, dans cent ans, on découvre encore que je ne sais quel sel de césium apparaît dans notre organisme lorsqu'on a bonne conscience, et fait défaut lorsqu'on a la conscience chargée. Et que de ce sel de césium dépend soit que les cellules se développent en tumeur, soit que les tumeurs se résorbent. »

Ephrem poussa un soupir enroué.

« Moi, j'ai trompé beaucoup de femmes. Je les ai plaquées avec leurs gosses. Elles chialaient... Pour moi, elle ne se résorbera pas...

— Qu'est-ce que cela a à voir ? cria Roussanov hors de lui, c'est de l'obscurantisme de pope ! A force de lire des fadaises, camarade Poddouïev, vous en êtes arrivé à une vraie démission idéologique ! Il ne nous manquait plus que votre prêchi-prêcha sur le perfectionnement moral et autres sornettes !

— Qu'est-ce que vous avez à vous en prendre au perfectionnement moral ? répliqua Kostoglotov avec hargne. Pourquoi donc le perfectionnement moral vous courrouce-t-il tant ? A qui fait-il du mal ? Il n'y a que les dégénérés moraux pour s'en plaindre. »

Les lunettes de Roussanov étincelèrent, leur monture jeta des éclairs et lui-même, en cet instant, rejeta si sévèrement la tête en arrière qu'on aurait pu croire qu'aucune tumeur ne le gênait sous la mâchoire droite.

« Vous !... prenez garde à ce que vous dites ! Il y a des questions pour lesquelles les réponses sont maintenant bien établies. Et ce n'est plus à vous d'en juger !

— Et pourquoi on ne pourrait pas en juger ? (Kostoglotov fixait Roussanov de ses énormes yeux noirs.)

— Bon, ça va, ça va..., dirent les malades qui commençaient à s'agiter et voulaient les réconcilier.

— Dites voir, camarade, murmura le type aphone qui occupait le lit de Diomka, vous aviez commencé à nous parler de ce champignon qui pousse sur les peupliers... »

Mais ni Roussanov ni Kostoglotov ne voulaient céder. Ils ne voulaient rien savoir et se dévoraient des yeux.

« Pour dire son opinion, il faut avoir un minimum d'éducation ! » Roussanov articulait chaque mot comme pour mieux l'envoyer à la face de l'adversaire qu'il voulait rabrouer. « Pour ce qui est du perfectionnement moral de Léon Tolstoï et Cie, Lénine a dit une fois pour toutes ce qu'il faut en penser ! Et puis Staline aussi ! et Gorki !

— Pardon ! pardon ! répondit Kostoglotov en faisant effort pour se contenir, la main tendue comme pour répondre aux arguments. Une fois pour toutes ! personne sur terre ne peut dire quelque chose une fois pour toutes ! Parce qu'alors, la vie s'arrêterait. Et les générations suivantes n'auraient plus rien à dire ! »

Paul Roussanov demeura interdit. On vit rougir les lobes de ses oreilles blanches et sensibles, ses joues se parsemèrent de taches cramoisies.

(En l'occurrence il ne s'agissait plus de répliquer, ni de poursuivre cette dispute comme on fait aux réunions du samedi soir ; tout ce qu'il restait à faire, c'était de vérifier l'origine et l'appartenance de cet homme, et de s'assurer que la fausseté criante de ses opinions n'était pas nocive dans l'emploi qu'il occupait.)

« Je ne veux pas dire, se hâta d'ajouter Kostoglotov, que je m'y connaisse en sciences sociales, j'ai eu peu d'occasions de les étudier. Mais il me suffit de ma petite comprenette pour voir que, si Lénine a reproché à Tolstoï son idée de perfectionnement moral, c'est parce qu'alors cette idée détournait la société du combat avec l'arbitraire, et l'éloignait de la révolution qui mûrissait. D'accord ! Mais alors, pourquoi fermer la bouche à un homme (ses deux bras tendus indiquaient Poddouïev) qui s'est mis à réfléchir sur le sens de la vie, alors qu'il

se trouve à la frontière de la mort ? Pourquoi êtes-vous
si agacé qu'il lise Tolstoï ? A qui cela fait-il du mal ? Ou
bien, il faut peut-être brûler Tolstoï sur un bûcher ?
Peut-être que le Synode gouvernemental n'a pas assez
bien fait les choses[1] ? »

(Kostoglotov, qui ne s'y connaissait pas en sciences
sociales, avait changé « Saint Synode » en « Synode gouvernemental ».)

A présent, les deux oreilles de Paul Roussanov piquè-
rent un véritable fard. Cette sortie directement dirigée
contre une institution gouvernementale (Roussanov
n'avait pas bien saisi, à vrai dire, de quelle institution
il s'agissait) et, qui plus est, en présence d'un auditoire
de circonstance, qui n'avait pas été trié sur le volet,
rendait la situation à ce point critique que le mieux était
d'effectuer une retraite tactique : pour l'instant, cesser
toute discussion, mais, par la suite, vérifier le dossier
de Kostoglotov dès la première occasion. Aussi Paul
Nikolaïevitch s'abstint d'élever le débat au niveau des
grands principes, et se contenta de dire, à l'adresse de
Poddouïev :

« Qu'il lise de l'Ostrovski ! Ça lui fera plus de bien. »

Mais Kostoglotov ne sut pas apprécier ce retrait tactique de Roussanov ; il n'écoutait plus rien, ne faisait
plus attention à rien, et poursuivait ses démonstrations
devant un auditoire désarmé :

« Pourquoi empêcher un homme de réfléchir ? Finalement, à quoi se ramène notre philosophie de la vie ?
« Ah ! comme c'est bon la vie ! Comme je l'aime, la vie !
« La vie est faite pour le bonheur ! » Pour être profond,
ça c'est profond ! N'importe quel animal pourrait en
dire autant, qu'il soit poule, chat ou chien !

— Je vous en prie ! je vous en prie ! (Ce n'était plus
par vigilance de bon citoyen, ni même en tant que sujet

1. En 1901, le Saint Synode avait excommunié Tolstoï, à cause
des attaques contre la religion orthodoxe officielle contenues dans
Résurrection. (N. du T.)

de l'histoire, c'était en tant qu'objet de l'histoire que Roussanov, à présent, implorait.) Je vous en prie ! assez parlé de la mort ! N'y pensons même plus !

— Inutile de m'implorer ! dit Kostoglotov avec un geste d'énervement de sa main grande ouverte. Si on ne parle pas de la mort *ici*, où donc en parlera-t-on ? Ah ! nous vivrons éternellement ! »

— Et alors ? Eh bien ? reprenait Roussanov. Qu'est-ce que vous proposez ? De penser et parler continuellement de la mort ? Pour que les sels de sodium deviennent prédominants ?

— Non, pas tout le temps..., répondit Kostoglotov en baissant le ton, car il voyait qu'il se contredisait lui-même. Pas tout le temps, mais de temps à autre. C'est utile. Sinon, on passe toute la vie à répéter aux hommes : « Tu fais partie du groupe ! tu fais partie du « groupe ! » Et c'est vrai. Seulement, ça n'est vrai qu'autant qu'on vit. Et quand vient l'heure de mourir, nous renvoyons l'intéressé hors du groupe. Groupe ou pas groupe, mais mourir est son affaire à lui. Tenez... vous-même ! vous-même ! (Kostoglotov pointait sans ménagement l'index en direction de Roussanov.) Qu'est-ce que vous craignez le plus au monde, en ce moment, hein ? C'est de mourir ! Et de quoi avez-vous le plus peur de parler ? C'est de la mort ! Eh bien, vous savez comment ça s'appelle, ça ? C'est de l'hypocrisie !

— Dans le cadre de la raison, c'est vrai, dit à voix basse, mais audible, le géologue sympathique. Nous redoutons tellement la mort que nous évitons même de penser à ceux qui sont déjà morts. Nous négligeons même les tombes.

— Ça c'est juste, concéda Roussanov. Les monuments des héros doivent être préservés, les journaux eux-mêmes l'écrivent.

— Pas seulement des héros, mais de tous, reprit le géologue de cette voix douce et qui semblait incapable de hausser le ton. (Lui-même était fluet, sa carrure d'épaules faisait assez piètre impression.) Chez nous, il y a beaucoup de cimetières à l'abandon. C'est honteux,

j'en ai vu dans l'Altaï et du côté de Novossibirsk. Pas
de clôture, le bétail y vagabonde, les cochons y fouis-
sent... Qu'est-ce à dire ? Est-ce là un trait de caractère
de notre nation ? Pas du tout, chez nous, on a toujours
respecté les tombes...

— Et même vénéré ! » lança Kostoglotov à la rescousse.

Roussanov n'écoutait plus ; il avait perdu tout intérêt
pour la discussion. Dans son excitation, il avait fait un
mouvement imprudent et une telle douleur s'était pro-
pagée de sa tumeur au cou et du cou à la tête qu'il ne
restait plus trace de son envie récente de faire la leçon
à ces crétins, et de dissiper leurs billevesées. En fin de
compte, s'il était dans cet hôpital, c'était par hasard et
il ne pouvait pas partager avec eux les minutes importantes que lui faisait vivre la maladie. L'essentiel cependant, et l'épouvantable, c'était que la tumeur n'avait en
rien diminué et ne s'était pas le moins du monde ramollie depuis la piqûre d'hier. A cette seule pensée, il se sentait comme un froid de glace dans le ventre. Kostoglotov avait beau jeu de discourir sur la mort, lui qui était
en train de guérir !...

L'inconnu assis sur le lit de Diomka, un homme assez
gros et privé de voix qui se tenait la gorge à deux
mains, tant il avait mal, avait tenté, à plusieurs reprises, soit d'intervenir et de dire son opinion, soit d'interrompre la dispute quand elle tournait mal, mais personne n'avait entendu son chuchotement ; il était impuissant à forcer la voix, et tout ce qu'il pouvait faire,
c'était appuyer deux doigts contre sa gorge pour dimi-
nuer la douleur et aider le son à sortir. Les maladies
de la langue et de la gorge, par l'incapacité à parler dont
elles nous frappent, sont particulièrement accablantes ;
et le visage ne devient plus alors que le reflet de cet
accablement. L'instant d'avant, cet homme avait essayé
d'arrêter la dispute par de grandes gesticulations des
bras, mais maintenant, en dépit de sa faible voix, il devint plus audible ; d'ailleurs il s'était avancé dans le
couloir entre les lits :

« Camarades, camarades ! disait-il d'une voix rauque et qui faisait mal pour lui. Plus de ces horreurs ! Nous sommes assez anéantis par nos maladies ! Mais vous, camarade... — et il s'avança encore entre les lits, tendant une main presque implorante (l'autre était pressée contre sa gorge) vers Kostoglotov ébouriffé et juché sur son rebord de fenêtre, comme vers une divinité — vous, camarade, vous aviez commencé à nous dire des choses si intéressantes sur ce champignon des peupliers. Continuez donc, s'il vous plaît !

— Vas-y, Oleg, continue ton histoire de champignon », demanda Sigbatov en se joignant à cette prière.

Même le Coréen Ni, à la peau cuivrée, et qui avait tant de peine à remuer sa langue, dont une partie avait disparu avec le précédent traitement, tandis que le reste était maintenant tuméfié, même Ni joignit ses balbutiements informes à cette prière.

Et les autres aussi imploraient.

Kostoglotov ressentait une satisfaction maligne : ça faisait tant d'années qu'il avait l'habitude de la boucler en face des hommes *libres*, tant d'années qu'il gardait les mains dans le dos et qu'il baissait la tête ! C'était entré en lui comme une habitude congénitale, comme s'il était né avec ce dos courbé (et dont il n'avait pas su se défaire tout à fait en un an de vie d'exil). Encore maintenant, lorsqu'il se promenait dans les allées de la cité hospitalière, le geste le plus naturel et le plus simple pour lui était de se croiser les mains dans le dos. Et voilà que les hommes libres qui, pendant tant d'années, s'étaient vu interdire de parler avec eux comme avec des égaux, et plus généralement de discuter sérieusement avec eux de quoi que ce fût, ou même de leur tendre la main, ou de recevoir une lettre d'eux, voilà que maintenant, les hommes libres, sans rien soupçonner, étaient assis devant lui, et lui était négligemment juché sur un rebord de fenêtre et jouait au pontife, tandis qu'eux attendaient de lui une confirmation à leurs espoirs. Et Oleg remarquait maintenant à part soi que lui non plus ne s'opposait plus à eux, les hommes libres, comme auparavant, mais que, dans leur misère commune, il se joignait à eux.

S'il y avait une chose dont il avait perdu l'habitude, c'était bien de prendre la parole devant un public, et, en règle générale, à quelque réunion, session ou meeting que ce fût... et puis, soudain, il était promu orateur !...

Ça lui semblait fou, c'était comme un rêve dérisoire... Mais comme un homme lancé sur la glace et qui ne peut plus s'arrêter et qui fonce — arrive que pourra ! — lui, sur la lancée joyeuse de sa guérison, une guérison inattendue, mais, semblait-il, une guérison quand même, il poursuivait sa glissade folle...

Et, inhabituellement volubile, il reprit :

« Amis ! c'est une histoire étonnante. Elle m'a été racontée par un malade qui venait à la consultation quand j'attendais mon admission ici. Alors moi, ça ne me coûtait rien, j'ai écrit une carte postale en donnant mon adresse à l'hôpital. Et voilà qu'aujourd'hui j'ai reçu la réponse ! Ça fait à peine douze jours et déjà une réponse ! Et figurez-vous que le docteur Maslennikov va même jusqu'à s'excuser pour le retard, parce que, voyez-vous, il répond à dix lettres en moyenne chaque jour. Or, à moins d'une demi-heure par lettre, impossible de rien écrire de sensé ! Ça fait qu'il passe cinq heures par jour rien qu'à écrire des lettres ! Et ça ne lui rapporte rien !

— Au contraire, interrompit Diomka, ça lui fait dépenser quatre roubles par jour en timbres.

— Oui. Ça fait quatre roubles par jour. Et par conséquent, cent vingt par mois ! Et il n'y est pas obligé, ce n'est pas son métier, c'est simplement pour faire une bonne action ! Ou bien peut-être qu'il faut dire autrement ? (Kostoglotov se tourna d'un air rancunier vers Roussanov.) Par *humanisme*, pas vrai ? »

Mais Roussanov, qui achevait la lecture du compte rendu du budget, feignit de ne rien entendre.

« Pas la moindre main-d'œuvre ! ni aides ni secrétaires ! Il fait tout ça en dehors de ses heures de travail. Et pas de gloire à attendre non plus ! Vous savez bien que pour nous, malades, le médecin est comme un passeur : on en a besoin un moment et puis après, ni vu ni connu ! Et celui qui aura été guéri, il met la lettre au panier. A la fin de sa lettre, le docteur se plaint que les malades, surtout ceux qu'il soulage, ne lui écrivent plus. Ils ne lui disent ni les doses qu'ils ont prises ni les résultats obtenus. Et, pour comble, il me prie, vous entendez, c'est lui qui me prie de lui répondre ponctuellement ! Alors que c'est nous qui devrions plutôt nous prosterner devant lui ! »

Kostoglotov essayait de se persuader lui-même que le désintéressement et la persévérance du docteur Maslennikov l'émouvaient ; il avait envie de parler du docteur et de faire l'éloge de sa bonté. Autrement dit, lui-même n'était donc pas si perverti que ça ! Mais il l'était quand même assez pour ne plus pouvoir, comme Maslennikov, trimer jour après jour pour les autres.

« Raconte tout dans l'ordre, Oleg ! » demanda Sigbatov avec un pauvre sourire d'espoir.

Quelle envie il avait de guérir ! en dépit d'un traitement accablant, qui durait des mois et des années et qui, de toute évidence, était sans espoir — guérir ! guérir comme ça, tout à coup, et définitivement ! Guérir cette plaie dans le dos, se redresser, marcher d'un pas décidé, se sentir à nouveau viril et jeune ! Bonjour, docteur Dontsova ! Vous voyez, je suis guéri !

Comme tous les autres, il avait envie d'entendre parler du médecin-miracle et de son remède, inconnu des médecins d'ici.

Qu'ils en conviennent, ou qu'ils le nient, tous, tant qu'ils étaient, croyaient au fond de leurs âmes, que le médecin-miracle ou quelque rebouteux, ou encore quelque bonne femme guérisseuse, existait bel et bien quelque part et qu'il suffisait de savoir où, de se procurer leur remède, et ils seraient sauvés...

C'était impossible, ça n'était vraiment pas possible que leur vie fût condamnée !

Nous avons beau nous moquer des miracles tant que nous sommes en bonne santé, en pleine force et en pleine prospérité, en fait, dès que la vie se grippe, dès que quelque chose l'écrase et qu'il ne reste plus que le miracle pour nous sauver — eh bien, ce miracle unique, exceptionnel, nous y croyons !

Et Kostoglotov, qui faisait sienne l'interrogation avide de ses camarades qui l'écoutaient, tendus de tout leur être, se mit à parler avec emportement et même il croyait davantage à ce qu'il disait en cet instant qu'il n'avait cru à la lettre lorsqu'il l'avait lue pour lui-même.

« Si tu veux tout savoir depuis le début, Charaf, eh bien, voilà ! Du docteur Maslennikov, je savais par le malade dont je vous ai parlé que c'était un ancien médecin de zemstvo, du district d'Aleksendrov, près de Moscou. Que pendant des dizaines d'années, il avait exercé dans le même hôpital (c'était la coutume, autrefois). Et qu'il avait remarqué que, bien qu'on parlât de plus en plus du cancer dans les revues de médecine, lui, il n'avait jamais de cancers chez les paysans qu'il soignait. Pourquoi donc ? »

(Oui, pourquoi donc ? Qui d'entre nous, depuis l'enfance, n'a frissonné au contact du Mystérieux ? Au contact de cette paroi impénétrable mais flexible, au travers de laquelle, à chaque instant, peut apparaître l'épaule ou la hanche d'un visiteur inconnu ? Et alors dans notre vie quotidienne, publique, rationnelle, où il n'y a pas de place pour le mystérieux, cette présence, tout à coup, jaillit pour nous : c'est moi, ne m'oublie pas !)

« Il se mit à chercher, il se mit à chercher, répétait Kostoglotov qui, ordinairement, ne répétait rien, mais y trouvait maintenant du plaisir, et il découvrit la chose suivante : c'est que, dans sa localité, les paysans, pour faire des économies sur le thé, avaient coutume de faire infuser non du thé, mais un champignon de bouleau appelé « tchaga ».

— Ah oui ! interrompit Poddouïev, c'est le mousseron des bouleaux. » (Car même le désespoir auquel il s'était lui-même condamné et dans lequel il s'était enfermé ces jours derniers, même un tel désespoir ne résistait pas à cette lumière qu'était la promesse d'un remède si simple et si accessible.)

Ici, tous ceux qui les entouraient étaient des méridionaux. Non seulement ils n'avaient jamais vu de mousseron, mais encore jamais aperçu de vrai bouleau, et, par conséquent, ils étaient bien incapables de comprendre ce dont parlait Kostoglotov.

« Non, Ephrem. Ce n'est pas le mousseron. D'ailleurs, ce n'est même pas un champignon, c'est le cancer des bouleaux. Si tu te rappelles, on trouve sur les vieux bouleaux des sortes de... on appelle ça des verrues ; ce sont d'horribles excroissances, on dirait des sortes d'échines, c'est noir par-dessus et marron à l'intérieur.

— Alors, c'est l'amadouvier ? reprenait Ephrem. Autrefois, c'est avec lui qu'on faisait du feu.

— Peut-être bien. En tout cas, Maslennikov eut l'idée suivante : est-ce que ce n'était pas cette « tchaga » qui depuis des siècles immunisait les paysans russes contre le cancer, sans qu'eux-mêmes le sachent ?

— Autrement dit, ils font eux-mêmes leur propre prophylaxie », lança le jeune géologue, avec un hochement de tête approbateur. On l'empêchait de lire depuis le début de la soirée, mais c'était une conversation qui en valait la peine.

« Seulement, c'était pas suffisant de deviner, vous comprenez, il fallait tout vérifier. Il fallait passer encore des années et des années à observer ceux qui buvaient cet ersatz de thé et ceux qui n'en buvaient pas. Et puis, il fallait aussi faire boire la drogue à ceux qui avaient des débuts de tumeur, autrement dit, prendre sur soi de les priver des autres remèdes. Et puis encore décider, à l'aveuglette, à quelle température faire infuser la drogue, à quelle dose l'administrer, s'il fallait faire bouillir ou non, combien de verres en boire, et s'il n'y aurait pas des conséquences néfastes, et à quel genre de tumeur cela convenait davantage... Tout cela lui a demandé...

— Mais maintenant ? maintenant ? » s'inquiétait Sigbatov.

Diomka se demandait : est-il vraiment possible que

cette drogue soulage ma jambe ? Est-ce que vraiment ça pourrait la sauver ?

« Maintenant ? Eh bien, il répond à ma lettre et il m'indique comment appliquer le traitement.

— Et alors, vous avez l'adresse ? demanda avidement l'homme sans voix. (Il continuait à soutenir d'une main sa pauvre gorge enrouée, tandis que, de l'autre main, il sortait déjà d'une poche de sa veste de pyjama carnet et stylo.) Et vous avez le mode d'emploi exact ? Et est-ce que ça guérit les tumeurs de la gorge, il ne dit rien là-dessus ? »

Roussanov s'était promis d'être inflexible, il avait décidé de punir son voisin en lui manifestant un mépris complet, mais il avait beau faire... laisser passer une telle information, négliger une pareille circonstance, ça n'était pas possible ! Impossible de s'absorber plus avant dans les chiffres et la signification du budget de l'Etat pour 1955, présenté au Soviet suprême ! déjà le journal lui avait visiblement glissé des mains ; insensiblement, il avait tourné vers Kostoglotov son visage, incapable de dissimuler l'espoir que, lui aussi, qui était fils du peuple, serait sauvé par ce remède si simple, si populaire et si russe. D'une voix où il n'y avait plus trace d'hostilité, car il tenait à ne pas irriter Kostoglotov, Roussanov ne put s'empêcher de demander par mesure de précaution :

« Mais est-ce que ce traitement est reconnu ? A-t-il été approuvé par une quelconque instance ? »

Du haut de son rebord de fenêtre, Kostoglotov répondit avec un sourire :

« Pour ce qui est des instances, je n'en sais rien. La lettre (il agita dans l'air une petite feuille jaunâtre, couverte d'une écriture serrée, à l'encre verte), la lettre est du genre précis : comment s'y prendre pour piler et dissoudre le produit. Mais, à mon avis, si la chose était déjà reconnue par les différentes instances, les infirmières nous auraient déjà distribué nos rations du breuvage. Il y aurait un tonneau dans l'escalier. Et ça ne serait pas la peine d'écrire à Aleksandrov.

— Ville d'Aleksandrov, disait l'homme sans voix en

notant dans son carnet. Mais quelle rue ? quel numéro postal ? » Il était avide de renseignements.

Akhmadjan, lui aussi, écoutait avec intérêt et il réussissait même à traduire l'essentiel à voix basse pour Moursalimov et Eguenbourdiev. Pour lui-même, Akhmadjan n'avait pas besoin de ce champignon des bouleaux, puisqu'il était déjà en voie de guérison. Mais il y avait quand même quelque chose qu'il ne comprenait pas.

« Si ce champignon fait du bien, pourquoi les médecins ne le mettent-ils pas en service ? Pourquoi n'est-il pas adopté ?

— C'est une affaire de longue haleine, Akhmadjan. Il y a des gens qui n'y croient pas, il y en a qui ne veulent pas se recycler et qui mettent des bâtons dans les roues ; et puis, il y en a d'autres qui mettent des bâtons dans les roues pour mieux mettre en avant leur propre découverte. Quant à nous, nous n'avons guère le choix ! »

Kostoglotov avait donc répondu à Roussanov, il avait répondu à Akhmadjan, mais à l'homme sans voix il ne répondit rien et ne révéla pas l'adresse. Et la raison, c'était qu'il y avait quelque chose d'irritant dans l'insistance de cet homme sans voix, parfaitement respectable au demeurant — il avait l'aspect et la tête d'un directeur de banque, et même, si ç'avait été dans un petit pays d'Amérique Latine, il eût été parfait comme Premier ministre. Oleg avait eu pitié du vieil et honnête docteur Maslennikov, à la pensée que cet homme sans voix allait bombarder de questions le pauvre docteur qui passait ses nuits à répondre aux lettres. Par ailleurs, comment ne pas avoir pitié de cette gorge enrouée, privée de sa sonorité humaine, privée de cette voix dont nous faisons si peu de cas quand nous l'avons ? Mais il y avait un troisième point de vue : Kostoglotov, en somme, n'était pas un simple malade, il avait su devenir un malade spécialiste, un malade dévoué à sa maladie ; n'avait-il pas lu un cours d'anatomie pathologique ? n'avait-il pas exigé en toute circonstance que Dontsova et Gangart lui fournissent tous éclaircissements ? enfin, n'avait-il pas obtenu cette réponse du docteur Maslennikov ? Pourquoi

aurait-il fallu que lui, qu'on avait privé de tout droit
pendant tant d'années, apprenne à des hommes libres
la façon de se dégager quand on a un bloc de terre qui
vous est tombé dessus ? Là-bas, où son caractère s'était
trempé, il y avait une loi qui disait : « Trésor dégoté ne
se montre pas, secret trouvé ne se partage pas. » Si tous
se précipitaient pour écrire à Maslennikov, alors ce ne
serait plus la peine que Kostoglotov attende une réponse
à sa seconde lettre !

Rien de tout cela ne fut conscient, tout se résuma à
une volte-face du menton balafré de Kostoglotov : de
Roussanov à Akhmadjan, par-dessus l'homme sans voix...

« Et le mode d'emploi ? est-ce qu'il en parle ? demanda
le géologue, qui n'avait pas eu besoin de sortir son carnet
ou crayon, puisqu'il les avait toujours avec lui quand il
lisait un livre.

— Le mode d'emploi ? d'accord, d'accord... prenez vos
crayons, je dicte », déclara Kostoglotov.

Il y eut un remue-ménage, on se demandait l'un à
l'autre crayon et papier. Roussanov se trouva démuni de
tout (il avait laissé à la maison le stylo à plume capotée,
dernier modèle !) et il emprunta un crayon à Diomka.
Sigbatov, Federau, et même Ni voulurent prendre note.
Quand tous furent prêts, Kostoglotov se mit à dicter
lentement des passages de la lettre en y ajoutant ses
propres commentaires : comment faire sécher la « tchaga » sans la dessécher tout à fait, comment la réduire en
poudre, avec quelle eau faire cuire et infuser, comment
filtrer, comment doser...

Les lignes s'allongeaient, ici rapidement tracées, là
gauchement gribouillées ; on priait de répéter les phrases, on sentait dans la chambre une atmosphère particulièrement cordiale et amicale. Et pourtant, avec quelle
animosité ils se répondaient parfois l'un à l'autre ! Mais
voilà, qu'ils le voulussent ou non, ils n'avaient qu'un seul
et même adversaire : la mort... et quelle force pourrait
séparer sur terre les êtres humains, si contre eux tous
la mort a une bonne fois pour toutes été établie ?

Après avoir fini de noter, Diomka dit d'une voix rauque

avec cette façon lente de parler qui n'était pas de son
âge :

« Bon... Mais où prendre des bouleaux, quand il n'y
en a pas ? »

Ils soupirèrent. Devant eux, ceux qui depuis longtemps avaient quitté la Russie (quelques-uns même volontairement), ceux qui n'avaient jamais été là-bas, passa
la vision de ce pays modeste et tempéré, que le soleil ne
brûlait pas, de cette région arrosée par le fin rideau
d'une averse ensoleillée, ou bien baignée par les hautes
eaux printanières, layons et chemins tout fangeux d'humidité, douce contrée où l'arbre des forêts, serviteur fidèle, est si utile à l'homme... Les habitants de ce pays
ne comprenaient pas toujours leur patrie, ils avaient la
nostalgie d'une mer azurée et de bananiers, alors que ce
qu'il faut à l'homme est si simple : la noire, la monstrueuse verrue, la tumeur maligne au flanc d'un blanc
bouleau !

Seuls Moursalimov et Eguenbourdiev se disaient eux-
mêmes qu'ici aussi, dans la steppe et dans les montagnes,
il y avait sûrement ce qu'il leur fallait, parce qu'il n'est
pas un endroit de la terre sans que tout n'y soit prévu
pour l'homme — il suffit de savoir s'y prendre.

« Il faut s'adresser à quelqu'un, lui demander d'aller
les cueillir et de les envoyer », répondit à Diomka le
jeune géologue (visiblement, cette histoire de « tchaga »
lui avait plu).

Kostoglotov, lui-même, qui était à l'origine de tout
cela, n'avait, néanmoins, personne à qui s'adresser en
Russie pour chercher ce champignon. Les uns étaient
déjà morts, les autres dispersés ; il y en avait d'autres
encore à qui il était délicat de s'adresser ; et puis d'autres qui étaient des citadins bornés, qui ne sauraient jamais trouver cette sorte de bouleau et encore moins
la « tchaga » sur le bouleau. La plus grande joie qu'il pût
imaginer à présent, c'était de partir lui-même, comme un
chien malade qui va en quête de l'herbe inconnue qui le
sauvera, de partir pour plusieurs mois dans le fond des
forêts, d'arracher cette « tchaga » des troncs, de la piler,

de la faire cuire sur des braseros, de la boire et de guérir comme un simple animal. Errer des mois entiers dans la forêt et ne pas connaître d'autre souci que celui-ci : guérir.

Mais le chemin de la Russie lui était interdit.

Quant aux autres ici présents, ceux à qui ce chemin restait accessible, ils n'étaient pas passés par l'école des grands renoncements, ils n'avaient pas appris la façon de tout faire tomber de soi, hormis l'essentiel. Ils voyaient des obstacles là où il n'y en avait pas : comment obtenir un arrêt de travail, ou un congé, pour se lancer dans cette recherche ? comment enfreindre le mode de vie habituel et se séparer de la famille ? où dénicher l'argent ? comment s'habiller et quoi emporter dans un tel voyage ? à quelle gare descendre et comment se débrouiller pour la suite ?

Kostoglotov replia bruyamment la lettre et ajouta :

« Il mentionne aussi qu'il existe de soi-disant préparateurs de « tchaga », tout bonnement des gens entreprenants qui en font la cueillette, la sèchent et l'expédient contre paiement. Seulement, ils prennent cher : quinze roubles le kilo et il en faut six kilos par mois.

— Et de quel droit font-ils ça ? s'indigna Roussanov, dont le visage prit un air si sévère et si impérieux que n'importe quel préparateur de « tchaga » aurait eu la pétoche et en aurait fait dans son froc... Comment n'ont-ils pas honte de rançonner les gens pour ce que la nature nous offre gratis ?

— T'as pas besoin de « hourler » ! lui lança Ephrem de sa voix sifflante. (Il mutilait les mots de façon déplaisante, soit qu'il le fît exprès, soit que la langue lui fourchât.) Tu crois qu'il suffit d'y aller et de prendre ? C'est qu'il faut marcher en pleine forêt, avec un sac et une hache !... Et à ski, pendant l'hiver.

— Mais quand même ! pas quinze roubles le kilo, espèces de spéculateurs maudits ! » (Roussanov était incapable de la moindre concession et son visage se couvrit à nouveau de taches cramoisies.)

C'était vraiment une question de principe. Avec les

années, Roussanov s'était persuadé de plus en plus que toutes nos insuffisances, imperfections et lacunes, que tous nos déficits provenaient de la spéculation. La petite spéculation d'abord, c'est-à-dire la vente d'oignons, de radis et de fleurs dans les rues, par on ne savait quelles personnes incontrôlées, ou encore la vente d'œufs et de lait au marché par Dieu sait quelles bonnes femmes, ou encore, dans les gares, la vente de lait caillé, de pommes, de chaussettes de laine et même de poisson frit. Mais aussi la spéculation à grande échelle, quand, par exemple, les camions des entrepôts d'Etat se débinaient en douce et allaient se planquer ailleurs. Et si l'on arrivait à extir per radicalement ces deux genres de spéculation, eh bien, toutes nos affaires seraient vite redressées et nos succès seraient encore plus étonnants... Il n'y avait rien de mal à ce qu'un homme arrondît sa situation matérielle par le moyen d'un salaire ou d'une pension d'Etat élevés (Paul Nikolaïevitch ne rêvait-il pas lui-même d'obtenir une pension hors catégorie ?) Dans ce cas, automobile, rési dence secondaire et petit pavillon principal n'avaient rien que de très prolétaire. Mais que la même automobile, de même marque, et que la même datcha, construite sur le même plan standard, fussent achetés avec les bénéfices de la spéculation, ils acquéraient une tout autre signi fication, une signification criminelle. Et Paul Nikolaïe vitch de rêver (c'était de vrais rêves) à l'introduction de supplices publics pour les spéculateurs... Des supplices publics pourraient rapidement et radicalement assainir notre société.

« Ça va, ça va, dit Ephrem qui, lui aussi, était en co lère, pas la peine de gueuler ! t'as qu'à y aller toi-même et à organiser la cueillette. A l'échelon national, si tu veux. Sous forme de coopérative, si ça te chante. Et puis, si tu trouves que quinze roubles c'est trop cher, n'en commande pas. »

C'était là le côté faible de sa propre argumentation, Roussanov le comprenait très bien. Il avait beau haïr les spéculateurs, avant que ce nouveau remède n'ait l'approbation de l'Académie de Médecine, et qu'une coopérative des districts de Russie centrale ne se forme pour organiser la récolte et la préparation régulière du produit, sa propre tumeur aurait le temps de grandir.

Le nouveau venu à la voix éteinte, armé de son carnet, assaillait le lit de Kostoglotov comme s'il avait été correspondant d'un journal influent et son chuchotement éraillé poursuivait Kostoglotov :

« Mais l'adresse des préparateurs ? est-ce qu'il n'y a pas l'adresse des préparateurs ? »

Même Roussanov s'apprêtait, lui aussi, à noter l'adresse. Mais Kostoglotov, curieusement, ne répondait pas. Que la lettre contînt ou non une telle adresse, toujours est-il qu'il ne répondit rien, descendit de son rebord de fenêtre et se mit à farfouiller sous son lit, à la recherche de ses bottes. Contrairement à tous les règlements hospitaliers, il les tenait cachées, et les gardait pour la promenade.

Quant à Diomka, il mit le mode d'emploi de la « tchaga » dans sa table de nuit, et, sans plus s'enquérir de rien, allongea le plus précautionneusement possible sa jambe malade sur son lit. Une somme pareille, ça n'était pas pour lui et ça ne le serait jamais.

Le bouleau avait peut-être des propriétés curatives, mais pas pour tous.

Roussanov, lui, se sentait mal à l'aise à la pensée qu'après sa prise de bec avec Kostoglotov — et ce n'était pas la première fois depuis trois jours — il avait manifesté un tel intérêt pour cette histoire de « tchaga » et que, maintenant, il dépendait de son adversaire en ce qui concernait l'adresse. Et, sans doute parce qu'il désirait inconsciemment amadouer Kostoglotov, Paul Nikolaïevitch mit instinctivement l'accent sur ce qui les unissait, et il dit avec un ton de profonde sincérité :

« Eh oui ! Que peut-il y avoir de pire au monde que... (il allait dire « le cancer », mais, lui, n'est-ce pas, ce n'était pas le cancer qu'il avait ?) quoi de pire que ces... néoplasmes... et, plus généralement, ce cancer ? »

Mais Kostoglotov n'était nullement touché par ce ton de confidence d'un homme qui était son aîné par l'âge, le rang et l'expérience. Il enroulait autour de sa jambe ses bandes molletières rougeâtres, toutes desséchées à hauteur du mollet, et il enfilait une botte de simili-cuir, repoussante et délabrée, toute rapiécée au pli de la cheville. Bougon, il lâcha :

« Quoi de pire que le cancer ? la lèpre ! »

La lèpre... Pesant, menaçant, le mot, avec sa conson-nance abrupte, retentit dans la pièce comme un coup de canon.

Roussanov fronça le sourcil d'un air soucieux et compréhensif :

« Euh... que voulez-vous dire ? Pourquoi, au juste, se-rait-ce pire ? Le processus est plus lent. »

Kostoglotov plongea son regard sombre et hostile dans les lunettes claires et les yeux clairs de Roussanov.

« C'est pire, parce qu'on vous exclut vivant du monde des humains. On vous arrache à votre famille, on vous enferme derrière un barbelé. Vous croyez que c'est mieux qu'une tumeur ? »

Roussanov se sentait mal à l'aise et désarmé devant la proximité du regard enflammé et pesant de cet hom-me mal élevé, mal dégrossi.

« Tout ce que je veux dire... en général toutes ces mau-dites maladies... »

N'importe qui de civilisé aurait compris aussitôt qu'il convenait de faire un pas vers la conciliation. Mais Kos-toglotov était incapable de rien comprendre. Il ne sut pas apprécier le tact de Paul Nikolaïevitch. Déjà, il s'était relevé de toute sa hauteur de grande perche, et, enfilant une blouse de femme, une de ces blouses de futaine sale et ample qui lui retombait presque sur les bottes et lui servait de manteau pour les promenades, il déclara d'un ton satisfait, croyant se rendre intéres-sant :

« Un philosophe a dit : « Si l'homme n'était pas sujet « à la maladie, il ne connaîtrait pas ses limites. »

De la poche de son peignoir, il extirpa un ceinturon militaire roulé, large comme quatre doigts, avec une boucle en forme d'étoile à cinq branches. Il ceintura son peignoir qui bâillait en prenant soin de ne pas comprimer l'endroit de la tumeur. Et il se dirigea vers la sortie en mâchonnant une minable cigarette filiforme, une cibiche du genre de celles qui s'éteignent toujours avant la fin.

L'interviewer à la gorge éraillée reculait dans le couloir entre les lits au fur et à mesure qu'avançait Kostoglotov et, malgré son air mi-banquier, mi-ministre, il avait une façon si implorante de questionner Kostoglotov qu'on aurait pu croire que celui-ci était une sommité mondiale de la cancérologie, mais une sommité qui les quittait à tout jamais...

« Mais, dites-nous, approximativement, quel est le pourcentage des cas de tumeurs à la gorge qui se révèlent de vrais cancers ? »

Il est honteux de rire d'une maladie ou de se moquer d'un malheur, mais la maladie et le malheur doivent être supportés de façon à ne pas éveiller le rire. Kostoglotov contempla le visage éperdu, épouvanté de cet homme, dont l'apparition dans la chambre, aujourd'hui, avait été si grotesque, de cet homme qui, avant sa tumeur, avait dû être d'une telle suffisance... Même cette façon qu'il avait de tenir sa gorge malade dans ses doigts pendant qu'il parlait, quoique parfaitement compréhensible, était en quelque sorte ridicule.

« Trente-quatre pour cent », répondit Kostoglotov avec un sourire et en s'écartant.

Lui-même n'avait-il pas un peu trop fait le coq aujourd'hui ? N'avait-il pas un peu trop parlé ? n'avait-il pas dit ce qu'il ne faut pas dire ?

L'interviewer fébrile, cependant, ne le lâchait pas. Il emboîtait le pas à Oleg et descendait rapidement l'escalier à sa suite. Et se penchant à cause de son embonpoint, il chuintait à l'oreille d'Oleg de sa voix éraillée :

« Et quel est votre avis, camarade ? si ma tumeur ne me fait pas mal, est-ce bon ou mauvais signe ? Ça prouve quoi ? »

Oh ! ces hommes fatigants et si désarmés !

« Qui êtes-vous ? demanda Kostoglotov en s'arrêtant.

— Conférencier. (L'homme avait de grandes oreilles, une chevelure grise soignée, et il regardait Kostoglotov avec espoir, comme on regarde un médecin.)

— Conférencier en quoi ? quelle spécialité ?

— Philosophie ! répondit le directeur de banque en se reprenant et en cambrant la taille. (A quoi bon faire le sourcilleux ? il avait déjà pardonné à Kostoglotov ses citations maladroites et inopportunes de philosophes anciens. Il ne lui reprochait rien, oh non ! tout ce dont il avait besoin, c'était d'avoir les adresses des préparateurs de « tchaga ».)

— Conférencier !... avec votre gorge ! »

Kostoglotov hochait la tête. Il n'avait nul remords de ne pas avoir publiquement donné les adresses devant toute la chambrée. Selon les règles du milieu qui, comme un laminoir, l'avait laminé sept ans durant, c'eût été se conduire comme un minable freluquet : tous se seraient précipités pour écrire à ces préparateurs, les prix auraient monté en flèche et il n'y aurait plus eu moyen d'avoir de la « tchaga ». Mais, individuellement, à des gens bien, c'était son devoir de les donner. Il y avait ce géologue, avec qui Oleg n'avait pas encore échangé dix mots, mais à lui, il savait déjà qu'il donnerait les adresses, parce que sa gueule lui plaisait, et parce qu'il avait parlé pour défendre les cimetières. A Diomka aussi, bien sûr ; seulement Diomka n'avait pas d'argent. (D'ailleurs Oleg lui-même n'en avait pas et n'aurait aucun moyen de se payer cette « tchaga ».) A Federau aussi on pouvait les donner, et puis à Ni et à Sigbatov — en tant que compagnons d'infortune. Mais chacun n'avait qu'à le lui demander séparément, et, s'ils ne le demandaient pas, eh bien, ils se passeraient de lui ! Or, ce conférencier-philosophe, dans l'idée d'Oleg, était un homme creux ; et qu'est-ce qu'il pouvait bien raconter dans ses conférences ? Peut-être bien qu'il emberlificotait son monde et voilà tout ? Et d'ailleurs, à quoi bon toute sa philosophie puisqu'il était si décontenancé par la maladie ?

Seulement, quand même, quelle coïncidence ! précisément à la gorge !

« Ecrivez l'adresse du préparateur, dit Kostoglotov d'un ton de commandement. Pour vous et pour vous seul. »

Avec une hâte reconnaissante, le philosophe se pencha pour écrire.

Oleg dicta l'adresse puis s'échappa au plus vite, de peur de trouver la porte d'en bas fermée, et il sortit faire sa promenade.

Sur le perron, dehors, il n'y avait personne.

Rempli de bonheur, Oleg respira une bouffée d'air froid, humide, immobile ; puis, sans prendre le temps de se purifier vraiment, il alluma une cigarette ; sans elle, de toute façon, il aurait manqué quelque chose à la plénitude de son bonheur. (Cependant, il n'y avait pas que Dontsova à présent, Maslennikov, lui aussi, avait trouvé moyen de mentionner dans sa lettre qu'il ne fallait plus fumer.)

Il n'y avait pas de vent du tout ; il ne gelait pas. Dans un reflet de fenêtre, on apercevait une flaque proche ; l'eau faisait une tache noire, sans glace. On n'était qu'au 5 février, mais déjà c'était le printemps : étrange ! Une sorte de brouillard, non, plutôt une très légère brume, était suspendue dans l'air, à ce point légère qu'elle ne recouvrait pas, mais seulement adoucissait, rendait moins violentes les lointaines lumières des réverbères et des fenêtres.

A gauche d'Oleg, s'élançaient côte à côte, par-dessus le toit, quatre peupliers pyramidaux, comme quatre frères. De l'autre côté se dressait un peuplier solitaire, mais touffu, qui valait à lui seul les quatre autres. Immédiatement derrière lui se pressaient les autres arbres et commençait une partie du parc.

Le perron de pierre, sans balustrade, du pavillon n° 13 descendait en quelques marches jusqu'à une allée asphaltée, en pente douce, délimitée des deux côtés par une haie vive infranchissable. Tout cela était sans feuilles pour l'instant, mais témoignait, par la densité, de sa vie.

Oleg était sorti pour se promener — marcher par les allées du parc en percevant à chaque pas, à chaque en-

jambée, la joie de ses membres à marcher droit, la
joie d'être les membres vivants d'un homme pas encore
mort. Mais la vue qu'il avait du perron le retint et c'est
là qu'il acheva de fumer.

Comme voilés, brillaient les réverbères et fenêtres
espacés des pavillons d'en face. Presque plus personne
ne marchait dans les allées. Et quand ne parvenait pas
de derrière le grondement de la voie ferrée toute proche,
on sentait parvenir jusqu'ici la rumeur faible et égale
du fleuve qui se ruait et écumait en contrebas, au-delà
des pavillons d'en face, dans le ravin.

Et puis plus loin encore, de l'autre côté du ravin,
il y avait un autre parc, le parc de la ville ; était-ce de
ce parc-là (malgré le froid) ou bien des fenêtres ouvertes
d'un club que parvenait un air de danse joué par des
instruments à vent ? C'était samedi soir, on dansait... Des
hommes dansaient avec des femmes...

Oleg était excité — excité d'avoir tant parlé et d'avoir
été écouté. Brusquement, il s'était senti submergé, entraîné par la sensation de la vie retrouvée, cette vie dont,
il y avait tout juste quinze jours, il s'était cru congédié.
Bien sûr, cette vie ne lui promettait rien de bon, de ce
qu'on appelle ainsi du moins, et pour quoi se battaient
les habitants de cette grande ville : ni appartement, ni
biens matériels, ni succès social, ni argent — mais il y
avait d'autres joies intrinsèques, des joies que lui n'avait
pas désapprises, dont il savait toujours le prix : le droit
de marcher sur cette terre sans obéir à un ordre ; le
droit d'être seul ; le droit de regarder les étoiles sans
être aveuglé par les projecteurs du camp ; le droit
d'éteindre la lumière pendant la nuit et de dormir dans
l'obscurité ; le droit de jeter des lettres dans les boîtes
aux lettres ; le droit de se reposer le dimanche ; le droit
de se baigner dans la rivière. Oui, des droits de ce genre,
il y en avait beaucoup, beaucoup.

Et, parmi eux, le droit de bavarder avec les femmes.

Et tous ces droits, merveilleux et innombrables, sa
propre guérison les lui rendait !

Sans bouger, il fumait et il exultait.

Il percevait des bribes de musique venues du parc ; ou plutôt non, ce n'était pas cela qu'entendait Oleg, c'était la Quatrième Symphonie de Tchaïkowsky qui résonnait au fond de lui-même, c'était ce difficile et fiévreux premier mouvement, cette étonnante mélodie du début. Cette mélodie où le héros... (Oleg avait son interprétation toute personnelle, et peut-être fausse...) où le héros enfin revenu à la vie, ou bien encore ayant recouvré la vue après avoir été aveugle, avait l'air de palper quelque chose, de promener sa main sur un objet ou un visage cher ; il palpait et n'osait pas encore croire à son bonheur : les objets existaient bel et bien, et ses yeux recommençaient à voir...

CHAPITRE XII

LES PASSIONS REVIENNENT TOUTES

CE dimanche, Zoé s'habillait à la hâte pour aller au travail lorsqu'elle se souvint que Kostoglotov l'avait instamment priée, pour son prochain jour de garde, de remettre la robe gris mordoré dont il avait aperçu le col, l'autre soir, sous la blouse, et qu'il désirait regarder à la lumière du jour. Les prières désintéressées font plaisir à ceux qui les exaucent. Cette robe lui irait bien aujourd'hui, parce que c'était presque une robe de fête ; or, elle espérait bien n'avoir rien à faire dans la journée, et puis, bien sûr, elle s'attendait à ce que Kostoglotov vienne la distraire.

Elle changea donc précipitamment d'avis, enfila la robe prescrite, la frotta à plusieurs reprises avec le creux de sa main, où elle avait mis quelques gouttes de parfum, arrangea sa frange, mais l'heure était vraiment pressante, elle passa la porte sans avoir encore fini d'enfiler son manteau et sa grand-mère eut à peine le temps de lui glisser un casse-croûte dans la poche.

La matinée était humide et fraîche, mais ça n'était

plus du tout l'hiver. En Russie, avec un temps pareil, on sort en imperméable. Mais ici, dans le Sud, on avait d'autres notions sur la chaleur et le froid : en pleine chaleur on s'habille encore de costumes de laine, on veille à mettre les manteaux le plus tôt possible dans la saison, et à les quitter le plus tard possible, et si jamais on possède une pelisse, on la met sans attendre les rares journées où il gèle.

En tournant au coin de la rue, Zoé aperçut son tramway, elle lui courut après jusqu'à la rue suivante, sauta la dernière sur la plate-forme arrière, et, rouge, essoufflée, décida de rester sur la plate-forme, où l'on était venté. Les tramways de la ville étaient tous lents et bruyants ; dans les tournants, ils crissaient contre les rails de façon déchirante ; aucun n'avait de porte automatique.

L'essoufflement et même les battements du cœur créaient dans ce jeune corps une sensation agréable parce qu'ils cessaient aussitôt après l'effort — et alors l'impression de santé et d'humeur joyeuse en était renforcée.

Pour l'instant, la Faculté était en vacances, il n'y avait plus que l'hôpital — trois tours de garde et demi par semaine — et cela semblait à Zoé tout à fait léger, du repos. Bien sûr, c'eût été encore mieux sans les tours de garde à l'hôpital, mais Zoé avait pris l'habitude de porter double fardeau : c'était la deuxième année où elle menait de front les études et le travail à l'hôpital. L'expérience que lui donnait l'hôpital n'était pas très variée, ce n'était pas pour ça que Zoé travaillait, mais pour l'argent : avec la pension de sa grand-mère, il y avait à peine de quoi s'acheter du pain, la bourse que recevait Zoé s'envolait aussi vite qu'elle arrivait ; quant au père de Zoé, jamais il n'envoyait d'argent et d'ailleurs Zoé ne lui en demandait jamais, car elle ne voulait rien devoir à un tel père.

Durant les deux premiers jours de vacances, c'est-à-dire depuis sa dernière garde de nuit, Zoé n'avait pas fainéanté ; depuis l'enfance, elle ignorait ce qu'était la fainéantise. Tout de suite, elle avait entrepris un ou-

vrage : elle voulait se faire un corsage en crêpe georgette
pour le printemps. Le coupon était acheté depuis décembre. (La grand-mère de Zoé se plaisait à répéter :
« Il faut réparer le traîneau en été, et le char à foin en
hiver » ; or, c'était un dicton qui disait vrai : dans les
magasins, c'était en plein hiver qu'on trouvait les meilleurs tissus pour l'été.) Zoé cousait à la machine, une
vieille machine Singer appartenant à sa grand-mère et
qu'elles avaient traînée toutes deux depuis Smolensk
jusqu'ici. Les patrons qu'elle suivait était aussi ceux de
sa grand-mère, mais ils étaient démodés et Zoé, qui
n'avait jamais les yeux dans sa poche, faisait de son
mieux pour glaner des suggestions ici et là, prenant des
idées aux voisines, aux amies, à celles qui suivaient des
cours de couture et de façon, cours que Zoé n'avait absolument pas le temps de suivre. Elle n'avait pas pu, en
deux jours, achever le corsage ; en revanche, elle avait
fait le tour de plusieurs teintureries et avait réussi à
donner sa vieille robe d'été au nettoyage. Elle était aussi
allée au marché acheter pommes de terre et légumes, elle
avait marchandé comme une rapiate et avait rapporté
à bout de bras deux lourds filets (les queues dans les
magasins, c'était sa grand-mère qui s'en chargeait, mais
elle ne pouvait pas porter les choses lourdes). Et puis
elle était aussi allée aux bains. Pour ce qui est de rester
tout bonnement allongée sur le lit à lire un livre, elle
n'avait pas eu le moindre temps de reste. Hier au soir,
Zoé était allée danser à la Maison de la Culture en
compagnie de sa camarade de cours Rita.

Zoé aurait bien voulu quelque chose de plus sain,
de moins frelaté que ces clubs. Mais où trouver des
mœurs, des lieux, des soirées où l'on pût faire la connaissance de garçons, en dehors des clubs ? A la Faculté et
dans leur année, il y avait beaucoup de filles russes mais
presque pas de garçons. Aussi, les soirées organisées par
son institut ne l'attiraient pas.

La Maison de la Culture, où elle était allée avec Rita,
était un édifice vaste, propre, bien chauffé : colonnes de
marbre, escalier de marbre, miroirs immensément hauts

encadrés de bronze — on s'y voyait de très loin quand on marchait, ou qu'on dansait — fauteuils profonds et cossus (mais on les laissait sous housse et il était interdit de s'y asseoir). Cependant, depuis la Saint-Sylvestre, Zoé n'y avait plus mis les pieds, car elle y avait reçu un grave affront. C'était à un bal masqué où l'on devait récompenser les meilleurs travestis ; Zoé s'était, par ses propres soins, costumée en singe et le costume comportait une magnifique queue. Tout était fignolé : la coiffure, le grime léger, l'harmonie des couleurs ; tout était drôle et réussi ; le premier prix lui était presque assuré, malgré le grand nombre de concurrentes. Mais juste avant l'attribution des prix, un groupe de garçons malotrus lui avait coupé sa queue d'un coup de ciseaux, et la queue avait circulé de main en main et avait disparu. Zoé avait pleuré, pas à cause de ces garçons bornés, mais parce que tous, tout autour d'elle, s'étaient mis à rire, et avaient trouvé cette gaminerie spirituelle. Privé de cette queue, le costume perdait beaucoup. D'ailleurs, Zoé ne s'était plus senti aucun entrain, et elle n'avait pas eu le moindre prix.

Et hier, encore fâchée contre le club, elle y était entrée avec un sentiment d'offense subie. Mais rien ni personne ne lui avait rappelé l'épisode du singe. L'assistance était mêlée : étudiants des divers instituts et ouvriers. Zoé et Rita n'eurent pas à danser une seule danse l'une avec l'autre, on les sépara aussitôt, et, trois heures durant, elles tournoyèrent, ondulèrent et tapèrent du pied à qui mieux mieux, au son d'un orchestre d'instruments à vent. Le corps se plaisait à ce qui, dans les danses, est l'essentiel : l'étreinte publique et permise, et il demandait cette gymnastique, ces virevoltes et ces mouvements. Pour ce qui est de converser, les cavaliers de Zoé parlaient peu ; et, s'il leur arrivait de plaisanter, c'était bêtement, au goût de Zoé. Après quoi, Kolia, qui était technicien-monteur, l'avait raccompagnée. En chemin, ils parlèrent de films indiens, de nage ; aborder quelque chose de sérieux leur eût semblé comique. Ils arrivèrent enfin à la porte d'entrée, où il faisait plus sombre, et là, ils s'embrassèrent ; mais ce furent surtout les seins de Zoé qui en prirent pour leur compte car jamais ils ne laissaient de paix à personne ! Comme Kolia les étreignait ! Il cherchait même d'autres moyens d'accès, et Zoé se sentait bien, mais en même temps elle éprouva la sensation soudaine et refroidissante qu'elle était un peu en train de perdre son temps, que, demain dimanche, elle devait se lever tôt. Elle le renvoya et monta le vieil escalier quatre à quatre.

Parmi les amies de Zoé, et surtout les étudiantes en médecine, était répandu le point de vue selon lequel on doit se hâter de profiter de la vie, le plus tôt possible et le plus complètement possible. Quand on était prise dans un déferlement si général, rester en première, en deuxième, et finalement en troisième année une sorte de vieille fille, qui ne connaît bien que la théorie, était parfaitement impossible. Et Zoé avait connu, connu à plusieurs reprises, avec différents garçons, tous les degrés du rapprochement, quand on permet de plus en plus de choses, et puis que viennent l'étreinte, la possession, et ces instants capricieux où les bombes pourraient bien pleuvoir sur la maison, on ne saurait changer de position ; puis les moments de détente et d'indolence où l'on ramasse alentour, sur le plancher et les chaises, les vêtements épars, toutes ces choses qu'avant, il eût été hautement inconvenant de laisser voir, alors que maintenant, ça n'a plus rien d'étonnant et l'on s'habille d'un air tout naturel, en face de lui...

Et cela, effectivement, s'était révélé une sensation forte et Zoé, depuis sa classe de seconde, avait définitivement échappé à la catégorie des vieilles filles ; seulement, malgré tout, ça n'avait pas été vraiment *cela*. Ce qui manquait dans tout ça, c'était une continuité persévérante et consciente, donnant de la stabilité à la vie ; c'était pour ainsi dire la vie elle-même qui manquait...

Zoé n'avait que vingt-trois ans ; cependant, elle avait vu et retenu pas mal de choses de la vie : leur longue et affolante évacuation de Smolensk, d'abord dans des wagons de marchandises, puis par péniches, puis à nou-

veau dans des wagons de marchandises et puis, Dieu sait
pourquoi, elle se rappelait le voisin qu'elles avaient eu
dans le wagon à bestiaux et qui avait tout mesuré avec
une ficelle et délimité à chacun une portion de plancher
servant de bat-flanc et il avait longuement cherché à
prouver que Zoé occupait deux centimètres en trop ; et
puis la vie tendue et la faim qui régnait ici dans les
années de guerre, quand il n'y avait d'autre conversation possible que les cartes d'alimentation et les prix du
marché noir ; et que l'oncle Fédia venait voler en catimi-
ni, dans la table de nuit de Zoé, sa petite ration de pain ;
et, pour finir, il y avait maintenant, à l'hôpital, ces souffrances tenaces causées par le cancer, ces vies ruinées,
ces récits tristes des malades, leurs larmes...

En face de tout cela, les pressions, les étreintes, et la
suite... n'étaient que de minuscules gouttes dans l'océan
salé de la vie. Y trouver un assouvissement définitif — ça
n'était pas possible.

Cela signifiait-il qu'il fallait absolument se marier ?
Que le bonheur était dans le mariage ? Les jeunes gens
avec qui elle liait connaissance, dansait, sortait, affi-
chaient tous sans exception l'intention de s'amuser,
d'avoir du bon temps et, après, de tourner les talons.
Entre eux, ils disaient : « Je me marierais bien, mais en
un ou deux soirs, je peux toujours trouver une amie.
A quoi bon se marier ? »

En effet à quoi bon, puisque les femmes étaient devenues si accessibles ? C'était comme au marché, lorsqu'il
y a un grand arrivage et que celui qui enchérit sur les
prix verra ses tomates pourrir... Rester inaccessible
devenait impossible quand toutes cédaient tout autour.

Et le passage à la mairie ne pouvait rien y faire, c'était
ce qu'avait montré l'expérience de Maria, une infirmière
ukrainienne qui était la collègue de Zoé. Maria avait fait
confiance à l'enregistrement officiel, mais, au bout de
quinze jours, son mari ne l'en avait pas moins plaquée,
il était reparti, avait disparu. Et ça faisait sept ans
qu'elle élevait son enfant, toute seule, et le pire c'était
qu'officiellement elle était mariée.

Aussi, à l'approche des périodes « dangereuses », Zoé, dans les soirées avec vin, se conduisait aussi prudemment qu'un sapeur dans un champ de mines.

Plus près d'elle, Zoé avait eu un autre exemple, celui de la vie mauvaise qu'avaient menée son propre père et sa propre mère : tantôt ils se querellaient, tantôt ils se réconciliaient, tantôt ils partaient chacun de leur côté, tantôt ils se retrouvaient dans la même ville, et, de la sorte, pendant toute leur vie, ils s'étaient torturés l'un l'autre. Répéter l'erreur de sa mère, c'eût été pour Zoé aussi fatal qu'avaler de l'acide sulfurique.

Dans son propre corps, dans l'agencement des parties de son corps, ainsi que dans son propre caractère, et dans sa façon de comprendre toute la vie en général, Zoé percevait un équilibre et une harmonie. Et s'il devait y avoir élargissement, expansion de sa vie, ça ne pouvait être, ça ne devait être que dans le même esprit d'harmonie.

Quant au garçon dont les mains se promenaient sur tout son corps, et qui, pendant les pauses, lui débitait sottises et platitudes, ou bien plagiait ce qu'il avait entendu dans un film comme avait fait Kolia hier au soir, il ne faisait que détruire instantanément cette harmonie, et il ne pouvait pas vraiment plaire à Zoé.

Occupée à ces pensées, ballottée par le tramway, sur la plate-forme arrière où la receveuse morigénait un jeune homme qui n'avait pas acheté de billet (et qui ne manifestait aucune intention d'en acheter), Zoé, toujours debout, parvint jusqu'au terminus. Le tramway amorça la grande boucle ; de l'autre côté, les gens étaient déjà attroupés et attendaient. Le jeune homme, à qui la receveuse avait voulu faire honte, sauta en marche. Un jeune gars sauta aussi. Zoé, à son tour, sauta parce que ça lui ferait moins à marcher.

Il était déjà huit heures une minute et Zoé se mit à courir sur l'allée d'asphalte qui serpentait à travers la cité hospitalière. En tant qu'infirmière, il n'était pas convenable qu'elle courût ainsi ; mais à une étudiante c'était tout à fait pardonnable.

Le temps de courir jusqu'au pavillon des cancéreux, le temps d'ôter son manteau, d'enfiler sa blouse et de monter à l'étage, il était déjà huit heures dix, et gare à Zoé... si elle avait pris la relève d'Olympiade Vladislavovna ou de Maria ! Car Maria elle aussi l'aurait tancée de rude façon aussi bien pour un retard de dix minutes que pour un demi-tour de garde ! Mais par bonheur, le tour de garde était assuré par l'infirmier Tourgoun qui était étudiant et plein d'indulgence, particulièrement à l'égard de Zoé... En guise de réprimande, il fit mine de lui donner une grande tape dans le bas du dos, mais elle ne se laissa pas faire ; tous deux riaient et ce fut finalement elle qui le poussa gentiment dans l'escalier.

Un étudiant est un étudiant, mais, en tant que cadre autochtone de la République, Tourgoun avait déjà reçu sa nomination comme médecin-chef d'un hôpital rural et ce genre de gaminerie ne lui serait plus permis quand il aurait achevé ses derniers mois de liberté...

Zoé avait reçu de Tourgoun le cahier de prescriptions et aussi une mission spéciale de la part de l'infirmière-chef Mita. Le dimanche, il n'y avait pas de visite de médecins, les soins étaient simplifiés ; pas de malades revenant des transfusions (il y avait, bien sûr, le souci supplémentaire d'empêcher les parents des malades de pénétrer dans les salles sans autorisation du médecin de garde), alors Mita refilait à l'infirmière qui était de service le dimanche dans la journée une partie de l'interminable travail de statistiques qu'elle-même n'arrivait jamais à achever.

Aujourd'hui, il s'agissait de trier un volumineux tas de fiches de malades qui correspondaient au mois de décembre de l'année passée 1954. Avec une petite moue des lèvres, arrondies comme pour siffler, Zoé faisait craquer sous ses doigts le tas de fiches, en supputant combien il pouvait bien y en avoir et s'il lui resterait du temps pour faire un peu de broderie ; mais à cet instant, elle sentit à côté d'elle la présence d'une ombre de haute taille. Sans être étonnée, Zoé tourna la tête (il y a mille et une façons de tourner la tête) et elle aperçut Kostoglotov. Il était rasé de frais, presque bien peigné, et seule la cicatrice à son menton rappelait, comme toujours, son origine de bandit.

« Bonjour, petite Zoé, dit-il en parfait gentleman.

— Bonjour », fit-elle en balançant la tête comme si quelque chose la mécontentait ou l'intriguait, mais en fait, ça ne voulait rien dire.

Il la regardait de ses grands yeux marron sombre.

« Mais je ne vois pas si vous avez exaucé ou non ma prière.

— Quelle prière ? dit Zoé en fronçant les sourcils d'un air étonné (cela lui allait toujours très bien).

— Vous ne vous rappelez pas ? Et moi qui avais fait un vœu !

— Vous m'avez emprunté un bouquin d'anatomie pathologique, ça je m'en souviens bien.

— Mais je vais vous le rendre tout de suite. Je vous en remercie.

— Vous avez pu vous débrouiller ?

— A ce qu'il me semble... pour l'essentiel, j'ai tout compris.

— Si ça vous a fait du mal, je m'en repens, dit Zoé sans affectation.

— Oh non ! non, ma petite Zoé ! (Et, en guise de protestation, il effleura le bras de Zoé.) Au contraire, ce livre m'a remonté le moral. Vous êtes un petit cœur en or de me l'avoir passé. Seulement... (il regarda le cou de Zoé), si vous déboutonniez le bouton supérieur de votre blouse, s'il vous plaît ?

— Mais pourquoi ? fit Zoé avec un air de suprême étonnement qui fut extrêmement réussi. Je n'ai pas trop chaud !...

— Mais si ! vous êtes toute rouge.

— Oui, c'est vrai », dit-elle avec un petit rire d'enfant ; elle avait effectivement envie d'ouvrir sa blouse, car elle n'avait pas encore eu le temps de souffler après sa course et l'escarmouche avec Tourgoun. Elle ouvrit le col de sa blouse.

Eclat de l'or sur fond gris...

Kostoglotov écarquillait les yeux et il dit presque sans voix :

« Ça, c'est bien. Merci. Vous m'en montrerez davantage, après ?

— Ça dépend de votre vœu...

— Je vous le dirai, mais plus tard, d'accord ? Nous allons être ensemble aujourd'hui, n'est-ce pas ? »

Zoé roula des yeux comme une poupée.

« A condition que vous veniez m'aider. Si je suis en nage, c'est que j'ai beaucoup de travail aujourd'hui.

— Pour piquer des hommes vivants avec vos seringues, faut pas compter sur moi !

— Et pour des statistiques médicales ? histoire de faire un peu semblant ?

— Je respecte la statistique. Quand elle n'est pas confidentielle !

— Alors revenez après le petit déjeuner », dit Zoé en le gratifiant à l'avance d'un sourire.

La distribution des petits déjeuners dans les chambres avait commencé.

Vendredi dernier, au matin, après avoir fini son tour de garde, Zoé, intéressée par leur entretien de la nuit, était allée au bureau des entrées consulter la fiche de Kostoglotov.

Elle avait découvert qu'il s'appelait Oleg Philémonovitch (ce patronyme pesant correspondait bien à son nom de famille malsonnant ; mais le prénom adoucissait un peu la chose). Il était né en 1920, ce qui lui faisait trente-quatre ans bien sonnés et, malgré cela, il était effectivement célibataire, chose assez incroyable, et il résidait effectivement dans un patelin appelé Ouch-Terek. Il n'avait aucune famille (au dispensaire de cancérologie, on devait obligatoirement inscrire les noms des proches parents). Sa spécialité était la topographie et il était administrateur rural.

Il ne sortait de tout cela rien de clair, bien au contraire.

Enfin, aujourd'hui, en lisant le cahier de prescriptions, elle avait vu que, depuis vendredi, on lui faisait chaque jour une injection intramusculaire de sinoestrol, à

raison de deux centimètres cubes par injection.
La piqûre incombait au service de nuit ; autrement dit, aujourd'hui, ce n'était pas Zoé qui devait la faire. Cependant, Zoé arrondit ses lèvres et les tendit comme un petit groin, en signe de mécontentement.

Après le petit déjeuner, Kostoglotov rapporta le manuel d'anatomie et s'offrit à aider Zoé, mais pour le moment Zoé courait d'une chambre à l'autre, distribuant à chacun le médicament qu'il devait boire ou avaler trois ou quatre fois par jour.

Enfin, ils s'assirent tous deux à la petite table de Zoé. Zoé prit une grande feuille de papier pour faire un brouillon de graphique ; il s'agissait de transcrire tous les renseignements des fiches en petits bâtonnets. Elle se mit à lui expliquer (elle-même avait déjà plus ou moins oublié ce qu'il fallait faire) et commença à tirer des traits ; elle utilisait une grosse règle pesante.

Zoé savait parfaitement à quoi s'en tenir sur ce que vaut l' « aide » qu'apportent les jeunes gens et les hommes célibataires (et d'ailleurs les hommes mariés aussi) : cette « aide »-là se transformait inévitablement en persiflage, plaisanteries, flirt et erreurs dans les relevés. Mais Zoé se résignait d'avance aux erreurs parce que le flirt le moins inventif est quand même toujours plus intéressant que le relevé le plus savant. Zoé n'avait rien contre l'idée de poursuivre aujourd'hui un jeu qui agrémentait ses heures de garde.

Elle fut d'autant plus ahurie de constater que Kostoglotov abandonna tout de suite les œillades et ce certain ton particulier ; comprenant rapidement le pourquoi et le comment des choses, il entreprit même à son tour de les lui réexpliquer, puis s'enfonça dans les fiches et se mit à faire tous les calculs nécessaires tandis qu'elle-même alignait les bâtonnets dans les colonnes de son relevé. « Neuroblastome..., dictait-il, néphroblastome... sarcome nasal... tumeur de la moelle épinière... » Et quand il y avait quelque chose qu'il ne comprenait pas, il posait toujours des questions.

Il s'agissait de calculer combien de cas on avait eus,

pendant la période donnée, pour chaque type de tumeur,
en comptant séparément les hommes, les femmes, et par
décennie d'âge. Il fallait aussi relever les différents
types de traitements et les doses. Et puis il fallait encore,
pour chaque catégorie envisagée, faire une répartition
correspondant aux cinq issues possibles : guérison, amélioration, sans changement, aggravation et mort. Ces cinq
issues possibles captivèrent tout particulièrement l'attention de l'auxiliaire de Zoé. On remarquait tout de suite
qu'il n'y avait presque pas de guérison, mais il n'y avait
pas beaucoup de morts non plus.

« Je vois qu'ici on ne nous laisse pas le temps de
mourir, on renvoie les malades à temps, dit Kostoglotov.

— Mais comment faire autrement, Oleg, réfléchissez-y
vous-même. (Elle l'avait appelé Oleg en récompense pour
son travail. Il le remarqua et lui jeta aussitôt un bref
regard.) S'il est clair qu'on ne peut plus rien pour un
malade, qu'il ne lui reste plus qu'à vivre ses dernières
semaines ou ses derniers mois de vie, pourquoi immobiliser un lit d'hôpital pour lui ? Les autres font la queue
pour avoir un lit, ceux qu'on peut guérir attendent une
place. Et puis les malades incurables, de toute façon...

— Comment dites-vous ?

— Ceux qu'on ne peut pas guérir... Ils ont sur ceux
qu'on peut guérir une très mauvaise influence, tant par
leur aspect que par leurs propos. »

Voici qu'Oleg, en s'asseyant à cette table d'infirmière,
venait en quelque sorte d'accéder à une autre situation
sociale, à une autre compréhension du monde. Le sujet
malade pour qui on ne pouvait plus rien et qui ne
devait pas immobiliser un lit indûment, le malade classé
« incurable », ce n'était plus lui, ce n'était plus Kostoglotov, un homme à qui l'on pouvait parler comme s'il ne
devait nullement mourir, comme s'il était parfaitement
curable. Et ce saut d'une condition à une autre condition, si gratuit et si immérité, dû au caprice de circonstances inattendues, lui remémorait inconsciemment quelque
chose d'autre, mais qu'en cet instant il n'élucida point.

« Bien sûr, tout cela est logique. Seulement, il y a

Azovkine qu'on a renvoyé. Et puis hier, j'ai vu renvoyer un « casus inoperabilis » sans qu'on lui dise rien, ni qu'on lui explique rien, et j'avais la sensation de participer à une tromperie. »

Assis à côté de Zoé, il lui présentait en ce moment le côté opposé à sa cicatrice et son visage plus du tout l'air cruel.

En plein accord et dans les mêmes dispositions amicales, ils poursuivirent leur travail et tout fut fini avant le déjeuner.

Bien sûr, Mita avait encore laissé un deuxième travail à faire : recopier les analyses de laboratoire sur les feuilles de température des malades, afin qu'il y ait moins de feuilles à coller dans les dossiers des malades. Mais il aurait été excessif de faire tout ça en un seul dimanche, et Zoé déclara :

« Merci, merci beaucoup pour votre aide, Oleg Philémonovitch.

— Ah non ! Je vous en prie, dites comme vous aviez commencé : Oleg !

— Maintenant vous allez pouvoir faire la sieste...

— Ça ne m'arrive jamais.

— Mais vous êtes un malade, vous le savez bien.

— Eh bien, ce qu'il y a d'étrange, petite Zoé, c'est qu'à peine vous montez l'escalier pour prendre votre service, et je me sens tout à fait guéri ! »

Il la regardait comme si elle avait été un pâté croustillant et doré, et lui-même semblait, en cet instant, éclater de santé.

« Bon, très bien ! lui concéda Zoé sans difficulté. (Elle en avait tant envie.) Pour cette fois, je vais vous recevoir au salon. »

Elle indiqua d'un mouvement de la tête la salle de délibérations des médecins.

Mais, après le déjeuner, il lui fallait encore distribuer des médicaments et il y avait des soins urgents dans la salle principale des femmes. Comme pour mieux s'opposer aux infirmités et aux maladies qui l'entouraient ici, Zoé auscultait le tréfonds de son être afin de vérifier

à quel point elle-même était pure et saine, jusqu'au
bout des ongles, jusqu'aux moindres cellules de sa peau.
Avec une joie particulière, elle sentait la présence de
ses deux seins fermes et familiers ; elle les sentait
envahis de lourdeur quand elle se penchait sur les lits
des malades, et elle percevait leur frémissement, quand
elle marchait vite.

Enfin les choses se calmèrent. Zoé dit à la femme de
salle de s'installer à sa table, de n'admettre aucun visiteur dans les chambres, et de l'appeler s'il y avait quelque chose. Elle prit négligemment son ouvrage à broder
et Oleg la suivit dans la salle des médecins.

C'était une pièce d'angle, abondamment éclairée par
trois fenêtres. On n'aurait pu dire qu'elle avait été meublée avec un goût très heureux, car on y sentait trop la
main de l'intendant et celle du médecin-chef : les deux
divans qu'il y avait là n'étaient pas de simples divans
transformables, mais des divans tout à fait officiels avec
des dos à la verticule qui vous éreintaient le cou et des
miroirs disposés dans ces dos de divans où seules des gi-
rafes auraient pu se regarder. Les tables, elles aussi,
s'alignaient selon une ordonnance pesante et bureau-
cratique : la table présidentielle massive, recouverte
d'une épaisse plaque de verre organique et, perpendicu-
laire à elle, formant avec elle l'inévitable « T », la table
des délibérations. Cette dernière table semblait ornée à
la mode de Samarcande, elle était recouverte d'une nappe
de peluche couleur bleu azur et cette teinte azuréenne
égayait à elle seule la pièce. En outre, de confortables
petits fauteuils, qui n'avaient pas trouvé leur place autour de la table, étaient groupés capricieusement ici et
là, et cela aussi rendait la salle agréable.

Rien ici ne rappelait l'hôpital, hormis la gazette murale intitulée « Le cancérologue », et qui avait été composée en l'honneur du dernier anniversaire de la Révolution.

Zoé et Oleg s'assirent dans les confortables fauteuils, à
l'endroit le mieux éclairé de la pièce, là où se dressaient
sur leurs trépieds les hauts vases des agaves ; dans la
fenêtre principale, derrière la vitre d'un seul tenant,

s'enchevêtrait la ramure, d'un chêne qui s'élevait par-
delà le premier étage.

Oleg n'était pas simplement assis — de tout son corps
il ressentait le confort de ce fauteuil, la courbe accueillante qui épousait le dos, la félicité du cou et de la tête
qui pouvaient être rejetés plus loin en arrière.

« Quel luxe ! dit-il. Ça doit bien faire quinze ans que
je n'ai pas senti un tel luxe. »

(Si ça lui plaît tellement d'être dans un fauteuil, pourquoi donc n'en a-t-il pas acheté un ?)

« Au fait, quel vœu avez-vous fait ? » demanda Zoé
avec l'inclinaison de tête et l'expression des yeux qui
convenaient à cela.

Maintenant qu'ils s'étaient isolés dans cette pièce et
assis dans ces fauteuils avec le but unique de converser,
tout dépendait d'un seul mot, d'un seul regard : serait-ce
une conversation papillonnante, toute en glissades, ou
bien serait-ce une de ces conversations qui bouleversent
tout ? Zoé était toute prête au premier genre d'entretien
mais, en venant ici, elle avait pressenti quelque chose
comme le second.

Et Oleg ne la déçut pas. Enfoncé dans le fauteuil, sans
détacher sa tête, il prononça d'un ton solennel, comme
s'il s'adressait plus haut qu'elle, par-delà la fenêtre :

« Le vœu que j'ai fait... C'est qu'une certaine jeune
fille avec une frange blonde... vienne chez nous, sur les
terres vierges. »

Alors seulement, il la regarda.

Zoé soutint son regard.

« Mais quel sort attend votre jeune fille ? »

Oleg soupira.

« Je vous l'ai déjà raconté. Rien de bien gai. Pas d'eau
courante. Des fers à repasser au charbon de bois. Une
lampe à pétrole. Quand il fait humide : la boue ; quand
ça sèche : la poussière. Et jamais d'élégance. »

Il n'omit rien dans cette énumération de tous les
inconvénients comme s'il voulait lui enlever la possibilité
de rien promettre. Si l'on ne pouvait jamais être élé-
gante, alors, effectivement, quelle vie était-ce là ?

Cependant, la vie dans une grande ville avait beau être confortable, Zoé n'en savait pas moins qu'on ne vit pas avec une ville, mais avec un cœur. Et ce qu'elle voulait avant tout, ce n'était pas se représenter cette bourgade dans la steppe, mais comprendre cet homme.

« Je n'arrive pas à comprendre ce qui retient là-bas un homme comme vous. »

Oleg éclata de rire :

« Le ministère de l'Intérieur, si vous voulez savoir. »

Il était toujours enfoncé dans le fauteuil, la tête appuyée sur le dos du fauteuil, savourant cette détente.

Zoé se renfrogna.

« C'était ce que je soupçonnais. Mais, dites-moi, s'il vous plaît, vous n'êtes pourtant pas un Tchètchène ? Ni un Kalmouk [1] ?

— Dites plutôt un Russe à cent pour cent ! Vous m'autorisez à avoir des cheveux noirs ? »

Il porta la main à ses cheveux pour les redresser.

Zoé haussa les épaules.

« Mais alors, pourquoi donc êtes-vous obligé ?... »

Oleg eut un soupir.

« Mon Dieu ! Ce que la jeunesse peut être ignorante ! Nous non plus, au temps de notre jeunesse, nous n'avions pas la moindre idée du code pénal, et de tous les articles et différents paragraphes qu'il comprend, et comment on peut les interpréter de façon étroite ou large... Et vous, vous habitez ici, au cœur de tout ce territoire, et vous ne connaissez même pas la distinction entre un déporté-colon et un relégué administratif !

— Et quelle est-elle ?

— Eh bien, moi, je suis un relégué administratif. Je n'ai pas été déporté en raison de mon appartenance ethnique, mais à titre personnel, en tant que je suis Oleg Philémonovitch Kostoglotov. Vous comprenez ? ajouta-t-il en riant. Je suis un « citoyen personnellement

---

1. Zoé suppose que Kostoglotov appartient à une des nationalités déportées en masse par Staline. (N. du T.)

émérite » qui n'a pas sa place parmi les citoyens honnêtes. »

Les yeux d'Oleg jetèrent des éclats. Ils regardaient Zoé.

Mais Zoé n'eut pas peur. Ou plutôt, elle eut peur, mais c'était une peur surmontable.

« Et… à combien d'années d'exil vous êtes condamné ? » demanda-t-elle à voix basse.

Comme un tue-mouches qui bat l'air, la voix de Kostoglotov, cinglante, tonna :

« A perpétuité ! »

Elle en eut mal au oreilles.

« A vie ? reprit-elle dans un murmure.

— Non, pas à vie, à perpétuité ! » insistait Kostoglotov. Sur le papier c'était écrit en toutes lettres : à perpétuité. Si c'était à vie, alors on pourrait au moins rapatrier mon cercueil par la suite, mais c'est à perpétuité — c'est sûrement interdit de ramener le cercueil. Le soleil pourra s'éteindre, ça n'y changera rien à rien, l'éternité, c'est encore plus long. »

Maintenant, pour de bon, elle sentit son cœur se serrer. Ça n'était pas pour rien, cette cicatrice, et cet air cruel. C'était peut-être un meurtrier, un homme redoutable, il allait peut-être l'étrangler, ça ne lui coûterait rien… et elle qui s'était isolée avec lui de façon si inconsidérée !

Malgré tout, Zoé réprima le désir qu'elle avait de tourner son fauteuil de façon à pouvoir mieux s'enfuir en cas de besoin. Elle se contenta de se débarrasser de son ouvrage à broder (elle n'y avait pas encore touché). Et, en fixant hardiment son regard sur Kostoglotov, toujours mollement enfoncé dans le fauteuil, et qui ne donnait aucun signe de tension ou d'agitation, elle demanda tout émue :

« Si ça vous est trop dur, ne dites rien. Mais si vous le pouvez, répondez-moi : cette terrible condamnation, c'est pour quel crime ? »

Kostoglotov non seulement n'était pas accablé par la conscience de son crime, mais il répondit même avec un sourire de pleine insouciance :

« Il n'y a pas eu la moindre condamnation, petite Zoé…

J'ai été condamné à la relégation éternelle sur réquisition spéciale.

— Sur réquisition ?

— Oui, c'est comme ça qu'ils disent. C'est comme une facture qu'on envoie de la base au magasin : tant de sacs, tant de tonneaux, poids à vide, etc... »

Zoé se prit la tête entre les mains.

« Et ça a été comme ça pour tous ?

— Non, ce serait trop dire. Avec l'article 10 tout seul, on ne vous déportait pas. Mais si on avait le 11 en plus du 10, alors on vous déportait.

— Et en quoi ça consiste l'article 11 ?

— L'article 11 ? (Kostoglotov resta un moment à réfléchir.) Ecoutez, petite Zoé, je crois que je vous en raconte un peu trop. Prenez garde à ne pas faire mauvais usage de tout ce petit vocabulaire, sinon vous pourriez écoper vous aussi. Moi, j'ai eu une première condamnation en vertu de l'article 10 : sept ans ! Et vous pouvez me croire, quand on chopait moins de huit ans, c'est qu'il n'y avait vraiment rien du tout et que toute l'affaire était bâtie sur du vent. Seulement, il y avait aussi l'article 11, et l'article 11, ça veut dire appartenance à un groupe. En soi l'article 11 n'a pas à entraîner d'augmentation de peine. Seulement, puisqu'on formait un groupe, fallait bien nous séparer en nous déportant chacun dans son coin, et à perpète... Au moins on ne pourrait plus se réunir comme avant !... Vous comprenez, maintenant ? »

Non, bien sûr, elle n'y comprenait toujours rien.

« Mais alors... (elle baissa la voix), en somme c'était, comment appelle-t-on ça ? Une sorte de bande ? »

Brusquement Kostoglotov partit d'un grand rire sonore. Il s'arrêta et même se renfrogna tout à coup.

« Ça, c'est vraiment formidable ! Vous êtes comme mon juge d'instruction, le mot « groupe » ne vous satisfait pas. Lui aussi, il aimait nous appeler une « bande ». Eh bien, oui, nous étions une bande, une bande d'étudiants et d'étudiantes de première année... (Il lui jeta un regard menaçant.) Je suppose qu'ici c'est interdit de fumer, c'est même un crime, n'est-ce pas ? Mais je peux quand

même allumer une cigarette, ça ne vous fait rien ? Bon,
on se rassemblait, on flirtait avec les filles, on dansait,
et puis les garçons parlaient aussi de politique. Et même... ils parlaient de Lui, du Grand... Nous autres, voyez-
vous, on n'était pas satisfaits par ce qu'on voyait. On
n'était pas enthousiastes, quoi ! Nous étions deux à avoir
fait la guerre et on s'attendait plus ou moins à quelque
chose d'autre pour l'après-guerre. Juste avant les examens, en mai, on a tous été raflés, et les filles aussi. »

Zoé se sentait troublée... Elle reprit son ouvrage à
broder. D'une part, elle se rendait compte qu'il disait
des choses dangereuses ; et non seulement il ne fallait
les répéter à personne, mais elle n'aurait même pas dû
écouter, il aurait fallu se boucher les oreilles. Mais d'autre part, quel soulagement énorme d'apprendre que la
bande n'avait entraîné personne dans d'obscurs coupe-
gorge, qu'ils n'avaient tué personne !

Elle avala sa salive.

« Je ne comprends pas. Vous avez quand même *commis* quelque chose ?

— Comment ça, « commis quelque chose » ? dit-il en
tirant sur sa cigarette et en rejetant la fumée. (Comme
il était grand ! Et comme la cigarette paraissait minuscule !) Je vous l'ai déjà dit : nous étions étudiants. On
buvait du vin quand la bourse le permettait. On allait aux
soirées d'amis. Et puis, tous coffrés ! Les filles comme
les garçons... Elles ont eu droit à cinq ans. (Il la regarda
fixement.) Cinq ans... Essayez de vous représenter ce que
c'est. On vous prend juste à la veille des examens du
second semestre... Et hop ! En taule ! »

Zoé posa à nouveau son ouvrage.

Toutes les horreurs qu'elle s'apprêtait à lui entendre
dire n'étaient finalement, en un certain sens, même pas
horribles ; enfantines plutôt.

« Mais enfin, vous, les garçons, pourquoi aviez-vous
besoin de tout ça ?

— De quoi ? reprit Oleg qui ne comprenait pas.

— Eh bien... ce que vous disiez vous-même... D'être
mécontents... D'attendre Dieu sait quoi.

— Ah ! mais c'est vrai ! C'est bien vrai ça ! dit Oleg avec un rire soumis. Ça ne me venait même pas à la tête. Une fois de plus, vous êtes du même avis que mon juge d'instruction, ma petite Zoé. Il disait la même chose... Ça c'est un bon fauteuil ! Ça n'a rien à voir avec nos lits... »

Oleg se carra à nouveau, le plus confortablement possible, dans son fauteuil. Il fumait et contemplait d'un air renfrogné la grande fenêtre à la vitre massive.

On allait vers le soir, et pourtant le jour, jusqu'ici morose et égal, ne s'assombrissait pas, mais s'éclaircissait. La bande de nuages qui barrait le couchant, où donnait justement cette pièce d'angle, s'étirait de plus en plus et diminuait.

Alors seulement Zoé se mit sérieusement à sa broderie ; elle faisait les points avec un visible plaisir. Tous deux se taisaient. Oleg ne la complimenta point pour son ouvrage, comme il avait fait la fois dernière.

« Dites-moi... Et votre petite amie ? Est-ce qu'elle en était aussi ? demanda Zoé sans lever les yeux de son ouvrage.

— Oui..., dit Oleg en traînant sur le mot, comme s'il hésitait, ou qu'il pensât à autre chose.

— Et où se trouve-t-elle à présent ?

— A présent ? Dans la région de Iénisseï. »

Zoé releva les yeux rapidement.

« Mais alors, vous ne pouvez donc pas vous réunir ?

— Je n'essaie même pas », dit-il avec une sorte d'indifférence.

Zoé le regarda ; lui regardait par la fenêtre. Mais pourquoi donc ne l'épouse-t-il pas, là-bas, dans son patelin ?...

« C'est donc si difficile de se retrouver ? ajouta Zoé pour dire quelque chose.

— Pour ceux qui ne sont pas officiellement mariés, c'est presque impossible, dit Oleg d'un air distrait. Mais de toute façon, ça n'en vaut pas la peine.

— Vous n'avez pas une photo d'elle sur vous ?

— Une photo ? reprit Oleg avec étonnement. Les détenus n'ont pas le droit d'avoir des photos. On les déchire.

— Mais alors, comment était-elle ? »

Oleg sourit, plissa les yeux.

« Des cheveux qui lui tombaient sur les épaules ; et puis à leur extrémité, pfuit... ils se retroussaient vers le haut. Les yeux... toujours pleins de... pas de malice, comme les vôtres, non ! Toujours un peu tristes. A croire que l'homme pressent son propre destin, pas vrai ?

— Vous avez été ensemble au camp ?

— Non.

— Quand vous êtes-vous séparé d'elle, alors ?

— Cinq minutes avant mon arrestation... C'est-à-dire qu'on était en mai, vous comprenez ? J'étais resté long-temps chez elle dans le jardin. C'était une heure du matin, ou même plus tard. Je lui ai dit au revoir et je suis parti... Et au coin de la rue suivante, ils m'ont cueilli... Leur auto m'attendait juste au tournant.

— Et elle ?

— La nuit suivante.

— Et vous ne vous êtes plus vus ?

— Si, nous nous sommes vus encore une fois. Pendant la confrontation. J'avais déjà le crâne rasé. Ils s'atten-daient à ce que nous nous dénoncions l'un l'autre. On ne l'a pas fait. »

Il tortillait son mégot, ne sachant où le mettre.

« Tenez, là-bas ! » dit-elle en indiquant le cendrier ru-tilant qui marquait la place présidentielle.

Cependant les nuages du couchant étaient de plus en plus effilochés et déjà un soleil jaune tendre semblait sortir de ses langes. Même le visage têtu et endurci d'Oleg s'adoucit à cette lumière.

Zoé reprit avec un ton de compassion :

« Mais pourquoi est-ce que maintenant vous n'essayez pas ?

— Zoé..., dit Oleg avec fermeté, mais il marqua un instant de réflexion avant de continuer : vous pouvez quand même vous représenter un tout petit peu ce qui attend une jeune fille au camp, pour peu qu'elle soit jolie. Si elle n'est pas violée en chemin, dans le wagon à bestiaux, par les « droit commun » (ils auront d'ail-

leurs tout leur temps pour ça au camp), dès le premier
soir, tous les tire-au-flanc du camp, brigadiers libidineux
et surveillants en rut, s'arrangeront pour la faire mener
au bain, toute nue, devant eux... Et sur-le-champ elle sera
attribuée à l'un d'entre eux. Le matin suivant, on lui
proposera de vivre avec un tel et d'avoir du travail dans
un local propre et chauffé. Mais si elle refuse, ils essaie-
ront de lui mener la vie si dure qu'elle finira par venir
mendier son pardon en rampant. (Il ferma les yeux.)
Or elle n'est pas morte, elle a survécu, elle en est sortie
saine et sauve. Je ne lui reproche rien, je comprends.
Seulement... C'est fini... Elle aussi le comprend. »

Il y eut un silence. Le soleil transperça tout de sa
clarté et le monde entier, d'un seul coup, devint gai et
clair. Noirs et nets se découpèrent les arbres du square,
tandis que, dans la pièce, la nappe bleue parut s'embra-
ser et que les cheveux de Zoé devinrent comme de l'or.

« ... Une de nos compagnes s'est suicidée... Il en reste
encore une autre en vie... Trois des garçons sont morts...
Il y en a deux dont je ne sais plus rien... »

Il se pencha d'un côté, appuyé au bras du fauteuil, et
en balançant légèrement le corps, il récita :

> *L'ouragan a passé... Bien peu ont survécu...*
> *A l'appel des amis, combien ont répondu ?* [1]*...*

Le corps rejeté sur le côté, il semblait fixer le plancher. Et sa tignasse rebelle, au sommet du crâne, jail-
lissait dans tous les sens ! Deux fois par jour il devait
se mouiller la tête et lisser ses cheveux.

Il restait silencieux, mais Zoé avait maintenant entendu tout ce qu'elle désirait entendre. Il l'avait éclairée sur l'essentiel : c'était un homme enchaîné au destin de déporté — mais la raison n'en était pas le meur-
tre ; il n'était pas marié — mais la raison n'en était pas

---

1. Vers de Pouchkine. (N. du T.)

le vice ; bien des années après, il restait capable de parler avec tendresse de son ancienne fiancée, et, apparemment, c'était un homme apte au vrai bonheur.

Il restait silencieux et elle restait silencieuse, le regard tantôt baissé sur son ouvrage, tantôt levé sur lui. Il n'y avait rien en lui qui évoquât, ne fût-ce qu'un peu, une idée de beauté, mais elle ne lui trouvait rien d'affreux non plus, à présent.

Comme disait sa grand-mère : « Il ne te faut pas un beau gars mais un brave gars. » La fermeté et la force après tant d'épreuves, cela, Zoé l'avait clairement perçu en lui, une force éprouvée et qu'elle ne trouvait pas chez ses jouvenceaux habituels.

Elle continuait à broder et sentit tout à coup sur elle le regard scrutateur de Kostoglotov.

Elle lui répondit par un petit regard en dessous.

Il se mit à parler avec beaucoup d'intensité et il la subjuguait toujours plus par sa façon de voir.

« Qui dois-je appeler à moi ? Avec qui puis-je partager cette joie triste d'être resté en vie ?

— Ne venez-vous pas de le faire ? » dit-elle dans un murmure, et ses yeux et ses lèvres souriaient...

C'étaient des lèvres qui n'avaient pas l'air roses, et qui ne semblaient pas non plus maquillées. Elles étaient entre le pourpre et l'orange, couleur de feu pétillant.

La tendre lumière jaune du soleil déclinant avivait aussi le teint terreux, le visage hâve et maladif de Kostoglotov. Dans cette lumière chaude, il semblait qu'il ne dût pas mourir, mais Oleg secoua la tête comme le guitariste qui sort d'une chanson mélancolique et passe à un air gai.

« Allons, petite Zoé, accordez-moi une vraie fête ! J'en ai assez de ces blouses blanches. Faites-moi voir autre chose que l'infirmière, montrez-moi la jolie fille à la mode ! Vous savez bien que ce n'est pas à Ouch-Terek que j'en verrai !

— Mais où dénicher cette jolie fille ? se récria Zoé avec coquetterie.

— Vous n'avez qu'à enlever votre blouse pour un instant. Et à faire quelques pas. »

Il fit reculer son fauteuil, pour lui indiquer un endroit où marcher.

« Mais, c'est que je suis en service, répliqua Zoé, je n'en ai pas le droit... »

Avaient-ils trop longtemps parlé de choses lugubres ? Ou bien était-ce l'effet de ce soleil couchant crépitant gaiement de mille rayons, à travers la pièce ? Toujours est-il que Zoé ressentit une impulsion, une intuition qui lui disaient de faire cela et que tout irait bien.

Elle rejeta son ouvrage, sauta hors du fauteuil comme une petite fille et se mit à défaire ses boutons, légèrement penchée en avant, prise de hâte, comme si elle s'apprêtait non à une marche, mais à une course.

« Tiens, tire donc ! dit-elle en lui offrant son bras comme si elle lui jetait un objet. (Il tira et la manche glissa.) La seconde ! » ajouta-t-elle en pirouettant devant lui comme pour un pas de danse.

Il tira la seconde manche, la blouse tomba sur ses genoux. Elle s'avança dans la pièce. Elle marchait comme un mannequin en se penchant juste ce qu'il fallait, les bras tantôt relevés légèrement, tantôt agités du balancement de la marche.

Elle fit de la sorte quelques pas, puis se retourna et s'immobilisa, bras écartés.

Oleg tenait la blouse de Zoé serrée contre sa poitrine, comme s'il l'étreignait, et il la dévorait des yeux.

« Bravo ! lança-t-il bruyamment. Merveilleux ! »

Il y avait même dans l'embrasement de la nappe bleue, dans ce bleu ouzbek inépuisable et jailli du soleil, quelque chose qui recréait en lui les mélodies entendues la veille, ce chant de la redécouverte et de la vue recouvrée. Joie du fauteuil moelleux, joie de la pièce douillette — après mille ans de vie inorganisée, loqueteuse, désemparée ! Joie de contempler Zoé, joie de l'admirer et surtout joie décuplée de l'admirer non point abstraitement mais presque délictueusement... Et lui qui était mourant, il y avait quinze jours !

D'un air de victoire, Zoé remua ses lèvres de feu, avec une sorte de moue mi-coquine, mi-sérieuse, comme si elle retenait encore un certain secret, et elle refit en sens inverse le chemin jusqu'à la fenêtre. Elle se retourna à nouveau vers lui et s'arrêta dans la même position.

Il ne se leva pas, il resta dans son fauteuil, mais la broussaille noire de ses cheveux, qu'elle voyait d'en haut, avait l'air de venir à elle.

A de certains signes — que l'on ressent, mais que l'on ne saurait désigner — Zoé perçut une force, pas celle dont on a besoin pour déplacer les armoires, mais une autre, et cette force exigeait une force correspondante. Et Oleg se réjouissait, parce que, semblait-il, il saurait relever le défi, il serait capable de se mesurer à elle.

Toutes les passions vitales revenaient dans son corps en voie de guérison ! Toutes ! Toutes !

« Zoé ! dit Oleg d'une voix chantante, Zoé ! comment comprenez-vous votre nom ?

— Zoé — c'est la vie ! » répondit-elle en détachant les mots comme pour un slogan. Elle aimait cette explication. Adossée au rebord de la fenêtre, les mains dans le dos, elle était tout entière légèrement penchée d'un côté, le poids du corps reposant sur une jambe.

« Et le zoo ? Avec nos ancêtres du zoo, est-ce que vous ne ressentez pas parfois notre parenté ? »

Elle répondit sur le même ton, en éclatant de rire :

« Nous sommes tous parents avec eux, peu ou prou. Nous cherchons une nourriture, nous nourrissons nos petits. Est-ce si mal ? »

Et elle aurait sans doute mieux fait de s'en tenir là ! Mais elle, excitée par une exaltation si entraînante, si dévorante, comme elle n'en avait jamais rencontré chez les jeunes gens de la ville qui, tous les samedis, étreignaient autant de filles qu'ils voulaient, ne fût-ce qu'au dancing, elle ne résista pas à l'envie de projeter ses deux bras en l'air et, en claquant des doigts, elle se mit à se trémousser de tout son corps, car c'est ainsi qu'il fallait faire quand on chantait la chanson à la mode, extraite d'un film indien :

« A-va-raï-a ! A-va-raï-a ! »

Mais Oleg se rembrunit tout à coup et lui dit :

« Il ne faut pas ! Pas cette chanson-là ! Zoé ! »

Instantanément elle reprit un air de décence, comme si l'instant d'avant elle n'avait pas chanté, ne s'était pas trémoussée.

« Ça vient du film *Le Vagabond.* Vous l'avez vu ?

— Oui.

— C'est un film remarquable. Je l'ai vu deux fois ! (Elle y était allée quatre fois, mais, sans bien savoir pourquoi, elle n'osa pas l'avouer.) Ça ne vous plaît pas ? Pourtant, le Vagabond, c'est votre propre destin.

— Non, tout ce que vous voudrez sauf mon destin », répondit Oleg, tout renfrogné. Et il n'avait plus cette expression lumineuse d'auparavant, le soleil jaune avait cessé de l'éclairer, et l'on pouvait à nouveau voir qu'il était, malgré tout, un malade.

« Mais lui aussi est de retour de prison. Et toute sa vie est démolie.

— Sornettes que tout cela ! C'est un truand typique. Un « droit commun ».

Zoé allongea le bras pour reprendre sa blouse.

Oleg se leva, et tendit la blouse pour qu'elle l'enfilât.

« Alors, vous ne les aimez pas ? (Elle le remercia d'un hochement de tête ; maintenant elle se reboutonnait.)

— Je les déteste. (Son regard était perdu dans le lointain, cruel, et sa mâchoire eut un petit mouvement latéral, particulièrement désagréable.) Ce sont des créatures rapaces, ce sont des parasites, qui vivent toujours aux crochets des autres. Ça fait trente ans qu'on nous rebat les oreilles avec eux, en disant qu'ils se rééduquent, qu'ils sont « socialement proches » mais eux n'ont qu'un principe, celui de Hitler : tant qu'on ne te... (eux ont recours ici à des gros mots, et ça fait très frappant, mais ça ne change rien au principe), tant qu'on ne te tue pas, reste tranquille et attends ton tour ; c'est ton voisin qu'on dépouille et pas toi, alors reste tranquille, attends ton tour. Ils ne répugnent jamais à piétiner celui qui est déjà à terre, et nous, nous les aidons à forger leurs légendes, et jusqu'à leurs chansons qui parviennent à l'écran !

— De quelles légendes parlez-vous ? dit-elle en regardant en l'air, avec un air coupable.

— Faudrait un siècle pour tout vous raconter ! Tenez, en voici une, si vous voulez. (Maintenant, ils étaient tous deux debout près de la fenêtre. Oleg, sans aucun rapport avec les paroles qu'il disait, la prit impérieusement par les bras et il lui parlait comme à une cadette.) Afin de passer pour des brigands généreux, les truands se vantent toujours de ne pas détrousser les pauvres et de ne pas enlever aux détenus « la béquille sacrée », c'est-à-dire la ration minimum du prisonnier, et ils prétendent qu'ils ne volent que le surplus. Mais en 1947, au centre de transit de Krasnoïarsk, dans notre taule, il n'y avait pas un seul « castor » c'est-à-dire qu'il n'y avait personne à qui on pût rien prendre. Les truands étaient presque la moitié. Ils avaient faim — et ils se mirent à confisquer tout le sucre et tout le pain à leur profit. La population de la taule était assez originale : une moitié de « droit commun », une moitié de Japonais et deux Russes seulement, deux politiques, moi et puis encore un aviateur, connu pour ses expéditions arctiques ; d'ailleurs il y avait une île dans l'océan Glacial qui continuait à porter son nom, tandis que lui était en taule. Eh bien, les truands nous ont tout fauché sans vergogne, aux Japonais et à nous deux, pendant trois ou quatre jours. Et puis voilà que les Japonais se donnèrent le mot (on pigeait rien à ce qu'ils se disaient) et en pleine nuit ils se relevèrent tous silencieusement, arrachèrent les planches de leurs bat-flanc, et au cri de « banzaï », ils se jetèrent tous sur les truands à bras raccourcis. Ce fut une rossée magnifique ! Fallait voir ça !

— Sur vous aussi ?

— Nous ? Et pourquoi donc ? Nous ne leur avions pas pris leur pain. Cette nuit-là, nous restâmes neutres, mais nos cœurs étaient avec le camp japonais. Le lendemain, l'ordre fut rétabli : nous eûmes nos rations de pain et de sucre. Mais voilà ce que fit l'administration de la prison : elle retira la moitié des Japonais de notre taule et elle nous ajouta un lot de truands frais et dispos pour

renforcer ceux qui s'étaient fait rosser. Alors les truands
se précipitèrent sur les Japonais ; ils avaient l'avantage
du nombre, et puis ils avaient aussi des couteaux, d'ailleurs ils ont toujours tout ce qu'il faut. Ils les ont battus
à mort, sauvagement — alors, l'aviateur et moi, on n'y
a plus tenu, on s'est joints aux Japonais.

— Contre les Russes ? »

Oleg lâcha les bras de Zoé, il se redressa. Ses mâchoires remuaient légèrement.

« Les truands ne sont pas des Russes pour moi ! »

Il leva la main, passa ses doigts sur sa balafre, comme
pour la frotter : depuis le menton, en travers du bas de
la joue, jusque dans le cou :

« C'est comme ça que j'ai attrapé un coup de couteau. »

CHAPITRE XIII

ET LES OMBRES AUSSI...

PENDANT la nuit de samedi à dimanche, la tumeur de Paul Nikolaïevitch ne diminua pas du tout et ne ramollit même pas. Avant même de se lever, Paul Nikolaïevitch le savait déjà. Il avait été réveillé très tôt par le vieil Ouzbek, dont la toux repoussante l'assourdit dès le lever du jour et pendant toute la matinée.

Par la fenêtre, il vit blanchir le même jour morose et figé que la veille et l'avant-veille, mais plus affligeant encore. Le berger kazakh était, depuis le matin et même bien avant, assis en tailleur sur son lit et se tenait immobile comme une souche. Aujourd'hui il n'y avait pas de médecins à attendre, on ne devait appeler personne pour lui faire des rayons ou un pansement, et le berger kazakh pourrait, si bon lui semblait, rester assis de la sorte jusqu'au soir. Le sinistre Ephrem, à nouveau, était plongé dans son lugubre Tolstoï ; parfois il se levait pour arpenter le couloir, en ébranlant les lits, mais au moins il ne cherchait plus querelle à Paul Nikolaïevitch, ni à personne d'autre, d'ailleurs.

Quant à « Grandegueule », il avait filé, et de la journée entière on ne le vit dans la chambre. Le géologue, qui était un jeune homme agréable et bien élevé, lisait sa géologie sans gêner personne. Les autres occupants de la chambre se comportaient discrètement.

Paul Nikolaïevitch se sentait requinqué à l'idée que sa femme allait venir. Bien sûr, elle ne pouvait apporter aucune aide réelle, mais quel soulagement de pouvoir se confier à elle ! Lui dire comme il allait mal, que les piqûres n'y faisaient vraiment rien, et qu'il avait dans sa chambre des gens si désagréables ! Elle compatirait et ce serait déjà un soulagement. Il faudrait aussi lui demander d'apporter un livre ; lui aussi pourrait lire, par exemple un petit ouvrage contemporain bien enlevé. Et puis son stylo, aussi... c'était trop ridicule d'emprunter un crayon à un blanc-bec, comme hier, pour pouvoir noter un nouveau remède. Ah oui, c'était ça l'essentiel : faire venir ce champignon, le champignon des bouleaux.

En fin de compte, rien n'était perdu... Si le remède n'y faisait rien, il y aurait bien d'autres moyens. L'essentiel était de se sentir véritablement un homme, un Homme avec une majuscule. Et d'être optimiste.

Lentement, bien lentement, Paul Nikolaïevitch se faisait malgré tout à sa vie d'ici. Après le petit déjeuner, il acheva la lecture du rapport sur le budget dans le journal de la veille. Le journal du jour arriva sur ces entrefaites, diligemment distribué. Ce fut Diomka qui le reçut, mais Paul Nikolaïevitch exigea qu'on le lui remît ; aussitôt, il repéra et lut avec satisfaction un article sur la chute du gouvernement Mendès France (il n'avait qu'à ne pas faire le malin ! ne pas essayer de faire passer ces « accords de Paris » !), il se réserva pour plus tard un grand article d'Ehrenbourg (depuis les années de guerre, il appréciait le rôle public de cet écrivain, en dépit de quelques « entorses » commises par lui, mais corrigées en temps utile par la presse centrale), enfin il s'absorba dans la lecture d'un article sur la mise en application des décisions du Plénum de janvier, visant à un accroissement considérable des produits d'élevage.

Ainsi s'écoula la journée de Paul Nikolaïevitch, jusqu'à ce qu'une des femmes de salle vienne annoncer que la femme de Roussanov était là. En règle générale, les malades alités avaient droit à recevoir les visites de la famille dans les chambres, mais Paul Nikolaïevitch ne se sentait pas à cet instant la force d'aller faire valoir qu'il était un malade alité ; d'ailleurs, ce serait plus agréable pour lui de laisser là tous ces gens moroses et découragés et de se rendre dans le vestibule. Aussi, Roussanov enroula autour de son cou une écharpe bien chaude et descendit.

Il n'est pas donné à tous les maris qui sont à un an de leurs noces d'argent d'avoir une épouse aussi charmante qu'était Capitoline Roussanov. Pendant toute sa vie, Paul Roussanov n'avait pas eu d'être plus proche ; avec personne d'autre il n'avait pu si bien partager joies et succès, ou méditer sur les échecs. Capitoline était un ami fidèle, une femme très énergique et intelligente (« elle vaut à elle seule un soviet rural », disait souvent avec orgueil Paul Nikolaïevitch à des amis). Paul Nikolaïevitch n'avait jamais senti la nécessité de lui être infidèle, et elle non plus n'avait jamais commis d'infidélité. Il est faux de prétendre qu'en s'élevant dans l'échelle sociale, un homme se met à avoir honte de sa jeunesse. Quelle ascension cela avait été depuis leur mariage ! (elle était ouvrière dans la même fabrique de macaroni que lui, à l'atelier de pétrissage où ils avaient tous deux débuté ; mais déjà avant leur mariage, lui s'était hissé jusqu'au comité de l'usine ; puis il s'était spécialisé dans les questions de sécurité ; puis, par la filière du Komsomol, il avait été envoyé en renfort dans l'organisation syndicale du commerce soviétique ; puis encore, pendant un an, il avait été directeur d'une école secondaire d'usine)... Et, malgré tout, pendant cette ascension, leurs convictions ne s'étaient pas désagrégées, leurs sympathies prolétariennes n'avaient pas déteint. Les jours de fête, quand ils avaient un peu bu et quand les convives étaient un public simple, les Roussanov aimaient à se rappeler leur passé d'ouvrier, et à chanter en chœur la vieille chanson ouvrière *Les Briquetiers*.

Dans le vestibule, Capitoline, avec son imposante corpulence, son double renard argenté, son sac à main grand comme un cartable et son fourre-tout de ménagère rempli de provisions, occupait à elle seule trois bonnes places du banc qui était dans le coin le mieux chauffé.

Elle se leva pour embrasser son mari de ses lèvres chaudes et molles, puis elle le fit asseoir à côté d'elle, en l'installant sur un pan de sa propre pelisse afin qu'il ait plus chaud.

« J'ai apporté une lettre », dit-elle avec une grimace de la lèvre inférieure et, à ce rictus familier, Paul Nikolaïevitch conclut aussitôt que c'était une lettre désagréable. Alors qu'en toutes choses Capitoline faisait preuve de sang-froid et de pondération, elle n'avait jamais su se défaire de cette unique faiblesse féminine qui consistait, quand il y avait quelque chose de nouveau, bon ou mauvais, à toujours lâcher le morceau avant l'heure.

« Bon, ça va, dit Paul Nikolaïevitch d'un ton fâché, dis tout, achève-moi ! Si c'est important, autant m'achever tout de suite. »

Mais, après sa gaffe, Capitoline se sentait délivrée et elle avait recouvré sa capacité de parler comme un homme.

« Mais non, mais non, c'est des sottises ! dit-elle en se repentant de ses paroles hâtives. Eh bien, comment vas-tu ? Comment ça va, mon chéri ? Pour ce qui est de la piqûre, je sais tout : j'ai téléphoné à l'infirmière en chef vendredi et puis encore hier matin. S'il y avait eu quoi que ce soit, je serais accourue aussitôt. Mais on m'a dit que tout s'était bien passé, n'est-ce pas ?

— La piqûre a très bien marché, confirma Paul Nikolaïevitch qui était satisfait de sa propre endurance. Seulement, quelle atmosphère, ma chérie ! Quelle atmosphère ! » (Et, aussitôt, toute l'atmosphère du lieu, les vexations et les contrariétés, à commencer par Ephrem et « Grandegueule », lui revinrent d'un coup à l'esprit.) Incapable de décider par quoi commencer ses plaintes, il poursuivit avec amertume : « Si seulement on pouvait avoir des waters séparés ! J'en suis malade ! Il faut voir les cabinets qu'il y a ici ! Pas la moindre séparation ! On voit tout le monde. »

(L'usage des bains publics et des latrines communes sape inévitablement l'autorité du travailleur. A son lieu de travail, Roussanov allait toujours à un autre étage et jamais dans les waters ouverts à tous.)

Capitoline comprenait à quel point tout cela lui pesait et elle voyait qu'il avait besoin de se soulager, aussi elle n'interrompit pas le récit de ses plaintes ; au contraire, elle l'orientait vers de nouvelles plaintes ; et, de la sorte, petit à petit, il put énumérer tous ses griefs, jusqu'au plus primitif et au plus désespéré de tous, celui qui concernait les médecins : « Pourquoi donc paie-t-on ces gens-là ? » Elle le questionna abondamment sur ce qu'il avait senti pendant et après la piqûre, elle lui demanda s'il sentait sa tumeur et, découvrant son écharpe, elle l'examina et dit même qu'à son avis il y avait une légère, très légère diminution.

Non, il n'y avait pas de diminution, Paul Nikolaïevitch le savait bien, néanmoins il lui était agréable d'entendre dire que, peut-être, sa tumeur avait quand même diminué.

« De toute façon, elle n'a pas grossi, n'est-ce pas ?

— Mais non, tout sauf ça ! Bien sûr qu'elle n'a pas grossi ! affirmait Capitoline avec conviction.

— Si seulement elle s'arrêtait de pousser ! dit, ou plutôt supplia Paul Nikolaïevitch, et il avait des larmes dans la voix. Si seulement elle s'arrêtait de pousser ! Sinon, à grandir comme ça pendant encore une semaine... Et si c'était vraiment... »

Non ! dire le mot fatal, jeter un regard de ce côté-là, vers le précipice noir, il ne le pouvait pas ! Mais comme il était malheureux ! Et comme tout cela était gros de dangers !

« Maintenant, la prochaine piqûre est pour demain. La suivante pour mercredi. Mais si ça ne donne rien ? Que faire alors ?

— Eh bien, on va à Moscou ! dit Capitoline d'un

ton résolu. Décidons comme ça : si les deux piqûres suivantes ne font rien, alors c'est l'avion et Moscou. Rappelle-toi, tu as téléphoné vendredi, et ensuite c'est toi-même qui as annulé, mais moi j'avais déjà passé un coup de fil aux Chendiapine et j'étais allée chez les Alymov, et Alymov avait lui-même téléphoné à Moscou ; et il en ressortait que, jusqu'à une date récente, ta maladie n'était soignée qu'à Moscou et qu'on envoyait tout le monde là-bas. Seulement, tu vois, il a fallu qu'eux-mêmes entreprennent de soigner ça ici, histoire de caser les cadres autochtones ! Quel droit ont-ils de parler production et pourcentage quand le matériau qu'ils ont, c'est l'homme vivant ? Je hais les médecins, qu'on le veuille ou non !

— Bien sûr, bien sûr ! acquiesça Paul Nikolaïevitch avec amertume. Bien sûr... Je le leur ai déjà dit, à ceux d'ici.

— Les professeurs aussi, je les déteste ! Ce que j'ai pu me faire de mauvais sang à cause de notre Maïka ! Et pour Lavrik, donc ! »

Paul Nikolaïevitch frotta les verres de ses lunettes.

« Ça se comprenait, à la rigueur, de mon temps, quand j'étais directeur. A cette époque-là, les enseignants étaient tous hostiles, il n'y en avait pas un qui fût des nôtres et notre mission première, c'était de les mettre au pas. Mais maintenant... maintenant on devrait pouvoir leur demander autre chose ?

— Bon, alors écoute-moi ! Pour toutes ces raisons, il n'y aura guère de difficultés à te faire envoyer à Moscou, la piste n'est pas abandonnée, on trouvera toujours les justifications. D'ailleurs, Alymov s'est déjà arrangé pour que là-bas on s'arrange à ton sujet et qu'on t'envoie dans un endroit pas mal du tout. Alors ?... On attend la troisième piqûre ? »

Leur plan une fois bien défini, Paul Nikolaïevitch se sentit tout rasséréné. Tout plutôt que l'attente soumise dans ce trou renfermé ! Toute leur vie, les Roussanov avaient été des gens d'action, des gens d'initiative et seule l'initiative assurait leur équilibre moral.

Aujourd'hui, ils n'avaient pas à se hâter, et tout le bonheur de Paul Nikolaïevitch consistait à rester le plus longtemps possible assis à côté de sa femme, et à ne pas retourner dans sa chambre. Il avait un peu froid, parce qu'on ouvrait incessamment la porte extérieure ; aussi, Capitoline Matvéïevna retira le châle qu'elle portait sur ses épaules, par-dessous son manteau, et elle l'en emmitoufla. Le hasard fit que leurs voisins de banc étaient eux aussi des gens bien, corrects ; ils purent ainsi rester un peu plus longtemps.

Sans se presser, ils passèrent en revue les différents problèmes de la vie courante que la maladie de Paul Nikolaïevitch avait laissés pendants. Ils n'évitèrent qu'un sujet, qui était pourtant l'essentiel, la menace, suspendue au-dessus d'eux, d'une issue fatale à la maladie. A cette issue-là, ils ne pouvaient opposer aucun plan, aucune entreprise, aucun éclaircissement. A cette issue, ils n'étaient en aucune manière préparés — et cela même rendait une telle issue impossible. (A vrai dire, Capitoline Matvéïevna était de temps à autre effleurée par certaines idées, certaines appréhensions matérielles ou soucis d'appartement dans l'éventualité de la mort de son mari, mais tous deux étaient à ce point imprégnés d'optimisme, que mieux valait laisser ces choses-là en leur état actuel d'enchevêtrement plutôt que de se tourmenter à l'avance avec ces questions ou de se démoraliser avec des histoires de testament.)

Ils parlèrent des coups de téléphone qu'avaient donnés à Capitoline Matvéïevna tous les collaborateurs de Paul Nikolaïevitch à la Direction industrielle, des questions qu'ils avaient posées, des souhaits qu'ils avaient formulés. (Paul Nikolaïevitch avait été muté deux ans auparavant du « contrôle spécial » des usines à cette Direction. Bien sûr, il n'assumait pas personnellement les questions de direction technique, parce qu'il n'avait pas de penchant personnel aussi étroit ; c'était les ingénieurs et les économistes qui coordonnaient tout ça, mais ces ingénieurs et ces économistes étaient eux-mêmes soumis au « contrôle spécial » et ça, c'était la

partie de Roussanov.) Tous ses collaborateurs l'aimaient
et il était agréable d'apprendre aujourd'hui à quel point
sa santé les inquiétait.

Ils parlèrent aussi de ses espoirs de pension. Pour
bien des raisons, il était apparu qu'en dépit d'un long
et irréprochable service à des postes en vue, en tant
que cadre et dans le « contrôle spécial », il ne pourrait
sûrement pas réaliser le rêve de sa vie : obtenir une
pension « hors cadre ». Et même, la pension avantageuse
qu'accordait l'organisme dont il dépendait — avantageuse tant par son montant que par des délais exceptionnellement courts — même cela lui serait peut-être
refusé pour la seule raison qu'en 1939 il ne s'était pas
décidé, comme on l'y appelait, à endosser l'uniforme
militaire. C'était dommage, mais peut-être qu'avec la
situation instable des deux dernières années, il ne fallait
rien regretter. Peut-être que la tranquillité valait mieux...

Ils abordèrent aussi un autre sujet : le désir général
qu'avaient les gens de vivre mieux, désir qui se manifestait de plus en plus clairement ces dernières années
dans le vêtement, l'ameublement et l'aménagement des
appartements ; ce qui amena Capitoline Matveïevna à
suggérer que, si le traitement devait réussir, tout en se
prolongeant, comme on les en avait prévenus, un mois
et demi à deux mois, il serait opportun de mettre à
profit cette période pour faire refaire leur appartement.
Il y avait un tuyau dans la salle de bain qu'ils devaient
depuis longtemps faire déplacer, l'évier à changer de
place dans la cuisine, les murs des waters à faire car-
reler, et puis, dans la salle à manger et les pièces réservées à Paul Nikolaïevitch, il fallait rafraîchir les pein-
tures : on changerait la couleur (elle avait déjà examiné
la question) et on devrait sûrement faire un faux plafond doré, c'était tout à fait à la mode. Paul Nikolaïevitch ne s'opposait à rien de cela, mais il sentit tout
de suite surgir à son esprit une question irritante ; les
ouvriers auraient beau être délégués et payés par une
entreprise d'Etat, ils allaient sûrement extorquer, pas
demander, mais bel et bien extorquer un pourboire sup-

plémentaire des « patrons » comme ils disaient. Il ne
s'agissait pas de l'argent (quoique ce fût quand même
dommage !) mais il y avait plus grave et plus irritant,
aux yeux de Paul Nikolaïevitch ; c'était là une vraie
question de principe : pourquoi ces pourboires ? Pourquoi est-ce que lui recevait un salaire et ses primes,
mais ne demandait ni pourboire ni supplément, alors
que ces pseudo-ouvriers sans conscience voulaient toucher de l'argent en plus de leur argent ? C'était une
entorse aux principes, une concession inadmissible au
monde petit-bourgeois et à sa capacité naturelle. Paul
Nikolaïevitch s'alarmait chaque fois que la question revenait :

« Dis-moi, Capitoline, pourquoi sont-ils si indifférents
à l'honneur ouvrier ? Pourquoi est-ce que nous, quand
nous étions à l'usine de macaroni, nous ne posions pas
de conditions et ne tendions pas la main ? D'ailleurs,
est-ce que l'idée nous en serait même venue ?... Nous
devons nous refuser à tout prix de les pervertir ! Quelle
différence y a-t-il entre ça et des pots-de-vin ? »

Capitoline était d'accord, mais elle émit l'appréhension
que, si on ne les payait pas, si on ne leur « glissait » rien
au début et au milieu du travail, ils se vengeraient sûrement, feraient sûrement quelque chose de travers ; et
après, qui s'en repentirait ?

« On m'a raconté qu'un colonel à la retraite n'avait
pas voulu en démordre, il leur avait dit : « Je ne vous
« donnerai pas un kopeck en plus ! » Eh bien, les ouvriers lui ont fourré un rat crevé dans l'écoulement de
la baignoire — ce qui fait que l'écoulement marchait
mal et que la baignoire puait. »

Pour finir, ils ne décidèrent rien concernant les travaux à faire. La vie est chose compliquée, bien compliquée, de quelque côté qu'on la prenne.

Ils parlèrent de Ioura. C'était leur fils aîné, mais, en
grandissant, il était devenu timoré et comme sans défense ; il n'avait pas la poigne de Roussanov. On lui
avait ménagé une spécialisation en droit, et, à la fin de
ses études, on lui avait trouvé une bonne place, mais il

fallait reconnaître qu'il n'était pas fait pour ce travail.
Il ne savait ni assurer ses arrières ni se faire des
connaissances utiles. Il allait sûrement, pendant sa première mission, faire bêtise sur bêtise. Paul Nikolaïevitch
s'inquiétait beaucoup. Quant à Capitoline Matveïevna,
elle s'inquiétait de le marier. Qui l'avait obligé à apprendre à conduire ? C'était papa ! Qui allait lui procurer un
appartement séparé ? C'était papa ! Mais qui l'avait à
l'œil et le remettrait sur les bons rails pour qu'il ne se
marie pas à tort et à travers ? Un garçon naïf comme
lui, c'était clair, n'importe quelle ouvrière du combinat
des textiles lui mettrait le grappin dessus. Bon, admettons qu'il n'avait pas d'endroit où rencontrer ladite ouvrière, qu'il ne fréquentait pas les mauvais lieux, mais
maintenant, pendant cette mission ? Et dire qu'il suffisait de si peu, une simple formalité irréfléchie à la mairie, pour gâcher non seulement la vie d'un jeune homme,
mais tous les efforts d'une famille, des dizaines d'années
d'efforts ! C'était comme chez les Chendiapine, leur petite
fille avait failli épouser un camarade de classe qui venait
de la campagne, sa mère était une simple kolkho-
zienne ! Fallait se représenter ça ! L'appartement des
Chendiapine, leur installation, et tous les hauts respon-
sables qu'ils recevaient chez eux ; et puis aussi, il aurait
fallu admettre à leur table cette vieille en fichu blanc,
qui n'avait jamais eu de passeport pour aller dans les
villes, et ç'aurait été la belle-mère !... C'était vraiment la
fin de tout... Heureusement, on avait réussi à faire blâ-
mer le fiancé devant le Komsomol, cela avait sauvé la
fille.

Avec leur fille Aviette, c'était une tout autre histoire.
Aviette était la perle de la famille Roussanov. Ses père
et mère n'auraient su se rappeler la moindre circonstance où elle leur ait causé souci ou chagrin, sauf, bien
sûr, des espiègleries d'écolière. Aviette était jolie fille,
mais aussi une fille sensée et énergique qui comprenait
très bien la vie et savait comment la prendre. Avec elle,
pas besoin de rien vérifier, ni de s'inquiéter de rien !
Elle était incapable de faire un faux pas dans les petites

comme dans les grandes affaires. Il n'y avait qu'une chose : elle en voulait à ses parents pour son prénom. Elle ne voulait plus, soi-disant, de ce nom fantaisiste, elle voulait qu'on l'appelât maintenant Alla. Mais le nom inscrit dans son passeport intérieur était : Aviette Roussanov. Pourquoi se fâcher ? C'était un beau nom ! Pour Aviette, les vacances s'achevaient ; mercredi, elle reviendrait de Moscou en avion et viendrait aussitôt voir son père malade.

Avec les prénoms, on avait toujours des ennuis : les exigences de la vie changent, mais les prénoms restent pour toujours. Voilà que Lavrik s'offusquait à son tour de son prénom... Pour l'instant, à l'école, c'était Lavrik, Lavrik tout court et personne ne se moquait de lui. Mais cette année, il faudrait qu'il se fasse faire son passeport intérieur ; or, quel prénom y inscrirait-on ? Laurent Pavlovitch ! Il y avait eu une époque où, le plus intentionnellement du monde, les parents Roussanov s'étaient dit : on va lui donner le prénom de Béria, du compagnon inflexible de Staline et ça lui servira de modèle pour la vie. Seulement, maintenant, depuis presque deux ans, si on prononçait à voix haute « Laurent Pavlovitch », les gens devenaient tout de suite méfiants. La seule façon de s'en tirer, c'était, comme le voulait à toute force Lavrik, d'entrer dans une école militaire parce que, dans l'armée, on appelait les hommes par leur nom de famille...

Au fond, si l'on osait élever un murmure, la vraie question c'était : pourquoi avait-on fait tout cela ? Dans le milieu des Chendiapine, on ne pensait pas autrement, même si on gardait ses réflexions pour soi. Car, même si l'on admettait que Béria avait été un homme à double face, un nationaliste bourgeois, et qu'il avait tenté de s'emparer du pouvoir, eh bien, d'accord, jugez-le, fusillez-le en secret, mais à quoi bon tout déclarer au menu peuple ? Pourquoi faire chanceler sa foi ? A quoi bon susciter les doutes ? En fin de compte, on aurait pu répercuter la chose jusqu'à un certain niveau, par lettre confidentielle communiquée aux organes du parti ; et,

dans cette lettre, on aurait tout expliqué, alors que, dans
les journaux, on leur aurait laissé croire qu'il était mort
d'un infarctus. Et on l'aurait enterré avec les honneurs.

Ils parlèrent aussi de Maïka, la benjamine. Cette
année-ci les bonnes notes de Maïka avaient terni ; non
seulement, elle n'était plus félicitée et on l'avait enlevée
du Tableau d'Honneur, mais elle n'avait presque plus
de notes convenables. Tout ça venait de son passage en
sixième. Dans les petites classes, Maïka avait toujours
eu la même institutrice, qui la connaissait bien, qui
connaissait les parents — et Maïka avait des résultats
remarquables. Mais, cette année, elle avait une vingtaine
de professeurs spécialistes de chaque matière ; le professeur ne les avait qu'une heure par semaine, il ne
s'occupait que de son programme et tout le reste, les
traumatismes subis par l'enfant, les altérations du caractère — est-ce qu'il y pensait seulement ? Heureusement que Capitoline Matveïevna savait ne pas ménager
ses forces et qu'elle remettait de l'ordre dans cette école
grâce au Conseil de parents. Quoique, bien sûr, l'ordre
était de toute façon compromis par la nouvelle réforme...
A quoi bon un enseignement mixte ? Pourquoi renoncer
à une séparation sévère, qui était un des meilleurs résultats de la pédagogie soviétique à sa maturité ?

Ainsi abordèrent-ils tous les sujets, ainsi parlèrent-ils
de longues heures, mais leurs langues s'affairaient mollement, car chacun des deux sentait, mais cachait à
l'autre, que ces conversations ne touchaient pas à l'essentiel.

A l'intérieur de lui-même, Paul Nikolaïevitch sentait
que tout était affaissé ; impossible de croire à la réalité
des gens et des choses dont ils avaient débattu ; il n'avait
envie de rien faire et même le mieux de tout à présent
eût été de se coucher, de blottir la tumeur contre l'oreiller, et de se cacher sous le drap.

Quant à Capitoline Matveïevna, elle avait dû se dominer pendant toute la conversation parce qu'il y avait
dans son sac cette lettre brûlante reçue aujourd'hui
même de son frère Minaï qui habitait à K. K. était la

ville où les Roussanov avaient vécu jusqu'à la guerre,
c'est là qu'ils avaient passé leur jeunesse, là qu'ils
s'étaient mariés, et tous leurs enfants étaient nés là.
Mais, pendant la guerre, ils avaient été évacués ici et
n'étaient plus retournés à K. Ils avaient pourtant réussi
à transmettre l'appartement au frère de Capitoline
Matveïevna.

Elle comprenait que son mari n'était pas d'attaque
en ce moment pour des nouvelles pareilles ; mais, par
ailleurs, ce n'était vraiment pas le genre de nouvelle
que l'on peut confier à une simple connaissance, fût-ce
un bon ami. Dans toute la ville, il n'y avait pas un seul
être humain à qui raconter cela, et expliciter tout le
fond de l'affaire. Au vrai, alors qu'elle réconfortait son
mari du mieux qu'elle pouvait, elle-même avait besoin
d'être soutenue ! Elle ne pouvait pas vivre seule à la
maison en gardant pour elle cette nouvelle. Parmi les
enfants, il n'y avait guère qu'Aviette à qui, peut-être, on
pourrait tout raconter et expliquer. A Ioura — impossible. Et de toute façon, pour cela, il fallait consulter son
mari.

Mais lui, plus il tardait à la quitter, plus il s'affaiblissait et plus il semblait impossible de parler avec lui de
l'essentiel.

D'ailleurs, il allait falloir, de toute façon, qu'elle re-
parte et, prenant son grand fourre-tout à provisions,
elle se mit à en extraire et à montrer à son mari tout
ce qu'elle lui avait apporté à manger. Les manches de
sa pelisse étaient si généreusement garnies de renard
argenté qu'elles entraient à peine dans l'ouverture
béante du sac.

C'est alors, en voyant les provisions (il lui en restait
déjà bien assez dans sa table de nuit), que Paul Nikolaïevitch se souvint d'autre chose, quelque chose de plus
important que la nourriture et la boisson, quelque chose
dont il aurait dû parler tout de suite — il se souvint
de la « tchaga », du champignon du bouleau ! Et, comme
revigoré, il se mit à parler à sa femme de ce remède-
miracle, de cette lettre et de ce docteur (c'était peut-être

un charlatan) et dit qu'ils devaient tout de suite trouver
quelqu'un à qui écrire et lui demander de cueillir pour
eux une provision de ces champignons.

« Tu te rappelles, chez nous, dans les environs de K., il
y a des champignons autant qu'on en veut. Qu'est-ce que
ça coûterait à Minaï de m'organiser ça ? Ecris tout de
suite à Minaï ! Et puis à d'autres encore ! On a quand
même de vieux amis, ils peuvent bien se démener un
peu ! Qu'ils sachent tous dans quelle situation je suis ! »

Ça y était ! C'était lui-même qui avait mis la conversation sur Minaï et sur K. ! Capitoline Matveïevna esquissa le geste de prendre la lettre dans son sac ; elle
ne la prit pas, car la lettre écrite par son frère contenait
trop d'expressions terribles, mais elle poussa du doigt
le fermoir du sac, puis le laissa revenir avec un
claquement métallique, et elle dit :

« Tu sais, chéri, pour ce qui est de sonner l'alarme à
notre sujet à K., je crois qu'il faut réfléchir... Minaï
m'a écrit... Peut-être bien que ça n'est pas encore sûr...
Mais il dit qu'on a revu dans la ville Roditchev... Et
même qu'il serait ré-ha-bi-li-té... Est-ce que tu y crois
à ça, toi ? »

Le temps de prononcer ce mot long et si repoussant :
« ré-ha-bi-li té », le temps de se pencher en avant pour
jeter un coup d'œil vers son sac et, cette fois-ci, prendre
la lettre, Paul Nikolaïevitch, sans que Capitoline s'en
aperçût, était devenu plus blanc qu'un linge.

« Qu'as-tu donc ? s'écria-t-elle, plus épouvantée encore
qu'elle n'avait été épouvantée par la lettre elle-même.
Qu'est-ce que tu as ? »

Il s'était rejeté en arrière, contre le dos du banc, et
il ramenait le châle sur lui, avec un geste de femme.

Peut-être que ça n'est pas vrai ! (Reprenant ses
esprits, elle l'empoigna aux épaules de ses deux mains
vigoureuses ; une de ses mains tenait encore le sac,
et on avait l'impression qu'elle essayait de le lui accrocher à l'épaule.) Peut-être il n'y a encore rien ! Minaï
ne l'a pas vu lui-même. Mais c'est ce qu'on raconte... »

La pâleur de Paul Nikolaïevitch s'estompait peu à

peu, mais il se sentait tout faible — dans les reins, les épaules ; ses mains aussi flageolaient ; quant à sa tête, elle était toute déjetée sur le côté par la tumeur.

« Pourquoi me l'as-tu dit ? souffla-t-il d'une voix mourante. Est-ce que je ne suis pas assez malheureux comme ça ?... Est-ce que je ne suis pas assez malheureux ?... (et deux fois, le même sanglot sans larmes secoua sa poitrine et sa tête).

— Pardonne-moi, chéri ! Pardonne-moi, mon petit chéri ! (Elle le tenait par les épaules, tandis qu'elle-même secouait sans fin sa coiffure bouclée qui lui faisait une crinière cuivrée.) C'est que, moi aussi, j'en perds la tête, comprends-tu ? Est-ce que vraiment il peut maintenant reprendre sa chambre à Minaï ? Non, ça n'est pas possible. Où irions-nous ? Tu te rappelles, nous avions déjà entendu parler de deux cas de ce genre.

— Qu'est-ce que tu me parles de cette chambre ? Qu'il la reprenne, cette chambre maudite ! » répondit Paul Nikolaïevitch d'une voix pleurante et étouffée.

CHAPITRE XIV

LA JUSTICE

ROUSSANOV avait tellement espéré de cette visite qu'elle lui redonnerait enfin un peu de courage ! Or, il était encore bien plus écœuré qu'avant : Capitoline aurait mieux fait de ne pas venir du tout. Il montait l'escalier en chancelant, en s'accrochant à la rampe et il sentait les frissons le parcourir de plus en plus. Capitoline n'avait pu l'accompagner en haut tout habillée ; il y avait une fainéante de fille de salle qu'on avait mise là spécialement et qui l'en avait empêchée ; aussi Capitoline avait enjoint à la fille d'accompagner Paul Nikolaïevitch jusqu'à son lit et de lui porter le sac de provisions ! A la table de l'infirmière de service, il y avait cette Zoé aux gros yeux qui, le premier soir, avait, Dieu sait pourquoi, plu à Roussanov et qui, maintenant, retranchée derrière une de journaux, était assise à coqueter avec ce malotru de Kostoglotov en se souciant bien de ses malades ! Roussanov lui demanda de l'aspirine ; d'un ton allègre, elle lui répondit comme d'habitude qu'on ne donnait de l'aspirine que le soir. Mais elle lui fit tout

de même prendre sa température. Un peu plus tard, elle
lui apporta quelque chose. Un produit en valait un autre ! Roussanov se coucha comme il rêvait de le faire :
sa tumeur dans l'oreiller (c'était étonnant, les oreillers
n'étaient pas durs et il n'avait pas été obligé d'en faire
venir un de chez lui), et il s'enfouit complètement sous
les draps.

Ses pensées se mirent si bien à s'agiter, à se débattre,
à se remplir de feu que tout le reste de son corps devint
insensible, comme anesthésié, et il cessa d'entendre les
sottes conversations de la chambrée ; le parquet ondulait sous les pas d'Ephrem, mais il n'en était plus conscient. Il ne voyait pas que le temps s'était mis au beau et
que le soleil s'était montré avant son coucher (seulement de l'autre côté du bâtiment). Il ne remarquait pas
l'envol des heures. Il s'endormait, peut-être sous l'effet
du médicament, puis se réveillait. A un moment, il se
réveilla quand l'électricité était déjà allumée, mais il
se rendormit. Puis, de nouveau, il se réveilla au milieu
de la nuit dans le calme et l'obscurité.

Et il sentit que le sommeil était parti, que son
enveloppe bienfaisante était tombée. Et l'effroi s'incrusta
alors dans la partie inférieure de sa poitrine, juste au milieu, et l'oppressa.

Et des pensées diverses — diverses — diverses — se
mirent à se presser et à se dérouler dans la tête de
Roussanov, dans la chambre et au-delà, dans toute l'immense obscurité.

Des pensées ? non, il avait peur, tout simplement. Il
avait tout simplement peur. Il avait peur que, le lendemain matin, Roditchev ne franchisse le barrage des
infirmières et des filles de salle, ne se précipite jusqu'à
lui et commence à le battre. Ce n'était pas la justice,
ce n'était pas le jugement de l'opinion publique, ni la
honte que craignait Roussanov, c'était simplement qu'on
le batte. On ne l'avait battu qu'une fois dans sa vie, à
l'école, en quatrième, sa dernière année : ils l'avaient
attendu le soir à la sortie, ils étaient venus le « cueillir » ;
personne n'avait de couteau, mais il avait toute sa vie

gardé cette sensation terrible — des poings osseux, cruels, qui arrivent sur vous de tous les côtés.

De même qu'un jeune homme mort reste pour nous pendant de longues années tel que nous l'avons vu pour la dernière fois (alors que, vivant, il serait déjà devenu un vieillard), ainsi Roditchev, qui, au bout de dix-huit ans aurait dû revenir invalide, peut-être sourd, peut-être tout tordu, — était imaginé par Roussanov sous l'aspect du gaillard bronzé qu'il revoyait avec ses poids et ses haltères, sur leur long balcon commun, le dimanche qui avait précédé l'arrestation. Roussanov et Capitoline avaient déjà écrit leur rapport contre lui, ils l'avaient déjà porté et remis, et Roditchev, torse nu, l'avait appelé.

« Paul ! Viens ici ! Tâte un peu ces biceps ! Mais n'aie pas peur, appuie ! Tu as compris maintenant ce que c'est qu'un ingénieur de la nouvelle école ? Nous ne sommes pas des rachitiques, des Edouard Khristoforovitch, nous sommes des hommes harmonieux. Quant à toi, tu t'étioles, tu te dessèches derrière ta porte capitonnée. Viens à l'usine avec nous, je te trouverai du travail à l'atelier, hein ? tu ne veux pas ?... Ha-ha ! »

Il éclata de rire et s'en fut se laver, en chantonnant : « Nous sommes les forgerons et notre cœur est jeune. »

C'est ce gaillard que Roussanov imaginait maintenant en train de faire irruption dans la salle, les poings levés. Et il ne pouvait pas décrocher de lui cette image fallacieuse.

Roditchev et lui avaient jadis été amis, dans la même cellule du Komsomol ; ils avaient reçu conjointement cet appartement de leur usine. Puis Roditchev s'était dirigé vers l'Université ouvrière et l'Institut, tandis que Roussanov se dirigeait vers le syndicalisme et le « service des fichiers ».

C'était leurs femmes qui avaient commencé par ne plus s'entendre ; eux avaient suivi. Roditchev parlait souvent à Roussanov sur un ton vexatoire. De plus, les Roussanov avaient commencé à manquer de place — deux enfants, une seule pièce. En somme, il y avait eu un concours de circonstances et, bien sûr, ils s'étaient énervés, et Paul Nikolaïevitch avait fourni contre lui les renseignements suivants : dans une conversation particulière avec lui, Roditchev avait montré qu'il approuvait l'activité du Parti industriel démantelé en 1930 et s'était proposé de rassembler autour de lui, à l'usine, un groupe de saboteurs.

Seulement, Roussanov avait instamment demandé que son nom ne figurât nulle part au dossier et qu'il n'y eût pas de confrontation : la peur l'étreignait à l'idée d'une telle rencontre. Mais le juge d'instruction lui avait garanti que la loi n'exigeait pas qu'on dévoile son nom et qu'une confrontation n'était pas nécessaire — on se contenterait des aveux de l'accusé. On pouvait même ne pas joindre au dossier la déclaration de Roussanov qui avait lancé l'affaire, si bien que l'accusé, en signant l'article 206, ne rencontrerait nulle part le nom de son voisin d'appartement.

Ainsi, tout aurait pu se passer le mieux du monde — s'il n'y avait pas eu Gouzoun, qui était dans leur usine le secrétaire du comité du Parti. On lui annonça d'en haut que Roditchev était un ennemi du peuple et qu'il devait être exclu du Parti par sa cellule de base. Mais Gouzoun refusa et se mit à tempêter, disant que Roditchev était un garçon de confiance et qu'il exigeait des données précises. Il avait tempêté pour son malheur : deux jours plus tard, pendant la nuit, il fut arrêté et, le lendemain matin, Roditchev et Gouzoun furent tous les deux exclus sans encombre, en tant que membres de la même organisation secrète contre-révolutionnaire.

Mais l'idée qui venait de traverser Roussanov comme un poignard, c'est que, durant les deux jours qu'on avait essayé de faire céder Gouzoun, on avait bien été obligé de lui dire que les renseignements venaient de Roussanov. Par conséquent, lorsque *là-bas* il avait rencontré Roditchev (et comme ils y étaient partis pour la même affaire, ils avaient pu s'y rencontrer), Gouzoun avait dû tout lui dire — et c'est pourquoi Roussanov appréhen-

dait tellement ce fatal retour, cette résurrection des
morts qu'il n'eût jamais imaginée.

A vrai dire, la femme de Roditchev, elle aussi, avait
pu deviner, mais était-elle vivante ? Capitoline avait
prévu les choses comme ça : sitôt Roditchev arrêté,
mettre immédiatement la Catherine dehors et s'emparer de tout l'appartement, le balcon lui aussi serait à
eux en entier. (Qu'une pièce de dix-huit mètres carrés et
un appartement sans le gaz aient pu avoir une telle
importance prêtait de nos jours à sourire !) L'opération
était déjà toute montée, on était venu expulser la Catherine, mais celle-ci, qui avait plus d'un tour dans son sac,
avait déclaré qu'elle était enceinte. On avait exigé une
vérification, elle avait présenté un certificat. Eh oui !
Comme elle l'avait prévu : la loi interdit d'expulser une
femme enceinte. Et ce n'est que l'hiver suivant qu'on y
était parvenu — pendant de longs mois il avait fallu la
supporter et vivre côte à côte avec elle — pendant qu'elle
était grosse, jusqu'à son accouchement, et même jusqu'à
la fin de sa période de repos légal. A vrai dire, à ce
moment-là, Capitoline ne lui laissait plus ouvrir la bouche dans la cuisine, et Aviette, qui avait déjà plus de
quatre ans, se moquait d'elle de façon très amusante
et crachait dans ses casseroles.

La peur ? En ce moment, couché sur le dos, dans
l'obscurité de la salle qui soufflotait en ronflotait (il ne
passait au travers de la vitre dépolie de la porte qu'un
léger reflet de la lampe posée sur la table de l'infirmière
dans le vestibule). Roussanov essayait, de son esprit
clair d'insomniaque, de débrouiller pourquoi les ombres
de Roditchev et de Gouzoun l'avaient à ce point bouleversé et s'il se serait pareillement effrayé du retour des
autres personnes dont il avait également contribué à
établir la culpabilité : cet Edouard Khristoforovitch,
mentionné en passant par Roditchev, un ingénieur d'éducation bourgeoise qui avait devant des ouvriers traité
Paul Nikolaïevitch d'imbécile et d'arriviste (il avait par
la suite avoué qu'il rêvait de restaurer le capitalisme) ;
cette sténographe coupable d'avoir déformé le discours

d'un chef important, protecteur de Paul Nikolaïevitch (or, il n'avait pas du tout dit les choses de cette façon) ; ce comptable difficile à manier (un fils de prêtre, qui plus est — on l'avait entortillé en une minute) ; les Eltchanski, mari et femme... et tant d'autres !...

Aucun d'eux n'avait fait peur à Paul Nikolaïevitch, il avait de plus en plus hardiment et ouvertement aidé à étayer les accusations, il était même allé deux fois à des confrontations, il y avait élevé la voix, il les avait démasqués. C'est qu'on n'estimait pas du tout à l'époque qu'il y avait là quelque chose dont on dut avoir honte. En cette belle et honnête époque, en 37, en 38, on sentait se purifier l'atmosphère publique, on commençait à respirer si bien ! Tous les menteurs, tous les calomniateurs, les amateurs trop hardis d'autocritique, les intellectuaillons trop retors, tous avaient disparu, cachés, blottis, et les personnes de principe, fermes, dévouées, les amis de Roussanov et Roussanov lui-même, marchaient la tête haute et digne.

Et voici que maintenant commençait une nouvelle époque, trouble et malsaine, où il fallait rougir au souvenir de ses plus beaux actes de civisme ! Ou même craindre pour soi ?

Craindre ! Quelle sottise ! Roussanov revit toute sa vie et ne put s'accuser de couardise. Il n'avait jamais eu à craindre. Peut-être n'était-il pas particulièrement brave, mais il ne put se rappeler aucun cas où il se fût conduit comme un poltron. Il n'y avait pas de raison de supposer qu'il aurait eu peur au front — on ne l'y avait pas envoyé à cause de sa précieuse expérience. On ne pouvait affirmer qu'il aurait perdu la tête sous un bombardement ou dans un incendie — mais, de K., ils étaient partis avant les bombardements et il n'avait jamais été pris dans un incendie. Il n'avait jamais non plus redouté la justice ni la loi parce qu'il ne violait jamais la loi et que la justice l'avait toujours protégé et soutenu. Il ne craignait pas d'être mis en accusation par l'opinion publique parce que l'opinion avait toujours été pour lui. Dans le journal de la province, il n'aurait ja-

mais pu paraître aucun entrefilet infamant pour Paul
Nikolaïevitch parce que Côme Foteïevitch ou Nil Proko-
fievitch ne l'auraient pas laissé passer. Quant aux journaux centraux, ils ne s'abaisseraient pas jusqu'à lui. Si
bien qu'il n'avait jamais non plus craint la presse.

En traversant la mer Noire sur un bateau, il n'avait
pas eu peur des gouffres marins. Et s'il craignait le vertige, nul n'aurait pu le dire, étant donné qu'il n'était
pas assez tête-en-l'air pour aller grimper sur des montagnes ou des rochers et que son genre de travail ne
l'avait jamais amené à construire des ponts.

Le genre de travail de Roussanov, depuis déjà de
nombreuses années, presque vingt ans, c'était le « questionnaire ». Sa fonction portait des noms différents dans
les divers institutions et établissements, mais c'était
bien toujours la même. Seuls les ignares et les profanes
ne savent pas quel délicat travail de précision c'est,
comme il exige de talent. C'est une poésie que n'ont pas
encore découverte les poètes. Chaque homme durant sa
vie remplit un assez grand nombre de questionnaires, et,
dans chaque questionnaire, il y a un certain nombre de
questions. La réponse d'un homme à l'une de ces questions, c'est déjà un fil à jamais tendu entre cet homme
et le fichier local des questionnaires. De chaque homme
partent ainsi des centaines de fils et là où ils se réu-
nissent, ils sont des millions, et, si tous ces fils devenaient visibles, nous verrions le ciel couvert d'une toile
d'araignée, et, s'ils devenaient matériellement élastiques,
les autobus, les tramways et les gens eux-mêmes per-
draient la possibilité de se mouvoir et le vent ne pourrait plus pousser le long des rues les morceaux de
papier de journal et les feuilles automnales. Mais ils
sont invisibles et immatériels, et, pourtant, ils sont
perpétuellement ressentis par l'homme. C'est que le
questionnaire pur comme le cristal — comme la
vérité absolue, comme l'idéal — est quasi impossible.
Au compte de tout homme vivant, on peut toujours
porter quelque chose de négatif ou de suspect ; tout
homme a quelque chose à se reprocher ou quel-

que chose à cacher, si on y regarde d'un peu près.

De la sensation perpétuelle de ces fils invisibles naît tout naturellement chez les hommes le respect de ceux qui gèrent le service si compliqué des questionnaires. Et l'autorité de ces personnages.

Pour user encore d'une comparaison, musicale cette fois, Roussanov, grâce à sa situation spéciale, possédait comme un jeu de planchettes de xylophone et il pouvait, à son choix, à son gré, parce qu'il le jugeait nécessaire, frapper telle ou telle planchette. Quoiqu'elles fussent toutes de bois, chacune rendait un son différent.

Certaines d'entre elles (certains de ses procédés) agissaient de façon délicate et subtile. Par exemple, s'il voulait donner à entendre à quelque « camarade » qu'il n'était pas satisfait de lui, ou simplement le mettre en garde, le remettre un peu à sa place, Roussanov avait plusieurs manières de le saluer.

Quand cet homme le saluait (bien sûr, le premier), Paul Nikolaïevitch pouvait répondre promptement, mais sans sourire ; il pouvait aussi, en relevant un sourcil d'un côté (il s'était exercé devant sa glace dans son cabinet de travail), retarder un tout petit peu sa réponse — comme s'il se demandait s'il fallait vraiment saluer cet homme, s'il en était digne — et, après cela, le saluer (de nouveau, soit en tournant complètement la tête, soit en ne la tournant qu'à demi, soit sans la tourner du tout). Cette petite hésitation, cependant, faisait toujours son effet. Dans la tête du travailleur qui était salué avec cette hésitation ou cette froideur commençait la recherche active des péchés dont il avait pu se rendre coupable. Et, ayant semé le doute, cette hésitation le retenait, peut-être, d'accomplir quelque action mauvaise qu'il était sur le point de commettre et dont Paul Nikolaïevitch n'aurait eu connaissance que trop tard.

Un procédé plus énergique consistait, quand il rencontrait quelqu'un (à moins qu'il ne lui téléphonât, ou même qu'il ne le convoquât spécialement), à lui dire : « Veuillez passer chez moi demain à dix heures du matin. » — « Et maintenant, je ne peux pas ? » — demandait l'autre à coup sûr parce qu'il voulait au plus vite tirer au clair les raisons de cette convocation et épuiser l'entretien. « Non, tout de suite, ce n'est pas possible », répliquait Roussanov d'une voix douce, mais péremptoire. Il ne disait pas qu'il avait autre chose à faire ou qu'il allait à une conférence ; non, pour rien au monde, il n'aurait donné une raison claire et simple qui eût rassuré l'autre (tout était là) ; il prononçait son « Tout de suite, ce n'est pas possible » de façon à y mettre toute sorte de raisons sérieuses — dont certaines ne présageaient rien de bon. « Et c'est à quel sujet ? » — pouvait s'enhardir à demander le travailleur, à moins qu'il ne pose tout bonnement la question, à cause de son inexpérience extrême. — « Vous le saurez demain » — répondait Paul Nikolaïevitch d'une voix de velours, éludant ainsi cette question dépourvue de tact. Mais jusqu'au lendemain, dix heures, que de temps ! Que d'événements ! Le travailleur devait encore terminer sa journée, revenir chez lui, parler avec sa famille, peut-être même aller au cinéma ou à une réunion de parents d'élèves, et dormir (certains s'endormaient, d'autres non), et puis, le lendemain matin, s'étrangler en prenant son petit déjeuner — sans cesser un seul instant d'être rongé et taraudé par cette question : « Mais pourquoi me convoque-t-il ? » Durant ces longues heures, le travailleur avait le temps de se repentir de bien des choses, de se trouver bien des sujets d'appréhension — et de prendre la résolution de ne plus chercher noise à ses chefs dans les réunions... Il arrivait — et, parfois, il n'y avait rien qu'une date de naissance ou un numéro de diplôme à vérifier.

Ainsi, les moyens employés s'échelonnaient comme les planchettes de bois d'un xylophone se rangent selon leur sonorité, le plus sec et le plus rude étant : « Serge Sergueïevitch (c'était le directeur de toute l'entreprise, le maître de l'endroit) vous prie pour tel jour de remplir la fiche que voici. » Et le travailleur se voyait tendre un questionnaire — non point un simple questionnaire,

mais, de tous les questionnaires et de tous les formulaires conservés dans le coffre de Roussanov, le plus
complet et le plus déplaisant — tenez, par exemple, celui
qu'on fait remplir à ceux qu'on veut admettre au secret.
Il n'était peut-être pas question d'admettre ce travailleur
au secret, peut-être même Serge Sergueïevitch n'avait-il
pas entendu parler de cela, mais qui donc irait vérifier, quand tout le monde craignait Serge Sergueïevitch
comme le feu ? Le travailleur prenait le questionnaire
en faisant bonne figure, mais en fait, s'il avait jamais
caché quelque chose au centre des enquêtes — il était
déjà tout dévoré d'inquiétude. Parce que, dans ce questionnaire, il était impossible de rien cacher. C'était un
excellent questionnaire. Le meilleur des questionnaires.

C'est au moyen de ce questionnaire que Roussanov
avait réussi à obtenir le divorce d'un certain nombre de
femmes dont les maris se trouvaient internés au titre
de l'article 58. Ces femmes avaient eu beau brouiller les
pistes, envoyer des colis sous un autre nom, d'une
autre ville, ou ne pas en envoyer du tout — dans
ce questionnaire, la grille des questions était si serrée
qu'il était impossible de mentir plus longtemps. Un seul
moyen de s'en sortir : le divorce définitif devant la loi.
D'ailleurs, la procédure en était facilitée : le tribunal
ne demandait pas aux internés leur consentement au
divorce et ne les prévenait pas de sa proclamation.
Pour Roussanov, une seule chose importait : que le
divorce ait lieu, que la femme qui n'était pas encore
perdue ne soit pas entraînée par les *sales pattes* d'un
criminel hors du sentier de la vertu civique. Les questionnaires n'allaient nulle part. Et s'ils étaient parfois montrés à Serge Sergueïevitch, ce n'était qu'en
guise de divertissement.

La poésie de ce travail était toute dans la sensation
de tenir un homme à sa merci sans avoir encore, en
fait, exercé de pression sur lui.

Isolée, énigmatique, à demi infernale, la position de
Roussanov dans l'organigramme de la production lui
donnait une connaissance profonde des véritables pro-

cessus de la vie et il en était satisfait. La vie que tout
le monde voyait (production, conférences, gazette de
l'entreprise, déclarations du comité syndical à la garde
stakhanoviste, paye, cantine, club), cette vie n'était pas
la vraie, elle ne paraissait telle qu'aux non-initiés. La
ligne véritable de la vie était fixée sans cri, calmement,
dans des cabinets silencieux, par deux ou trois personnes qui se comprenaient ou par un coup de téléphone
à la sonnerie caressante. La vraie vie sourdait encore
des documents secrets au fond de la serviette de Roussanov et de ses collaborateurs. Elle pouvait longtemps
filer son homme, en silence, et ne se dévoiler soudain
à lui que pour un instant : elle sortait alors sa gueule
de dragon de l'empire souterrain et lui arrachait la
tête ou lui crachait son feu, pour disparaître ensuite
on ne sait où. En surface, rien n'avait changé : le club,
la cantine, la paye, la gazette de l'entreprise, la production ; il manquait seulement parmi les stakhanovistes
quelqu'un qui était licencié, renvoyé, exclu.

L'installation des lieux où travaillait Roussanov était
conforme à son genre de travail poético-politique. Il
avait toujours été dans une pièce isolée dont la porte,
d'abord recouverte de cuir avec des clous brillants de
tapissier, avait ensuite été, à mesure que la société s'en-
richissait, munie d'une sorte de caisson protecteur, d'un
sombre tambour. Ce tambour semble une invention
bien simple, un truc sans malice : il n'a pas plus d'un
mètre de profondeur, le visiteur n'y hésite qu'une
seconde ou deux, en refermant la première porte derrière lui et avant d'ouvrir la seconde. Mais ces secondes
avant la conversation décisive suffisent à provoquer en
lui comme un court-circuit : il manque de lumière, il
manque d'air et il sent toute son insignifiance devant
celui chez qui il va entrer. Et, s'il a jamais eu de l'audace, de l'indépendance, — eh bien, ici, dans le tambour,
il leur dit adieu.

Naturellement, il ne s'introduisait jamais chez Paul
Nikolaïevitch plusieurs personnes d'un coup ; elles ne
pouvaient pénétrer qu'une par une, à condition d'avoir

été convoquées ou d'avoir reçu par téléphone l'autorisation de venir.

Cette installation des lieux de travail et ce rite d'introduction des visiteurs aidaient beaucoup la section de
Roussanov à remplir ses obligations de façon régulière
et raisonnable. Sans son tambour de protection, Paul
Nikolaïevitch aurait souffert.

Bien sûr, étant donné la corrélation dialectique de
tous les éléments de la réalité, la façon d'être de Paul
Nikolaïevitch à son travail ne pouvait rester sans effet
sur sa façon de vivre en général. Progressivement, au
cours des ans, il s'était développé en lui et en Capitoline
Matveïevna une hostilité pour le grouillement, la promis-
cuité, la foule. Ils avaient commencé d'éprouver du
dégoût pour les tramways, les trolleybus, les autobus,
parce qu'on vous y poussait toujours, qu'on pouvait
vous y insulter, qu'il y grimpait des ouvriers des chantiers de construction ou d'ailleurs, avec des combinaisons
sales, et qu'ils pouvaient frotter leur mazout ou leur
chaux contre vos vêtements. Et puis, il s'y était instauré
une manière anarchiste et répugnante de se taper sur
l'épaule pour faire passer l'argent ou la monnaie d'un
billet, et il fallait accepter de rendre service et de
« faire passer » sans arrêt.

Quant à aller à pied au travers de la ville, c'était trop
loin, le moyen était trop simple et il ne correspondait
pas à leur position, et avec les piétons il était d'autant
plus facile d'avoir des mauvaises surprises.

Ainsi, les Roussanov en étaient-ils progressivement
venus à l'automobile — voiture de fonction, taxi, puis
voiture personnelle. En chemin de fer, inutile de dire
que non seulement les wagons ordinaires, mais aussi les
wagons à places réservées leur étaient devenus insupportables : on s'y entassait en grosses cottes piquées
et avec des seaux, et avec des sacs. C'est pourquoi les
Roussanov ne voyageaient plus qu'en wagons compar-
timentés ou en wagons rembourrés. Bien sûr, dans les
hôtels, Roussanov se faisait toujours réserver sa chambre pour ne pas se retrouver sur une couchette dans une

salle commune. Bien sûr, les Roussanov n'allaient pas
dans n'importe quelle maison de repos, ils n'allaient que
dans celles où la personne est respectée, où on lui
crée des « conditions », où la plage et les allées sont
interdites d'accès au public. Et, lorsque les médecins
avaient prescrit à Capitoline Matveïevna de faire davantage de marche, elle n'avait pu trouver pour le faire
aucun autre endroit qu'une maison de repos de ce genre,
où elle était avec des égaux. Tout en conservant l'âme
russe, tout en aimant (en principe) les fêtes populaires,
les Roussanov s'étaient mis à préférer les festivités plus
propres et moins dangereuses des cadres.

Les Roussanov aimaient le peuple, leur grand peuple.
Et ils servaient ce peuple, et ils étaient prêts à donner
leur vie pour le peuple.

Mais, d'année en année, ils devenaient de moins en
moins capables de supporter... la population. Cette population rétive, constamment prête à s'esquiver ou à se
buter, et qui exigeait toujours quelque chose.

C'est ainsi qu'ils se gardaient des gens mal vêtus,
effrontés, parfois éméchés, qu'on peut rencontrer dans
les trains électriques, près des kiosques à boisson, aux
stations d'autobus et dans les gares. L'homme mal vêtu
est un homme dangereux, parce qu'il sent mal sa responsabilité et qu'il n'a vraisemblablement pas grand-
chose à perdre (sans quoi il serait bien habillé). Bien
sûr, la milice et la loi défendaient Roussanov contre
l'homme mal vêtu, mais cette défense arriverait fatale-
ment avec du retard, elle arriverait pour punir le
vaurien, après. Paul Nikolaïevitch, nez à nez avec lui,
serait en fait sans défense, et ni sa situation ni ses
mérites ne lui seraient d'aucun secours ; l'autre pourrait
l'outrager sans raison, l'injurier grassement, et le frapper du poing au visage, comme ça, pour rien, et abîmer
son costume, et même l'en dépouiller de force.

C'est ainsi que Roussanov, qui n'avait peur de rien,
éprouvait une crainte parfaitement normale et justifiée
devant les dérèglements des gens à moitié soûls et, plus
précisément, devant l'éventualité d'un direct au visage.

C'était la raison de son émotion à l'annonce du retour de Roditchev : Roussanov imaginait que Roditchev n'aurait rien de plus pressé que de lui flanquer son poing sur la figure. A moins que Gouzoun et lui n'aient décidé d'agir légalement : légalement, ils n'arriveraient sans doute jamais jusqu'à lui, ils ne pouvaient faire valoir aucun grief, ils ne le devaient pas. Mais s'ils étaient restés costauds, et si, pour parler vulgairement, ils voulaient lui casser la gueule ?

Voilà la peur que Paul Nikolaïevitch devait surmonter, éteindre en lui, en homme conscient et résolu, en homme nouveau qu'il était.

Et puis, tout cela était avant tout le fruit de son imagination. Il n'y avait peut-être encore aucun Roditchev et Dieu veuille qu'il ne revienne pas ! Tous ces racontars sur les *retours* pouvaient bien n'être que des légendes parce que Paul Nikolaïevitch, qui participait aux événements importants, qui y touchait de près, n'avait pas jusque-là décelé de signes qui eussent présagé un caractère nouveau de la vie.

Et même si Roditchev était effectivement rentré, il était à K. et il n'était pas ici. Et il avait autre chose à faire qu'à chercher Roussanov ; il devait faire bien attention de ne pas se faire à nouveau expulser de K. Si bien que le premier effroi involontaire de Paul Nikolaïevitch était injustifié.

Et même s'il commençait à le rechercher, il ne trouverait pas tout de suite le fil qui le conduirait jusqu'ici. Et pour arriver ici, le train mettrait trois jours et trois nuits et traverserait huit provinces. Et quand même il arriverait ici, il se présenterait à son domicile, et non à l'hôpital. Or, justement, à l'hôpital, Paul Nikolaïevitch était à l'abri de tout danger.

De tout danger !... C'était comique... Avoir cette tumeur — et être à l'abri de tout danger... Mieux valait la mort que la crainte de tous ces retours. Quelle folie ! Les faire revenir ! A quoi bon ? Ils s'étaient habitués, ils s'étaient résignés... A quoi bon les laisser revenir, troubler la vie des gens ?...

Il semblait tout de même que Paul Nikolaïevitch était maintenant épuisé et qu'il était prêt à s'endormir. Il devait essayer de dormir.

Mais il avait besoin de partir, l'opération la plus désagréable à exécuter dans cette clinique.

En se tournant précautionneusement, en se mouvant précautionneusement — la tumeur était là dans son cou comme un poing de fer qui l'écrasait — il se sortit du lit tanguant, il mit son pyjama, ses pantoufles, ses lunettes, et partit en traînant un peu les pieds.

Au bureau veillait la brune et sévère Marie ; elle entendit le léger bruit qu'il faisait et se retourna.

Auprès de l'escalier, un nouveau, un Grec, au grand toupet, souffrait et gémissait dans un lit. Il ne pouvait pas rester allongé, il était assis, et, de ses yeux effrayés d'insomniaque, il accompagna Paul Nikolaïevitch.

Sur le palier intermédiaire, il y avait quelqu'un de tout petit, encore peigné, tout jaune tout jaune, qui était à demi assis, à demi couché sur deux oreillers placés sous lui et qui respirait avec un ballon d'oxygène. Sur sa table de nuit, il y avait des oranges, des gâteaux secs, du rahat-lokoum, du kéfir, mais tout cela lui était indifférent : le simple air pur immatériel n'entrait pas dans ses poumons en quantité suffisante.

Dans le corridor du bas, il y avait encore des lits avec des malades. Certains dormaient. Une vieille à l'air oriental, échevelée, se débattait de souffrance sur son oreiller.

Il passa encore une petite pièce où sur le même divan court et malpropre, on faisant indifféremment allonger tout le monde pour les lavements.

Enfin, après avoir gonflé ses poumons d'air, en essayant de le garder le plus longtemps possible, Paul Nikolaïevitch entra dans les waters. Dans ces waters, sans cabines et même sans sièges, il se sentait tout spécialement privé de ses défenses et ramené à l'état de poussière. Les filles de salle les nettoyaient plusieurs fois par jour, mais ne suffisaient pas à la tâche et il y avait toujours des traces fraîches de vomissures, de sang et de saleté. Car ceux qui se servaient de ces waters étaient des sauvages qui n'avaient pas l'habitude des commodités, et des malades à toute extrémité. Il aurait fallu parvenir jusqu'au médecin-chef et obtenir de lui la permission d'utiliser les toilettes des médecins.

Mais Paul Nikolaïevitch s'était formulé cette idée pratique sans grande énergie.

Il repassa devant la cabine aux lavements, devant la Kazakhe échevelée, devant ceux qui dormaient dans le corridor.

Devant le condamné au ballon d'oxygène.

En haut, le Grec lui chuchota dans un râle effrayant :

« Dis, mon vieux ! Ici, on guérit tout le monde ? Ou bien il y en a aussi qui meurent ? »

Roussanov lui jeta un regard sauvage et il eut alors la sensation cuisante qu'il ne pouvait plus tourner la tête sans tourner le torse tout entier, comme Ephrem. Cette excroissance affreuse à son cou appuyait en haut sur sa mâchoire et en bas sur sa clavicule.

Il se hâta de regagner son lit.

A quoi pensait-il encore ?... Qui craignait-il encore ? En qui avait-il espoir ?...

Là, entre sa mâchoire et sa clavicule, il y avait son destin.

Son tribunal.

Et devant ce tribunal, il n'avait plus ni relations, ni mérites, ni défense.

CHAPITRE XV

A CHACUN SON LOT

« T'as quel âge ?

— Vingt-six ans.

— Ça commence à faire pas mal.

— Et toi ?

— J'en ai seize... Ouais, se faire couper la jambe à seize ans, tu te rends compte !...

— Et à quelle hauteur est-ce qu'ils veulent ?...

— Ah ! — au genou, exactement. Ils en enlèvent jamais moins. Je l'ai bien vu ici. La plupart du temps ils en prennent même un petit bout en plus... Ça fera un moignon qui pendouillera...

— Tu te feras mettre une prothèse. Et tu as l'intention de faire quoi ?

— Ben, je pense à l'Université.

— Quelle faculté ?

— Bah ! Soit les lettres, soit l'histoire.

— Et tu passeras le concours ?

— Je pense que oui. Je me suis jamais laissé émotionner. Je suis du genre calme.

— Ma foi, c'est très bien. D'ailleurs, ta prothèse ne te gênera pas. Tu pourras étudier, tu pourras travailler. Et puis tu tiendras en place mieux que personne : tu pourras en faire plus pour la science.

— Et pour la vie ?

— A part la science, tu sais, qu'est-ce qu'il y a ?

— Ben, je sais pas, moi...

— Le mariage ?

— Ouais, par exemple...

— Tu te marieras ! Tout le monde trouve chaussure à son pied ! Et l'alternative, c'est quoi ?

— La quoi ?

— C'est ou la jambe ou la vie, n'est-ce pas ?

— Oui. Au petit bonheur. Mais peut-être que ça pourra s'arranger tout seul ?

— Non, Diomka. Le hasard n'a jamais construit les ponts. Le hasard ne mène à rien. Compter sur une chance comme celle-là n'est pas du domaine du raisonnable... Tu sais si on donne un nom à ta tumeur ?

— Oui, quelque chose comme « S-a ».

— « S-a » ? Alors il faut opérer.

— Parce que... tu t'y connais ?

— Je le sais. Si seulement on me proposait à moi de donner ma jambe à couper, je la donnerais tout de suite. Et pourtant, tout le sens de ma vie est dans le mouvement — à pied, à cheval... Là-bas on ne se déplace pas en voiture.

— Et... on ne te le propose déjà plus ?

— Non.

— T'as laissé passer le bon moment ?

— Comment te dire... Ce n'est pas que je l'aie laissé passer... Enfin, d'une certaine façon, je l'ai laissé passer. J'étais tout entier à mon expédition. J'aurais dû venir il y a trois mois, mais je ne voulais pas abandonner mon travail. Et à force de marcher, d'aller à cheval, ça s'irritait, ça suintait, ça suppurait... Mais quand c'était passé et que ça allait mieux, l'envie de travailler me reprenait, je me disais : « Je vais attendre encore un peu. » Maintenant encore, ça me frotte tellement que j'aimerais mieux

couper la jambe de mon pantalon ou rester tout nu.
— Et on ne te fait pas de pansement ?
— Non.
— Tu me montres, tu veux ?...
— Regarde. »

.. ..

« Ou-ou-ou-ou-ou-ouh, comment que c'est !... Pis tout noir...
— Noir, ça l'est de naissance. J'avais une grande tache à cet endroit-là. C'est ça qui a dégénéré.
— Et ça, qu'est-ce que c'est ?
— Ça, c'est trois trous qui sont restés après des abcès. Tu sais, Diomka, ma tumeur, ce n'est pas du tout la tienne. Moi, j'ai un mélanoblastome. C'est une saloperie qui ne pardonne pas. En règle générale, huit mois — et kaput !
— Comment que tu le sais ?
— J'ai lu un bouquin avant de venir ici. C'est comme ça que j'ai fini par comprendre. Mais il faut dire que, même si j'étais venu plus tôt, ils auraient tout de même reculé à m'opérer. Le mélanoblastome, c'est une telle charogne que, pas plutôt touché du bout du scalpel, ça donne des métastases. Il veut vivre, lui aussi, à sa façon, — tu comprends ? Ce que j'aurais pu stopper ces derniers mois, c'est ce qui m'est venu à l'aine.
— Et Lioudmila Afanassievna, qu'est-ce qu'elle en dit ? Elle t'a fait venir, samedi ?
— Eh bien, elle dit qu'il faut essayer de trouver de l'or colloïdal. Si on en trouve, alors peut-être qu'on arrêtera ce que j'ai à l'aine, et ce que j'ai à la jambe, on essaiera de l'atténuer avec des rayons. Et comme ça on pourra me faire gagner...
— On te guérira ?
— Non, Diomka, me guérir, maintenant, ça n'est plus possible. D'ailleurs, un mélanoblastome, ça ne se guérit pas. Des gens qui s'en soient remis — il n'y en a pas. Tu vois, moi, m'enlever la jambe, ça ne serait pas suffisant. Et couper plus haut, il n'y a pas moyen. Il s'agit

de me faire durer. Et de savoir combien de temps j'y gagne : des mois ou des années.

— En somme... mais dis-donc, ça veut dire que tu ?...

— Oui, ça veut dire que je. Je m'y suis fait, ça y est, Diomka. Assez vit qui bien vit. Pour moi, toute la question est de savoir ce que j'aurai le temps de faire. Il faut tout de même réussir à faire quelque chose sur la terre ! Et j'ai besoin de trois ans ! Si on pouvait me les donner, ces trois ans ! Je ne demande rien de plus. Mais ça n'est pas couché dans une clinique qu'il faudrait que je les passe, c'est à travailler sur le terrain. »

Ils conversaient à voix très basse, assis sur le lit de Vadim Zatsyrko, auprès de la fenêtre. Seul, dans leur voisinage, Ephrem aurait pu entendre leur conversation, mais, depuis le matin, il gisait comme une bûche, privé de sensations, et ne quittait pas le plafond du regard. Roussanov, lui aussi, sans doute, avait dû entendre, car il avait plusieurs fois regardé Zatsyrko avec sympathie.

« Et qu'est-ce que t'aurais le temps de faire ? fit Diomka en se renfrognant.

— Bon. Essaie de comprendre. Je suis en train de vérifier une idée nouvelle très contestée ; les grands savants du centre n'y croient pour ainsi dire pas : c'est que les eaux radioactives peuvent permettre de découvrir les gisements de minerais polymétalliques. « Radioactives », tu comprends ce que ça veut dire ?... Alors il y a des milliers d'arguments, mais sur le papier on peut aussi bien prouver que réfuter tout ce qu'on veut. Et moi, je sais, oui, je sais que je veux prouver tout ça pour de bon. Seulement, pour ça, il faudrait que je passe mon temps en campagne, que je trouve concrètement des minerais en me servant des eaux radioactives, et d'elles uniquement. Et, si possible, plus d'une fois. Mais travailler... est-ce qu'il existe un travail qui n'exige pas des forces ? Tiens, par exemple, on n'a pas de pompe à vide, et la centrifuge, pour la mettre en marche, il faut aspirer l'air. Avec quoi aspirer l'air ? — avec la bouche, pardi ! Aussi, qu'est-ce que j'ai avalé comme eau radioactive ! D'ailleurs, cette eau-là, c'est celle que nous buvions, tout simplement. Les ouvriers kirghiz nous disaient : « Nos pères ne buvaient pas de cette « eau-là, nous, on n'en boira pas non plus. » Et nous, les Russes, on la buvait. D'ailleurs, moi, avec mon mélano-blastome, je n'ai rien à craindre de la radioactivité. Au contraire. C'est à moi de travailler là-dedans.

— C'est pas très malin ! » prononça Ephrem sans se retourner, d'une voix blanche et grinçante. Il avait donc tout entendu. « Quand tu mourras, ta géologie, elle te servira à quoi ? Elle te servira pas à grand-chose. Tu ferais mieux de te demander *ce qui fait vivre les hommes.* »

La jambe de Vadim demeura immobile, mais sa tête, libre, tourna légèrement sur son cou libre et flexible. Il eut un éclair prompt dans ses yeux noirs et vifs, ses lèvres pulpeuses aux lignes douces tremblèrent imperceptiblement et il répondit sans s'offenser le moins du monde :

« Justement, je le sais. Ce qui fait vivre, c'est de créer. Et ça aide drôlement. On peut s'en passer de boire et de manger. »

Et, faisant rapidement claquer entre ses dents son porte-mine noir, hexagonal, il s'efforçait de saisir dans quelle mesure on l'avait compris.

« Lis un peu ce bouquin-là, tu seras étonné ! » Sans bouger le torse ni voir Zatsyrko, Poddouïev frappa la couverture bleue de son doigt noueux.

« Je l'ai déjà regardé — Vadim parvenait à répondre avec une grande rapidité —, ça ne va pas pour notre époque. Ça manque trop de forme et d'énergie. De nos jours, la formule, ça doit être : « Travailler plus. Et « sans penser aux gros sous. » Un point c'est tout. »

Roussanov sursauta, ses lunettes brillèrent avec sympathie, il demanda d'une voix forte :

« Dites-moi, jeune homme, vous êtes communiste ? »

Toujours aussi prompt, toujours aussi simple, Vadim porta son regard sur Roussanov.

« Oui, prononça-t-il doucement.

— J'en étais sûr ! » proclama Roussanov en triomphant, et il leva le doigt.

Il faisait très professeur.

Vadim donna une tape sur l'épaule de Diomka :

« Allons, retourne chez toi. Il faut que je travaille. »

Il se pencha sur les *Méthodes géochimiques,* où il avait une petite feuille de citations recopiées très fin, pleine d'énormes points d'exclamation et d'interrogation.

Il lisait, cependant que le porte-mine noir à facettes tournait lentement entre ses doigts.

Il était tout à sa lecture, il semblait ne plus être là, mais Roussanov, ragaillardi par l'appui ainsi reçu, voulut être ragaillardi plus encore avant d'être piqué pour la deuxième fois ; il décida de porter le dernier coup à Ephrem pour l'empêcher définitivement d'ennuyer les gens. Il le regarda droit dans les yeux (Ephrem était juste en face de lui, de l'autre côté de la salle) et il entreprit de lui river son clou :

« Le camarade vous donne une bonne leçon, camarade Poddouïev. Il n'est pas possible de s'abandonner comme ça à la maladie. Il ne faut pas non plus s'en remettre au premier livre de curé venu. Vous faites pratiquement le jeu... » Il allait dire « des ennemis » ; dans la vie ordinaire, il aurait même pu les désigner, mais ici, dans ces lits d'hôpital, qui pouvaient-ils bien être ? « Il faut être capable de saisir la profondeur de la vie. Et avant tout, la nature de l'héroïsme. Qu'est-ce qui peut bien animer l'homme dans le processus de l'héroïsme à la production ? Qu'est-ce qui l'animait dans les exploits de la guerre patriotique ? Ou encore de la guerre civile ? L'homme affamé, déchaussé, dévêtu, désarmé ? »

Ephrem était étrangement immobile aujourd'hui : non seulement il ne sortait pas de son lit pour faire ses quelques pas dans l'allée, mais il semblait même avoir perdu beaucoup de ses gestes ordinaires. Auparavant, il ne ménageait que son cou, tournant, non sans répugnance, il est vrai, le buste avec la tête ; aujourd'hui, il ne bougeait ni bras ni jambe, se contentant de taper du doigt sur son petit livre. On avait tenté de le convaincre de déjeuner, il avait répondu : « Il n'est point soûl qui n'a mangé. » Après comme avant le repas, il était

demeuré couché si immobile que, sans quelques cligne-
ments d'yeux, on l'eût dit devenu de pierre.

Mais ses yeux étaient ouverts.

Ses yeux étaient ouverts, et, pour voir Roussanov, il
n'avait justement pas besoin de se tourner du tout. Il ne
voyait que son mufle blanc, le plafond et les murs.

Et il avait entendu ce que Roussanov lui exposait. Et
ses lèvres bougèrent ; alors, la même voix malveillante
retentit, quoiqu'elle marquât les mots encore moins nettement :

« La guerre civile ?... Parce que t'as fait la guerre
civile ? »

Paul Nikolaïevtich soupira :

« Vous et moi, camarade Poddouïev, nous étions encore
trop jeunes pour faire la guerre à ce moment-là. »

Ephrem renifla :

« J'sais pas pourquoi t'as pas fait la guerre ; moi, je
l'ai faite. »

Paul Nikolaïevitch, très intellectuel, haussa les sourcils derrière ses lunettes :

« Comment cela se peut-il ?

— Facile. » Ephrem parlait lentement en reprenant
son souffle entre les phrases. « J'ai pris un flingue —
et j'ai fait la guerre. Marrant ! Et j'suis pas le seul.

— Et où avez-vous fait la guerre comme ça ?

— A Ijevsk. On cassait du Constituant [1]. A Ijevsk, j'en
ai tué sept de ma main. Je me le rappelle encore. »

Oui, il semblait encore en mesure de se les rappeler
tous les sept, et chacun des endroits où le petit gars
qu'il était avait étendu mort ces sept adultes dans les
rues de la ville insurgée.

Le « binoclard » lui expliqua encore quelque chose,
mais ce jour-là les oreilles d'Ephrem étaient comme bou-
chées et ce n'est que pour de courts instants qu'il émer-
geait parfois de son silence pour entendre quelque chose.

Quand, à l'aube, il avait ouvert les yeux, apercevant

---

1. Les partisans de l'Assemblée constituante dissoute par Lénine
en janvier 1918. (N. du T.)

au-dessus de lui un morceau de plafond blanc tout nu, il avait senti entrer brutalement en lui, le pénétrer, sans gêne et sans motif, très ancien, insignifiant et parfaitement oublié, un souvenir.

C'était un jour de novembre, après la guerre... La neige qui tombait avait tendance à fondre et sur la terre plus chaude tirée de la tranchée elle disparaissait sans laisser de trace. On creusait pour placer une conduite de gaz ; la profondeur projetée était d'un mètre quatre-vingts. Poddouïev était passé par-là, il avait vu que la profondeur voulue n'était pas encore atteinte. Mais un brigadier survint qui prétendit sans vergogne que d'un bout à l'autre on avait déjà la bonne profondeur. « Alors, on mesure ? T'en seras pour tes frais. » Poddouïev prit la perche à métrer, où les décimètres étaient marqués au fer rouge par une petite ligne noire transversale et les demi-mètres par une ligne un peu plus longue, et ils partirent faire leurs mesures, enfonçant dans l'argile détrempée, trop pétrie, Poddouïev avec ses bottes, le brigadier avec ses souliers bas. Ils mesurèrent à un endroit — un mètre soixante-dix ; ils allèrent plus loin. Trois hommes creusaient ; le premier était un long type émacié au visage tout noir de barbe ; le deuxième, un ancien soldat, portait encore la casquette, mais l'étoile rouge en était depuis longtemps arrachée, ainsi que le bord de la visière glacée, et le bandeau framboise était souillé de chaux et d'argile ; le dernier, tout jeunet, portait un calot et un méchant manteau civil (en ce temps-là, l'équipement était difficile, on ne leur délivrait aucune tenue officielle), — et ce manteau, sans doute cousu quand il allait encore à l'école, était trop court, juste et usé (il est vraisemblable qu'Ephrem ne l'avait jamais si bien vu que ce jour-là). Les deux autres farfouillaient encore, levant leurs pelles de temps à autre quoique la glaise détrempée restât collée au fer, mais le troisième, le pauvre petiot, restait planté là, la poitrine appuyée sur le manche de sa bêche, comme transpercé par elle ; il était pendu à elle comme un épouvantail blanc de

neige, les mains rentrées dans ses misérables manches.
Pour les mains on ne leur avait rien distribué ; aux
pieds, le militaire avait des bottes, les deux autres
des *tchonni* dont les semelles étaient découpées dans de
vieux pneus. « Qu'est-ce que tu fous là à pas en
branler une ? » cria le brigadier contre le petit jeune.
« Tu veux vraiment la punitive ? Fais-moi confiance ! »
Le petit ne fit que soupirer, il se laissa aller encore
plus bas, le manche de la bêche sembla lui entrer plus
profondément dans la poitrine. Alors le brigadier le
battit ; il s'ébroua et se mit à donner du bout de sa
bêche de petits coups dans la terre. On mesura. La terre
était entassée des deux côtés jusqu'au ras de la tranchée et, pour en distinguer la limite supérieure, il fallait
se pencher fort loin en avant. Le militaire fit semblant de
vouloir les aider : en fait, il inclina la mire, gagnant
ainsi dix centimètres. Poddouïev lança une bordée d'injures et plaça la mire verticalement : il apparut nettement que la profondeur était d'un mètre soixante-cinq.

« Ecoute, citoyen chef, demanda alors le militaire
à voix basse, — les derniers centimètres, fais-nous-en
cadeau. On les aura pas. On est à plat, on est à zéro.
Et pis, avec ce temps... tu vois bien...

— Pis c'est moi qui me ferai mettre le grappin dessus, hein ? Pis quoi encore ? Y a un plan à remplir. Et
que les côtés soient bien égalisés. Et que ça fasse pas
une cuvette au milieu. »

Le temps pour Poddouïev de se redresser, de tirer
la mire à lui, de sortir ses pieds de la glaise, et les
trois visages en bas étaient levés vers lui — l'un avec
sa barbe noire, l'autre comme un museau de lévrier
effilé, le troisième couvert d'un duvet qui n'avait encore
jamais été rasé. Et la neige y tombait comme sur des
visages morts — et ils le regardaient d'en bas. Et le
petit déchira ses lèvres pour dire :

« Soit... Mais toi aussi, un jour, tu mourras, contremaître. »

Poddouïev n'avait pas rempli de formulaire pour
qu'on les mît au cachot, — il s'était contenté de rappor-

ter avec exactitude où en était leur travail afin de ne pas endosser leurs torts.

A bien y regarder, il y avait eu des cas où il avait été plus « vache » que cette fois-là. Dix ans avaient passé ; Poddouïev ne travaillait plus dans les camps ; le brigadier était maintenant libéré ; la conduite de gaz, qui n'était que provisoire, ne débitait sans doute plus rien ; peut-être même les tuyaux avaient-ils trouvé un autre usage, — et pourtant quelque chose demeurait, quelque chose qui, ce matin-là resurgi, avait été le premier bruit de sa journée.

« Toi aussi, un jour, tu mourras, contremaître. »

Et rien de ce qui pèse bon poids de raison n'en pouvait préserver Ephrem. Il voulait vivre encore ? Le petit jeune lui aussi voulait vivre... Il avait beaucoup de volonté ? Il avait compris quelque chose de nouveau ? Et il voulait changer de vie ? La maladie n'écoutait rien de tout cela, la maladie, elle aussi, avait son *plan à remplir.*

Il y avait ce petit livre bleu aux lettres d'or qui en était à sa quatrième nuit sous le matelas d'Ephrem ; il le berçait d'étranges récits concernant les Hindous, qui croient que nous ne mourons pas tout entiers, mais que notre âme transmigre dans les animaux et les autres hommes. Là où il en était, un « projet » de ce genre n'était pas pour lui déplaire : sauver quelque chose de soi qu'on empêcherait de « claquer » ! Faire passer quelque chose de soi par-delà la mort.

Seulement, il n'y croyait pas, à cette transmigration des âmes, pas pour un clou.

Des éclairs de douleur allaient de son cou à sa tête, des éclairs — sans discontinuer, et sur un certain rythme, une mesure à quatre coups. Et les quatre coups lui enfonçaient dans la tête : « Mort — Ephrem — Poddouïev — Stop. Mort — Ephrem — Poddouïev — Stop. »

Et cela sans fin. Et il se mit à part soi à répéter ces mots. Et plus il les répétait, plus lui-même semblait se détacher d'Ephrem Poddouïev, ce condamné à mort. Et il se faisait à cette mort comme à celle d'un voisin.

Or, ce qui en lui réfléchissait sur la mort d'Ephrem Poddouïev, son voisin — n'était-ce pas justement ce qui en
lui n'eût pas dû mourir ?

Quant à Poddouïev, quant au voisin, il ne semblait
plus y avoir pour lui de salut. A moins qu'il ne bût de
l'amadou de bouleau ? Mais il était bien écrit dans cette
lettre qu'il convenait d'en boire pendant un an sans
arrêt. Pour cela il fallait bien trente kilos d'amadou
sec ou bien soixante de frais. Et que l'amadou ne fût
pas gâté, qu'il fût cueilli depuis peu. Par conséquent on
ne devait pas expédier le tout d'un seul bloc, mais par
petits paquets, à peu près une fois par mois. Et cet
amadou, qui le lui trouverait, qui le lui trouverait, qui
le lui enverrait en temps voulu ? De là-bas ? De Russie ?

Seul pouvait le faire un être proche, un être cher.

Que de gens avaient passé dans la vie d'Ephrem !
Personne pourtant n'était resté agrippé à lui comme un
être cher l'aurait été.

Certes, sa première femme, Amina, aurait pu se charger de cette tâche. A qui aurait-il pu écrire de l'autre
côté de l'Oural, sinon à Amina ? Mais elle lui aurait
répondu : « Tu peux crever dans la rue, vieux bouc ! » et
elle aurait eu raison.

Oui, raison, pour s'en tenir à ce qui est admis communément. Pourtant, selon ce petit livre bleu, elle aurait
eu tort. Du petit livre bleu, il ressortait qu'Amina
devait le plaindre, et même l'aimer, — non parce qu'il
était son mari, mais simplement parce qu'il était un
être humain qui souffre ; et ces colis d'amadou, elle
avait le devoir de les lui envoyer.

Ce livre était en somme un livre juste ; encore aurait-
il fallu que tout le monde se mît du jour au lendemain
à vivre selon ses préceptes.

Aux oreilles soudain débouchées d'Ephrem était parvenue cette affirmation du géologue qu'il vivait pour
son travail. C'est pour cela qu'Ephrem avait tapé de
l'ongle contre son livre.

Par la suite, cessant de voir et d'entendre, il replongea vers ses pensées. Et de nouveau ces éclairs lui

transpercèrent la tête. S'il n'avait pas été exténué par ce tir d'artillerie, il aurait bien aimé ne plus bouger, ne plus se soigner, ne plus manger, ne plus parler, ne plus entendre, ne plus voir. Plus simplement : cesser d'être.

Mais on le secoua par la jambe et le coude ; c'était Akhmadjan qui avait offert ses bons offices : une fille de la chirurgie était là depuis longtemps qui l'invitait à venir se faire panser.

Et voilà : Ephrem allait devoir se lever pour quelque chose d'inutile. Aux cent kilos de son corps il devait communiquer cette volonté de se lever : bander les muscles de ses jambes, de ses bras, de son dos, sortir de la paix où commençaient à sombrer ses os vêtus de chair, obliger leurs articulations à travailler, leur pesanteur à se soulever, à construire une colonne de son corps, à la vêtir d'une petite veste, puis à porter cette colonne par les corridors et les escaliers vers une torture inutile, le déroulage et le réenroulage de dizaines de mètres de bandages.

Ce fut long, douloureux, dans une sorte de petit bruissement gris. Outre Eugénie Oustinovna il y avait encore là deux chirurgiens qui pour quelque raison n'opéraient jamais eux-mêmes, et elle leur expliquait, leur montrait, et parlait à Ephrem, lequel ne lui répondait pas.

Il avait l'impression qu'elle et lui n'avaient déjà plus rien à se dire. Ce petit bruissement ouatait tous les discours d'une grise confusion.

Il fut cerclé d'un casque blanc encore plus solide que le précédent et c'est ainsi qu'il revint dans la salle commune. Les bandages étaient désormais plus gros que sa tête ; seul le sommet de son vrai crâne apparaissait tout en haut du pansement.

Il rencontra Kostoglotov. Qui allait, sa blague à tabac à la main.

« Alors, qu'est-ce qu'ils ont décidé ? »

Ephrem réfléchit : au fait, qu'avaient-ils décidé ?

Et quoiqu'il n'eût rien saisi à ce qui s'était dit et fait dans la salle des pansements, il eut un éclair de compréhension et dit clairement :

« Va te faire pendre ailleurs. »

Federau regardait avec effroi son cou monstrueux, qui était peut-être ce qui, lui aussi, l'attendait :

« Alors, tu pars ? »

Et cette question à elle seule lui fit comprendre qu'il ne devait pas se recoucher comme il allait le faire, mais qu'il devait préparer son départ.

Et puis, lui qui ne pouvait même pas s'incliner devrait enfiler ses effets ordinaires.

Et puis — se forcer à mouvoir la colonne de son corps dans les rues de la ville.

Et la pensée lui fut intolérable d'avoir à faire tout cela au prix de tant d'efforts, sans savoir pourquoi ni pour qui.

Kostoglotov le regardait, non point avec pitié, non, mais avec la sympathie du compagnon d'armes : « Cette balle-ci a été pour toi ; qui sait si la suivante ne sera pas pour moi ? » Il ne connaissait pas le passé d'Ephrem, il ne s'était pas lié avec lui bien qu'ils fussent dans la même salle, mais sa franchise lui plaisait : il était loin d'être le plus mauvais homme qu'Oleg eût rencontré dans sa vie.

« Allons, Ephrem, accroche-toi ! » Il lui tendait la main d'un grand geste.

Ephrem, prenant sa main, eut un sourire qui lui découvrit les dents :

« Ça naît ; ça s'agite ; ça pousse, ça s'irrite ; ça meurt, on sait où que ça ira. »

Oleg était déjà retourné pour s'en aller fumer quand une laborantine apparut qui distribuait les journaux ; comme il était le plus proche de la porte, c'est à lui qu'elle tendit l'exemplaire de leur salle. Kostoglotov le prit, le déplia, mais Roussanov veillait : d'une voix forte, scandalisée, il lança à la laborantine qui n'avait pas eu le temps de filer :

« Dites donc, dites donc ! Je vous ai pourtant priée en termes clairs de me remettre les journaux à moi d'abord ! »

Il y avait dans sa voix une vraie douleur, mais Kostoglotov n'eut point pitié, il contre-aboya :

« Pourquoi à vous d'abord ?

— Comment ? Comment pourquoi ? Comment pourquoi ? » Paul Nikolaïevitch souffrait tout haut ; il souffrait parce que son droit était incontestable, évident, mais impossible à défendre avec des mots.

Il n'éprouvait rien de moins que de la jalousie lorsque quelqu'un d'autre que lui dépliait de ses doigts profanes un journal vierge. Aucun d'entre eux ne pouvait dans un journal comprendre ce que lui, Paul Nikolaïevitch, y comprenait. Il comprenait un journal comme une instruction officiellement publiée mais en fait chiffrée, où tout n'a pu être exprimé en clair, mais où différents petits détails, la disposition des articles, ce qui est dit et ce qui est omis, permettent à un homme suffisamment au fait de ces choses d'avoir une idée juste de la toute dernière *ligne générale*. C'est pour cela que Roussanov devait lire le journal le premier.

Mais dire tout cela ici n'était pas possible. Et Paul Nikolaïevitch ne fit que gémir :

« Vous savez bien qu'on doit me faire ma piqûre. Je veux le regarder avant.

— Votre piqûre ? » Grandegueule se radoucit. « Tout de suite... »

Il finit de parcourir le journal d'un œil rapide, les informations concernant la session et les autres nouvelles confinées dans ce qui restait de place. N'était-il pas parti pour aller fumer ? On entendait déjà le froissement du journal qu'il refermait pour le rendre quand il aperçut quelque chose qui l'y replongea ; presque immédiatement il se mit d'une voix soudain alertée à dire et redire un long mot qu'il semblait étirer entre sa langue et son palais :

« Très-in-té-res-sant... Très-in-té-res-sant... »

Les quatre coups sourds du destin, les quatre coups beethoveniens, venaient de tonner sur sa tête, mais personne dans la salle ne les avait entendus, personne peut-être ne les entendrait — et qu'aurait-il pu dire d'autre à voix haute ?

« Que peut-il y avoir ? dit Roussanov bouleversé. — Voyons, donnez-moi ce journal ! »

Kostoglotov n'eut pas un geste pour rien montrer à qui que ce fût. Il ne répondit pas non plus à Roussanov. Il ramena l'une vers l'autre les feuilles du journal, le replia encore en deux, en quatre, comme il l'était auparavant, mais le journal avec ses six pages ne reprit pas exactement ses anciens plis et resta boursouflé. Puis, faisant un pas vers Roussanov (qui fit aussi un pas vers lui), Kostoglotov lui remit le journal. Et là, au lieu de sortir, il défit sa blague de soie et, doigts tremblants, se mit à rouler une « sèche » dans du papier de journal.

Doigts tremblants, de son côté, Roussanov déployait le journal. Ce « très-intéressant » de Kostoglotov lui avait fait l'effet d'un coup de couteau entre les côtes. Qu'est-ce qui avait pu paraître si intéressant à ce fort en gueule ?

Du regard habile du connaisseur, il parcourait vivement les titres et le matériel de la session quand, tout à coup, tout à coup... Comment ?... Comment ?...

En caractères qui n'étaient rien moins que voyants — tout à fait insignifiant pour ceux qui ne *comprenaient* pas, une page criait ! Clamait ! Inouï ! Impossible ! Un décret renouvelant totalement le Tribunal Suprême ! Le Tribunal Suprême de l'Union !

Comment ? Matoulevitch, le substitut d'Oulrikh ? Dotistov ? Pavlenko ? Et Klopov ! Klopov aussi, le pilier du Tribunal Suprême, était démis !... Qui alors assurerait la sauvegarde des cadres ?

Des noms nouveaux, parfaitement inconnus... Tous ceux qui, un quart de siècle durant, avaient administré la justice — balayés d'un coup !

Ce ne pouvait être l'effet du hasard !

L'histoire était en marche...

Une sueur froide inonda Paul Nikolaïevitch. Il venait justement ce matin de se rassurer de toutes ses craintes, et voilà...

« Votre piqûre.

— Hein ? » Il eut un sursaut d'incompréhension.

Le docteur Gangart était devant lui avec sa seringue.

« Découvrez votre bras, Roussanov, qu'on vous pique. »

CHAPITRE XVI

NON-SENS

Il rampait. Il rampait dans un conduit de béton armé,
— ou plutôt un tunnel : à droite, à gauche jaillissaient
des tiges de fer nues, qui l'une ou l'autre l'accrochaient,
au cou, bien sûr, et à droite, du côté de son mal. Il
rampait sur la poitrine, conscient surtout de la lourdeur
de son corps qui le plaquait au sol, une lourdeur beaucoup trop grande pour ce que pesait son corps, une lourdeur à laquelle il n'était point fait : il se sentait laminé.
Il avait d'abord cru que c'était ce béton qui l'écrasait ; mais non, cette chose si lourde était bien son
corps. Qui lui semblait un sac bourré de mâchefer, et
qu'il traînait. L'idée lui vint qu'un tel poids l'empêcherait sans doute de se mettre debout, — mais l'important
n'était-il pas, même en rampant, d'arriver au bout de
ce conduit, pour trouver un peu d'air et revoir la lumière ? Ah ! ce conduit qui n'en finissait pas, n'en finissait pas, n'en finissait pas...

Une voix soudaine — mais une voix sans voix, ne transmettant que les pensées — lui commanda de tourner. Comment tournerait-il, avec cette paroi ? Mais le même poids qui réduisait son corps lui intimait l'ordre de changer de route. En ahanant, il obéit — et se rendit compte qu'il rampait aussi bien de ce côté-là qu'il l'avait jusque-là fait droit devant lui. A peine cet ordre eut-il été exécuté qu'il reçut celui de repartir, toujours rampant, de l'autre côté. Gémissant, il repartit. Tout lui était indifféremment pesant, il ne voyait en perspective ni lumière ni issue.

La même voix distincte lui ordonna de tourner à droite, et vivement ; il força des pieds et des coudes et, quoiqu'il y eût à droite cette impénétrable paroi, il rampa : cela semblait aller... Alors, il lui fut derechef ordonné de prendre à gauche, toujours aussi vite, — et, sans plus hésiter, sans plus réfléchir, il travailla des coudes — et cela marcha. Il ne cessait de s'accrocher le cou et la douleur lui résonnait jusque dans la tête. De sa vie, il ne s'était trouvé dans une situation aussi pénible. Et quel dépit s'il allait mourir en route, sans parvenir au terme de sa reptation !

Or, ses jambes devinrent soudain plus légères, aussi légères que si on les eût gonflées d'air ; elles se mirent à monter tandis que sa poitrine et sa tête demeuraient plaquées au sol. Il tendit l'oreille : aucun ordre ne lui parvenait. Alors, il comprit qu'il avait là le moyen de s'en tirer : ses jambes allaient échapper de ce tunnel-cheminée et lui, en rampant derrière elles, réussirait à en sortir. De fait, il se mit à reculer et, les bras tendus comme des arcs-boutants, — d'où cette force lui venait-elle ? — suivit le mouvement de ses jambes en train de franchir le trou. Le trou était étroit, mais le pire était qu'il eût le sang à la tête ; il pensa mourir là : sa tête allait éclater. Enfin, un dernier effort l'écarta un peu des parois, l'écorchant vif, et il sortit.

Il se retrouva sur son conduit, au beau milieu d'un chantier, un chantier désert : la journée devait être terminée. Autour de lui, une fondrière. Il s'assit sur le

conduit pour retrouver son souffle et vit, assise à son
côté, une jeune fille : elle portait un vêtement de travail tout souillé, elle avait la tête nue, ses cheveux de
paille tombaient sans un peigne, sans une épingle. La
jeune fille ne le regardait pas, se bornant à rester là,
mais elle attendait de lui une question, il le savait. Il
commença par avoir peur d'elle, puis comprit qu'elle
avait encore plus peur de lui. Quoiqu'il ne fût point
d'humeur à bavarder, elle attendait tellement de lui cette
question qu'il la posa :

« Jeune fille, dis-moi, où est ta mère ?

— Je ne sais pas, répondit la jeune fille, qui ne leva
pas les yeux et continua de ronger ses ongles.

— Comment — tu ne sais pas ! » La colère le prenait.
« Il faut que tu saches ! Et que tu parles franchement.
Je veux une déclaration écrite et toute la vérité... Tu te
tais ?... Je repose ma question : où est ta mère ?

— Si je vous le demandais ? » Et la jeune fille leva
les yeux. Ses yeux étaient comme de l'eau. Et il fut soudain transi. Et il eut plusieurs éclairs de compréhension,
non point successifs, mais simultanés : il comprit que
c'était la fille de Groucha, l'ouvrière de l'atelier des
presses qu'on avait arrêtée pour ses cancans contre le
Guide du Peuple ; cette fille lui avait apporté un questionnaire aux réponses inexactes, celant certaines choses ; il l'avait plusieurs fois appelée, menaçant de la faire
juger pour fausses déclarations ; et elle s'était empoisonnée. Elle s'était empoisonnée, mais à l'instant, à ses
cheveux, à ses yeux, il venait de comprendre qu'elle
s'était noyée. Il comprit encore qu'elle avait compris qui
il était. Il comprit encore que si, noyée, elle était assise
à côté de lui, c'est qu'il était mort lui aussi. Il en eut
la sueur froide. Il s'essuya et dit :

« Pfhou ! mince de chaleur ! Tu ne sais pas où on
pourrait trouver de l'eau ?

— Là-bas. » La jeune fille fit un signe du menton.
Elle lui indiquait une espèce d'auge, ou de caisse,
pleine d'une eau de pluie croupie, mêlée d'argile glau-
que. Là encore il comprit : c'était l'eau de sa mort à

elle et elle voulait qu'il la bût lui aussi. Mais, puisqu'elle voulait sa mort, peut-être était-il encore vivant ?

« Ecoute un peu, lui dit-il, rusant pour se débarrasser d'elle. Va donc trouver le chef de chantier et dis-lui de venir me voir. Sans oublier de m'apporter des bottes. Sans quoi, le moyen d'aller jusque-là ? »

La jeune fille fit un signe d'assentiment ; d'un bond elle descendit du conduit et s'éloigna, pataugeant dans les flaques, cheveux tombants, en bleus, en bottes, négligée comme une fille qui travaille sur un chantier.

Quant à lui, il avait si grand-soif qu'il décida tout de même de boire à cette auge. S'il ne buvait qu'un peu, que risquait-il ? Il descendit et fut surpris de constater que la boue n'était pas glissante. La terre sous ses pieds était comme imprécise. Et tout alentour était imprécis, sans lointain. Il pouvait donc aller, quand il fut pris de la crainte soudaine d'avoir perdu un papier important. Il chercha dans ses poches, dans toutes ses poches à la fois, et, avant même que ses mains ne lui eussent obéi, il comprit qu'il l'avait bien perdu.

Du coup la peur le saisit, la terreur : par les temps qui courent, il n'est pas bon qu'on lise des papiers comme celui-là ! Il pouvait lui en advenir de grands désagréments. Il comprit à l'instant où il l'avait perdu : en sortant de son trou. Et vite, il rebroussa chemin. Mais il ne retrouva pas l'endroit. Il ne reconnaissait plus les lieux. Il n'y avait même plus aucun conduit de béton. En revanche des ouvriers circulaient çà et là. Et c'était bien là le pire : ils étaient capables de trouver le papier.

Les ouvriers étaient tous des inconnus, jeunes. Un garçon, qui portait la cotte en toile de bâche, ailettes aux épaules, s'arrêta et le regarda. Pourquoi le regardait-il ainsi ? Peut-être avait-il trouvé ?

« Dis donc, mon gars, tu n'aurais pas des allumettes ? demanda Roussanov.

— Mais tu ne fumes pas », répliqua le soudeur.

Tout le monde le connaissait donc ! D'où le connaissaient-ils ?

« Ce n'est pas pour ça que j'ai besoin d'allumettes.

— Ah oui ! et pourquoi donc ? » fit le soudeur en le dévisageant curieusement.

Il avait vraiment répondu comme un imbécile. Un saboteur n'aurait pas fait mieux. Peut-être allait-on l'appréhender ? Et pendant ce temps on trouverait le papier. Or, ces allumettes, s'il en avait besoin, c'était justement pour brûler ce papier.

Cependant, le garçon s'approchait de lui, plus près, toujours plus près, — Roussanov était transi de peur, plein d'un pressentiment. Le garçon plongea ses yeux dans les siens et dit, avec netteté, en détachant les mots :

« Du fait qu'Eltchanskaïa m'a en quelque sorte confié le sort de sa fille, je déduis qu'elle se sent coupable et s'attend à une arrestation. »

Roussanov fut parcouru d'un frisson glacé.

« D'où tenez-vous cela ? »

Il fallait bien dire quelque chose, mais il était évident que le garçon venait de lire son rapport : cette phrase en était extraite, mot pour mot !

Le soudeur ne répondit rien et passa son chemin. Quelle agitation désordonnée s'empara alors de Roussanov ! Il était clair que son rapport était là, quelque part, tout près ; il devait le trouver au plus vite, vite !

Entouré de murs, il se jetait de l'un à l'autre, allant, venant, passant derrière ; son cœur bondissait en avant, ses jambes ne pouvaient le suivre, — ses jambes se mouvaient si lentement, désespérément !

Il avait enfin aperçu le papier ; au premier coup d'œil il s'était dit : « C'est lui ! » Il voulut courir, mais ses jambes n'avançaient plus. Alors il se mit à quatre pattes et, faisant travailler surtout ses bras, il se mit à progresser vers le papier. Si quelqu'un allait s'en saisir avant lui ! Il fallait arriver le premier, qu'on ne pût le lui voler ! Plus près, plus près... Enfin ! il l'avait ! *Son* papier ! Mais ses doigts n'avaient même plus assez de forces pour le déchirer. Et, s'étendant face contre terre pour se reposer, il le serra sous lui.

Or, quelqu'un posa la main sur son épaule. Il décida de ne pas se retourner afin de garder le papier sous lui.

Mais la pression était douce, — une main de femme. Et Roussanov devina que c'était Eltchanskaïa elle-même.

« Mon ami ! — demanda-t-elle tendrement, sans doute inclinée jusqu'à son oreille —, dites, mon ami ! Où est ma fille ? Dites-moi où vous l'avez mise.

— Elle est bien, là où elle est, Hélène Fiodorovna, ne vous en faites pas ! » répondit Roussanov. Mais il ne tourna pas la tête vers elle.

« Mais dans quel endroit ?

— A l'orphelinat.

— Mais dans quel orphelinat... ? »

Ce n'était pas une vraie question, le son de la voix était triste.

« Ça, je ne peux pas vous le dire, vraiment. » Sincèrement, il eût voulu le dire, mais il ne le savait pas : ce n'est pas lui qui l'avait emmenée ; de plus, elle était peut-être passée par plus d'un orphelinat.

« Et... elle est inscrite sous mon nom ? — elle était presque caressante, la voix qui posait ces questions dans son dos.

— Non ! » Roussanov compatissait. « Vous savez bien comment ça se passe : on change le nom de famille. Je n'y suis pour rien, c'est comme ça. »

Il gisait là, se remémorant les époux Eltchanski qu'il aimait bien, ou presque. Il n'avait rien contre eux. Et s'il avait été amené à écrire un rapport contre le vieillard, ce n'est que parce que Tchoukhnenko le lui avait demandé : Eltchanski le gênait dans son travail. D'ailleurs, une fois celui-ci en prison, Roussanov s'était sincèrement soucié de sa femme et de sa fille et c'est à ce moment-là que, dans l'attente de son arrestation, elle lui avait confié son enfant. Mais, comment se faisait-il qu'il l'eût, elle aussi, dénoncée, — il ne parvenait point à se le rappeler.

Il s'était soulevé de terre et retourné pour la voir : il n'y avait rien ni personne, rien ni personne (d'ailleurs, elle était morte ; comment avait-elle pu se trouver là ?) et, au lieu de l'apercevoir, il ressentit au cou un élancement violent, du côté droit. Aussi remit-il sa tête en place, décidé à rester allongé. Il lui fallait se reposer, il était si fatigué, comme jamais il n'avait été fatigué. Il avait le corps rompu.

L'endroit où il gisait était un couloir, une galerie de mine, mais ses yeux s'étaient faits à l'obscurité et il distingua tout près de lui, sur le sol recouvert de débris d'anthracite, un téléphone. Il en fut très étonné : comment cet objet des villes avait-il pu arriver là ? Se pouvait-il qu'il fût branché ? Il allait donc pouvoir se faire apporter à boire. Et puis se faire transporter à l'hôpital.

Il décrocha, mais au lieu de la tonalité il entendit une voix, pleine d'une assurance administrative, qui disait :

« Le camarade Roussanov ?

— Oui, oui », dit Roussanov, qui s'était instantanément ressaisi (on sentait bien que cette voix venait d'en haut et non d'en bas).

« Passez au Tribunal Suprême.

— Au Tribunal Suprême ? A vos ordres ! Tout de suite ! Fort bien ! » et il posait déjà le récepteur quand il se ravisa : « Excusez-moi, mais à quel Tribunal Suprême, l'ancien ou le nouveau ?

— Le nouveau, lui répondit-on froidement. Dépêchez-vous. »

Et l'on raccrocha.

Et tous les détails du renouvellement de ce tribunal lui revinrent à la mémoire ! — et il se maudit d'avoir téléphoné le premier. Matoulevitch n'était plus là... Klopov n'était plus là... Béria lui-même n'était plus là ! Ah ! quelle époque !...

Pourtant il devait y aller. De lui-même, il n'aurait jamais eu la force de se mettre debout, mais on le convoquait, il devait se lever. Bandant ses quatre membres, il se soulevait à demi et retombait, comme un petit veau qui ne sait pas encore marcher. A vrai dire, on ne lui avait pas fixé d'heure précise, mais on avait dit : « Dépêchez-vous ! » En se tenant à la paroi, il finit par se dresser sur ses pieds, puis, le jarret faible, le pas incertain, il avança, sans cesser de se tenir à la paroi. Il ne s'expliquait pas pourquoi il ressentait une douleur au cou.

Tout en allant, il se demandait si on voulait vraiment le faire passer en jugement. Pouvait-on être assez cruel pour le juger ? Après tant d'années ? Ah ! ce renouvellement du Tribunal ! Ça ne présageait rien de bon, non !

Allons ! tout plein qu'il était du respect qu'on doit aux Tribunaux Suprêmes, il ne lui restait plus qu'à se défendre contre Eux. Et il aurait l'audace de le faire.

Voici ce qu'il Leur dirait : « Ce n'est pas moi qui ai prononcé les sentences ! pas moi qui ai fait les instructions ! Je me suis borné à signaler ce qu'il y avait de suspect. Si dans les toilettes communes je trouve un bout de journal avec le portrait déchiré du Guide du Peuple, mon devoir est d'apporter ce bout de journal à qui de droit et de le signaler. A l'instructeur de se livrer aux vérifications ! Le fait peut être fortuit, il peut aussi ne pas l'être. L'instruction est faite pour que surgisse la vérité. Moi, je me suis contenté de faire mon devoir de simple citoyen. »

Voici ce qu'il allait Leur dire : « Pendant toutes ces années, l'important était d'assainir la société ! de lui donner la santé morale ! Et pour assainir une société, il faut la purger, la nettoyer, et, pour que les nettoyages soient possibles, il faut qu'il y ait des gens qui ne soient pas rebutés par la pelle et le balai ! »

Plus son argumentation se développait, plus il était résolu à leur dire toute sa façon de penser. Il aspirait même à arriver plus tôt afin de plus vite comparaître. Il leur lancerait tout crûment :

« Je ne suis pourtant pas le seul à avoir fait ça ! Pourquoi est-ce moi que vous avez choisi de juger ? Citez-moi quelqu'un qui ne l'ait pas fait ! Comment aurait-il pu se maintenir à son poste s'il n'avait pas collaboré... ? Gouzoun ? Mais il s'est fait arrêter lui aussi ! »

Il était tout tendu comme si déjà il criait, mais il se rendit compte qu'il n'en était rien : c'était sa gorge gonflée qui lui faisait mal.

Il marchait non plus dans une galerie de mine, mais dans un simple corridor, et derrière lui quelqu'un le héla :

« Paul ! Qu'est-ce qui t'arrive ? Tu es malade ? Mais tu te traînes à peine ! »

Il eut un sursaut d'énergie et se mit, au moins le crut-il, à marcher comme s'il était valide. Il se retourna pour voir qui le hélait : c'était Zvejnek, avec son jungsturm et son ceinturon.

« Jan... où vas-tu ? » demanda Paul et il s'étonna qu'il fût si jeune. Jeune, bien sûr, il l'avait été, mais combien de temps avait passé depuis !

« Comment, où ? Là où tu vas toi-même, à la Commission.

— Quelle commission ? » dit Paul, s'efforçant de comprendre. Il savait bien qu'il était convoqué ailleurs, mais il ne pouvait plus se rappeler où.

Et il régla son pas sur celui de Zvejnek, plus rapide ; il était à nouveau alerte, vif, jeune, il sentit qu'il n'avait pas vingt ans, qu'il n'était pas marié.

Ils traversaient un grand local administratif ; avec une multitude de bureaux auxquels travaillait de l'intelligentsia : vieux comptables cravatés, barbus comme des popes ; ingénieurs avec de petits marteaux à la boutonnière ; femmes âgées aux allures de dames ; dactylos toutes jeunettes, fardées, la jupe au-dessus du genou. Dès qu'ils furent entrés, Zvejnek et lui, faisant sonner leurs quatre bottes, tous ces gens, une trentaine, se tournèrent vers eux ; certains se levèrent à demi, d'autres saluèrent assis, mais toutes les têtes les accompagnèrent tandis qu'ils passaient et tous les visages exprimaient l'effroi. Et Paul et Jan en étaient flattés.

Ils pénétrèrent dans la pièce suivante. Ils échangèrent des salutations avec les autres membres de la Commission et s'installèrent devant le tapis rouge.

« Allons, introduisez ! » ordonna Venka, le président. On commença. La première à entrer fut la mère Groucha, l'ouvrière de l'atelier des presses.

« Eh bien, qu'est-ce que tu viens faire ici, la mère ? dit Venka étonné. On purge l'appareil, et te voilà ? Est-ce que par hasard tu aurais réussi à t'y faufiler ? »

Et tous d'éclater de rire.

« Mais non, voyons, dit Groucha sans s'émouvoir, j'ai une petite fille qui est bientôt en âge, il faudrait peut-être lui trouver une place au jardin d'enfants, non ?

— C'est ça, c'est ça, Groucha ! cria Paul. Fais ta demande par écrit et on s'en occupera. On te la casera, ta petite fille ! Mais pour l'instant, tu nous gênes, nous avons l'intelligentsia à purger. »

Et il tendit les mains vers la carafe pour se verser de l'eau : elle était vide. Il fit de la tête un signe à son voisin pour qu'on lui fît passer une carafe de l'autre bout de la table. On la lui fit passer : elle était vide.

Or, il avait une telle soif que sa gorge était en feu.

« A boire ! demanda-t-il. A boire !

— Tout de suite, dit le docteur Gangart, on vous apporte de l'eau. »

Roussanov ouvrit les yeux. Gangart était assise à côté de lui sur le lit.

« J'ai du jus de fruit dans ma table de nuit », prononça-t-il faiblement. Il avait des frissons, le corps brisé, la tête martelée de grands coups sourds.

« Bon, on va vous en verser », dit la doctoresse ; un sourire passait sur ses lèvres minces.

Elle ouvrit elle-même la table de nuit ; elle en sortit une bouteille pleine de jus de fruit et un verre.

Par les fenêtres on devinait les lumières du couchant.

Paul Nikolaïevitch, du coin de l'œil, regardait la doctoresse lui verser son jus de fruit — pour s'assurer qu'elle n'y ajoutait rien.

Le jus doux acide le pénétrait agréablement. Sans se soulever de son oreiller, il aspira tout le contenu du verre que lui tenait Gangart.

Il se plaignit :

« Je me suis senti bien mal aujourd'hui. »

Gangart protesta :

« Non, vous vous en êtes plutôt bien tiré ; nous avions simplement augmenté la dose. »

Un nouveau soupçon poignit Roussanov.

« Et... vous allez l'augmenter à chaque fois ?

— Désormais ce sera toujours la même. Vous vous habituerez, vous vous sentirez mieux.

— Et le Tribunal Suprême...? » Il s'arrêta brusquement.

Il ne s'y retrouvait plus : le délire... la réalité...

CHAPITRE XVII

LA RACINE DU LAC ISSYK-KOUL

VERA KORNILIEVNA appréhendait la réaction de Roussanov au maximum de la dose ; dans le courant de la journée elle vint plusieurs fois s'informer de son état et après son travail tarda à partir. Elle n'aurait pas dû se déplacer aussi souvent si Olympiade Vladislavovna avait assuré son service comme il était prévu, mais on n'avait pu éviter de l'envoyer suivre le cours de trésorerie syndicale et c'est Tourgoun qui la remplaçait ; or, on ne pouvait vraiment pas s'en remettre à lui.

Roussanov supporta la piqûre assez mal, sans atteindre toutefois le seuil critique. Juste après l'injection on lui avait administré un soporifique et il ne s'était plus réveillé, mais il était agité, se retournant, se tordant, gémissant ; à chacune de ses visites Vera Kornilievna demeurait quelque temps à l'observer et lui prenait le pouls. Il étirait ses jambes et se recroquevillait alternativement. Son visage était rougeâtre, mouillé de sueur. Privé de ses lunettes et sur un oreiller, il n'avait plus cet air d'impérieuse autorité. De rares petits cheveux blancs, échappés à la calvitie, étaient pitoyablement collés en tout sens sur le haut du crâne.

Outre ses visites, Vera Kornilievna avait bien d'autres choses à faire. Elle eut par exemple à régler la sortie de Poddouïev qui faisait fonction de doyen de salle, une fonction sans raison d'être, mais statutairement prévue. Et, en passant du lit de Roussanov au suivant, Vera Kornilievna déclara :

« Kostoglotov, à partir d'aujourd'hui, c'est vous qui êtes doyen de salle. »

Kostoglotov était couché tout habillé sur sa couverture et lisait le journal ; Gangart en était à sa deuxième visite et Kostoglotov lisait toujours son journal. S'attendant comme d'habitude à quelque sortie de sa part, Gangart accompagna sa phrase d'un léger sourire, comme pour montrer qu'elle comprenait bien que tout cela n'avait aucune importance. Il leva vers elle un visage joyeux et, ne sachant comment lui exprimer au mieux son respect, il ramena vers lui ses longues jambes trop librement étirées sur son lit. Il avait un air fort bienveillant ; il dit :

« Vera Kornilievna ! Vous voulez donc me porter un coup moral irréparable ! Aucun administrateur n'est à l'abri des erreurs, il lui arrive même de succomber à la tentation de la puissance. Aussi, après de longues années de réflexion, me suis-je juré de ne plus jamais assumer de fonctions officielles.

— Parce que vous en avez déjà exercé ? De hautes fonctions ? dit-elle, entrant dans le jeu.

— La plus haute était celle de sous-officier adjoint au chef de section. Mais en fait j'en ai exercé de plus importantes. On avait expédié mon chef de section, pour sa grande bêtise et sa parfaite incapacité, suivre des cours de perfectionnement, dont il aurait dû revenir au moins commandant de batterie, — mais dans un autre groupe d'artillerie que le nôtre. A sa place on nous avait envoyé un autre officier, mais il s'était tout de suite fait détacher aux politiques. Le général commandant la division n'avait rien contre moi : j'étais bon topographe et les gars m'écoutaient ; c'est comme ça que, simple adjudant, j'ai pendant deux ans exercé les fonctions de chef de section — depuis Elets jusqu'à Francfort-sur-l'Oder. Je dois dire que ce sont les meilleures années de ma vie, ça peut sembler drôle. »

Quoiqu'il eût replié ses jambes, il sentit que sa posture n'était guère polie et s'assit sur le bord de son lit.

« Vous voyez bien... » Le sourire de sympathie n'avait pas quitté le visage de Gangart de toute leur conversation. « Pourquoi refuser ? Vous allez de nouveau vous sentir heureux...

— Jolie logique ! Et la démocratie ! Vous vous asseyez dessus, sur la démocratie et ses principes : la salle ne m'a pas choisi, les électeurs ne connaissent même pas mon cursus honorum... Au fait, vous ne le connaissez pas plus qu'eux...

— Eh bien, racontez. »

Elle ne parlait jamais très fort, il avait baissé la voix pour elle seule ; Roussanov dormait, Zatsyrko lisait, le lit de Poddouïev était déjà vide, — aussi ne pouvait-on guère les entendre.

« C'est une longue histoire. Et puis je ne suis pas à mon aise assis là pendant que vous êtes debout. Ce n'est tout de même pas une façon de s'entretenir avec une femme. Et si je me flanque debout comme un planton au beau milieu de l'allée, ça aura l'air encore plus bête. Asseyez-vous sur mon lit, s'il vous plaît.

— Il faut pourtant que je m'en aille, dit-elle. Et elle s'assit au bord du lit.

— Voyez-vous, Vera Kornilievna, c'est surtout parce que je tiens à la démocratie que j'ai souffert dans la vie. J'ai essayé de l'implanter dans l'armée en me montrant impertinent avec les gradés. C'est pour ça qu'en 1939 ils ne m'ont pas envoyé à l'école des sous-off' et que je suis resté simple soldat. Et comme en 1940 (à ce moment-là j'avais tout de même commencé à faire le peloton), j'ai recommencé à leur dire des sottises, ils m'ont encore une fois renvoyé. C'est seulement en 1941 que j'ai réussi tant bien que mal à sortir sous-officier en Extrême-Orient. J'avoue que j'en avais gros sur le cœur de ne pas être devenu officier comme tous mes amis.

Quand on est jeune, on est assez sensible à ce genre de choses. Mais j'aimais tout de même mieux la justice.

— J'ai un ami très proche, dit Gangart, le regard rivé à la couverture, — il a eu la même destinée : très... évolué — et sans grade. »

Une demi-pause, un silence passa entre leurs deux têtes et elle leva les yeux.

« D'ailleurs, vous êtes resté comme ça jusqu'à présent.

— Comment « comme ça » ? Sans grade ou très évolué ?

— Non, effronté. Regardez comment vous parlez aux médecins ! A moi en particulier. »

C'est avec sévérité qu'elle disait cela, mais une sévérité bien étrange, toute pétrie de douceur comme l'étaient chaque parole, chaque geste de Vera Gangart. D'une douceur sans laisser-aller, méthodique, en quelque sorte, et harmonieusement construite.

« Moi — à vous ? Je m'adresse à vous avec un respect sans pareil. Ce que j'ai de mieux à vous offrir comme façon de parler... vous ne vous rendez pas compte. Et si vous voulez parler du premier jour, vous ne pouvez pas savoir dans quel état je me trouvais pris. Il avait vraiment fallu que je sois à la mort pour qu'ils me laissent tout de même quitter la province. J'arrive ici : et au lieu de l'hiver — le déluge. J'étais là, mes bottes de feutre sous le bras (là-bas, chez nous, il gelait à pierre fendre !)... Ma capote était trempée, à tordre... Je donne mes bottes de feutre à la consigne et je prends le tramway pour la vieille ville : j'avais gardé du front l'adresse d'un de mes soldats qui vivait là-bas. A ce moment-là, il commençait déjà à faire sombre, voilà tout le tramway qui se met à me raisonner : qu'il ne fallait pas que j'y aille ; que j'allais me faire égorger ; pensez ! après l'amnistie de 1953 on avait remis en liberté toute la canaille et on ne réussirait plus jamais à remettre le grappin dessus... Moi, je n'étais même pas sûr que mon soldat vive toujours là-bas ; quant à la rue, elle était de celles que personne ne connaît. Alors je me suis mis à faire les hôtels. Des vestibules magnifiques, — j'avais honte d'y traîner mes bottes ! Il y en avait bien qui avaient de la place, mais il suffisait qu'au lieu d'un passeport je présente le certificat de relégation pour qu'il n'y en ait plus : « Impossible ! Impossible ! » Qu'est-ce qui me restait à faire ? Mourir, soit, mais pourquoi sur le trottoir ? Alors je suis allé droit à la milice : « Voilà, « *je suis de chez vous*. Donnez-moi où passer la nuit. » Ils étaient bien embêtés, ils m'ont dit : « Vous n'avez « qu'à aller au tchaïkhana [1], vous dormirez là, on n'y « vérifie pas les papiers. » Impossible de dénicher leur caravansérail ! Alors je m'en retourne à la gare. Là, pas moyen de dormir : il y avait un milicien qui me faisait circuler chaque fois qu'il me voyait. Le lendemain matin je file droit chez vous à la consultation ; je fais la queue, on m'ausculte, et illico on décide de m'hospitaliser. En somme, je n'avais plus qu'à traverser la ville en changeant de tramway pour aller me faire viser à la Sûreté. J'arrive, — c'était pourtant jour ouvrable dans toute l'Union soviétique, mais le commandant était parti : les relégués n'avaient qu'à se débrouiller ! Et sans daigner nous honorer de la moindre indication : peut-être qu'il reviendrait, peut-être qu'il ne reviendrait pas. A ce moment-là je me suis tenu le raisonnement suivant : si je lui donnais mon certificat, il se pourrait bien qu'on refusât de me rendre mes bottes à la consigne. Alors je suis retourné à la gare encore une fois, en prenant mes deux tramways. Une heure et demi de voyage à chaque coup.

— Je ne les revois pas, vos bottes de feutre : vous en aviez ?

— Vous ne les avez pas vues, mes bottes, parce que je les avais vendues à un type à la gare. Je me disais que je finirais l'hiver à la clinique et que je ne vivrais pas jusqu'à l'hiver suivant... Me voilà donc reparti pour la Sûreté, — rien qu'en tramways, j'ai dépensé dix rou-

---

1. Auberge ouzbek.

bles. Une fois descendu, il y avait encore un bon kilomètre à pousser dans la gadoue. Et j'avais mal ! Je me
traînais à peine. En traînant mon barda avec moi. Dieu
merci, le commandant était arrivé. Je lui donne comme
caution l'autorisation de ma Sûreté à moi, je lui montre
le certificat de vos médecins, — une signature, et me
voilà autorisé à entrer à l'hôpital ! A ce moment-là, je
suis reparti, mais je ne suis pas allé chez vous, pas encore : je suis retourné dans le centre. Sur des affiches,
je vois qu'on donne *La Belle au Bois dormant...*

— Ah ! c'est comme ça ! Il vous fallait l'Opéra, les
ballets... Eh bien, si j'avais su, je ne vous aurais pas fait
admettre, ça non !

— Vera Kornilievna, c'était... c'était un miracle ! J'allais mourir et avant, pour la dernière fois, j'allais revoir
un ballet ! Et sans cette mort, avec ma déportation à
perpétuité, je n'en aurais plus jamais vu. Eh bien, je
t'en fiche ! ils avaient changé le spectacle ! Au lieu de
La Belle au Bois dormant : Agou-Valy. »

Gangart eut un rire muet et hocha la tête. Au fond,
l'histoire de ce mourant avec son ballet saugrenu lui
plaisait bien, et même plus que bien.

« Que faire ? Au conservatoire il y avait bien le concert
d'une apprentie pianiste, mais c'était loin de la gare et
je n'aurais même pas eu le coin du bout d'un banc. Et
il pleuvait ! Il continuait à tomber des cordes... Il n'y
avait plus qu'une seule solution : se rendre. J'arrive
chez vous : « Plus de place. Vous devrez attendre plu-
« sieurs jours. » Et certains malades disaient qu'on attendait jusqu'à huit jours. Attendre où ? Qu'est-ce qu'il
me restait à faire ? Sans les camps qui m'ont appris
à vivre, je ne m'en sortais pas. Et voilà que sur ces
entrefaites vous m'arrachez mon papier des mains ? Sur
quel ton vouliez-vous que je vous parle ? »

Vue d'ici, la situation était plaisante, ils avaient tous
les deux envie de rire.

Il avait raconté tout cela sans réfléchir, en pensant à
autre chose : si elle était sortie de l'institut en 45, elle
ne pouvait pas avoir moins de trente et un ans ; ils

étaient presque du même âge. Pourquoi alors lui parais-
sait-elle plus jeune que Zoé qui n'avait que vingt-trois
ans ? Ça ne venait pas de son visage, mais de ses manières, de sa timidité, de sa retenue. Dans ces cas-là on
peut même parfois supposer qu'une femme n'a jamais...
qu'une femme est encore... Un regard attentif permet
de déceler une telle femme à d'imperceptibles détails.
Mais Gangart était mariée. Alors — quoi ?

Elle, de son côté, le regardait et s'étonnait qu'il lui
eût d'abord semblé si malveillant et si grossier. Il avait,
bien sûr, l'œil sombre et des façons rudes, mais il était
aussi capable de vous regarder et de vous parler avec
beaucoup d'amitié et de gaieté — comme en ce moment.
Plus exactement, il tenait toujours prêtes l'une et l'autre de ses deux manières d'être, recourant à l'une ou à
l'autre selon les nécessités de l'instant.

« Maintenant que je suis au fait de vos danseuses et
de vos bottes de feutre — dit-elle en souriant — si nous
parlions de vos bottes de cuir ? Vous savez que ces
bottes sont une entorse sans précédent à notre règlement ? »

Elle dit et plissa les paupières.

« Encore le règlement ! — Kostoglotov grimaça — Mais
enfin, même dans les prisons on a prévu la promenade.
Moi, je ne peux pas me passer de promenade ; sans promenade, pas question de guérir ! Vous n'allez tout de
même pas me priver d'air ? »

Oui, il aimait se promener. Il passait de longs moments dans les allées solitaires et écartées de la cité
hospitalière ; Gangart l'y avait déjà vu. Il avait alors
une allure extraordinaire. La lingère avait accepté de lui
donner une robe de chambre de femme mal cousue (il
n'y en avait pas pour les hommes). Il rassemblait dans
une main toute l'étoffe inutile de l'un des pans, rabattait l'autre d'un geste large, se ceignait d'un haut ceinturon de cuir à boucle étoilée, chassant de part et d'autre de son ventre les plis de l'étoffe ainsi formés ; mais
les deux pans refusaient de rester en place. Ainsi accou-
tré, chaussé des bottes de l'armée, sans chapka, la mèche

noire, il allait à grands pas fermes, parfois lent, parfois rapide, regardant les pierres passer sous lui, et, parvenu à la limite qu'il s'était fixée, il y faisait régulièrement demi-tour. Et il avait toujours les mains dans le dos. Et il était toujours seul, sans personne.

« C'est que ces jours-ci nous nous attendons à une inspection de Nizamoutdine Bakhramovitch... Vous savez ce qui se passera s'il voit vos bottes ? J'aurai un blâme. »

Là encore, nulle exigence : une prière, avec peut-être même quelque chose comme une plainte. Elle était elle-même surprise du ton qui était devenu le sien dans ses rapports avec lui et qu'elle n'avait jamais eu avec aucun de ses malades : ce n'était même pas celui de l'égalité, on y sentait de la soumission.

Kostoglotov, convaincant, avait touché sa main fine de sa grosse patte :

« Vera Kornilievna ! Je vous garantis qu'il ne les trouvera pas. Que jamais il ne me rencontrera dans le vestibule avec ces bottes aux pieds.

— Et dans votre allée ?

— Oh ! là, il ne se rappellera même pas que je suis de son pavillon ! Tiens, si vous voulez, on peut lui envoyer pour rire une dénonciation anonyme : comme quoi je possède des bottes de cuir ; il viendra farfouiller par ici avec deux filles de salle — et il ne trouvera rien.

— Vous croyez que c'est beau d'envoyer des dénonciations ? » Ses yeux redevinrent étroits.

Ah oui ! pourquoi mettait-elle du rouge à lèvres ? Elle était trop fine pour ce genre de vulgarité, ça n'allait pas avec le reste. Il soupira :

« Vous savez bien que ça se fait, Vera Kornilievna — et comment ! Et ça rend ! Les Romains disaient : *Testis unus, testis nullus.* Un témoin, pas de témoin. Au XXᵉ siècle, les témoins sont devenus inutiles, un témoin est encore un témoin de trop. »

Elle détourna les yeux. L'endroit où ils étaient rendait difficile une conversation de ce genre.

« Et où les cacherez-vous ?

— Mes bottes ? Oh ! il y a des dizaines de façons de faire selon les circonstances. Peut-être que je les jetterai dans le poêle éteint, peut-être que je les suspendrai à une ficelle que je passerai par la fenêtre. Soyez tranquille ! »

Il n'était pas possible de garder son sérieux ni de douter qu'il se tirerait de ce mauvais pas.

« Mais comment vous y êtes-vous pris le premier jour pour ne pas les déposer en entrant ?

— Ça alors, ça n'est pas bien compliqué. Dans la niche où j'ai changé de vêtements je n'ai eu qu'à les placer derrière le battant de la porte ; la fille de salle a mis tout le reste dans un sac avec une étiquette et l'a emporté au dépôt central, et en sortant du bain, j'ai enveloppé mes bottes dans un bout de journal et je suis parti avec. »

Quelle stupide conversation ! Que faisait-elle assise là au lieu de travailler ? Roussanov dormait, agité, couvert de sueur, mais il dormait, et sans vomissements. Gangart, une fois de plus, lui tâta le pouls ; elle allait partir quand quelque chose lui revint à l'esprit ; elle se retourna vers Kostoglotov :

« Au fait, vous ne recevez encore aucun supplément ?

— Non, m'n adjudant ! dit-il, dressant l'oreille.

— Nous commencerons donc demain. Par jour : deux œufs, deux verres de lait et cinquante grammes de beurre.

— Comment-comment ? Puis-je en croire mes oreilles ? De ma vie on ne m'avait jamais nourri comme ça !... Au fond, vous savez, ce n'est que justice. Parce que, pour cette maladie, même avec une ordonnance, je ne toucherai rien.

— Comment ça ?

— C'est bien simple. Il se trouve que je ne suis pas encore depuis six mois au syndicat. Alors je n'ai droit à rien.

— Aïe-aïe-aïe ! Comment cela se fait-il ?

— Bah ! j'ai tout simplement perdu l'habitude de vivre comme tout le monde ! J'arrive à mon lieu de relégation ; comment vouliez-vous que je devine qu'il fallait commencer par m'inscrire au syndicat ? »

D'un côté — si malin, de l'autre — si inadapté ! Ce supplément, c'est Gangart qui s'était arrangée pour le lui faire accorder, elle avait dû insister, la chose n'était pas si facile. Mais il lui fallait partir, sans quoi elle risquait de passer la journée à bavarder.

Elle était déjà près de la porte quand il cria malicieusement :

« Dites donc, vous ne seriez pas en train d'acheter le doyen de salle que je suis devenu ? Je vais m'en faire, du mauvais sang, à l'idée que je me suis laissé corrompre dès le premier jour !... »

Elle disparut.

Mais après le repas des malades il lui fallut visiter de nouveau Roussanov. A ce moment-là elle savait que l'inspection en question du médecin-chef aurait lieu le lendemain. Aussi une nouvelle tâche lui incombait-elle, la vérification des tables de nuit, car tel était le dada de Nizamoutdine Bakhramovitch : vérifier qu'il ne s'y trouvât ni miettes, ni provisions inutiles, l'idéal étant qu'il n'y vît rien que le pain et le sucre dispensés par l'hôpital. Il contrôlait également la propreté, et cela avec une ingéniosité dont une femme eût été incapable.

Montée au premier étage, Vera Kornilievna examina, le nez en l'air, les parties les plus élevées des locaux les plus hauts de plafond. Et dans un coin, au-dessus de Sigbatov, elle crut voir une toile d'araignée (il faisait maintenant plus clair ; dehors, le soleil s'était dévoilé). Gangart appela la femme de salle : c'était Elisabeth Anatolievna — pourquoi tous les branle-bas étaient-ils toujours pour elle ? — Gangart lui expliqua qu'il fallait tout laver pour le lendemain et lui montra la toile d'araignée.

Elisabeth Anatolievna tira des lunettes de la poche de sa blouse, les mit, déclara : « Figurez-vous que vous avez raison. Quelle horreur ! », ôta ses lunettes et se mit en quête d'un escabeau et d'une tête-de-loup. Elle faisait toujours le ménage sans lunettes.

Gangart poursuivit sa ronde, elle entra dans la salle des hommes. Roussanov n'avait pas changé de position ; il était inondé de sueur, mais son pouls était moins rapide. Quant à Kostoglotov, qui venait justement d'enfiler ses bottes et sa robe de chambre, il se préparait à sortir se promener. Vera Kornilievna fit à toute la salle l'annonce de l'importante inspection du lendemain et pria tout le monde de jeter un coup d'œil aux tables de nuit avant qu'elle n'en fasse elle-même le tour.

« Tenez, nous allons commencer par notre doyen », dit-elle.

Elle aurait pu commencer par quelqu'un d'autre — pourquoi s'était-elle justement retrouvée dans son coin ?

Vera Kornilievna, c'était deux triangles opposés angle à angle : le plus large en bas, en haut le plus étroit. Sa taille était à ce point fine que les mains se tendaient toutes seules vers elle pour y poser leurs doigts et la soulever en l'air. Mais Kostoglotov ne fit rien de tel et lui ouvrit de bonne grâce la porte de sa table de nuit :

« A vos ordres.

— Allons allons, laissez-moi passer s'il vous plaît », dit-elle en s'avançant vers la table de nuit. Il s'écarta. Elle s'assit sur le bord du lit et commença son contrôle.

Elle était assise, il était debout dans son dos. Il voyait bien son cou, la délicatesse de ses lignes sans défense, et ses cheveux mi-sombres, simplement disposés en chignon sur la nuque, sans aucune prétention à suivre la mode.

Non, il fallait trouver un moyen d'échapper à ces impulsions. Il n'était tout de même pas possible d'avoir la tête mise à l'envers par la première jolie femme venue ! Une visite, quelques instants de conversation avaient suffi : voici plusieurs heures qu'il ne cessait de penser à elle. Qu'est-ce que ça pouvait bien lui faire, à elle ? Elle arriverait le soir à la maison et son mari la prendrait dans ses bras.

Il fallait qu'il cherche un moyen d'échapper à ça ! mais n'était-il pas impossible d'y réussir sans le secours d'une femme, justement ?

Et il était là debout à contempler sa nuque, sa nuque, sa nuque. Par-derrière, le col de sa blouse, soulevé triangulairement, découvrait un petit os rond — le premier de la colonne vertébrale. Ah ! en faire le tour du bout du doigt !

« Cette table de nuit est, naturellement, l'une des plus affreuses de la clinique, commentait cependant Gangart. Des miettes de pain, du papier gras, du tabac aussi, et des livres, et des gants... Comment n'avez-vous pas honte ? Vous allez aujourd'hui même me faire disparaître tout ça. »

Et lui regardait son cou et ne disait rien.

Elle ouvrit le tiroir du haut et là, entre autres menus objets, elle remarqua un petit flacon d'une quarantaine de millilitres, plein d'un liquide brun. Avec le flacon soigneusement bouché, il y avait un petit gobelet en matière plastique, comme dans les nécessaires de voyage, et une pipette.

« Et ça ? C'est un médicament ? »

Kostoglotov eut un petit sifflement :

« Sans importance.

— Quel genre de médicament ? On ne vous a rien donné de semblable ici.

— Et alors ? Je n'ai pas le droit d'en avoir un à moi ?

— Du moment que vous êtes dans notre clinique, et à notre insu, bien sûr que non !

— Ah ! je ne sais pas comment vous dire ça... C'est pour les cors. »

Cependant, elle faisait tourner entre ses doigts le flacon sans nom, sans étiquette, essayant de l'ouvrir pour en sentir le contenu, et Kostoglotov s'interposa. Il referma soudain ses deux mains rudes sur les mains de Gangart et écarta celle qui allait sortir le bouchon.

Eternelle conjonction des mains ! Inévitable poursuite du dialogue...

« Attention ! dit-il tout bas. Il faut savoir comment s'y prendre. Ne pas s'en répandre sur les doigts. Ni le porter à son nez. »

Et, avec douceur, il lui ôta le flacon des mains.

Décidément, ce n'était plus une plaisanterie.

« Qu'est-ce que c'est ? dit-elle, sourcils froncés. Une substance toxique ? »

Kostoglotov se laissa lentement choir à côté d'elle et dit tout bas, d'une voix de technicien :

« Très. C'est de la racine du lac Issyk-Koul. Il ne faut pas la porter à son nez, ni sèche, ni en préparation. C'est pour ça que c'est si bien bouché. Si on a pris la racine dans ses mains et que par inadvertance on les lèche sans les avoir lavées, on peut en mourir. »

Vera Kornilievna était effrayée :

« Et pourquoi en avez-vous ?

— C'est là le hic, grogna-t-il. Vous aviez bien besoin d'aller trouver ça. J'aurais dû le cacher... J'en ai parce que je me suis soigné avec et que je continue, en guise de traitement de soutien.

— Pour ça uniquement ? » Elle l'éprouvait du regard. Sans plissements de paupières. Elle n'était plus rien qu'un médecin.

C'était donc des yeux de médecin qui le regardaient, mais ces yeux-là étaient café clair.

« Uniquement pour ça, dit-il, honnête.

— A moins que ce ne soit... en prévision ?... Elle ne le croyait toujours pas.

— Bon, si vous voulez : en venant ici, j'avais bien cette idée en tête. Pour ne pas souffrir inutilement... Mais, les douleurs passées, je n'y ai plus pensé. Et je continue de me soigner avec.

— En douce ? Quand personne ne vous voit ?

— Qu'est-ce qu'on peut faire quand on n'est pas libre de vivre à sa guise ? quand on donne partout dans le règlement ?

— Et vous en prenez combien de gouttes ?

— Il faut suivre un schéma qui monte et qui descend. D'une goutte à dix, de dix à une et dix jours d'arrêt. En ce moment, justement, j'ai arrêté. Et pour être franc, je ne suis pas sûr que, si mes douleurs ont cessé, ce soit uniquement le fait des rayons X. Peut-être que la racine y est pour quelque chose. »

Ils parlaient tous les deux d'une voix étouffée.

« Avec quoi l'avez-vous préparée ?

— Avec de l'eau-de-vie.

— Vous l'avez faite vous-même ?

— Ouais-ouais.

— Et quelle en est la concentration ?

— Comment vous dire ?... Il m'en a donné une brassée, il m'a dit : ça ira pour un litre et demi. Et j'ai fait le partage.

— Mais il y en avait quel poids ?

— Il n'a pas pesé. Il m'a donné ça comme ça, au jugé.

— Au jugé ? Un poison pareil ! C'est que c'est de l'aconit ! Vous vous rendez compte ?

— De quoi voulez-vous que je me rende compte ? » Kostoglotov commençait à s'énerver. « Je voudrais vous voir en train de mourir seule au monde avec la Sûreté qui vous interdit de franchir les limites du pays ; je me demande si l'idée que c'est de l'aconit et que vous ne savez pas combien il y en a, vous arrêterait. Vous savez ce qu'elle pouvait me valoir, cette poignée de racines ? Vingt ans de travaux forcés. Pour avoir quitté de mon propre chef mon lieu de relégation. Et pourtant je suis parti. A plus de cent cinquante kilomètres. Dans les montagnes. Il y a un vieux qui vit là-bas. Krementsov. Une barbe comme l'académicien Pavlov. De ces colons qui se sont installés là-bas au début du siècle. Un vrai sorcier ! Il ramasse ses racines lui-même et fixe lui-même les doses qui conviennent. Dans son village, on se moque de lui : nul n'est prophète en son pays. Mais on vient le trouver de Moscou et de Leningrad. Il est même venu un correspondant de la *Pravda*, on dit qu'il est reparti convaincu... En ce moment, il serait arrêté. Parce que des imbéciles en avaient préparé un demi-litre qu'ils conservaient dans leur cuisine à portée de la main ; ils ont invité des amis pour fêter la Révolution, et ces amis, qui n'avaient plus de vodka, ont bu la préparation sans rien demander aux maîtres de maison ; il y en a trois qui sont morts. Et dans une autre maison, il y a des enfants qui se sont empoisonnés.

Mais le vieux, qu'est-ce qu'il a à voir dans tout ça ? Il les avait prévenus... »

Soudain, remarquant qu'il parlait contre lui, Kostoglotov se tut.

Gangart était en émoi :

« Justement ! La détention des toxiques dans les salles communes est interdite. Exclue, absolument ! Un accident est possible. Allez, donnez-moi ce flacon !

— Non. » Le refus était ferme.

« Donnez ! » De colère, elle fronça les sourcils et tendit la main vers son poing serré. Kostoglotov avait si bien refermé ses doigts solides de travailleur sur la fiole que celle-ci avait disparu.

Il eut un sourire :

« Vous n'y parviendrez pas de cette façon-là. »

Les sourcils froncés se détendirent.

« De toute façon, je sais à quel moment vous vous promenez. Je pourrai prendre le flacon pendant que vous ne serez pas là.

— Vous faites bien de me prévenir, je vais le cacher.

— Au bout d'une ficelle que vous laisserez pendre par la fenêtre ? Qu'est-ce qu'il me reste à faire, sinon avertir qui de droit ?

— Je n'y crois pas. Vous avez vous-même tout à l'heure condamné les dénonciations.

— Vous ne me laissez pas le choix des moyens !

— Par conséquent, vous devez me dénoncer ? Ça n'est pas beau. Vous avez peur que le camarade Roussanov boive la préparation ? Je ne le laisserai pas faire. Je l'empaquetterai et je la mettrai à l'abri. Mais que je m'en aille de chez vous, et il faudra bien que je recommence à me soigner avec cette racine, vous le comprenez bien ! Non, vous croyez que c'est de la blague ?

— Absolument ! C'est de la noire superstition, c'est jouer avec la mort. Je ne crois qu'aux méthodes scientifiques éprouvées pratiquement ! C'est ainsi qu'on m'a formée. C'est ce que pensent tous les cancérologues. Donnez-moi ce flacon. »

Elle essayait malgré tout de desserrer son index.

Il la regardait dans les yeux, des yeux café clair, coléreux ; non seulement il n'avait pas envie de discuter avec elle, de s'obstiner, mais c'est avec plaisir qu'il lui aurait abandonné cette fiole et toute sa table de nuit — s'il ne lui avait été difficile de transiger avec ses principes.

« Sacrée science ! soupira-t-il. Si seulement tout y était tellement indubitable ! Si seulement tout ne s'y infirmait pas de soi-même tous les dix ans ! Et à quoi suis-je censé croire ? A vos piqûres ? Au fait, pourquoi veut-on m'en faire de nouvelles ? Qu'est-ce que c'est encore que ces piqûres ?

— Des piqûres très utiles ! Très importantes pour votre vie ! Il s'agit de sauver votre vie ! » Elle lui avait dit cela avec une insistance particulière et ses yeux étaient pleins d'un espoir rayonnant. « N'allez pas croire que vous êtes guéri !

— Mais plus précisément : quelle est leur action ?

— Quel besoin avez-vous de précisions ! Elles vous guérissent, elles empêchent les métastases. D'autres précisions... vous ne comprendriez pas. Bien, maintenant, donnez-moi ce flacon et je vous donne ma parole d'honneur que je vous le rendrai quand vous serez pour partir. »

Ils se regardaient.

Il avait un air des plus comiques, avec cette robe de chambre de femme et le ceinturon étoilé qu'il avait mis pour sa promenade.

Tout de même, quelle insistance ! Le diable du flacon ! il lui importait peu de le lui laisser : de l'aconit, il en avait encore dix fois autant à la maison. Le drame n'était pas dans le flacon. Il y avait là une jolie femme aux yeux café clair. Au visage si rayonnant. Il était si bon de parler avec elle. Et jamais il ne serait possible de l'embrasser. Et quand il reviendrait dans son trou perdu, il ne croirait même pas qu'il avait pu être assis tellement près d'une femme aussi lumineuse, et qui voulait le sauver, lui, Kostoglotov, le sauver à tout prix !

Or, justement, le sauver, elle ne le pouvait pas.

« A vous aussi, j'ai peur de le donner, dit-il pour plaisanter. Quelqu'un chez vous pourrait le boire. »

(Qui ? Qui aurait pu le boire chez elle ?... Elle vivait seule. Mais le dire maintenant eût été déplacé, indécent.)

« Bon, faisons match nul : vidons-le quelque part. »

Il sourit. Il regrettait de pouvoir faire si peu pour elle.

« Soit. Je sors le vider dans la cour. »

Elle avait tout de même tort de mettre du rouge à lèvres.

« Ah non ! dit-elle, maintenant je ne vous crois plus : je veux vous voir en train de le faire.

— Aussi quelle idée ! Pourquoi le vider ? Je ferais mieux de le donner à un brave type que de toute façon vous ne pourrez pas sauver. Qui sait si ça ne lui ferait pas du bien ?

— A qui ? »

Kostoglotov indiqua du menton le lit de Vadim Zatsyrko et baissa encore la voix :

« Il a bien un mélanoblastome ?

— Eh bien, je suis définitivement convaincue qu'il faut jeter ça. Vous allez m'empoisonner quelqu'un, c'est sûr. Enfin, vous auriez le toupet de donner ce poison à un grand malade ? Et s'il s'empoisonnait ? Votre conscience ne vous tourmenterait pas ? »

Elle faisait en sorte de ne pas le nommer ; depuis le début de leur conversation, elle ne l'avait pas une seule fois appelé de quelque nom que ce fût.

« Ce n'est pas quelqu'un à s'empoisonner. Il a du cran.

— Non-non-non. Allons vider cette chose.

— C'est terrible comme je suis compréhensif aujourd'hui. Allons-y. D'accord. »

Et ils passèrent entre les lits. Ils arrivèrent à l'escalier.

« Vous n'aurez pas froid ?

— Non, j'ai mis un tricot par en dessous. »

Elle avait dit : « un tricot par en dessous ». Pourquoi avait-elle dit cela ? Maintenant, il avait envie de voir comment était ce tricot, de quelle couleur. Mais cela, il ne le verrait jamais.

Ils sortirent sur le perron. Ce jour-là, la saison s'en

donnait à cœur joie, un vrai printemps. Un étranger n'aurait jamais cru qu'on était seulement le 7 février. Il y avait du soleil. Peupliers haut branchus et buissons bas des haies, tout encore était nu. Pourtant, dans les ombres, il ne restait plus guère de traînées de neige. Entre les arbres, plaquée au sol, gisait, brune et grise, l'herbe de l'année dernière. Les allées, les dalles, les pierres, l'asphalte étaient humides ; rien n'était encore ressuyé. Les mouvements du square étaient aussi animés qu'à l'ordinaire : rencontres, dépassements et croisements diagonaux. Il passait toute sorte de gens : médecins, infirmières, filles de salle, hommes de peine, malades de la consultation, parents des hospitalisés... En deux endroits, on s'était même assis sur un banc. Çà et là, dans différents pavillons, les premières fenêtres étaient déjà ouvertes.

Il aurait tout de même été bizarre de vider ça juste en face du perron.

« Tenez, allons là-bas ! » Il indiqua le passage entre le pavillon des cancéreux et celui d'oto-rhino-laryngologie. C'était l'un de ses lieux de promenade.

Ils prirent, l'un à côté de l'autre, l'allée couverte de dalles. La coiffe de Gangart en forme de calot arrivait juste à l'épaule de Kostoglotov. Il la regarda du coin de l'œil. Elle marchait de l'air le plus sérieux, comme si elle allait accomplir quelque chose d'important. Il eut envie de rire.

« Dites-moi, comment vous appelait-on à l'école ? » demanda-t-il subitement.

Elle leva vite les yeux vers lui.

« Quelle importance ?

— Aucune, bien sûr ; c'est seulement pour savoir. »

En silence elle fit quelques pas, marqués par le léger claquement de ses talons sur les dalles. Dès leur première rencontre, il avait remarqué la finesse de ses jambes de gazelle, quand il gisait mourant sur le sol et qu'elle s'était approchée.

« Véga », dit-elle.

(Enfin, ce n'était pas la vérité, pas l'exacte vérité. Elle

avait bien été appelée de cette façon à l'école, mais par une personne seulement : cet homme évolué, mais resté dans le rang, qui n'était pas revenu de la guerre. Impulsivement, sans savoir pourquoi, elle venait soudain de livrer ce nom à un autre.)

Sortant de l'ombre, ils pénétrèrent dans le passage qui séparait les pavillons — et le soleil vint les heurter, et il y eut un vent léger.

« Véga ? En l'honneur de l'étoile ? Mais Véga est une étoile blanche éblouissante. »

Ils s'arrêtèrent.

« Et moi, je ne suis pas éblouissante. Elle eut un hochement de tête. Mais je suis Ve-ra Ga-ngart. Voilà tout. »

Pour la première fois ce n'était pas elle qui perdait contenance devant lui, mais lui devant elle.

« Je voulais dire..., commença-t-il.

— J'ai compris. Videz-moi ça ! » ordonna-t-elle.

Et elle s'interdisait de sourire.

Kostoglotov décoinça le bouchon profondément enfoncé, il le tira précautionneusement, puis, s'inclinant (il était amusant à voir dans sa robe de chambre qui pendait comme une jupe par-dessus ses bottes), il retourna une petite pierre restée là d'un ancien pavement.

« Regardez bien ! Sans quoi vous direz que je l'ai versé dans ma poche », déclara-t-il, accroupi à ses pieds, tout près de ses jambes.

Ses jambes, ses jambes de gazelle, qu'il avait remarquées dès la première fois, dès la première fois.

Dans le trou humide, sur la terre sombre, il répandit la mort brune et trouble de quelqu'un. A moins que ce ne fût la guérison brune et trouble de quelqu'un.

« On peut combler ? » demanda-t-il.

Elle le regardait de son haut et souriait.

Il y avait de la gaminerie dans ce versement et ce comblement. De la gaminerie, mais aussi quelque chose qui faisait penser à un serment solennel, à un mystère.

« Allons, faites-moi des compliments, dit-il en se relevant.

— Je vous en fais. » Elle eut un sourire. Triste. « Faites votre promenade. »

Et elle partit en direction du pavillon.

Il avait les yeux fixés sur son dos blanc. Deux triangles — celui du haut, celui du bas.

Comme il était devenu sensible à toute marque d'attention féminine ! Sous chaque mot il croyait deviner plus qu'il n'y avait, après chaque geste il attendait le suivant.

« Véga ! Vé-ga ! prononça-t-il à mi-voix, s'efforçant de la suggestionner de loin. Reviens, tu entends ? Reviens ! Au moins, retourne-toi ! »

Mais en vain. Elle ne se retourna pas.

CHAPITRE XVIII

« ET FUT-CE AUX PORTES DU TOMBEAU... »

De même qu'une bicyclette, de même qu'une roue, une fois lancées, ne peuvent demeurer stables que dans le mouvement et tombent dès qu'elles en sont privées, ainsi en va-t-il du jeu entre un homme et une femme : une fois commencé, il ne peut subsister que s'il se développe. Or, si aujourd'hui n'est pas en progrès sur hier, il n'y a plus de jeu.

Oleg attendit à grand-peine le mardi soir où Zoé devait venir faire sa garde de nuit. La roue joyeuse et bigarrée de leur jeu devait absolument rouler plus loin que la première nuit ou le dimanche après-midi. Tout ce qui les poussait à faire rouler la roue, il le sentait en lui et le prévoyait en elle. Inquiet, il attendait Zoé.

D'abord, il sortit à sa rencontre dans le petit jardin, car il savait l'allée oblique qu'elle emprunterait. Il y roula deux cigarettes, puis pensa que, vêtu d'une robe de chambre de femme, il aurait l'air stupide, que ce n'était pas ainsi qu'il aurait voulu apparaître à ses yeux. D'ailleurs, la nuit tombait et il rentra dans le pavillon :

il ôta sa robe de chambre, tira ses bottes et, en pyjama, l'air non moins ridicule, se posta au bas de l'escalier. Ses cheveux rebelles étaient aujourd'hui domptés autant qu'il se pouvait.

Elle apparut, sortant du vestiaire des médecins. Elle était en retard, elle se hâtait. Mais, en l'apercevant, elle le salua d'un mouvement de sourcils, non pour manifester son étonnement, mais pour marquer en quelque sorte que sa présence était dans l'ordre des choses, que c'est ici qu'elle l'attendait, que sa place était bien là, au bas de l'escalier.

Elle ne s'arrêta pas et, pour ne pas prendre de retard sur elle, il lui emboîta le pas et se mit avec ses longues jambes à monter les marches deux à deux. Cela ne lui était plus difficile à présent.

« Eh bien ? Quoi de neuf ? demanda-t-elle tout en marchant, comme on questionne un aide de camp.

— Quoi de neuf ! Le renouvellement du Tribunal Suprême ! (Voilà ce qu'il y avait de vraiment nouveau. Mais pour le comprendre, il fallait des années de préparation. Et ce n'était pas cela que Zoé attendait en ce moment.)

— Et pour vous, un nom tout neuf. J'ai fini par comprendre comment vous vous appelez.

— Ah oui ? Et comment, s'il vous plaît ? dit-elle tout en montant l'une après l'autre les marches avec agilité.

— Impossible de le dire en marchant. C'est trop important. »

En la suivant du regard, il remarqua que ses jambes étaient assez fortes, plutôt lourdes. Du reste, elles s'harmonisaient avec sa petite silhouette ramassée. Cela lui donnait même un genre. Et pourtant, c'était bien autre chose quand elles étaient légères. Impondérables. Comme celles de Véga.

Il s'étonnait lui-même. Jamais il n'avait raisonné, ni regardé ainsi. Et il jugeait cela vulgaire. Jamais il ne s'était ainsi précipité d'une femme à l'autre. Son grand-père eût qualifié cela de *gynécomanie*. On dit bien que la jeunesse se nourrit d'eau fraîche et d'amour, mais,

sa jeunesse, Oleg l'avait manquée. A présent, comme la
plante à l'automne qui se hâte de tirer de la terre ses
derniers sucs pour ne pas regretter l'été qu'elle a laissé
passer, Oleg, durant ce court répit de sa vie déjà sur son
déclin (évidemment, sur son déclin !), Oleg se hâtait
de regarder les femmes et de se gorger d'elles, et cela
d'un point de vue tel qu'il n'aurait jamais pu le leur expliquer tout haut. Il percevait avec plus d'acuité que
d'autres ce que les femmes portaient en elles, car,
pendant de longues années, il n'en avait pas vu, ni
de près, ni de loin. Il avait même, à force de ne plus
l'entendre, oublié le son de leur voix.

Zoé prit son tour de garde et, tout de suite, se mit
à virevolter comme une toupie. Comme une toupie, elle
tournoyait autour de son bureau, de son cahier de prescriptions, de l'armoire à pharmacie, puis filait vers l'une
ou l'autre des portes ; c'est bien ainsi que tourne une
toupie.

Oleg la surveillait et, lorsqu'il vit venir un petit moment de pause, il se planta devant elle.

« Alors, pas d'autres nouvelles dans tout l'hôpital ?
demanda Zoé de sa petite voix gourmande, tout en
stérilisant des seringues sur un petit réchaud électrique
et en ouvrant des ampoules.

— Oh ! à l'hôpital, il y a eu aujourd'hui un événement
de première grandeur ! Il y a eu l'inspection de Nizamoutdine Bakhramovitch.

— Ah ! oui ? Ravie de ne pas y avoir été !... Et alors ?
Il vous a pris vos bottes ?

— Mes bottes, non pas, mais nous avons tout de
même eu un petit heurt.

— Un petit heurt ?

— C'était d'un solennel ! Il nous entre une quinzaine
de blouses d'un seul coup : chefs de services, assistants,
internes et d'autres comme je n'en avais jamais vu ici ;
et le médecin-chef se jette comme un tigre sur nos tables
de nuit. Mais on avait ses renseignements et on s'était un
peu préparé : il n'a rien trouvé à se mettre sous la dent.
Il s'est renfrogné, il n'était pas content ! Sur ces entre-

faites on expose mon cas et Lioudmila Afanassievna commet une petite maladresse : en lisant mon affaire...

— Quelle affaire ?

— Enfin, mon dossier de maladie, je me trompe toujours... Elle a dit d'où provenait le premier diagnostic et il en est ressorti que je venais du Kazakhstan. « Com-« ment ! — a dit Nizamoutdine — il vient d'une autre « république ? Nous manquons de lits et nous soigne-« rions des étrangers ? Qu'on lui donne immédiatement « son bon de sortie ! »

— C'est bien connu que la moitié de nos malades sont des « étrangers ».

— Oui, bien sûr... C'était tombé sur moi comme ça... Alors Lioudmila Afanassievna — je ne m'y attendais guère — est montée sur ses ergots pour me défendre, elle a été très mère poule : « C'est un cas compliqué « et important du point de vue scientifique ! Nous en « avons absolument besoin pour faire des déductions « théoriques... » Moi, j'étais dans une situation idiote : il y a quelques jours, j'avais eu une discussion avec elle ; j'avais exigé un bon de sortie, elle avait crié — et voilà qu'à présent elle prenait ma défense. Je n'avais qu'un mot à dire à Nizamoutdine — et je n'étais plus là pour le déjeuner !... Et je ne vous aurais plus revue...

— Alors c'est à cause de moi que vous ne l'avez pas dit, ce mot ?

— Qu'est-ce que vous croyez ? (Kostoglotov avait assourdi sa voix.) Vous ne m'aviez pas laissé votre adresse. Comment est-ce que je vous aurais dénichée ? »

Mais elle s'affairait et il était difficile de savoir jusqu'à quel point elle l'avait cru.

« Je n'allais tout de même pas jouer un mauvais tour à Lioudmila Afanassievna ? reprit-il plus fort. J'étais là comme un niais à ne rien dire. Alors Nizamoutdine a dit : « Je vais de ce pas à la consultation et je vous « ramène cinq malades du même acabit. Et qui seront « tous d'ici ! Qu'on le mette dehors ! » Et c'est là, c'est sûr, que j'ai fait ma bêtise, j'ai perdu une belle occasion de partir ! J'ai eu pitié de Lioudmila Afanassievna : elle avait papilloté une fois ou deux des paupières comme si on l'avait battue et elle ne disait plus rien. Alors j'ai calé mes coudes sur mes genoux, je me suis raclé la gorge et j'ai demandé bien tranquillement : « Comment « se fait-il que vous puissiez me faire partir alors que je « reviens des terres vierges ? » » « Ah ! a fait Nizamoutdine « effrayé (c'est qu'il commettait là une erreur politique), « le pays n'a rien à refuser aux terres vierges. » Et ils sont partis plus loin. »

Zoé secoua la tête :

« Vous savez vous débrouiller.

— C'est au camp que je suis devenu canaille, ma petite Zoé. Je n'étais pas comme ça. En général, j'ai beaucoup de mes traits de caractère qui ne sont pas de moi et qui me viennent du camp.

— Mais votre gaieté, elle, elle ne vient pas de là-bas ?

— Pourquoi pas ? Je suis gai parce que je suis habitué à perdre ; ça m'ébahit de voir tous ces gens pleurer pendant les visites. Qu'est-ce qu'ils ont à pleurer comme ça ? On ne les exile pas, on ne leur a rien confisqué...

— Alors, vous nous restez encore un mois ?

— Ne parlez pas de malheur !... Pour une petite quinzaine, ça oui, c'est probable... C'est comme si j'avais signé à Lioudmila Afanassievna un papier où je m'engagerais à tout supporter. »

La seringue était emplie d'un liquide réchauffé et Zoé partit au galop.

Quelque chose de délicat l'attendait ce jour-là et elle ne savait que faire. Il lui fallait pourtant faire à Oleg comme aux autres la piqûre nouvellement prescrite. Elle devait se faire à cet endroit du corps qui a l'habitude de tout supporter, mais le ton qui s'était établi entre eux rendait cette piqûre impossible : tout leur jeu s'effondrait. Perdre ce jeu et ce ton, Zoé ne le voulait pas plus qu'Oleg. Or, pour que la piqûre fût de nouveau possible, comme elle l'aurait été entre des gens déjà proches, ils devaient faire rouler la roue beaucoup plus loin.

Revenue à la table, tout en préparant la même piqûre pour Akhmadjan, Zoé demanda :

« Et pour ce qui est des piqûres, vous vous laissez faire sagement ? Sans donner de coups de pied ? »

Lui demander cela à lui, Kostoglotov ! Il n'attendait que cela pour s'expliquer :

« Vous connaissez mon opinion, ma petite Zoé. Je préfère toujours ne pas les faire. Quand c'est possible. Mais ça ne marche pas avec tout le monde. Avec Tourgoun, c'est parfait : il cherche toujours l'occasion d'apprendre à jouer aux échecs, et on s'est entendu : si je gagne, pas de piqûre, si c'est lui, il me pique. Seulement il faut dire qu'avec lui je peux gagner même sans les Tours ! Avec Marie, pas question de jouer : elle arrive, le visage dur, avec sa seringue ; j'essaie de plaisanter, pas moyen : « Malade Kostoglotov, veuillez vous défaire pour la pi- « qûre ! » Jamais un mot gentil, jamais une parole humaine !

— Elle vous déteste.

— Moi ?

— Non, vous — les hommes en général.

— Bah ! Si on va au fond des choses, il y a peut-être de quoi. Ah ! et puis il y a aussi une nouvelle infirmière ; je n'arrive pas à m'entendre avec elle non plus. Et quand Olympiade sera rentrée ! en voilà une qui ne vous fait grâce de rien.

— Tiens, je ferai pareil ! » dit Zoé, tout en mesurant avec précision deux centimètres cubes de liquide. Mais le ton n'y était pas.

Elle s'en alla faire la piqûre d'Akhmadjan. De nouveau Oleg resta près de la petite table.

Il y avait encore une autre raison, plus importante celle-ci, pour laquelle Zoé ne voulait pas qu'on fît ces piqûres à Oleg. Depuis dimanche, elle se demandait s'il fallait lui parler de ce qu'elles signifiaient.

Car si, soudain, tout ce qu'ils échangeaient en plaisantant se révélait sérieux — et il pouvait en être ainsi — si cette fois tout ne se terminait pas par le triste ramassage des vêtements éparpillés dans la chambre, si quelque chose de stable allait se construire, si Zoé se décidait effectivement à devenir sa petite abeille, à le rejoindre dans son exil (il avait raison finalement : savait-on jamais dans quel trou perdu le bonheur vous attendait ?) en ce cas, les piqûres prescrites à Oleg la concernaient autant que lui.

Et elle était contre.

« Alors, dit-elle gaiement en revenant avec sa seringue vide, vous avez finalement repris courage ? Allez vous défaire pour la piqûre, malade Kostoglotov ! Je viens tout de suite. »

Mais il s'était assis à la regarder, et il ne la regardait pas avec des yeux de malade. Les piqûres, il n'y songeait même pas. Ils étaient déjà d'accord là-dessus.

Il regardait ses yeux, à fleur de tête, qui semblaient prêts à sortir de leurs orbites.

« Allons quelque part, Zoé ! »

Ce n'était plus des mots, mais une sorte de borborygme grave. Plus sa voix s'assourdissait, plus celle de Zoé devenait haute.

Elle rit, étonnée :

« Quelque part ? En ville ?

— Dans la salle des médecins. »

Elle s'ouvrit, s'ouvrit, s'ouvrit à son regard pressant et dit sans jouer :

« Voyons, Oleg, ce n'est pas possible : j'ai beaucoup de travail. »

Il eut l'air de ne pas comprendre :

« Venez !

— C'est juste, fit-elle ; j'avais oublié qu'il fallait que je remplisse un ballon d'oxygène pour... »

Elle eut un mouvement de la tête en direction de l'escalier, prononça même, peut-être, le nom du malade. Il n'avait pas entendu.

« Le robinet de l'obus d'oxygène est dur à ouvrir, d'ailleurs. Vous pourrez m'aider. Venez ! »

Il la suivit et ils descendirent l'escalier jusqu'au palier du dessous.

Ce malheureux, tout jaune, au nez pincé, qu'un cancer des poumons achevait de ronger, avait-il toujours été si petit ou était-il rabougri par la maladie ? Il était

si mal que, lors des visites, on ne lui parlait plus, on
ne lui posait plus de questions. A présent, il était assis
dans son lit, respirant l'oxygène du ballon. Un grail-
lonnement sortait de sa poitrine. Il y avait longtemps
qu'il était mal, mais aujourd'hui, son état avait à ce
point empiré qu'un œil inaverti aurait pu le remarquer.
Il avait terminé un ballon et il y en avait un autre, vide,
à côté de lui.

Il était si mal qu'il ne voyait plus du tout les gens
qui passaient ou qui s'approchaient.

Ils lui prirent le ballon vide et descendirent plus bas.
« Comment le soignez-vous ?

— Nous ne le soignons pas. C'est un cas inopérable
et les rayons X n'ont pas eu d'effet.

— Vous n'opérez pas du tout la cage thoracique ?

— Dans notre ville, pas encore.

— Alors il va mourir ? »
Elle acquiesça de la tête.

Et, bien qu'ils eussent entre les mains un ballon
d'oxygène, destiné justement à l'empêcher d'étouffer,
ils oublièrent sur-le-champ son existence. Parce que
quelque chose d'intéressant était sur le point de se produire.

Le grand obus d'oxygène était dans un corridor écarté,
à présent fermé à clef, dans ce corridor contigu aux
salles de radiothérapie où naguère Gangart avait pour
la première fois allongé un Kostoglotov mourant et
trempé jusqu'à la moelle. Ce « naguère » n'avait pas
trois semaines...

Si l'on n'allumait pas la deuxième ampoule du corridor (et ils n'avaient allumé que la première), le recoin
du mur où était l'obus restait dans la pénombre.

Zoé était plus petite que l'obus, Oleg plus grand.
Elle s'était mise à raccorder le tuyau du ballon à
celui de l'obus. Il était derrière elle et respirait ses cheveux, échappés de dessous sa coiffe.

Elle se plaignait :
« Ce robinet, là, est très dur. »
Il mit ses doigts sur le robinet et l'ouvrit d'un coup

sec. L'oxygène se mit à sortir avec un léger chuinte-
ment.

C'est alors que, sans aucun préambule, de sa main
libérée du robinet, Oleg saisit au poignet la main libre
de Zoé.

Elle ne tressaillit pas, ne s'étonna pas. Elle surveillait le remplissage du ballon.

Alors, la main d'Oleg glissa plus haut, du poignet à
l'avant-bras, et en passant par le coude jusqu'à l'épaule.

Exploration sans malice, mais indispensable pour lui
comme pour elle, afin de mettre les mots à l'épreuve, de
vérifier qu'ils avaient bien été compris.

Oui, ils l'avaient été.

Puis il passa deux doigts sur sa frange. Elle n'en fut
pas indignée, elle ne recula pas : elle surveillait le ballon.

Alors, la saisissant aux épaules et l'inclinant tout entière vers lui, il parvint enfin à ses lèvres. Ces lèvres qui
avaient tant de fois ri et bavardé pour lui.

Et les lèvres de Zoé accueillirent les siennes, sans
s'ouvrir, ni s'amollir, ni se relâcher, mais tendues, of-
fertes, prêtes.

Il sentit tout cela en un instant, car, une minute auparavant, il n'avait pas encore souvenance, il avait oublié, il ne savait pas qu'il y a toutes sortes de lèvres,
qu'il y a baisers et baisers, et que tous ne se valent pas.

Mais ce qui avait commencé comme un becquetage
s'étirait maintenant en une prise unique, une longue
fusion qui n'arrivait pas à finir et qu'on n'avait pas de
raison de terminer. On pouvait demeurer à jamais à se
pétrir et se pétrir ainsi les lèvres.

Mais après un temps, après deux siècles, leurs lèvres
se désunirent pourtant. C'est là qu'Oleg vit Zoé pour la
première fois et qu'il l'entendit sitôt après :

« Pourquoi embrasses-tu les yeux fermés ? »

Il fermait les yeux ? Il ne le savait pas ! Il ne l'avait
pas remarqué. Et, comme ceux qui, leur souffle à peine
retrouvé, plongent à nouveau pour saisir la perle posée
au fond, au fond, tout au fond, ils réunirent de nouveau
leurs lèvres, mais, cette fois, il remarqua qu'il avait

fermé les yeux et il les rouvrit à l'instant. Il vit alors,
tout proches, incroyablement proches, obliques, ses deux
yeux brun-jaune, qui lui parurent rapaces. D'un œil il
voyait l'un de ses yeux, de l'autre le second. Zoé conservait toujours la maîtrise de ses lèvres dures et expertes,
elle ne les laissait pas se retourner en embrassant ; et
puis elle avait un léger balancement et son regard restait
fixé sur lui comme pour mesurer d'après ses yeux ce
qu'il ressentait après la première, puis la deuxième, puis
la troisième de ces éternités.

Soudain son regard obliqua. Elle s'arracha brusquement à lui et s'écria :

« Le robinet ! »

Mon Dieu, le robinet ! La main d'Oleg couvrit celui-ci
et le ferma à la hâte.

Comment le ballon n'avait-il pas éclaté !

« Voilà ce que ça donne de s'embrasser ! » dit Zoé dans
un souffle, la respiration encore courte. Sa frange était
ébouriffée, sa coiffe de guingois.

Et, bien qu'elle eût entièrement raison, de nouveau
leurs bouches s'unirent, cherchant à tirer quelque chose
l'une de l'autre.

Le corridor avait des portes vitrées et quelqu'un,
peut-être, avait pu dans le recoin voir des coudes levés :
blanc celui de Zoé, rose celui d'Oleg. Eh bien, tant pis
pour lui !

Lorsque l'air revint enfin dans les poumons d'Oleg,
il dit, tenant la nuque de Zoé qu'il examinait :

« Bouton d'Or ! C'est comme ça que tu t'appelles.
Bouton d'Or. »

En jouant des lèvres elle répéta :

« Bouton d'Or ? Trésor ? »

Ma foi, pourquoi pas ?

« Ça ne te fait pas peur, un relégué ? Un criminel ? »

Elle secouait la tête avec insouciance :

« Non.

— Un vieux ?

— Un vieux, toi ?

— Un malade ? »

Elle cala son front sur la poitrine d'Oleg et demeura ainsi.

Il l'attira plus près. Plus près de lui ces petites consoles elliptiques sur lesquelles il ne savait toujours pas si une lourde règle tiendrait en équilibre. Il parlait :

« Tu viendras à Ouch-Terek, n'est-ce pas ?... Nous nous marierons ?... Nous y construirons une petite maison. »

Tout cela avait bien l'air de cette suite qui lui manquait, qui était dans sa nature d'abeille, cette suite constructive et stable qui venait après l'égarement des vêtements éparpillés dans la chambre. Serrée contre lui, elle le palpait de toutes ses entrailles et de toutes ses entrailles voulait deviner si c'était bien *lui* ? Si c'était de lui qu'elle devrait ?...

Elle se haussa et de nouveau cassa son bras autour du cou d'Oleg.

« Oleg chéri ! Ces piqûres, sais-tu ce que ça veut dire ? »

Il se frottait contre sa joue.

« Eh bien ?

— Ces piqûres... Comment t'expliquer... Scientifiquement cela s'appelle de l'hormonothérapie... on les utilise de la façon suivante : aux femmes on injecte des hormones masculines, aux hommes des hormones féminines... On considère que de cette façon on supprime le risque de métastases... Mais c'est surtout autre chose qu'on supprime... Tu comprends ?

— Quoi ? Non ! Pas tout à fait », dit Oleg d'un ton heurté, nerveux, l'air changé. A présent, c'est autrement qu'il la tenait par les épaules, comme s'il voulait en la secouant faire sortir d'elle la vérité.

« Parle ! Mais parle donc !

— On supprime... enfin... les capacités sexuelles... Avant même l'apparition des caractères sexuels secondaires de l'autre sexe. De fortes doses peuvent faire pousser de la barbe aux femmes et des seins aux hommes.

— Attends, attends !... Non ! hurla-t-il ; il commençait seulement à comprendre. Ces piqûres-là ? Qu'on me

fait, à moi ? Elles font quoi ? Elles suppriment *tout* ?
— Enfin, pas tout. Pendant longtemps, il reste la *libido*.
— Qu'est-ce que c'est, la libido ? »

Elle le regarda longuement dans les yeux, lui tirailla gentiment une mèche rebelle.

« Enfin, ce que tu ressens en ce moment pour moi... le désir...

— Le désir subsiste et les capacités, non ? C'est ça ? interrogeait-il, abasourdi.

— Les capacités faiblissent... de beaucoup, et puis, à son tour, le désir... Tu comprends ? »

Elle passa son doigt sur la cicatrice d'Oleg et lui caressa la joue, que ce jour-là il avait lisse.

« C'est pour ça que je ne veux pas qu'on te fasse ces piqûres.

— For-mi-dable ! dit-il en reprenant ses esprits et en se redressant. Ça, c'est formidable ! Je m'en doutais ! Je savais qu'ils me préparaient un tour de cochon ! C'est bien ce qui se passe ! »

Il avait envie de traiter les médecins de tous les noms. Tous les médecins en général. Parce qu'ils disposaient arbitrairement de la vie des gens. Et soudain, il revit le visage de Gangart tel qu'il était la veille, empreint d'une sereine assurance, alors que, un regard cordial et affectueux posé sur lui, elle lui disait : « Elles sont très importantes pour votre vie ! Il s'agit de sauver votre vie ! »

Eh, Véga ! Elle lui voulait du bien ? Et c'est pour cela qu'au prix d'une tromperie elle le conduisait à cette destinée ?

Il glissa à Zoé un regard oblique :

« Toi aussi, tu es comme ça ? Comme à l'école ? « Ce « que l'homme a de plus précieux, c'est la vie. Elle ne lui « est donnée qu'une fois. » C'est ça, hein ? Et par conséquent, il faut s'y raccrocher à n'importe quel prix. C'est bien ça ? »

Allons ! Pourquoi s'en prenait-il à elle ? Elle comprenait la vie tout comme lui : à quoi bon vivre *sans cela* ? Ses lèvres affamées, ses lèvres de feu, à elles seules, avaient su le transporter aujourd'hui jusqu'aux plus hauts sommets de la chaîne du Caucase. Elle était là devant lui. Et ses lèvres étaient toutes proches !

Tant que cette espèce de *libido* circulait encore dans ses jambes, dans ses reins, il fallait qu'il en profitât pour embrasser !

« Tu ne pourrais pas m'injecter quelque chose... « en sens inverse » ?

— On me renverrait.

— Mais ça existe, des piqûres comme celles-là ?

— Oui, c'est les mêmes, seulement celles qu'on fait aux femmes.

— Ecoute, mon petit Bouton d'Or, on va quelque part...

— Voyons, on y est déjà. Et maintenant, il faut nous en retourner...

— Dans la salle des médecins !... Viens !...

— C'est impossible, il y a une femme de salle, il y a des gens qui circulent... La soirée n'est pas encore finie...

— Alors, cette nuit ?

— Il ne faut pas aller trop vite, Oleg chéri. Sinon, nous n'aurons pas de *demain*...

— Qu'est-ce que j'en ferai, de ton « demain », sans libido ?... Ou alors, au contraire, si je te remercie, je garderai ma libido, d'accord ? Je la garde... Allons, invente quelque chose, allons quelque part !

— Oleg chéri, il faut bien laisser quelque chose pour l'avenir... Ne va pas trop vite !... Il faut que nous portions ce ballon d'oxygène.

— Oui, c'est vrai, il faut le porter... Tout de suite... »

. . . .

« Tout de suite, emportons-le... »

. . . .

« On l'emporte... Tout de suite... »

Ils montèrent l'escalier sans se tenir la main, mais en tenant le ballon d'oxygène, gonflé comme un ballon de football, et les mouvements de leurs corps passaient de l'un à l'autre à travers le ballon.

C'était comme s'ils s'étaient tenus par la main.

Et sur le palier, sur un lit devant lequel jour et nuit

circulaient, tout à leurs affaires, malades et non-malades, un homme jaune, desséché, faible de poitrine, était appuyé à ses oreillers ; il ne toussait même plus, mais cognait sa tête contre ses genoux repliés. Et peut-être que ses genoux contre son front lui faisaient l'effet d'un mur circulaire.

Il était encore vivant, mais, autour de lui, il n'y avait plus de vivants.

Peut-être était-ce ce jour-là qu'il mourrait, ce frère d'Oleg, ce prochain d'Oleg, abandonné, affamé de sympathie. Peut-être Oleg aurait-il pu, en s'asseyant à son chevet, en passant ici la nuit, alléger ses dernières heures.

Mais ils déposèrent simplement le ballon d'oxygène et s'en furent. Derniers centimètres cubes de respiration, ce ballon d'oxygène d'un mourant, pour eux, n'aurait été qu'un prétexte pour s'isoler et connaître les baisers l'un de l'autre !

Oleg montait l'escalier comme s'il avait été attaché à Zoé. Il ne pensait pas à l'agonisant qu'il laissait derrière lui, à l'agonisant qu'il était lui-même deux semaines plus tôt ou qu'il serait six mois plus tard. Il pensait à cette jeune fille, cette femme, cette femelle et au moyen de la persuader de s'isoler avec lui.

Et puis il y avait cette sensation totalement oubliée et d'autant plus inattendue, cette sensation presque douloureuse dans ses lèvres si écrasées de baisers qu'elles en étaient maintenant dures et enflées, et qui passait dans tout son corps comme un élancement de jeunesse.

CHAPITRE XIX

UNE VITESSE PROCHE
DE CELLE DE LA LUMIERE

Tout le monde n'appelle pas sa mère « maman », surtout devant les étrangers. C'est le cas des garçons et des hommes qui ont plus de quinze ans et moins de trente. Vadim, Boris et Georges Zatsyrko n'avaient jamais eu honte de leur mère. Ils l'aimaient déjà unanimement du vivant de leur père, mais depuis qu'on le leur avait fusillé, elle était devenue l'objet tout spécial de leur amour. Peu séparés par l'âge, ils croissaient tous les trois comme des égaux, aussi actifs à la maison qu'à l'école, échappant aux traînailleries dans les rues — et jamais ils n'avaient causé de chagrin à leur mère devenue veuve.

Ayant un jour photographié ses enfants, elle avait pris l'habitude, afin de pouvoir les comparer, de les mener tous les deux ans chez le photographe (avant de les prendre elle-même avec un appareil à elle) et dans l'album de famille, l'une après l'autre, venaient se ranger les photos de la mère et de ses trois fils. Elle avait le teint clair ; ils étaient noirauds tous les trois, sans doute à cause de ce prisonnier turc qui s'était jadis marié à leur grand-mère zaporogue. Sur les photographies, les étrangers ne les distinguaient pas toujours. De l'une à l'autre, on les voyait grandir, forcir, rattraper, puis dépasser leur mère ; elle — vieillissait imperceptiblement, mais se redressait devant l'objectif, fière de cette histoire vivante de sa vie. Médecin, connue dans sa ville, elle avait récolté bien des remerciements, bien des bouquets et des gâteaux, mais n'eût-elle jamais rien fait d'autre qu'élever trois fils comme les siens que sa vie de femme en eût été justifiée. Ils étaient tous trois entrés dans le même institut polytechnique ; l'aîné en était sorti géologue, le second électrotechnicien, le cadet terminait maintenant ses études d'architecte et sa mère demeurait avec lui.

Du moins, elle avait demeuré avec lui tant qu'elle avait ignoré la maladie de Vadim. Le samedi précédent, elle avait reçu un télégramme de Dontsova disant qu'il fallait de l'or colloïdal. Le lendemain elle avait répondu par le télégraphe qu'elle allait en chercher à Moscou. Le lundi elle arrivait là-bas. Depuis deux jours elle essayait, vraisemblablement, de se faire recevoir par des ministres et d'autres personnalités afin d'obtenir pour son fils, en mémoire de son père mort (en tant que membre de l'intelligentsia en butte aux vexations du régime soviétique, il n'avait pas été évacué de la ville et les Allemands l'avaient fusillé parce qu'il avait eu des contacts avec les partisans et recueilli de nos soldats blessés), afin d'obtenir le visa permettant de débloquer de l'or colloïdal.

Même de loin, toutes ces démarches répugnaient à Vadim et l'offensaient. Il ne supportait pas les passe-droits, qu'ils soient dus au mérite ou aux relations. Le simple fait que sa mère eût envoyé un télégramme pour prévenir Dontsova lui pesait. Pour important qu'il lui fût de survivre, il ne voulait bénéficier d'aucun privilège, même face à la gueule immonde de la mort cancéreuse. D'ailleurs, en observant Dontsova, Vadim avait bien vite compris que Lioudmila Afanassievna lui aurait consacré le même temps et la même attention sans l'intervention

de sa mère. Simplement, elle n'aurait pas envoyé ce télégramme pour demander de l'or colloïdal.

Si maintenant sa mère trouvait cet or, elle le lui appor-
terait elle-même en avion. Mais elle viendrait quand même si elle n'en trouvait pas. C'est de l'hôpital qu'il lui
avait envoyé la lettre où il lui parlait de la *tchaga* —
oui, il lui avait parlé de la *tchaga* — non qu'il y eût lui-
même trouvé quelque raison d'espérer, mais afin de lui
donner à elle une possibilité supplémentaire d'agir pour
le salut de son petit gars, afin de « combler » sa maman.
Et si l'espoir devait décroître, en dépit de toutes ses
connaissances, de toutes ses convictions médicales, elle
irait trouver ce sorcier dans ses montagnes pour qu'il
lui donne de la racine du lac Issyk-Koul. (La veille, Oleg
Kostoglotov était venu lui avouer qu'il avait cédé à un
caprice de bonne femme et jeté sa préparation, ajoutant que de toute façon il n'y en avait pas assez ; il lui
avait donné l'adresse du vieillard et s'engageait, au cas
où on l'aurait déjà mis à l'ombre, à lui céder une partie
de sa réserve.)

Sa mère ne vivait plus, du moment que la vie de
son aîné était en danger. Sa mère ferait tout et plus
encore ; elle en ferait même trop. Elle viendrait même
le tirer de cette expédition dont il faisait partie, quoiqu'il
y fût avec Galka. En fin de compte, comme des bribes de
conversations et ce qu'il avait pu lire sur sa maladie l'en
avaient convaincu, sa tumeur avait été provoquée par les
inquiétudes et les précautions excessives de sa mère. Il
avait toujours eu à la jambe une grosse tache pigmentaire et sa mère, en tant que médecin, connaissait sans
doute le risque d'une dégénérescence ; elle trouvait toujours un prétexte pour tâter cette tache, et, un jour, elle
avait insisté pour qu'un bon chirurgien fît une opération
préventive, justement ce qu'il ne fallait pas faire, apparemment.

Mais, si même son lent mourir lui venait de sa mère,
il ne pouvait le lui reprocher ni en son for intérieur ni
de vive voix. On ne peut être si terre à terre que de juger
sur les résultats — il est plus humain de juger sur les

intentions. Et il eût été injuste de sa part de s'irriter contre l'erreur de sa mère en ne considérant que son œuvre inachevée, ses intérêts détruits, ses talents avortés. Car, intérêts, talents, ardeur à l'ouvrage, tout cela n'aurait jamais été si lui, Vadim, n'avait pas lui-même été. Lui, Vadim, qui venait de sa mère.

L'homme a une denture. Il s'en sert pour grincer des dents, ronger son frein, se mordre les lèvres. Les plantes, elles, n'ont pas de dents : comme elles poussent calmement ! comme elles meurent paisiblement !

Mais s'il pardonnait à sa mère, Vadim ne pouvait, par contre, pardonner aux circonstances ! Il ne pouvait leur abandonner un seul centimètre de son épithélium ! Il ne pouvait s'empêcher de grincer des dents.

Ah ! comme cette maladie l'avait terrassé ! comme elle l'avait fauché à l'instant le plus crucial !

A vrai dire, Vadim avait toujours eu comme le pressentiment, et cela dès son enfance, que le temps lui ferait un jour défaut. Il s'énervait quand une voisine ou une invitée venait pour bavarder, lui prendre son temps et celui de sa mère. Il s'indignait qu'à l'école ou à l'institut on fixât toujours les rassemblements (qu'il s'agît de travail, d'excursions, de soirées ou de manifestations) une ou deux heures plus tôt qu'il n'était bon, de peur de voir les gens arriver en retard. Jamais il n'avait pu supporter la demi-heure du journal parlé : tout ce qu'on y entendait d'important et d'utile pouvait tenir en cinq minutes et le reste n'était que de l'eau. Il était furieux d'avoir une chance sur dix de trouver le magasin où il allait fermé, ou refermé, pour cause d'inventaire ou de livraison, alors que rien ne permettait de le prévoir. Que tout conseil rural, tout bureau central des Postes pussent être fermés n'importe quel jour ouvrable alors qu'à vingt-cinq kilomètres de là on ne peut pas le deviner.

S'il était si avare de son temps, cela lui venait peut-être de son père. Lui non plus n'aimait pas l'oisiveté ; il lui souvenait qu'il l'avait un jour tarabusté entre ses genoux en disant : « Vadim ! si tu ne sais pas user de la minute, tu perdras l'heure, le jour et toute ta vie. »

Mais non ! Son démon, cette inextinguible soif de
temps était en lui depuis son plus jeune âge. Dès qu'un
jeu avec ses camarades commençait à lui peser, refusant de rester planté là dans la rue aux portes de la
cour, il partait, faisant fi des quolibets. Dès qu'un livre
lui paraissait verbeux, il cessait de le lire, l'abandonnant
au profit de quelque ouvrage plus substantiel. S'il trouvait stupides les premières images d'un film (d'avance,
on ne sait presque jamais rien d'un film, et c'est voulu),
il dédaignait l'argent dépensé, faisait claquer son siège et
s'en allait pour sauvegarder son temps et la limpidité de
sa raison. Ces professeurs l'excédaient qui assomment
leur classe avec des morales de dix minutes, puis n'ont
plus assez de temps pour leurs explications, qui délayent
certains détails, compriment certains autres et donnent
le travail à faire à la maison après la sonnerie : un professeur de ce genre n'imagine pas que la récréation de
ses élèves puisse être plus exactement réglée que la leçon du professeur qu'il est.

Peut-être aussi, dès son enfance avait-il senti la présence en lui d'un danger inconnu ? Déjà tout innocent,
il avait dès ses plus jeunes années vécu sous le coup de
cette tache pigmentaire ! Et quand, petit garçon, il se
montrait si avare de son temps, inculquant son avarice
à ses frères, quand il lisait des livres d'adultes avant
même d'entrer au cours préparatoire et qu'en quatrième
il construisait chez lui un laboratoire de chimie, n'essayait-il pas déjà de prendre de vitesse sa future tumeur,
mais à l'aveuglette, sans voir où était l'ennemi ? Alors
que l'ennemi, l'ayant toujours vu, avait pu choisir le
moment le plus passionnant pour se jeter sur lui et pour
le mordre ! Une maladie ? Non, un serpent. Son nom même avait quelque chose d'ophidien : mélanoblastome.

Quand elle avait commencé, Vadim ne l'avait pas remarquée. C'était pendant son expédition dans l'Altaï. Il
y avait d'abord eu une induration, puis une douleur,
puis un abcès qui avait percé, suivi d'une amélioration,
enfin une nouvelle induration : et le frottement des ha-
bits lui était devenu si intolérable qu'il avait eu du mal

à marcher. Pourtant, il n'en avait rien dit dans ses lettres
à sa mère, il n'avait pas abandonné son travail, car il
rassemblait un premier ensemble de matériaux qu'il
devait absolument aller présenter à Moscou.

Leur expédition ne s'occupait que des eaux radioactives, on ne leur demandait pas de découvrir des gisements de minerai. Mais Vadim, qui avait beaucoup lu
malgré son âge, qui était particulièrement versé dans la
chimie (science dont tous les géologues n'ont pas une
bonne connaissance), Vadim prévoyait, Vadim pressentait
qu'une nouvelle méthode de prospection des minerais
était en gestation. Quand il voyait ses efforts, le chef de
l'expédition grinçait des dents, le chef de l'expédition
voulait du travail exécuté selon le plan.

Vadim avait demandé à être envoyé en mission à
Moscou. Le chef n'accordait pas de missions pour ce
genre de motifs. C'est alors que Vadim avait argué de
sa tumeur, s'était fait délivrer un bulletin de maladie
et s'était présenté au dispensaire. Là, il avait eu connaissance du diagnostic ; on avait voulu l'hospitaliser sans
attendre, car le temps pressait. Une date ayant été fixée,
il s'était envolé pour Moscou, où il espérait rencontrer
Tcheregorodtsev qui participait justement à un collo-
que. Vadim ne l'avait jamais vu auparavant, mais il
avait lu un manuel et des livres de lui. On l'avait prévenu que Tcheregorodtsev l'arrêterait après la première
phrase, car il décidait dès l'abord si quelqu'un valait la
peine qu'on parle avec lui. Vadim avait donc passé son
voyage à combiner cette fameuse phrase. Présenté à
Tcheregorodtsev pendant une interruption de séance, Vadim lui avait tiré sa phrase à brûle-pourpoint à l'entrée
du buffet — et Tcheregorodtsev s'était détourné du
buffet ; il lui avait pris le bras au-dessus du coude
et l'avait entraîné à l'écart. La complexité de cet entretien de cinq minutes (il lui parut chauffé à blanc) venait
de ce qu'il fallait parler à toute vitesse, assimiler les
réponses instantanément, faire bonne montre de son
érudition, sans toutefois rien dire jusqu'au bout afin
de garder pour soi le « truc » fondamental. Tcherego-

rodtsev l'avait bombardé d'un tas d'objections tendant à prouver à l'évidence que les eaux radioactives sont un indice secondaire, mais ne sauraient être l'indice principal de la présence d'un gisement et que s'appuyer dessus pour découvrir les minerais ne mènerait à rien. C'est ce qu'il avait dit, mais il semblait tout près de se laisser convaincre du contraire : un instant, il avait attendu que Vadim le fît, mais, celui-ci n'ayant rien tenté, ils s'étaient séparés. Vadim avait compris que tout l'institut de Moscou devait piétiner autour de ce problème qui l'avait arrêté dans les cailloux des montagnes altaïques.

Il ne pouvait espérer mieux pour l'instant ! C'était le moment ou jamais de se mettre au travail !

C'était aussi le moment d'entrer en clinique... Et de s'ouvrir de son état à sa mère. Il aurait pu partir pour Novotcherkassk, mais cet endroit-ci lui avait plu, et puis il y était plus près de ses montagnes.

A Moscou, il n'avait pas seulement complété son information sur les eaux et les minerais. Il avait encore appris qu'avec un mélanoblastome, on meurt — toujours. Qu'on vit rarement plus d'un an et, le plus souvent, huit mois.

En somme (ce qui se passe pour le corps qui approche de la vitesse de la lumière), son temps et sa masse devenaient différents de ceux des autres hommes : la capacité de son temps, la force de pénétration de sa masse grandissaient. Les années réussissaient à se glisser dans ses semaines, les jours dans ses minutes. Quoiqu'il se fût toute sa vie hâté, il commençait seulement à se hâter pour de bon ! En soixante années d'une vie paisible, même un imbécile peut devenir docteur ès sciences. En vingt-sept ans, que peut-on faire ?

Vingt-sept ans, l'âge de Lermontov[1] ; lui non plus ne voulait pas mourir (Vadim savait qu'il lui ressemblait un peu : comme lui, il était court de taille, noi-

---

1. Poète russe mort en duel à vingt-sept ans. (N. du T.)

raud, svelte, léger, il avait les mains petites ; mais il n'avait pas ses moustaches), et pourtant il s'était installé dans nos mémoires, non point pour cent ans, mais à jamais !

Face à la mort, face à la panthère mouchetée de la mort déjà pelotonnée là, tout près, sur sa propre couche, Vadim, en homme d'esprit, se devait de trouver une formule qui lui permît de vivre avec elle en bon voisinage. Comment vivre avec fruit ces derniers mois, s'il s'agissait de mois ? Cette mort, facteur neuf et soudain de sa vie, il avait dû l'analyser. Et, l'analyse faite, il avait remarqué qu'il semblait s'habituer à elle, sinon même se l'assimiler.

La voie la plus mauvaise de sa réflexion, c'eût été de partir de ce qu'il perdait : combien il aurait pu être heureux, où il serait allé, ce qu'il aurait pu faire — s'il avait vécu longtemps. La voie la plus juste partait de la statistique : il y a des gens qui doivent mourir jeunes. La revanche de celui qui meurt jeune est de rester jeune dans la mémoire des hommes, la revanche de celui qui s'est consumé dans une grande flamme avant de mourir — c'est de resplendir éternellement. Il y avait là un fait d'importance, à première vue paradoxal, que Vadim avait su distinguer dans ses réflexions de ces dernières semaines : le talent suffit mieux que la médiocrité à comprendre et accepter la mort. Et pourtant, à mourir, le talent perd beaucoup plus que la médiocrité ! La médiocrité exige de vivre longtemps, quoiqu'on sache depuis Epicure qu'un imbécile n'aurait que faire d'une éternité.

Certes, il était tenté de croire qu'il lui suffirait de tenir trois ou quatre ans pour qu'en notre siècle de découvertes, dans cette tempête de découvrement qui bouleverse toutes les sciences, on inventât une médication du mélanoblastome. Mais Vadim avait décidé qu'il ne rêverait pas de sa vie prolongée, qu'il ne rêverait pas de sa guérison, qu'il ne consacrerait même aucun instant de ses nuits à ces pensées stériles, qu'il serrerait les dents, qu'il travaillerait, qu'il laisserait en

héritage à l'humanité une nouvelle méthode de prospection des minerais.

Ayant ainsi racheté sa mort prématurée, il espérait
mourir rasséréné.

Il faut dire que, depuis vingt-six ans, il n'avait jamais
éprouvé une plus grande sensation de plénitude, de
satiété et d'équilibre que lorsqu'il employait son temps
utilement. Et c'est ainsi qu'il était le plus raisonnable
de vivre ses derniers mois.

Tout à cet emportement créateur, quelques livres
sous le bras, Vadim était donc entré dans cette salle.

Le premier ennemi qu'il s'attendait à y rencontrer
était la radio, le haut-parleur — et Vadim était prêt,
pour le combattre, à user de tous les moyens, licites
et illicites : d'abord la persuasion de ses voisins, puis
les courts-circuits (avec une épingle), enfin, l'arrachage
des prises... La diffusion permanente par haut-parleur,
que tout le monde chez nous considère sans raison
comme le signe d'une large culture, est au contraire la
marque du retard culturel. Et un encouragement à la
paresse de l'esprit. Mais Vadim ne réussissait presque
jamais à en convaincre personne. Ce marmonnement
perpétuel, cette alternance d'informations qu'on ne souhaite pas et de musique qu'on n'a pas choisie (et qui
de plus ne cadre pas avec l'humeur du moment) étaient
un vol de temps et une entropie de l'âme, une dissimulation de l'âme seyant fort l'indolence, mais intolérable
à l'esprit d'initiative. Le sot dont parle Epicure, une fois
gagnée son éternité, n'aurait sans doute eu pour la tuer
d'autre moyen que la radio.

Or, Vadim avait eu l'heureuse surprise de ne pas
trouver de radio en entrant dans la salle. Il n'y en avait
pas non plus au premier étage : ce manque trouvait son
explication dans le fait que d'une année sur l'autre on se
disposait à transférer le dispensaire dans un autre local
mieux aménagé, où, bien sûr, la « radiofication » eût été
en tout point assurée.

Le deuxième ennemi que redoutait Vadim était l'obscurité : la lumière éteinte trop tôt, allumée trop tard,

les fenêtres trop éloignées. Mais le magnanime Diomka lui avait cédé sa place à côté de la fenêtre et, dès le premier jour, Vadim s'était organisé : il se coucherait avec tout le monde, il se réveillerait et se mettrait au travail de bonne heure, dès le jour, les premières heures étant les meilleures et les plus calmes.

Le troisième ennemi possible était le bavardage excessif de ses compagnons de salle. Du bavardage — il y en avait bien. Mais, tout compte fait, l'équipe lui avait plu, et, avant tout, à cause de sa tranquillité.

Le plus sympathique lui semblait Eguenbourdiev ; presque toujours silencieux, il adressait à tous des sourires homériques, qui écartaient ses grosses joues et ses lèvres épaisses.

Moursalimov et Akhmadjan étaient, eux aussi, des gens agréables et faciles à vivre. Quand ils parlaient en ouzbek, ils ne le gênaient pas du tout ; d'ailleurs, ils parlaient calmement, en hommes de bon sens. Moursalimov avait l'air d'un vieux sage, comme Vadim en avait rencontré dans les montagnes. Une seule fois il s'était emporté contre Akhmadjan au point de discuter avec passablement d'humeur. Vadim ayant demandé qu'on lui traduisît de quoi il s'agissait, il avait appris que Moursalimov protestait contre les prénoms nouveaux qu'on fabrique en soudant des mots. Il affirmait qu'il n'existe que quarante noms véritables légués par le Prophète et que tous les autres sont faux.

Akhmadjan, lui non plus, n'était pas un mauvais bougre. Quand on lui demandait de baisser le ton, il ne manquait jamais de le faire. Vadim avait frappé son imagination en lui parlant de la vie des Evenks. Pendant deux jours, Akhmadjan avait médité, songeant à cette vie parfaitement invraisemblable, puis il avait posé à Vadim des questions inattendues :

« Dis donc, comme équipement, qu'est-ce qu'ils ont, les Evenks ? »

Vadim répondait en quelques mots et pendant plusieurs heures Akhmadjan restait plongé dans ses méditations. Puis il revenait trouver Vadim en boitillant :

« Et comme service, les Evenks, qu'est-ce qu'ils ont ? »
Et le lendemain matin :

« Dis donc, et comme objectif, qu'est-ce qu'ils ont ? »
Il n'admettait pas que les Evenks puissent tout bonnement vivre « comme ça ».

Il y avait encore quelqu'un d'agréable et de poli, Sigbatov, qui venait souvent jouer aux dames avec Akhmadjan. Evidemment, il n'avait pas reçu d'éducation, mais
il comprenait qu'il n'est pas convenable de parler trop
fort et qu'en conséquence il ne faut pas le faire. Et s'il
engageait quelque dispute avec Akhmadjan, c'était toujours sur un ton apaisant :

« Tu ne vas tout de même pas me dire que le raisin
qu'on a par ici est du vrai raisin ? Tu ne vas pas me dire
qu'on a des vrais melons ?

— Et où est-ce qu'il y en a des vrais, alors ? disait
Akhmadjan en s'échauffant.

— En Crimée, voyons... Je voudrais que tu voies ça... »
Diomka aussi était un brave garçon ; Vadim devinait
qu'il avait du fond. Diomka réfléchissait, s'occupait, voulait tout comprendre. Sans doute son visage ne portait-il
pas le sceau lumineux du talent ; il avait l'air plutôt
maussade quand il appréhendait une pensée inattendue ;
la voie des études et des occupations intellectuelles lui
serait difficile ; mais les lambins de ce genre font souvent les gens solides.

Quant à Roussanov, Vadim le supportait sans s'irriter. C'était quelqu'un qui avait derrière lui toute une vie
de travail honnête, mais qui n'avait pas inventé la poudre. Ses jugements étaient au fond plutôt justes, mais
il ne savait pas les exprimer avec souplesse, il utilisait
des formules apprises par cœur.

Kostoglotov, lui, avait commencé par lui déplaire, il
lui semblait trop mal embouché. Mais Vadim s'était
rendu compte qu'il était autre en profondeur, qu'il
n'avait pas d'arrogance, qu'il était même compréhensif.
Seulement, sa vie n'avait été qu'une longue suite de
malheurs et cela l'aigrissait. C'est son caractère plutôt
difficile qui devait être la cause de ses échecs. Sa maladie

s'arrangeait, il aurait encore pu arranger sa vie tout entière s'il avait été plus raisonnable, s'il avait su ce qu'il voulait. Ce qui avant tout lui manquait, c'était justement un peu de plomb dans la tête : c'était visible à sa façon de perdre son temps, d'aller et venir, tantôt fumant, tantôt errant sans but au-dehors, de s'emparer d'un livre pour l'abandonner sitôt après, à sa façon aussi d'accrocher les jupons. On n'avait pas besoin d'être grand clerc pour comprendre qu'il y avait quelque chose entre lui et Zoé, quelque chose entre Gangart et lui.

Elles avaient beau, toutes les deux, être charmantes, pour rien au monde Vadim, qui était aux portes de la mort, n'aurait voulu perdre son temps avec des femmes. Il avait Galka, qui l'attendait à l'expédition, qui rêvait de devenir sa femme, mais cela même était quelque chose où il n'avait plus aucun droit ; il n'aurait été que très peu à elle.

Il ne serait plus à personne.

Tel était le prix qu'il fallait payer ; la passion qui s'empare de nous expulse toutes les autres.

Si quelqu'un dans la salle exaspérait Vadim, c'était Poddouïev. Poddouïev, jadis fort et brutal, soudainement aveuli, qui se laissait aller à des élucubrations dignes d'un curé ou d'un tolstoïen. Vadim ne pouvait le supporter ; il était agacé par ses petites fables incendiaires sur l'humilité et l'amour du prochain, la nécessité du renoncement à soi-même et l'attente, bouche ouverte, du service qu'on peut rendre au hasard d'une rencontre. L'homme du hasard pouvant aussi bien être un fainéant crasseux qu'un fieffé gredin ! Cette petite justice pâlichonne et trop claire s'opposait à l'emportement juvénile, à l'ardente impatience qui faisaient tout Vadim, à son besoin d'éclater comme un coup de feu, d'éclater et de se donner. Lui aussi se préparait et s'était engagé à ne pas prendre, mais à donner — non point à céder peu à peu, sous la pression des circonstances, mais à donner tout, d'un coup, dans l'embrasement d'un haut fait, au peuple et à l'humanité !

Il était heureux depuis que Poddouïev avait reçu son

bon de sortie et que Federau, aux sourcils blonds
blancs, avait quitté son coin pour prendre sa place. Un
être calme s'il en fut, ce Federau ; personne dans la
salle ne l'était plus que lui : il pouvait rester une journée, couché là sans dire un mot, à regarder de ses yeux
tristes. Un petit bonhomme bien bizarre. C'était pour
Vadim le voisin idéal — mais deux jours plus tard, un
vendredi, il devait quitter la salle pour se faire opérer.

Ils étaient d'abord restés longtemps sans se parler,
mais, ce jour-là, une conversation avait fini par s'engager entre eux, sur leurs maladies. Federau disait qu'il
avait eu une méningite dont il avait failli mourir.

« Oho ! vous vous étiez cogné ?

— Non, j'ai pris froid. J'avais pris un coup de chaleur
et on m'a ramené de l'usine à la maison en voiture,
alors je me suis refroidi le cerveau, j'ai eu une inflammation des méninges ; je voyais plus clair. »

Il racontait cela calmement, avec un pâle sourire,
sans donner à entendre qu'il s'agissait d'une catastrophe,
d'une tragédie.

« Comment ça un coup de chaleur ? » demanda Vadim
tout en ramenant les yeux vers son livre, car le temps
passait. Mais, dans une salle d'hôpital, quelqu'un qui
veut parler de maladie trouve toujours des amateurs :
Federau aperçut, posé sur lui de l'autre bout de la salle,
le regard de Roussanov, aujourd'hui tout radouci, et,
pour lui aussi, il raconta :

« Y avait eu une avarie dans une chaudière et il fallait faire une soudure pas facile. Evacuer la vapeur,
refroidir la chaudière, la remettre en marche, c'était
l'affaire de vingt-quatre heures. Alors le directeur m'a envoyé chercher en voiture au beau milieu de la nuit. Il
m'a dit : « Federau, pour pas arrêter le travail, tu mets
« un costume de protection et tu fonces dans la vapeur,
« d'accord ? » — « Bah ! que je dis, s'il faut y aller,
« allons-y ! » C'était pas longtemps avant la guerre, le
calendrier était chargé, je pouvais pas faire autrement.
Je suis entré et j'ai fait le boulot. J'ai mis une heure
et demie... Puis je pouvais pas refuser : j'avais tou-

jours été le premier au tableau d'honneur de l'usine. »

Roussanov écoutait et regardait d'un air approbateur. Il eut cet éloge :

« Une action... digne... je dirais presque : digne d'un bolchevik.

— Mais... je suis membre du Parti. » La voix et le sourire de Federau étaient devenus encore plus doux et plus modestes.

« Vous... l'avez été ? corrigea Roussanov (le moindre compliment et les voilà qui croient que c'est arrivé !)

— Je le suis », dit Federau sans élever la voix.

Roussanov, ce jour-là, n'avait pas la tête à s'occuper des affaires des autres, à discutailler avec eux, à les remettre à leur place ; il était lui-même la proie de circonstances extrêmement tragiques. Mais il ne pouvait pas laisser passer d'aussi évidentes calembredaines. Le géologue s'était replongé dans ses livres. D'une voix faible, avec une netteté sereine (il savait qu'on tendrait l'oreille pour l'entendre), Roussanov dit :

« C'est impossible. Vous êtes bien Allemand ?

— Oui, fit-il avec un signe de tête quasiment affligé.

— Eh bien ? »

Tout semblait clair ! pourtant, ce Federau ne semblait pas en convenir.

« Quand on vous a relégué, on a dû vous reprendre votre carte du Parti ?

— On me l'a pas prise », dit-il tout en faisant non de la tête.

Roussanov grimaça ; il avait du mal à parler :

« Ça ne peut être qu'une omission : ils n'avaient pas le temps, ils se dépêchaient, ils ont commis une erreur. C'est à vous de la rendre, de vous-même.

— Vous y êtes pas ! » Malgré toute sa timidité, Federau s'entêtait. « Ça fait treize ans que j'ai ma carte, y a pas eu d'erreur ! On nous a même convoqués au comité de district, et nous a expliqué : « Vous restez « membres du Parti. On vous confond pas avec les au- « tres. » Le tampon de la Sûreté, c'est une chose, les cotisations au Parti, c'en est une autre. On peut pas occuper

des fonctions importantes, mais dans les fonctions su-
balternes — on doit montrer l'exemple. Voilà.

— Ouais... je ne sais pas », soupira Roussanov. Il avait
envie de laisser retomber les paupières, il avait beaucoup
de peine à parler.

La piqûre qu'on lui avait faite trois jours plus tôt ne
l'avait aucunement soulagé. Sa tumeur n'avait ni diminué de volume, ni ramolli ; elle lui écrasait toujours le
dessous de la mâchoire comme une boule de fer. Aujourd'hui, affaibli, de nouveau anxieux du délire qui allait le torturer, il gisait dans l'attente de sa troisième
piqûre. Après la troisième, ils étaient convenus, Capitoline et lui, d'aller à Moscou — mais Paul Nikolaïevitch
avait désormais perdu toute volonté de combattre ; il
venait de sentir ce que veut dire « être condamné » :
que ce fût la troisième ou la dixième, ici ou à Moscou,
si la tumeur résistait à la médication, elle résisterait
jusqu'au bout. Une tumeur, à vrai dire, n'était pas la
mort : elle pouvait ne pas disparaître, en faire un invalide, un monstre, un malade — mais jusqu'à la veille de
ce jour, Paul Nikolaïevitch n'avait pas discerné le lien
qui unissait cette tumeur et la mort ; la veille, il avait
entendu Kostoglotov, toujours lui, expliquer à quelqu'un
qu'une tumeur diffuse des poisons dans tout le corps et
que, par conséquent, elle ne peut être tolérée dans un
organisme.

Et Paul Nikolaïevitch avait eu un pincement au cœur ;
il avait compris qu'il ne pouvait plus éluder la mort
totalement. La mort, bien sûr, demeurait impossible —
elle devenait néanmoins un sujet de réflexion à ne pas
écarter. La veille, au rez-de-chaussée, il avait de ses yeux
vu un opéré qu'on avait complètement recouvert d'un
drap. Il saisissait maintenant le sens de cette expression
qu'avaient employée devant lui des infirmières : « Il
sera bientôt *sous le drap*. » C'était donc ça ! La mort
semblait noire, mais noires étaient seulement les appro-
ches de la mort. La mort, elle, était blanche.

Bien sûr, Roussanov savait que, tous les hommes étant
mortels, il devrait un jour y passer lui aussi. Un jour..

mais — tout de suite ? Il n'est pas affreux de mourir — un jour ; ce qui est terrible, c'est de mourir — tout de suite. Pourquoi ? Mais parce que : « Et comment ? Et après ? Et sans moi ?... »

Il éprouvait pour lui-même de la pitié. Une vraie pitié d'imaginer une vie aussi bien orientée, aussi offensive et, l'on pouvait dire, aussi belle que la sienne, jetée bas par cette tumeur étrangère, que son esprit refusait en fin de compte de tenir pour inéluctable. La blanche mort indifférente, sous l'aspect d'un drap qui ne moule aucune silhouette que du vide, s'approchait de lui prudemment, sans bruit, en pantoufles, et Roussanov, paralysé par sa marche feutrée, non seulement ne pouvait se battre contre elle, mais n'était même plus capable de rien penser, rien décider, rien dire à son propos.

Elle était venue illicitement ; il n'était point de règlement, point d'instruction qui en protégeât Paul Nikolaïevitch.

Il était tellement affaibli qu'il avait renoncé au civisme pétulant qui le poussait à se mêler de tout ce qui se faisait dans leur salle. Ce jour-là, une laborantine était venue établir les listes électorales, — car on les préparait aussi aux élections. Elle avait ramassé tous les passeports ; tout le monde avait donné le sien ou, à défaut, un certificat de son kolkhoze, — tout le monde, sauf Kostoglotov qui n'avait rien. Evidemment, la laborantine s'était étonnée et avait exigé un passeport, mais ce malotru avait encore osé tempêter, criant qu'elle n'avait qu'à connaître son catéchisme politique, qu'il y avait plusieurs sortes de relégations, qu'elle n'avait qu'à téléphoner à tel numéro, qu'il avait (à ce qu'il prétendait) le droit de voter et qu'il n'en démordrait pas, mais qu'il pourrait, à la rigueur, s'abstenir. Paul Nikolaïevitch réalisait enfin dans quel repaire il était tombé en entrant dans cette clinique ! Au milieu de qui il était couché ! Et cette canaille refusait encore d'éteindre la lumière, il ouvrait le vasistas à son gré, il se faisait passer aux yeux du médecin-chef pour un homme des terres vierges... Il essayait même de déplier avant Paul Nikolaïevitch le journal qu'on venait d'apporter, vierge et pur de tout contact ! L'instinct de Paul Nikolaïevitch ne l'avait pas trompé : ce Kostoglotov était un drôle de coco !

Mais Roussanov sombrait déjà dans une trouble indifférence ; il n'était plus tenté de démasquer « Grandegueule » et même ce repaire ne l'indignait pour ainsi dire plus.

Il distinguait, très loin, le rabat de son drap.

Cependant, du vestibule parvint la voix perçante de Nelly, la seule de ce timbre dans toute la clinique. Sans même vouloir crier, elle demandait à quelqu'un qui se trouvait à vingt mètres de là :

« Dis donc ! Tes escarpins vernis, combien qu'ils coûtent ? »

Ce que l'autre répondit fut indistinct. Nelly reprit :

« Ben, mon vieux, je voudrais bien en avoir des comme ça ! J'en aurais une bande d'étalons à mes trousses ! »

L'autre émit une objection et Nelly convint qu'elle avait en partie raison :

« C'est vrai ! Quand j'ai mis des nylon pour la première fois, je me tenais plus de joie, y a Serge qu'a jeté une allumette et qui les a brûlés du premier coup, la salope ! »

Ici, elle entra dans la salle avec une brosse et demanda :

« Alors, mes gamins, il paraît qu'hier on a lavé-raclé-ragrainé, ce qui fait qu'aujourd'hui on peut y aller molo ?... Ah ! oui. Une nouvelle à vous annoncer ! » Elle venait de se rappeler et, montrant Federau, elle déclara joyeusement : « Votre type, à cette place-là, il est ratiboisé ! Fini pour lui ! »

En dépit de sa retenue, Henrich Iakobovitch Federau haussa les épaules ; il était mal à l'aise.

On n'avait pas compris Nelly, elle expliqua :

« Ben quoi, le type avec les taches de son ! qu'était tout emmailloté ! hier à la gare, à côté du guichet... il vient d'arriver à l'autopsie.

— Seigneur Dieu ! — dit Roussanov plaintivement. —

Comme vous manquez de tact, camarade balayeuse ! A quoi bon colporter les nouvelles tristes ? Vous pourriez trouver quelque chose d'un peu plus gai à nous apprendre. »

Dans la salle, tout le monde était maintenant pensif. Ephrem parlait beaucoup de la mort et semblait condamné, c'était vrai. Il se plantait au milieu de l'allée et, entre ses dents, cherchait à les convaincre qu'*en somme, leur affaire était foutue.* Cependant, les derniers instants d'Ephrem leur avaient échappé. A cause de son départ, il demeurait vivant dans leur souvenir. Or, il fallait admettre désormais que celui qui l'avant-veille posait ses pieds là où ils continuaient tous de poser les leurs, était allongé à la morgue, le ventre ouvert de pet en chef comme une sardine en boîte.

« J'ai aussi des histoires drôles. Si je vous les raconte, vous crèverez tous de rire. Seulement ça sera pas convenable...

— Ça fait rien, vas-y ! demanda Akhmadjan. Vas-y !

— Oui ! » C'était encore un souvenir qui lui revenait. « Toi, mon goret, on te demande à la radio ! Toi, toi. » Elle désignait Vadim.

Vadim déposa son livre sur le rebord de la fenêtre. Prudemment, en s'aidant de ses bras, il posa par terre sa jambe malade, puis l'autre. Et, pirouettant comme un danseur (abstraction faite de cette jambe grossière qu'il devait ménager), il se dirigea vers la sortie.

Il avait entendu ce qu'on venait de dire de Poddouïev sans en éprouver de pitié. Poddouïev n'était pas précieux pour la société, ni plus ni moins que cette fille de salle avec sa désinvolture. C'est que l'humanité tirait son prix, non de sa masse en perpétuelle multiplication, mais de ses élites qui arrivent à maturité.

Une laborantine entra avec le journal.

Elle était suivie de Grandegueule. Il ne pouvait plus vivre sans journal, celui-là.

« Donnez ! Donnez ! » dit faiblement Paul Nikolaïevitch et il étendit un bras.

C'est lui qui l'obtint.

Même sans ses lunettes, il voyait qu'une série de photographies et des gros titres occupaient toute la largeur de la première page. Une fois redressé dans son lit, quand il eut mis ses lunettes, il vit qu'il s'agissait bien de la séance de clôture du Soviet Suprême : photographies du presidium et de l'assemblée — ultimes grandes décisions imprimées en gros caractères.

Si gros qu'il n'était pas besoin de feuilleter pour chercher Dieu sait où la remarque d'importance imprimée en petits caractères.

« Quoi ? Quoi ? » Paul Nikolaïevitch ne put retenir ces exclamations qui n'étaient adressées à personne, quoiqu'il fût malséant d'exprimer ainsi son étonnement et sa perplexité devant un journal ouvert.

La première colonne, en grosses lettres, annonçait que le président du Conseil des ministres G.M. Malenkov avait demandé à être libéré de ses fonctions pour convenance personnelle et que le Soviet Suprême avait à l'unanimité accédé à son désir.

C'est donc ainsi que se terminait une session dont Roussanov n'attendait que le vote du budget !...

Il se sentit faiblir et ses mains laissèrent échapper le journal. Il ne pouvait plus lire. Qu'est-ce que ça pouvait bien vouloir dire ? Il ne comprenait plus ce communiqué diffusé dans un style à tous compréhensible, il ne comprenait plus qu'une chose : que c'était dur, trop dur !

C'était comme si quelque part, à une très très grande profondeur, les couches géologiques s'étaient mises en grondant à trembler dans leur assise, faisant ainsi trembler la ville, l'hôpital et le lit de Paul Nikolaïevitch.

Cependant, indifférente aux oscillations de la pièce et du sol, vêtue d'une blouse frais repassée, le docteur Gangart passa la porte et vint vers lui d'un pas égal et doux, avec son sourire engageant et une seringue dans la main.

« Alors, on la fait cette piqûre ? » L'invitation était aimable.

Kostoglotov tira le journal posé sur les jambes de
Roussanov. Il vit, lui aussi, immédiatement, et lut.

Ayant lu, il se dressa. Impossible de rester assis !

Lui non plus ne comprenait pas exactement la portée
de la nouvelle. Mais si, l'avant-veille, on avait renouvelé
tout le Tribunal Suprême, si maintenant on remplaçait
le Premier ministre, c'est que l'Histoire était en marche.

L'Histoire en marche ! Comment penser, comment
imaginer qu'elle pût conduire à quelque chose de pire ?

Quelques jours plus tôt, il retenait son cœur bon-
dissant, il s'interdisait de croire, il se défendait d'espérer !

Deux jours avaient suffi — et les quatre coups beethoveniens, les quatre coups avertisseurs, avaient fait ré-
sonner le ciel comme un tympan.

Et les malades, calmes-calmes dans leurs lits, les malades n'avaient rien entendu.

Et Vera Gangart, calme-calme, injectait dans leurs
veines de l'embychine.

Oleg bondit. Il s'enfuit dehors — se promener !
Au large !

CHAPITRE XX

SOUVENIRS ESTHETIQUES

Non, depuis longtemps il s'interdisait de croire ! Il n'osait se permettre de se réjouir !

C'est au début de son temps, les premières années, que le novice, chaque fois qu'on l'appelle hors de sa cellule avec ses affaires, s'imagine qu'on va le libérer et croit entendre la trompette de l'Archange chaque fois qu'il passe un chuchotis d'amnistie. Or, on ne l'a tiré de son cachot que pour lui lire quelque abominable paperasse et le repousser dans un cul-de-basse-fosse plus sombre encore, d'un étage plus profond, où l'air est tout aussi vicié d'avoir été tant respiré. Et l'amnistie est reportée de l'anniversaire de la Victoire à celui de la Révolution, de l'anniversaire de la Révolution à la session du Soviet Suprême ; l'amnistie éclate comme une bulle de savon, à moins qu'on ne l'accorde aux voleurs, aux escrocs, aux déserteurs, à tous plutôt qu'à ceux qui ont souffert et combattu. Et les cellules de notre cœur que la nature a créées pour la joie, inutiles, dégénèrent. Et les petits alvéoles, où dans le sein des hommes reste apie la foi, se vident au cours des ans et se dessèchent.

La chose était désormais suffisamment avérée, il avait eu son soûl de liberté, il revenait chez lui, enfin ; il ne voulait aller nulle part ailleurs que dans son Bel Exil, dans son cher Ouch-Terek ! Cher, oui ! Pour étonnant que cela fût, c'est ainsi que de cet hôpital Oleg pensait à son petit coin d'exilé — de cet hôpital, de la grande ville, de ce monde à l'inextricable complexion, auquel il ne se sentait pas capable, ni, peut-être, désireux de s'insérer.

Ouch-Terek, cela veut dire « les Trois Peupliers ». Le lieu tient son nom de trois arbres antiques qu'on aperçoit de la steppe à dix kilomètres à la ronde. Les trois arbres poussent ensemble ; ils n'ont pas la sveltesse commune aux peupliers, ils seraient plutôt tors ; et peut-être ont-ils chacun dans les quatre cents ans. Leur taille atteinte, ils ont cessé de pousser en hauteur, mais, gagnant en largeur, ils ont tressé des ombrages puissants au-dessus du grand aryk. On dit qu'il y avait d'autres arbres comme ceux-là dans l'aoul, mais qu'en 1931 on les a tous coupés. Maintenant, on ne parvient plus à en faire prendre de nouveaux ; tous ceux que les pionniers ont plantés ont été broutés par les chèvres dès la première pousse. Seuls ont résisté les érables américains dans la grand-rue, en face du comité du district.

Quel est-il, l'endroit de la terre qu'on élit entre tous ? Celui que l'on a découvert, petit enfant piaillant, rampant, à tout fermé, même au témoignage de ses yeux et de ses oreilles ? Ou bien celui où pour la première fois on s'est entendu dire : « Allons ; partez sans escorte, partez tout seul ! »

Maître de ses jambes ! « Prends ton grabat et marche ! »

O la première nuit de semi-liberté ! La Sûreté les surveillait toujours de près ; ils n'avaient pas reçu le droit d'aller jusqu'aux cités, on leur avait permis de dormir à leur guise sous un auvent de chaume dans la cour du commissariat. Sous l'auvent, des chevaux immobiles avaient toute la nuit mâché du foin ; quel bruit peut être plus doux à imaginer ?

Pourtant, Oleg avait passé la moitié de la nuit sans
dormir. Le sol dur de la cour était blanc de lune, — il
était parti comme un fou s'y promener en tous sens.
Plus de miradors, personne pour le surveiller : heureux
de trébucher sur le sol raboteux, il marchait, tête renversée, visage contre le ciel blanc, — il allait quelque
part, comme s'il avait craint d'y arriver trop tard,
comme s'il avait dû faire au matin son entrée, non dans
ce maigre village ignoré, mais dans la triomphale im-
mensité du monde. L'air tiède de ce printemps méri-
dional si précoce était loin de rester silencieux : comme
des locomotives échangeant leurs appels au-dessus d'un
grand centre au long des nuits, de tous les coins des
cités, dans les parcs et les cours, baudets et chameaux
avides et triomphants, n'avaient pas laissé de clamer à
cor et à cri la salacité de leur désir et leur assurance
de perpétuer la vie. Et ces trompettes nuptiales venaient
se joindre à la clameur qui naissait au fond du cœur
d'Oleg.

Eh bien ? Peut-on imaginer endroit plus aimable que
celui où l'on a vécu une telle nuit ?

Cette nuit-là, il avait recommencé de croire et d'espérer, bien qu'il se fût déjà si souvent juré qu'on ne
l'y reprendrait plus.

Après le camp, on ne pouvait pas tenir pour cruel le
monde de la relégation, même si aux travaux d'irrigation on se battait à coups de tchekmen pour de l'eau
en essayant de se taper dans les jambes. Le monde de
la relégation était beaucoup plus spacieux, plus facile,
plus varié. Pourtant, il avait aussi une espèce de cruauté
à lui : il n'était pas si facile à la racine de faire son
chemin dans la terre, pas si facile de trouver à la tige
sa nourriture.

Il fallait aussi jouer d'adresse pour éviter d'être envoyé par le commandant à plus de cent cinquante kilomètres à l'intérieur du désert. Il fallait trouver un toit
de bauge où s'abriter et quelque chose à payer à la pa-
tronne alors qu'on n'avait pas d'argent. Il fallait acheter

le pain quotidien et quelque chose à la cantine. Il fallait trouver du travail : or, quand on a manié la pioche pendant sept ans, on ne peut tout de même pas prendre le tchekmen et devenir arroseur. Il y avait bien dans l'aoul certaines veuves nanties de maisons de pisé, de potagers et même de vaches, qui n'auraient pas répugné à prendre pour mari un relégué solitaire, mais il lui semblait prématuré de se vendre à une femme : il croyait sentir que sa vie, loin d'être finie, ne faisait que commencer.

Dans les camps, s'ils calculaient combien d'hommes il manquait au monde libre, les prisonniers se persuadaient que, sitôt débarrassés de leurs gardiens, ils « tomberaient » la première femme venue. Tellement il leur semblait évident que les femmes devaient errer comme des âmes solitaires en sanglotant après les hommes, unique objet de leurs pensées. Pourtant, dans les cités, il y avait une multitude d'enfants ; les femmes avaient l'allure de gens dont la vie est remplie, et ni les abandonnées ni les filles ne voulaient faire ça « comme ça », il leur fallait le mariage, l'honorabilité, la petite maison ayant pignon sur rue. A Ouch-Terek, les mœurs dataient du siècle dernier.

Et voilà que, débarrassé de ses gardes, Oleg continuait à vivre sans femme comme il l'avait fait des années durant derrière les barbelés, négligeant tout ce qu'il y avait dans les cités, depuis la jeune beauté grecque morelle jusqu'à la petite Allemande blonde fidèle à la tâche.

Dans l'ordre qui les envoyait en exil, il était écrit « à perpétuité ». Et Oleg, en son for intérieur, admettait fort bien que son bannissement serait perpétuel ; il ne pouvait rien imaginer d'autre. Quant à se marier dans cet endroit, quelque chose l'en avait toujours retenu. Soit que, Béria renversé dans le tintamarre de casseroles que font en s'écroulant les idoles creuses, les changements décisifs que tout le monde attendait eussent traîné à venir, lents et misérables. Soit qu'Oleg eût retrouvé son ancienne compagne du temps de Krasnoïarsk et qu'il eût échangé des lettres avec elle. Soit qu'il eût engagé une correspondance avec une vieille amie de Leningrad, nourrissant — pendant combien de mois ? — l'espoir qu'elle viendrait le rejoindre. (Mais qui aurait abandonné un appartement à Leningrad pour venir le retrouver dans son trou ?) Pour finir, il y avait eu cette tumeur, qui avait tout défait de sa douleur continuelle, inéluctable, et les femmes avaient cessé d'être pour lui quelque chose de plus attrayant que le commun des braves gens.

Comme Oleg l'avait compris, il n'y avait pas seulement dans l'exil ce principe d'oppression que tous connaissent depuis Ovide, sinon d'expérience, du moins par le truchement de la littérature (un autre lieu que celui qu'on aime, d'autres gens que ceux qu'on voudrait), mais encore un principe libérateur, peu connu celui-là : un principe qui libère l'homme de ses doutes, de sa responsabilité devant soi-même. Les malheureux n'étaient pas ceux qu'on reléguait, mais ceux qui recevaient un passeport marqué du stigmate infamant de l'article 39 et qui devaient, en se maudissant pour chaque maladresse, trouver où aller, vivre quelque part, chercher du travail et se faire chasser de partout. Au contraire, l'arrivée du relégué au lieu assigné offrait toutes les garanties : ce n'est pas lui qui avait imaginé d'y venir et personne ne pourrait l'en chasser ! Les autorités avaient réfléchi pour lui ; il était affranchi de la crainte d'avoir méconnu un endroit plus propice, du souci d'inventer quelque meilleure combinaison. Il savait qu'il n'existait pas d'autre chemin que celui qu'il suivait et cela le remplissait d'ardeur.

Et maintenant qu'il commençait à se remettre, qu'il faisait de nouveau face à la vie inextricable, Oleg songeait avec plaisir qu'il existait un petit coin béni du nom d'Ouch-Terek, où l'on avait tout réglé pour lui, où tout était si clair, où il était en quelque sorte un citoyen à part entière, où il allait bientôt revenir comme chez lui, comme *chez lui*. Certains liens, comme de parenté, l'attiraient déjà vers ce lieu, qu'il avait envie d'appeler « chez nous ».

Souffrant les trois quarts de l'année qu'il y avait vécu, Oleg s'était peu soucié d'étudier les détails de la nature et de la vie locales ; il en avait tiré peu d'agrément. Pour le malade qu'il était, la steppe était trop poussiéreuse, le soleil trop chaud, les jardins trop brûlés, trop pénible le façonnage des briques sèches.

Mais maintenant que la vie, comme ces baudets au printemps, s'était mise à bramer en lui, Oleg, tout en allant et venant dans les allées de la cité hospitalière qui abondait d'arbres, de gens, de couleurs et de maisons de pierre, se remémorait, tout attendri, les petits détails de ce monde chiche et mesuré. Et ce monde d'Ouch-Terek, parce qu'il était à lui jusqu'à la tombe, à jamais sien, lui était plus cher que ce monde-ci, éphémère et transitoire.

Et il rappelait en lui-même le *djoussan* de la steppe — avec son odeur amère et pourtant si familière ! Il revoyait le *djantak* et ses épines acérées. Et le *djinguil*, encore plus piquant, qui court dans les haies et se pare en mai de fleurs violettes embaumant comme des lilas. Et le *djidda*, cet arbre entêtant dont les fleurs ont une odeur si excessivement épicée qu'on dirait une femme qui a passé la juste mesure de son désir et s'est inondée de parfum.

N'était-il pas étrange qu'un Russe, qu'on ne sait quels liens spirituels rattachaient aux champs et aux forêts russes, à la nature calme et secrète de la Russie moyenne et qu'on avait envoyé là contre sa volonté, et pour toujours, se fût si vite attaché à cette nudité miséreuse, tantôt brûlée du soleil, tantôt battue des vents, où une journée grise et sereine est accueillie comme un répit et la pluie comme une fête ? N'était-il pas étrange qu'il se fût si vite fait à l'idée de passer là le reste de ses jours ? A cause de bonshommes comme Sarymbetov, Maoukoïev ou les frères Skokov, avant même, semble-t-il, d'en savoir la langue, il s'était attaché à ce peuple ; sous l'écume des sentiments fugitifs où le profond se mêle au fallacieux, sous le dévouement naïf aux anciens clans, il avait su déceler la simplicité fondamentale de ce peu-

ple, qui répond toujours à la sincérité par la sincérité,
à la bienveillance par la bienveillance.

Oleg avait trente-quatre ans. Aucun institut n'acceptait plus personne, après trente-cinq ans. Il n'aurait
donc jamais d'instruction. Il en faisait son deuil. Il n'y
avait guère de temps que, de façonneur de briques sèches, il avait su s'élever jusqu'aux fonctions d'administrateur rural en second. Il n'était pas administrateur à
plein titre, comme il l'avait mensongèrement dit à Zoé,
mais administrateur en second, à trois cent cinquante
roubles. Son chef, l'administrateur rural du district, ne
s'y entendait guère à manier la mire d'arpenteur, aussi
Oleg aurait-il sans doute dû travailler tout son soûl si
l'autre avait eu lui-même quelque chose à faire. Mais
son seul travail était, lors de la remise aux kolkhozes
des actes établissant la jouissance perpétuelle des terres
(là aussi, il y avait de la perpétuité), de retrancher éven-
tuellement quelque chose de leur territoire pour le donner à des cités en voie de développement. Il était loin
d'être *mirab*, maître des arrosages, et de sentir avec son
dos la plus petite inclinaison du terrain ! Bah ! sans
doute avec les années réussirait-il à trouver une meilleure situation. Mais pourquoi en cet instant se rappelait-il Ouch-Terek avec tellement de chaleur ? Pourquoi
n'attendait-il que la fin de sa cure pour y retourner,
pour s'y traîner, ne fût-ce qu'à demi guéri ?

N'aurait-il pas dû, normalement, être irrité contre son
exil, le haïr, le maudire ? Non, même ce qui semblait
appeler la cravache cinglante de la satire demeurait
aux yeux d'Oleg anecdotique et digne d'un sourire.

Aben Berdenov, le nouveau directeur de l'école, qui
avait arraché du mur « les Freux » de Savrassov et les
avait jetés derrière un placard : il y avait vu une église
et avait pris cela pour de la propagande en faveur de
la religion...

Cette Russe dégourdie chargée de la santé pour le
district, qui, du haut d'une chaire, faisait des conférences
à l'intelligentsia du pays et qui, par en dessous, refilait
au prix fort aux dames de l'endroit le dernier crêpe de

Chine qui n'était pas encore arrivé au grand magasin...

Et puis la voiture de police-secours, qui passait dans des tourbillons de poussière, le plus souvent sans malades, et que le secrétaire utilisait pour ses propres besoins en guise de voiture particulière, quand elle ne livrait pas du beurre ou du vermicelle chez certains particuliers...

Orembaïev, aussi, le petit détaillant, qui faisait du commerce « en gros » : dans son petit magasin de comestibles, il n'y avait jamais rien ; il conservait, empilée sur son toit, une montagne de caisses ayant contenu les marchandises qu'il avait vendues ; il était décoré pour avoir dépassé le plan et passait son temps à sommeiller à la porte de son magasin. Il était trop paresseux pour peser, verser, empaqueter : une fois munis tous les puissants, il distinguait les gens qu'il en jugeait dignes et leur proposait à mi-voix : « Tu prends une caisse de macaroni, seulement une caisse entière. Tu prends un sac de sucre, seulement un sac entier. » Le sac ou la caisse passaient alors tout droit de sa réserve à l'appartement du particulier et le chiffre d'affaires d'Orembaïev en était arrondi d'autant...

Enfin, le troisième secrétaire du comité de district : pris du désir de passer sans suivre de cours l'examen de l'école secondaire, alors qu'il ne connaissait « aucune des mathématiques », il s'était, la nuit, faufilé chez le professeur relégué pour lui offrir une peau d'astrakan...

Tout cela se prenait avec le sourire parce que tout cela venait après la *tanière des loups*. En effet, après le camp, qu'est-ce qui peut ne pas être une plaisanterie ? Après le camp, on est partout en vacances.

N'est-ce pas une vraie jouissance de mettre une chemise blanche à la tombée du jour (la seule qu'on ait, avec un col râpé ; quant au pantalon et aux souliers — passons !) — et de partir se promener dans la rue principale des cités ; près du club, sous le préau couvert de roseaux, de voir une affiche (« Un nouveau film d'art aux nombreux oscars ! ») et Basile, l'idiot du village, appelant tout le monde au cinéma ; d'essayer d'acheter le billet le moins cher, à deux roubles, pour le premier

rang, avec les petits garçons ; une fois le mois, de faire
un petit extra et boire pour deux roubles et cinquante
kopecks une chope de bière au bistrot, au milieu des
chauffeurs tchétchènes.

Cette façon de prendre son exil avec le sourire, sans
jamais cesser d'être joyeux, Oleg la devait aux vieux
Kadmine, Nicolas Ivanovitch, un gynécologue, et sa
femme, Hélène Alexandrovna. Les Kadmine...

Quoi qu'il leur arrive, les Kadmine, eux aussi relégués,
ne manquent jamais de dire :

« Comme c'est bien ! Comme c'est mieux qu'avant !
Quelle chance que nous soyons tombés dans cet endroit
charmant ! »

Se procurent-ils une boule de pain clair ? C'est une
fête ! Le prix du lait a-t-il baissé au marché ? Une
fête ! Le film donné au club ce jour-là est-il bon ? Une
fête ! Un technicien de passage leur a-t-il remis des
dents ? Une fête ! Envoie-t-on au pays un deuxième
gynécologue, une femme, reléguée, elle aussi ? Comme
tout s'arrange au mieux ! Elle s'occupera de la gynécologie, elle aura les avortements illégaux et Nicolas
Ivanovitch fera la médecine générale ; il rentrera moins
d'argent, mais le docteur sera plus tranquille. Plaisir,
le spectacle du couchant sur la steppe, d'écarlate,
d'orange, de rose, de pourpre et d'incarnat : le vieil
homme grisonnant, élancé, prend par le bras sa compagne rondelette, qui peu à peu s'alourdit au gré des maladies, et, d'un pas digne, ils s'en vont, plus loin que les
dernières maisons, contempler le soleil couchant. (Autant il est mobile, autant elle est lente à se mouvoir.)

Mais la vie ne commence vraiment pour eux, comme
une guirlande infinie de joies épanouies, que le jour où
ils s'achètent une espèce de gourbi en terre avec un
jardin — le dernier asile de leur existence, — ils le
comprennent bien, — l'ultime retraite où ils finiront leurs
jours et mourront : ils ont décidé de mourir ensemble ;
l'un mourra, l'autre l'accompagnera, car — à quoi bon
rester seul et pour quoi ? N'ayant aucun meuble, ils
commandent au vieux Khomratovitch, lui aussi relégué,

un parallélépipède de briques sèches qu'il leur installera dans un coin. Voilà prêt le lit conjugal : qu'il est large ! Qu'il est confortable ! Et cela fait une joie de plus ! On coud un ample sac qui servira de matelas, on le bourre de paille. Puis Khomratovitch reçoit commande d'une table, plus précisément, d'une table ronde. Khomrato-vitch est ébahi : il marche sur ses quatre-vingts ans et jamais il n'a vu de table ronde. Pourquoi ronde ? « Ne vous en faites pas, allez-y ! — dit Nicolas Ivanovitch en frottant l'une contre l'autre ses habiles mains blanches de gynécologue. — Nous la voulons ronde, absolument. » Le problème suivant est de trouver une lampe à pétrole qui soit de verre et non de fer blanc, avec un grand pied, qui ait une galerie de dix lignes, surtout, et non de sept, et, bien sûr, des verres de lampe. A Ouch-Terek, il n'y a pas de lampes de ce genre. Toutes ces choses ne se trouvent que petit à petit, elles arrivent de loin, por-tées par des personnes complaisantes. Mais voici la lampe désirée sur la table ronde ! Mieux encore, la voici sous un abat-jour qu'ils ont fait eux-mêmes ! Et ici, à Ouch-Terek, en 1954, alors que dans les capitales on court après les lampadaires et qu'on a déjà inventé la bombe à hydrogène, cette lampe sur cette table ronde sortie des mains d'un artisan transforme la masure de pisé en salon luxueux de jadis. Quel triomphe ! Ils s'as-soient tous les trois autour et Hélène Alexandrovna dit avec chaleur :

« Ah ! Oleg ! Que nous vivons bien maintenant ! Savez-vous que, mon enfance mise à part, c'est l'époque la plus heureuse de ma vie ? »

Et c'est qu'elle a raison ! Ce n'est pas le niveau de vie qui fait le bonheur des hommes mais bien la liaison des cœurs et notre point de vue sur notre vie. Or, l'un et l'autre sont toujours en notre pouvoir, et l'homme est toujours heureux s'il le veut, et personne ne peut l'en empêcher.

Avant la guerre, ils vivaient dans la banlieue de Mos-cou avec la mère de Nicolas Ivanovitch ; elle était si intraitable, si vive sur les petites choses, ils étaient si

respectueux de la puissance maternelle qu'Hélène Alexandrovna, femme d'un âge déjà mûr, femme indépendante
dont ce n'était pas le premier mariage, se sentait constamment brimée. C'est cette période qu'elle a appelée
son *Moyen Age*. Seul, un grand malheur fondant sur eux
pouvait ouvrir leur famille à l'air frais.

Et le malheur avait fondu sur eux. C'est la belle-mère
qui avait tout déclenché. La première année de la guerre,
un homme était venu chez eux qui avait demandé à être
caché. La belle-mère, qui combinait l'intolérance pour
ses proches avec les principes élémentaires du christianisme, jugea de son devoir d'accueillir le déserteur, et
cela, sans même consulter ses enfants. L'homme passa
deux nuits chez eux, partit, fut arrêté et, interrogé, il
indiqua la maison où on l'avait caché. La belle-mère
avait à ce moment-là près de quatre-vingts ans, on ne
la toucha pas ; par contre, on estima utile d'arrêter son
fils, qui avait cinquante ans, et sa bru, qui en avait
quarante. Durant l'enquête, on voulut savoir si le déserteur était de leur famille ; s'il l'avait été, cela aurait
singulièrement arrangé les choses : ç'aurait été une affaire d'intérêt personnel, parfaitement compréhensible
et même excusable. Mais le déserteur ne leur était rien,
c'était une personne de passage, et les Kadmine écopè-
rent chacun de dix ans, non pour avoir aidé un déserteur, mais comme ennemis de la Patrie ayant cherché
sciemment à saper la puissance de l'Armée Rouge. La
guerre finie, le déserteur avait été libéré lors de la
grande amnistie stalinienne de 1945 (les historiens se
casseront la tête sans parvenir à comprendre pourquoi
justement les déserteurs furent pardonnés avant tous
les autres, et cela, sans restriction). Il avait même oublié
cette maison où il avait dormi, oublié que son arrestation en avait entraîné d'autres.

Les Kadmine, eux, n'avaient pas été amnistiés : ce
n'étaient pas des déserteurs, c'étaient des ennemis.

Et, quand ils eurent tiré leurs dix ans, on ne les laissa
même pas revenir chez eux, car ils n'avaient pas agi
seuls, mais en « groupe organisé » (le mari et la

femme !) et ils tombaient sous le coup de la relégation à perpétuité. Prévoyant cela, les Kadmine avaient à l'avance présenté une requête pour être envoyés au même endroit, au moins lorsqu'ils seraient relégués. Et, quoique personne n'eût semblé protester, quoique la requête eût semblé assez licite, on envoya le mari au sud du Kazakhstan et la femme dans la région de Krasnoïarsk. Peut-être voulait-on maintenir séparés ces membres d'une même organisation ?... Non, ce n'était pas pour les punir, ni par esprit de vindicte, mais simplement parce que, dans l'appareil du ministère de l'Intérieur, il n'y avait personne qui fût chargé de réunir les maris et les femmes. Voilà pourquoi on ne les avait pas réunis. Avec ses bras et ses jambes enflés quoiqu'elle n'eût pas encore tout à fait cinquante ans, Hélène Alexandrovna s'était retrouvée dans la taïga, où il n'y avait rien à faire que le métier de bûcheron que le camp lui avait si bien appris. (Aujourd'hui encore, elle se rappelle la taïga iénisséïenne — quels paysages !) Une année durant, ils avaient continué d'envoyer des réclamations — à Moscou, à Moscou, à Moscou, — et ce n'est qu'au bout d'un an qu'une escorte spéciale était venue chercher Hélène Alexandrovna et l'avait amenée ici, à Ouch-Terek.

Et maintenant, ils ne se réjouiraient pas de la vie ! Ils n'aimeraient pas Ouch-Terek ! Et leur cabane en pisé ! Quelle autre prospérité pourraient-ils encore désirer ?

Ils sont ici à perpétuité ? Eh bien, soit ! Voilà une belle occasion d'étudier à fond le climat d'Ouch-Terek ! Nicolas Ivanovitch suspend au mur trois thermomètres, installe un récipient pour les précipitations et, pour savoir la force du vent, il passe régulièrement chez Inna Stroehm, une fille de classe terminale qui est chargée de la station météorologique officielle. La station fera ce qu'elle voudra, — Nicolas Ivanovitch, lui, a entrepris de tenir un journal météorologique avec une rigueur qu'un statisticien pourrait lui envier.

Depuis son enfance, il tient de son père, ingénieur

des Ponts et Chaussées, une soif d'action incessante, l'amour de l'ordre et de l'exactitude. C'est Korolenko (peut-on le traiter de pédant ?) qui disait (et c'est Nicolas Ivanovitch qui le cite) que « l'ordre de nos affaires protège notre paix intérieure ». Le docteur Kadmine aime encore à dire : « Les choses connaissent leur place. » Les choses la connaissent, nous devons nous borner à ne pas les gêner. Pour occuper son oisiveté durant les soirs d'hiver, Nicolas Ivanovitch a un violon d'Ingres : la reliure. Il aime transformer les livres abîmés, déglingués, en perdition, en quelque chose de joyeux et de toujours prêt. On a même réussi à lui fabriquer, à Ouch-Terek, une presse à relier et un massicot. Mais l'hiver est plutôt court à Ouch-Terek et tous les autres mois sont maintenant pris par le jardinage.

Les dix ares de son jardin, Nicolas Ivanovitch les cultive avec un esprit inventif et une énergie tels qu'avec tous ses « Monts-Chauves[1] » et son architecte particulier le vieux prince Volkonski peut toujours s'aligner ! Dans son travail à l'hôpital, Nicolas Ivanovitch, pour ses soixante ans, est encore très actif ; il fait une norme et demie, il court aux accouchements par n'importe quelle nuit. Quand il traverse les cités, il ne marche pas, il vole, sans songer un instant qu'il a la barbe grise, et le vent écarte les pans du veston de grosse toile que lui a cousu Hélène Alexandrovna. Quant à prendre la bêche en main, il n'en a plus guère la force : une demi-heure le matin et ça suffit, encore commence-t-il à souffler. Mais quand bien même son cœur et ses bras ne suivent plus, ses plans demeurent harmonieux et idéaux. Tout en promenant Oleg dans son jardin nu dont la limite est heureusement marquée par deux arbrisseaux, il se vante :

« Tenez, Oleg, ici, d'un bout à l'autre de ma parcelle, il y aura une *perspective*. A main gauche, vous verrez

---

1. Allusion au père d'André Volkonski, dans le roman de Tolstoï *La Guerre et la Paix. Les Monts chauves* est le nom de sa propriété.

un jour trois *ouriouks*, ils sont déjà plantés. A main droite, une vigne. Elle prendra, c'est sûr. La perspective aboutira à une tonnelle. Une tonnelle pour de vrai — comme Ouch-Terek n'en a encore jamais vu ! Le principal en est déjà posé : vous voyez ce divan de briques sèches en demi-cercle ? (Khomratovitch : « Pourquoi en demi-cercle ? ») Et puis ces baguettes ? C'est pour y faire grimper du houblon. A côté, pour embaumer l'air, il y aura des tabacs. On viendra là dans la journée pour échapper aux grosses chaleurs et le soir — pour prendre le thé autour du samovar, — vous êtes invité ! « (Au fait, il n'y a pas encore de samovar !) Ce qu'il pourra pousser dans leur potager, on n'en sait trop rien, ça ne se voit pas ; mais voici ce qu'il y manque : pommes de terre, choux, concombres, tomates et potirons, tout ce qu'il y a chez les voisins. « Puisque ça peut s'acheter ! » — objectent les Kadmine. Et ça s'achète. La population d'Ouch-Terek est bonne ménagère ; elle a ses vaches, ses cochons, ses moutons et ses poules. L'élevage n'est pas tout à fait étranger aux Kadmine, mais l'orientation qu'ils donnent à la chose révèle leur manque de sens pratique : ils n'élèvent que des chiens et des chats.

Le lait et la viande s'achètent fort bien au marché, — telle est l'opinion des Kadmine, — mais la fidélité d'un chien, où l'achèterez-vous ? Est-ce qu'il sauterait sur vous pour de l'argent, ce gros ours de Jouk avec ses oreilles pendantes ? Et ce petit arriviste de Tobik, tout blanc et pointu avec ses petites oreilles noires mobiles ?

Nous n'avons plus la moindre estime pour l'amour des animaux et nous rions même franchement de l'affection qu'on porte aux chats. Mais l'amour perdu des animaux n'est-il pas le signe avant-coureur de la perte fatale de l'amour des hommes ?

Les Kadmine n'aiment pas leurs bêtes pour leur peau, mais pour leur personnalité. Et cette communauté d'âme qui émane des époux se transmet sans dressage, presque instantanément, à leurs animaux. Ceux-ci appré-

cient quand les Kadmine parlent avec eux ; ils sont
capables de rester longtemps à les écouter. Ils chéris-
sent la société de leurs maîtres et sont fiers de les
accompagner partout. Si Tobik est couché dans une
pièce (car l'accès ne leur en est pas interdit) et qu'il
voit Hélène Alexandrovna mettre son manteau et prendre son sac, non seulement il comprend immédiatement
qu'il doit y avoir une promenade dans les cités, mais
il se précipite au jardin pour y chercher Jouk et revient
sur-le-champ avec lui. En langage de chien, il a dû lui
annoncer la promenade et Jouk accourt, excité et prêt
à partir. Jouk connaît bien la durée du temps. Quand
il accompagne les Kadmine jusqu'au cinéma, il ne reste
pas couché à la porte du club, il s'en va, mais il est
toujours revenu pour la fin de la séance. Une fois, le
spectacle n'avait que cinq parties, il est arrivé en retard : que de chagrin d'abord, puis que de bondisse-
ments !

S'il y a une occasion où les chiens n'accompagnent
jamais Nicolas Ivanovitch, c'est quand il va travailler ;
ils comprennent que ce serait manquer de tact. Si vers
le soir, de son pas jeune et léger, le docteur quitte la
cour, les chiens, avertis par quelque transmission de
pensée, savent immanquablement s'il est parti visiter
une femme en couches (et alors ils restent) ou s'il va
se baigner (et alors ils l'accompagnent). La baignade
est loin, dans la rivière Tchou, à cinq kilomètres. Ni
les gens de l'endroit, ni les relégués, ni les jeunes, ni
les moins jeunes n'y vont tous les jours ; c'est trop
loin. Seuls le font les garnements du pays et le docteur
Kadmine avec ses chiens. En fait, c'est la seule sortie
qui ne fasse pas vraiment plaisir aux bêtes : le sentier
de la steppe est dur et épineux ; Jouk a ses grosses
pattes toutes coupées et douloureuses ; quant à Tobik,
depuis qu'il a été baigné, il a grand-peur de se retrouver une autre fois dans l'eau. Mais, le sens du devoir
primant tout pour eux, ils font toute la route avec le
docteur. Toutefois, Tobik commence à se laisser distan-
cer à une prudente longueur de trois cents mètres pour

ne pas être saisi, il s'excuse des oreilles, il s'excuse de
la queue — et il se couche. Jouk va jusqu'à la berge, il
y pose son gros corps et, monumental, il observe la
baignade d'en haut.

Tobik estime qu'il est également de son devoir d'accompagner Oleg qui vient souvent chez les Kadmine
(à vrai dire, si souvent que le chef de la Sûreté s'en
alarme et qu'il les interroge en particulier : « Comment
se fait-il que vous soyez si proches ? Qu'est-ce que vous
avez donc en commun ? Et de quoi parlez-vous ? ») Jouk
peut ne pas accompagner Oleg, mais Tobik y est tenu,
et par n'importe quel temps. Quand il pleut, qu'il y a
de la boue et qu'il aura les pattes froides et mouillées,
Tobik n'a pas du tout envie de sortir : il s'étire, par-
devant, par-derrière, sort tout de même ! D'ailleurs, c'est
Tobik qui fait le facteur entre les Kadmine et Oleg.
Faut-il avertir qu'il y a tel jour un film intéressant ou
que quelque chose d'important vient d'arriver au bazar
ou au magasin d'alimentation ? On met à Tobik un col-
lier en étoffe contenant un billet, on lui montre du doigt
la direction et on lui dit fermement : « Chez Oleg ! » Et
quel que soit le temps, il obéit et part en trottinant sur
ses pattes fines et hautes. Rendu chez Oleg, s'il ne l'a
pas trouvé chez lui, il l'attend à la porte. Le plus étonnant, c'est que personne ne le lui a jamais appris,
personne ne l'a dressé, et que, du premier coup, il
a, par simple transmission de pensée, tout compris
et fait ce qu'il fallait. (Il faut dire que, pour
encourager sa fermeté idéologique, Oleg lui donne toujours pour ses courses quelque stimulant
matériel.)

Ce qui étonne encore chez Tobik, c'est l'expression
toujours triste du regard. Il ne découvre pas les dents
et se contente de sourire des oreilles.

Jouk a la taille et l'allure d'un berger allemand, mais
il n'en a ni la vigilance ni la hargne. Cette énorme et
puissante créature sombre dans un océan de bonté. Il
est déjà assez vieux, il a connu bien des maîtres et
choisi lui-même les Kadmine. Auparavant, il appartenait

à Vassadzé, le tenancier du doukhan [1]. Vassadzé le tenait
enchaîné à garder des caisses de vaisselle vides ; parfois,
pour s'amuser, il le détachait et le lançait contre les
chiens du voisinage. Jouk se battait bravement, répan-
dant la terreur parmi ces mâtins jaunes importants.
Mais, au fond, il était bon et pacifique ; s'il agissait
ainsi, c'est qu'il ne pouvait pas ne pas faire confiance
à sa « direction ». Un jour, on l'a lâché et il a assisté
à une noce canine, non loin de chez les Kadmine : chacun a fait sa cour à la petite Poupée, la mère de Tobik.
A cause de sa taille incongrue, Jouk a été évincé (et
n'est pas devenu le beau-père de Tobik), mais il avait
senti quelque chose de familier dans la cour des Kadmine et s'est mis à la fréquenter, pourtant on ne l'y
nourrissait pas. Vassadzé, qui partait, a fait cadeau de
Jouk à Emilie, sa compagne d'exil. Elle le nourrissait à
sa suffisance, mais il n'en continuait pas moins à se
détacher pour s'en aller. Emilie se fâchait contre les
Kadmine, elle ramenait Jouk chez elle, le rattachait,
mais il se détachait et s'en allait de nouveau. Un jour,
elle a fixé sa chaîne à une roue d'automobile. Soudain,
Jouk a aperçu Hélène Alexandrovna qui passait dans la
rue en faisant exprès de ne pas le regarder. Il a bondi
et, en renâclant comme un cheval de trait, il a traîné
sur plus de cent mètres la roue attachée à son cou et
a fini par s'écrouler. C'est à ce moment-là qu'Emilie a
renoncé à Jouk. Et, chez ses nouveaux maîtres, Jouk a
rapidement pris pour fondement de sa conduite une
abstraite philanthropie. Tous les chiens des rues ont
cessé de le redouter. Avec les passants, Jouk est devenu
bienveillant, tout en gardant son quant-à-soi.

Pourtant, les amateurs de tir au vif existent aussi à
Ouch-Terek. A défaut de meilleur gibier, ils errent par
les rues et, ivres d'alcool, tuent les chiens. Deux fois
déjà, on a tiré sur Jouk. Il a peur de toutes les ouvertures
braquées sur lui, aussi bien des objectifs, et il ne se
laisse pas photographier.

---

1. « Café » ouzbek.

Les Kadmine ont encore des matous, gâtés, capricieux et amateurs d'art...

Mais Oleg, qui se promenait en ce moment dans les allées de la cité hospitalière, en était à se rappeler le chien Jouk, la brave tête énorme de Jouk, non dans la rue, mais dans l'encadrement de sa fenêtre : la tête de Jouk vient d'apparaître à la fenêtre d'Oleg, il est dressé sur ses pattes de derrière et regarde à l'intérieur, comme un être humain. Ce qui veut dire que Tobik est là qui saute autour de lui et que Nicolas Ivanovitch est sur le point d'arriver.

Et Oleg sentit avec attendrissement qu'il était parfaitement satisfait de son sort, qu'il acceptait sans réserve son exil ; il ne demandait au Ciel que la santé, il n'exigeait pas d'autre miracle.

Ah ! vivre comme les Kadmine, se réjouir de ce qu'on a ! Le sage se contente de peu.

Où est l'optimiste ? C'est celui qui dit : « Partout ailleurs, c'est pire qu'ici ; chez nous, ça ne va pas si mal ; nous avons encore de la chance. » — et qui est heureux de ce qu'il a, et qui ne se tourmente pas.

Où est le pessimiste ? C'est celui qui dit : « Partout ailleurs, c'est formidable ; partout ailleurs, c'est mieux qu'ici ; comme par un fait exprès, il n'y a que chez nous que ça aille mal. » — et qui passe son temps à récriminer contre son sort.

Le tout était de tenir jusqu'au bout de la cure ! D'échapper à cet étau, rayons X et hormonothérapie, avant de devenir tout à fait un monstre.

Et de partir pour Ouch-Terek. Et de ne plus vivre à vide ! Se marier, se marier ! Zoé ne viendrait certainement pas avec lui. Et, si elle venait, ce ne serait pas avant un an et demi. Attendre encore, attendre toujours, attendre toute sa vie ! Non. Cela n'était pas possible.

Il pouvait se marier avec Xana ; elle était si ferme et si plaisante : si ferme de conduite, si plaisante à regarder. Elle avait pourtant la tête un peu ronde. Mais quelle maîtresse de maison ! Quand elle essuyait les assiettes, qu'elle jetait le torchon sur son épaule, — une vraie

reine ! On ne pouvait plus la quitter des yeux ! Avec
elle, il pourrait vivre en sécurité, et leur maison marche-
rait comme sur des roulettes, et ils auraient une ribam-
belle d'enfants.

Il y avait aussi — Inna Stroehm. Il était un peu
inquiétant qu'elle n'eût que dix-huit ans. Mais c'est
justement ce qui l'attirait. Elle avait aussi une espèce
de sourire distrait et insolent, pensif et provocant...
Mais c'était bien ça qui l'attirait...

En somme, le ressac de l'Histoire. Les quatre coups
beethoveniens, il fallait pas y croire. Bulles de savon
irisées que tout cela ! Retenir son cœur — et ne pas
croire. Ne rien attendre de l'avenir, rien de mieux !

Faire avec ce qu'on a.

D'accord pour la perpétuité !... *Ils* se débrouilleraient
bien pour vivre sans toi.

O souffle du printemps ! Pourquoi me réveiller !...

CHAPITRE XXI

LES OMBRES SE DISSIPENT

OLEG eut le plaisir de la rencontrer aux portes de la clinique. Il s'écarta, lui tint la porte, et fit bien, car elle allait d'un pas si fougueux, le buste légèrement penché en avant, qu'elle l'aurait bien renversé.

Il la vit toute en un clin d'œil : son béret bleu ciel sur ses cheveux brun chocolat, sa tête portée en avant comme pour fendre la bise et son manteau d'une coupe si originale — une espèce de longue jaquette invraisemblable, agrafée au ras du cou.

S'il avait su que c'était la fille de Roussanov, il serait certainement revenu sur ses pas. Mais, ne le sachant pas, il partit faire son exercice dans l'allée qu'il s'était réservée entre toutes.

Aviette avait reçu, non sans peine, l'autorisation de monter à l'étage parce que son père était trop faible et que c'était jeudi, jour de visite. Elle ôta son manteau et, sur son sweater bordeaux, on lui jeta une blouse blanche, si petite qu'elle n'aurait jamais pu, si ce n'est dans son enfance, en passer les manches.

Après la troisième piqûre, faite la veille, Paul Nikolaïevitch était vraiment très faible et, sauf en cas
d'extrême urgence, il ne sortait plus les pieds de sous
sa couverture. Il ne bougeait pas beaucoup, mangeait à
contrecœur, restait sans ses lunettes et ne se mêlait
plus à la conversation. La vie alentour, à laquelle il
avait toujours réagi par une approbation ou une désapprobation énergiques, s'était en quelque sorte ternie et
indifférenciée à ses yeux. Sa volonté persévérante avait
vacillé, il se laissait aller à sa faiblesse, trouvant même
à son état quelque chose d'agréable. Mais c'était un
agrément de maligne nature, celui de l'homme qui gèle
sans plus avoir la force de bouger. La tumeur, d'abord
objet de son dépit, puis de ses craintes, était maintenant
déterminante : ce n'était plus lui, c'était elle qui décidait de ce qui serait.

Paul Nikolaïevitch savait qu'Aviette, à Moscou, avait
déjà pris l'avion ; il l'attendait dans la matinée. Il l'attendait, comme toujours, avec joie, mais, ce jour-là,
avec en plus une certaine angoisse : il avait été décidé
que Capitoline la mettrait franchement au courant de
la lettre de Chimov, au courant de Roditchev et de
Gouzoun. Il n'y avait jusque-là aucune raison de la prévenir, mais maintenant on avait besoin de son intelligence et de son conseil. Aviette était une femme de
tête ; ses avis ne le cédaient en rien à ceux de ses
parents, ils ne pouvaient être que meilleurs ; mais il
fallait pourtant s'inquiéter de la façon dont elle prendrait la chose. Saurait-elle se mettre à sa place et le
comprendre ? Ne resterait-elle pas indifférente au point
de le condamner ?

Sur son élan, Aviette entra dans la salle comme si elle
fendait le vent, quoique l'une de ses mains fût occupée
par un sac lourdement chargé et que l'autre maintînt
la blouse sur ses épaules. Son frais visage était rayonnant, il ne portait pas trace de cette compassion de
carême avec quoi l'on s'approche du lit des grands malades et que Paul Nikolaïevitch aurait eu de la peine à
voir à sa fille.

« Eh bien, papa ! Eh bien, vieux père ! Qu'est-ce qui te prend ? » lança-t-elle en guise de salut ; elle s'assit sur le lit et déposa deux baisers sincères et spontanés à droite, puis à gauche, sur ses joues déjà défraîchies par la barbe. « Eh bien, comment te sens-tu aujourd'hui ? Allons, explique-moi ! Explique. »

Son air florissant et son ton d'exigence gaillard redonnèrent quelques forces à Paul Nikolaïevitch qui s'anima un peu.

« Eh bien, comment te dire ? fit-il lentement d'une voix faible comme s'il se concertait avec lui-même. Sans doute qu'elle n'a pas diminué, non. Mais j'ai comme l'impression que je n'ai plus autant de mal à tourner la tête. Plus autant de mal. Je ne sais pas, ça m'écrase moins. »

Sa fille, sans rien lui demander, mais sans non plus lui faire aucun mal, écarta son col et regarda la tumeur en se plaçant bien en face ; elle regarda comme un médecin, qui aurait eu l'occasion de comparer jour après jour.

« Eh bien, ça n'est pas terrible ! décida-t-elle. C'est une glande qui a grossi, c'est tout. Maman m'avait écrit de ces choses ! Je pensais qu'en arrivant ici... Et puis voilà, tu dis que ça ne te gêne plus autant. C'est donc que les piqûres te font du bien. Que ça te fait du bien. Et elle va devenir encore plus petite. Et, quand elle aura diminué de deux fois, ils ne t'embêteront plus, tu pourras sortir.

— Oui, effectivement, dit-il en soupirant. Si seulement elle était deux fois plus petite, il serait encore possible de vivre.

— Et de te faire soigner à la maison !

— Tu penses que les piqûres, à la maison, ce serait possible ?

— Pourquoi pas ? Quand tu en auras l'habitude, que tu t'y seras fait, eh bien, on pourra continuer à la maison. On en parlera, on va arranger ça ! »

Paul Nikolaïevitch était d'humeur plus joyeuse. Qu'on lui permît ou non de faire les piqûres chez lui, la résolution de sa fille d'emporter d'assaut cette autorisation le remplissait de fierté. Aviette était penchée au-dessus de lui et, sans ses lunettes, il voyait nettement son visage ouvert, honnête, franc, si énergique, si vivant, aux narines et aux sourcils mobiles qui réagissaient à la moindre injustice. Qui donc avait dit (sans doute Gorki) : « Si tes enfants ne sont pas meilleurs que toi, tu leur as donné la vie en vain et tu as vécu la tienne en vain » ? Eh bien, Paul Nikolaïevitch n'aurait pas vécu pour rien.

Il se demandait pourtant si elle *savait* et ce qu'elle allait dire.

Mais elle n'était pas pressée d'en arriver là ; elle s'enquit du traitement, de la valeur des médecins, elle inspecta la table de nuit, regarda ce qu'il avait mangé, ce qui s'était abîmé, et le pourvut de provisions fraîches.

« Je t'ai amené du vin fortifiant ; tu en boiras un petit verre de temps en temps. Et puis du caviar rouge ; tu en veux, hein ? Et des oranges, de Moscou.

— Oui, merci. »

Cependant, elle avait du regard fait le tour de la salle et de ceux qui s'y trouvaient, et, d'un vif mouvement du front, elle lui avait donné à entendre que, bien sûr, cette indigence était insupportable, mais qu'il fallait considérer les choses avec humour.

Quoique personne ne semblât les écouter, elle se pencha tout contre son père et ils se mirent à parler ainsi, assez bas pour qu'on ne pût les entendre.

« Oui, papa, c'est terrible (Aviette venait brusquement d'entrer dans le vif du sujet). A Moscou, ce n'est déjà plus du neuf, on ne parle que de ça. On commence une révision pour ainsi dire massive des procès.

— Massive ?

— C'est le mot. En ce moment, c'est comme une épidémie, un vent de folie. Comme si on pouvait obliger la roue de l'Histoire à tourner à l'envers ! Qui pourrait ! Qui oserait !... Soit, c'est à tort ou à raison qu'ils ont été condamnés jadis, mais pourquoi, aujourd'hui, ferait-on revenir par ici tous ces « éloignés » ? Et les réinstaller à l'heure qu'il est dans leur vie antérieure, est-ce que ça n'est pas une entreprise malsaine et cruelle, un manque de pitié, à leur endroit surtout ? Et puis certains sont morts — à quoi bon remuer leurs cendres ? Pourquoi réveiller chez les leurs des espérances sans fondement — et la soif de vengeance ?... D'ailleurs, qu'est-ce que ça veut dire « réhabilités » ? Ça ne peut tout de même pas vouloir dire qu'ils étaient complètement innocents ! Il faut bien qu'il y ait eu quelque chose, rien qu'un petit quelque chose. »

Comme elle était intelligente ! Comme la certitude d'avoir raison enflammait ses discours ! Avant même d'en venir à son affaire, Paul Nikolaïevitch voyait qu'il rencontrerait toujours chez elle l'appui qu'il attendait, qu'Alla ne pouvait se détourner de lui :

« Et tu connais des cas de retour ? Même à Moscou ?

— Même à Moscou — justement. C'est Moscou qui les attire tous maintenant, comme le miel attire les mouches. Il se produit des choses d'un tragique !... Tu imagines, un homme qui vit parfaitement tranquille et qu'on fait venir tout d'un coup, *là-bas, pour une confrontation !* Non, mais tu imagines ?... »

Paul Nikolaïevitch grimaça comme s'il avait mordu dans un fruit rêche. Alla le remarqua, mais elle allait toujours jusqu'au bout de sa pensée, elle ne savait pas s'arrêter.

« Et on l'invite à répéter des paroles qu'il aurait dites il y a vingt ans ? Tu imagines un peu ? Va donc t'en souvenir ! Et si encore quelqu'un en tirait un bénéfice... Puisque l'envie vous en a pris, allez-y, réhabilitez, mais faites-nous grâce de ces confrontations, mais ne jouez pas avec les nerfs des gens ! Parce qu'en rentrant d'une confrontation comme ça, n'importe qui serait à deux doigts de se pendre ! »

Paul Nikolaïevitch gisait baigné de sueur. Il ne manquait plus que ça ! L'idée ne lui était pas encore venue qu'on pût, avec Roditchev, avec Eltchanski ou quelqu'un d'autre encore, lui imposer une confrontation.

« Et qui est-ce qui obligeait tous ces imbéciles à s'accuser eux-mêmes en signant des inventions ? Ils

n'avaient pas besoin de signer ! (La pensée d'Alla saisissait avec souplesse tous les aspects de la question.) De
toute façon, comment peut-on retourner tout ce fumier
sans penser à ceux qui *travaillaient* à ce moment-là ?
Parce que, tout de même, c'est à eux qu'on aurait dû
penser ! Comment est-ce qu'ils vont supporter ces changements brutaux ?

— Maman... t'a raconté ?

— Oui, mon petit papa ! Elle m'a tout dit. Et il n'y
a rien là qui doive te tourmenter ! » Dans ses doigts
forts et sûrs elle prit les deux épaules de son père. « Si
tu veux, je vais te dire ma façon de penser : celui qui va
signaler est un homme d'avant-garde, un homme conscient ! Il est mû par ce qu'il peut éprouver de meilleur
pour la société qui est la sienne, et le peuple comprend
son acte — et l'approuve. Dans certains cas, il peut
arriver qu'un homme comme celui-là se trompe. Mais il
n'y a que ceux qui ne font rien qui ne se trompent
jamais. En revanche, la plupart du temps, il se laisse
guider par son flair, son sentiment de classe — et c'est
quelque chose qui ne trompe pas.

— Je te remercie, Alla ! Merci ! »

Paul Nikolaïevitch sentit même des larmes lui monter aux yeux, mais de bonnes larmes limpides. De sa
main moite il caressa la main fraîche de sa fille.

« C'est très important que les jeunes comprennent
nent et qu'ils ne nous condamnent pas. Dis-moi, à ton
avis... est-ce qu'ils ne pourraient pas trouver dans les
lois un article qui leur permette aujourd'hui de nous...
tiens, moi, par exemple... de me faire comparaître... je
ne sais pas, moi... pour faux témoignage ?

— Figure-toi — répondit-elle avec vivacité — figure-
toi qu'à Moscou j'ai été par hasard témoin d'une conversation entre des gens qui discutaient d'appréhensions
du même ordre. Il y avait un juriste. Eh bien, il a expliqué que l'article qui a trait à ces... faux témoignages
prévoit tout juste deux ans, et que, depuis, il y a déjà
eu deux amnisties pour ce genre de choses, et qu'il est
absolument exclu que quelqu'un dépose contre qui que

ce soit une plainte pour faux témoignage ! Si bien que
Roditchev ne pipera pas mot, sois tranquille ! »

Paul Nikolaïevitch eut l'impression que sa tumeur le
gênait encore un peu moins.

« Ah ! maligne que tu es ! dit-il heureux et soulagé.
Tu sais toujours tout. Tu réussis partout. Comme tu
m'as redonné du courage ! »

Et, prenant dans ses deux mains la main de sa fille,
il la baisa avec dévotion. Paul Nikolaïevitch était un
homme désintéressé, l'intérêt de ses enfants avait toujours primé le sien. Il savait bien qu'il n'avait pour
briller que sa fidélité, sa ponctualité et sa persévérance.
Mais c'est en sa fille qu'il vivait son véritable épanouissement, c'est à sa lumière qu'il se réchauffait.

Alla en avait assez de passer son temps à retenir cette
blouse de convention qui lui glissait des épaules ; elle
finit, en éclatant de rire, par la jeter au pied du lit sur
la feuille de température. C'était une heure où il n'en-
trerait ni médecins ni infirmières.

Et Alla resta en sweater bordeaux, un nouveau sweater
que son père ne lui avait encore jamais vu. D'un poignet à l'autre, un large zigzag blanc traversait gaiement
les deux manches et la poitrine. Et ce zigzag énergique
convenait aux mouvements énergiques d'Alla.

Son père ne grognait jamais quand l'argent servait
l'élégance de sa fille. Tous ses vêtements étaient d'occasion, ou d'importation ; aussi, fièrement et hardiment
habillée, Alla mettait-elle parfaitement en valeur sa nette
et solide féminité qui cadrait si bien avec son esprit
solide et net.

« Ecoute — demandait-il maintenant à voix basse —
tu te rappelles ? je t'avais demandé de te renseigner :
cette expression bizarre qu'on rencontre par-ci par-là
dans les discours et les articles de certaines gens — le
« culte de la personnalité »... Ils ne font tout de même
pas allusion à... »

Le souffle lui manqua pour finir sa phrase.

« J'ai peur que si, papa... J'ai bien peur que si... Au
congrès des écrivains, par exemple, on a plusieurs fois

parlé dans ce sens. Et ce qui est encore plus significa-
tif, c'est que personne ne parle franchement et que tout
le monde prend un air entendu.

— Dis-moi, mais c'est tout simplement du sacrilège !...
Comment osent-ils, dis ?

— Une honte, une abomination ! Quelqu'un a lancé ça
et ça se répand, ça se répand... Papa, vois-tu, il faut
comprendre. Il faut saisir ce que l'époque exige. Je
vais te faire de la peine, mais, que ça nous plaise ou non,
nous devons nous adapter à tous les changements
d'époque. Je viens de m'y faire, là-bas. J'ai fréquenté le
milieu des gens de lettres, beaucoup, — eh bien, crois-tu
que les écrivains n'ont pas eu du mal ces deux dernières
années à se mettre au goût du jour ? Beaucoup de
mal ! Par contre, quelle expérience, quel tact ! c'est fou
ce qu'on peut apprendre parmi eux ! »

Durant ce quart d'heure qu'Aviette avait passé, assise
devant lui, à terrasser de ses répliques rapides et précises les monstres ténébreux du passé, à ouvrir devant
lui des étendues radieuses, Paul Nikolaïevitch avait à
vue d'œil recouvré une partie de sa forme et de son
entrain ; il n'avait plus envie de parler de son odieuse
tumeur ; il lui semblait désormais inutile d'essayer
d'obtenir son transfert dans une autre clinique ; il n'avait
plus qu'une seule envie, entendre les joyeux récits de
sa fille, et respirer la bourrasque qui venait d'elle.

« Eh bien, raconte, raconte, demanda-t-il. Qu'est-ce qui
se passe là-bas ? qu'est-ce qui se passe à Moscou ? Et
ton voyage ?

— Ah ! » Alla se mit à agiter la tête comme un cheval
qu'importune un frelon. « Est-ce qu'on peut rendre Moscou ? Moscou, il faut y vivre ! Moscou, c'est un autre
monde ! Aller à Moscou, c'est faire un bond de cinquante ans en avant ! Voyons, d'abord, à Moscou, tout le
monde est assis à regarder la télévision...

— Nous l'aurons bientôt, nous aussi.

— Bientôt !... Mais ça ne sera pas le programme de
Moscou, tu parles d'une télévision !... Là-bas, c'est la
vie à la Wells : on est assis, on regarde l'écran... Mais

pour ne pas entrer dans les détails, je te dirai simplement qu'à mon avis — et je saisis assez vite ce genre
de choses — notre vie va bientôt changer profondément :
nous approchons d'une révolution complète du *way of
life*. Je ne parle même pas du réfrigérateur ou de la
machine à laver, la transformation sera encore beaucoup plus radicale. Partout des grands halls tout vitrés...
Dans les hôtels, des tables basses, si basses... comme en
Amérique, comme ça... la première fois, on ne sait même
pas comment s'y asseoir. Les abat-jour en étoffe, comme
chez nous, ça n'est plus montrable, ça fait petit-bourgeois. On ne voit plus que des abat-jour en verre. Et
ce qui se fait le plus, c'est encore les lampadaires,
parce que ça se déplace comme on veut. Et les lits à
dossiers ! Aujourd'hui, il y aurait de quoi mourir de
honte ! Non, les gens ont simplement un sofa ou un
divan, large, bas... La chambre prend tout de suite
une autre allure. En un mot, c'est tout le style de vie
qui est en train de changer. Tu ne peux pas t'en faire
une idée. Mais j'ai déjà parlé avec maman ; il ne faudra
pas hésiter à changer bien des choses. Le problème est
que par chez nous on ne trouve rien et qu'il faudra
tout faire venir de Moscou... Bien sûr, il y a aussi des
modes tout à fait pernicieuses, et qu'on doit condamner... Le rock'n'roll, par exemple... C'est une danse contre
nature, je ne peux même pas la décrire. Et puis les
coiffures à la chien fou, avec des mèches hirsutes, volontairement hirsutes, comme si les femmes venaient de
sortir du lit.
   — C'est l'Occident ! Ils veulent nous voir dégénérer.
   — Oui, bien sûr, la décadence des mœurs. Mais cela
se répercute immédiatement dans la sphère de la culture,
par exemple, dans la poésie. Qu'il apparaisse un inconnu
sans rime ni raison, un Evtouchenko qui braille n'importe quoi en agitant les bras et en se dégingandant,
voilà toutes les petites filles qui se pâment ! »
   A mesure qu'Aviette passait des problèmes intimes
aux questions d'intérêt plus général, elle élevait la voix
sans plus se gêner et toute la salle l'entendait. Mais, seul

de tous, Diomka avait abandonné ses occupations ; faisant abstraction de la douleur lancinante qui, avec de plus en plus de constance, le poussait vers la table d'opération, il ouvrait grandes ses oreilles pour écouter Aviette. Les autres (certains malades étaient d'ailleurs absents), les autres ne manifestaient pas leur attention. Vadim Zatsyrko, pourtant, quittait parfois son livre des yeux pour regarder Aviette qui lui tournait le dos. Tout son dos, courbé comme l'arche solide d'un pont, fermement moulé dans ce sweater qu'elle semblait étrenner, était uniformément bordeaux sombre, sauf une épaule sur laquelle tombait une tache de lumière réfléchie — non pas un rayon de soleil, mais le reflet de quelque fenêtre ouverte — une épaule de pourpre lumineuse.

« Parle-moi plutôt de toi ! demanda son père.

— Eh bien, papa, j'ai fait un voyage — très réussi. On me promet d'inclure mon recueil de vers dans le plan d'édition ! A vrai dire, dans celui de l'année prochaine. Mais plus vite, ça n'arrive jamais. C'est ce qu'on fait de mieux comme rapidité !

— Alla, qu'est-ce que tu me chantes là ? Est-il possible que dans un an nous tenions dans nos mains...

— Dans un an ou à la rigueur dans deux... »

Sa fille l'inondait ce jour-là d'un torrent de joie. Il savait qu'elle avait emporté à Moscou des vers, mais de ces feuillets dactylographiés au livre qui porterait sur sa couverture ALLA ROUSSANOVA, il semblait y avoir des distances infranchissables.

« Mais comment as-tu fait ? »

Satisfaite de soi, Alla souriait elle aussi. Elle avait de ces sourires dont on gratifie ceux qui vous entourent.

« Bien sûr, il ne suffit pas d'aller comme ça te présenter aux éditions et d'y faire l'offre de tes vers — on ne te parlerait même pas. C'est la lutte pour le bifteck. Anne Evguenievna m'a présentée à X, elle m'a présentée à Y, je leur ai lu deux ou trois vers, ça leur a plu — alors ils ont téléphoné ici et là, ils ont envoyé des mots à qui de droit, tout s'est fait très simplement.

— C'est formidable ! » Paul Nikolaïevitch était tout

bonnement rayonnant. A tâtons, il trouva ses lunettes sur la table de nuit et il les mit comme s'il allait tantôt devoir considérer le fameux livre.

Diomka, pour la première fois de sa vie, voyait un poète en chair et en os, mieux qu'un poète, une poétesse. Il en restait bouche bée.

« Je me suis délectée à les regarder vivre. Comme leurs rapports sont simples ! Des gens qui ont reçu des prix, ils s'appellent par leur petit nom. Et sans pédanterie, directs. On se figure qu'un écrivain, c'est quelqu'un qui siège quelque part, très loin, dans les nuages, avec un grand front pâle — « surtout ne m'approchez pas ! » — eh bien, pas du tout ! Ils ne se refusent aucune des joies de l'existence. Ils aiment les bons coups, la bonne chère, la voiture, et tout ça en bonne compagnie. Ils se moquent les uns des autres, et quels fous rires ! Je dirais volontiers qu'ils vivent dans la gaieté, c'est le terme. Et quand le moment est venu d'écrire un roman, ils s'enferment dans leur maison de campagne, deux, trois mois, et l'affaire est dans le sac ! Ah ! que cette vie me plaît ! cette indépendance ! cette liberté ! cette dignité ! Non, je vais faire tout ce qui sera en mon pouvoir pour entrer à l'Union !

— Mais alors, tu ne travailleras plus dans ta spécialité ? dit Paul Nikolaïevitch, saisi d'une légère inquiétude.

— Papa ! (Aviette baissa la voix) le journalisme, tout ce que tu veux, mais c'est un métier de larbin. On te donne quelque chose à faire, c'est ça et pas autre chose, aucune latitude ; ça revient toujours à interviewer l'un ou l'autre de ces messieurs-dames. Enfin, est-ce que ça peut se comparer !... Tu sais, il y a un écrivain, dès qu'il a eu commencé, il a appris comment faire à sa femme et à sa nièce ! Et maintenant, ils écrivent tous les trois.

— Bien joué.

— Parce que c'est avantageux !

— Alla, j'ai tout de même peur : si ça allait tomber à l'eau ?

— Mais comment veux-tu que ça tombe à l'eau ? Tu es naïf. Gorki disait : « N'importe qui peut devenir

« écrivain. » Avec du travail, on arrive à tout ! A la rigueur, je ferai de la littérature pour enfants ; ça, en tout
cas, c'est à la portée de tout le monde.

— Au fond, c'est très bien, dit-il méditatif. Au fond,
c'est parfait. Bien sûr ! il faut que la littérature soit
aux mains des gens moralement sains.

— Mon nom de famille est bien, il sonne très bien !
Je n'aurai pas besoin de prendre un pseudonyme. Et
puis, extérieurement, pour le métier littéraire, je suis
plutôt exceptionnelle.

— Ma petite Alla, et si ça ne donnait rien ? Il s'agit là,
tu le sais, de décrire tout un chacun, et qu'il y ait de
la ressemblance.

— Justement, j'ai une idée ! Je ne vais pas perdre
mon temps à traiter chaque personnage en particulier,
ça n'en vaut pas la peine ! Le principe novateur que
j'imagine est le suivant : je décrirai des collectifs entiers en bloc, à gros traits. Parce que la vie, en définitive, elle est tout entière dans le collectif, elle n'est pas
dans la personne prise individuellement.

— Oui, peut-être, dut avouer Paul Nikolaïevitch ; mais
il y avait encore un danger que dans son enthousiasme
sa fille pouvait sous-estimer : as-tu imaginé que la critique pourrait s'en prendre à toi ? Chez nous, c'est pour
ainsi dire une condamnation de la société tout entière ;
c'est dangereux, ça ! »

Mais, ses longs cheveux chocolat intrépidement rejetés
en arrière comme ceux d'une amazone, Aviette avait
le regard plongé dans l'avenir.

« Le fait est qu'on ne s'en prendra jamais bien sérieusement à moi, parce que je ne ferai pas d'entourlou-
pettes idéologiques. Quant aux critiques artistiques, Seigneur ! à qui ne s'en prend-on pas ? Tiens, Babaïevski,
il n'y avait pas mieux — maintenant, c'est le dernier
des derniers, tous l'ont abandonné, jusqu'à ses derniers
fidèles. Mais c'est un phénomène momentané, les gens
se raviseront, ils y reviendront. Ça fait partie des tournants difficiles dont la vie est pleine. Un autre exemple :
est-ce qu'on ne disait pas : « Pas de conflit ! » Et main-

tenant, on parle de la « théorie mensongère de l'absence
de conflit ». Mais si tout le monde ne s'entendait pas,
si certains tenaient un langage périmé alors que d'autres
tiennent un langage nouveau, on remarquerait que quelque chose a changé. Tout le monde change de langage
en même temps, sans transition — et on ne remarque
pas le tournant ! Aussi, moi, je dis que le principal,
c'est d'avoir du doigté et de vivre avec son temps. Avec
ça, personne ne donne prise à la critique... Ah oui ! Tu
m'avais demandé des livres, mon petit papa, je t'en
ai apporté. Profites-en pour lire, c'est le moment ou
jamais. »

Et elle se mit à sortir des livres de son sac.

« Tiens, voilà *Le printemps balte*, *Tue-le !* Ce sont des
vers, il est vrai. Tu veux les lire ?

— *Tue-le !* Laisse-moi ça. D'accord.

— *Déjà le matin*, *Une lumière au-dessus de la Terre*,
Les travailleurs de la paix, *Montagnes en fleur*...

— Attends un peu. *Montagnes en fleur*, j'ai déjà lu
quelque chose comme ça...

— Tu as lu *La Terre en fleur*, et ça, c'est *Montagnes
en fleur*. Et puis *La Jeunesse avec nous*. Ça, il faut
absolument que tu le lises, tu vas même commencer par
ça. Ce sont tous des titres qui donnent du cœur, j'ai
fait exprès de les choisir comme ça.

— Bien, bien. Poses-les là », dit-il avec satisfaction.

Une pile de livres en tout point semblable à celle de
Zatsyrko était ainsi apparue sur la table de nuit.

Aviette était maintenant prête à partir.

Mais Diomka, qui souffrait depuis longtemps, renfrogné dans son coin, peut-être à cause de sa jambe constamment douloureuse, peut-être parce qu'il était trop
timide pour faire la conversation à une demoiselle, et
une poétesse, aussi brillante, Diomka s'enhardit enfin
à demander sans s'éclaircir d'abord la voix, si bien qu'il
dut se racler la gorge au milieu de sa phrase :

« S'il vous plaît, dites-moi... Quelle attitude est-ce que
vous avez par rapport à la nécessité de la sincérité dans
la littérature ?

— Quoi ? quoi ? fit Aviette en se tournant vivement vers lui, mais en le gratifiant d'un demi-sourire, car la raucité de sa voix démontrait suffisamment la timidité de Diomka.

« Cette « sincérité » est donc parvenue à s'infiltrer jusqu'ici ? A cause de cette « sincérité » on a déjà mis dehors toute une rédaction et la voilà qui réapparaît ! »

Aviette jeta un regard sur le visage fruste, inculte de Diomka et soupira. Elle soupira parce qu'il ne lui restait plus assez de temps pour faire une conférence et qu'elle ne pouvait pas non plus abandonner ce gosse à ses mauvaises influences.

« Ecoutez, mon petit ! déclara-t-elle de la voix forte et sonore du professeur en chaire. Celui qui a écrit cet article ou bien a tout mis à l'envers, ou bien n'a pas réfléchi qu'à demi. La sincérité ne saurait être le premier critère d'un livre. Quand la pensée est fausse, que les états d'esprit nous sont étrangers, elle ne fait que renforcer l'effet pernicieux de l'œuvre ; la sincérité est nuisible ! Il arrive même que la sincérité subjective puisse aller contre la véracité de la peinture de la vie. Vous comprenez cette dialectique ? »

Ces pensées faisaient difficilement leur chemin jusqu'à l'esprit de Diomka ; il avait le front tout plissé.

« Pas bien, dit-il.

— Bon, je vais vous expliquer. » Aviette avait les bras écartés et le zigzag blanc courait comme un éclair d'un poignet à l'autre en lui barrant la poitrine. « Rien de plus facile que de prendre, tel qu'il est, un fait déprimant et de le décrire. Mais il faut labourer profond pour faire sortir les germes du futur qu'on ne voit pas encore.

— Les germes...

— Quoi, les germes ?

— Les germes, il faut les laisser sortir tout seuls, se hâta-t-il de dire, parce que, si on les laboure, ils sortiront pas.

— Oui... bon... il n'est pas question d'agriculture. Vois-tu, mon petit, dire au peuple la vérité, ça ne signifie pas qu'on lui dit des choses désagréables, qu'on lui fait toucher du doigt tout ce qui ne va pas. On peut sans peur lui parler de ce qui va bien pour que ça aille encore mieux ! D'où nous vient donc cette fallacieuse exigence d'une prétendue « vérité austère » ? Pourquoi faudrait-il soudain que la vérité soit devenue austère ? Pourquoi ne serait-elle pas rayonnante, captivante, optimiste ? Notre littérature tout entière doit devenir une littérature en liesse ! En fin de compte, c'est offenser les gens que de dépeindre leur vie sous des couleurs sombres. Ils aiment qu'en la décrivant, on l'embellisse.

— En gros, c'est quelque chose sur quoi on peut se mettre d'accord. » Derrière elle venait de retentir, agréable et pure, sans être trop haute, une voix masculine. « C'est vrai, à quoi bon donner le cafard aux gens ? »

Aviette n'avait, bien sûr, aucun besoin du moindre allié, mais, confiante en sa chance, elle savait que, si quelqu'un intervenait, ce ne pouvait être qu'en sa faveur. Elle se retourna, lançant vers la fenêtre à la rencontre du rayon de lumière l'éclair de son zigzag blanc.

Un jeune homme fort sympathique, de son âge, tapait contre ses dents du bout de son porte-mine noir hexagonal.

« La littérature, à quoi doit-elle servir ? (Pour qui soliloquait-il, pour Diomka, pour Alla ?) La littérature est faite pour nous distraire quand nous sommes de mauvaise humeur.

— La littérature est l'école de la vie », lança Diomka, qui, conscient d'avoir dit une incongruité, devint tout rouge.

La tête de Vadim bascula sur sa nuque.

« Tu parles d'une école ! On réussira bien à se débrouiller sans elle. Est-ce que par hasard les écrivains seraient plus intelligents que nous, les gens de la pratique ? »

Alla et lui se mesuraient du regard. Ils avaient des regards différents. Quoique leurs âges fussent en rapport, même si physiquement ils ne pouvaient pas ne pas se plaire, ils étaient tous les deux si dévoués à la voie où ils avaient choisi d'engager leur vie qu'ils n'au-

raient pu trouver dans un regard fortuit le prétexte
à débuter une aventure.

« Le rôle de la littérature est, tout compte fait, fortement grossi. » Vadim poursuivait son raisonnement. « On
porte aux nues des livres qui ne le méritent pas. Prenez
Gargantua et *Pantagruel*. Tant qu'on ne l'a pas lu, on
se dit que ça doit être grandiose. On le lit, et ce n'est que
gauloiseries et temps perdu.

— Le moment érotique existe aussi bien chez les
auteurs contemporains. Il n'est pas superflu — rétorqua sévèrement Aviette. Allié à l'idéologie la plus pro-
gressiste, c'est un excellent piment. Par exemple,
chez... »

Vadim écarta fermement l'argument :

« Il est superflu. La littérature ne doit pas servir à
titiller les passions. Les aphrodisiaques se vendent dans
les pharmacies. »

Et, sans plus regarder l'amazone au sweater bordeaux, assuré qu'elle ne le rangerait pas à son avis, il
remit le nez dans son livre.

Aviette était toujours chagrine quand les idées des
gens ne se divisaient pas d'elles-mêmes bien distinctement en idées justes et en idées fausses, mais se répartissaient, fuyantes, entre un certain nombre de catégories
aux subtilités inattendues qui n'avaient d'autre résultat
que de brouiller vos propres idées. En ce moment même,
elle était incapable de démêler ce qu'il en était de ce
jeune homme : était-il pour ou contre elle ? Devait-elle
argumenter ou en rester là ? Elle en resta là et — pour
Diomka — épilogua :

« Donc, mon petit, il faut bien que tu comprennes :
décrire ce qui est est beaucoup plus facile que décrire ce
qui n'est pas. Mais que tu sais qui sera. Ce que nous
voyons aujourd'hui à l'œil nu, ce n'est pas forcément
la vérité. La vérité, c'est ce qui *doit être*, ce qui sera
demain. Or, c'est justement *demain*, nos merveilleux
lendemains, qu'il faut décrire !...

— Et demain alors, qu'est-ce qu'on décrira ? dit le
déraisonnable gamin en plissant le front.

— Demain ?... Eh bien, demain, on écrira après-demain. Par anticipation... »

Elle était tombée sur un petit gars vraiment peu futé ; il était inutile de perdre sa salive pour lui. Ce n'est donc que pour l'amour de la vérité qu'il faut instaurer dans les masses qu'elle dit pour en finir :

« Ce petit article est pernicieux. En bloc, de façon diffamatoire, il accuse les écrivains de manquer de sincérité. Seuls les petits-bourgeois peuvent professer un tel mépris des gens de lettres. Il s'agit au contraire d'apprécier les écrivains à leur juste valeur, ce sont de véritables hommes de peine ! Si on en est à accuser quelqu'un de manquer de sincérité, qu'on s'en prenne aux écrivains occidentaux : ceux-là sont des vendus. Sinon, le lecteur achèterait-il leurs livres ? Là-bas, tout se fait pour de l'argent. »

Elle s'était mise debout dans l'allée ; c'était bien la race svelte, saine et solide des Roussanov. Paul Nikolaïevitch avait entendu avec plaisir la leçon faite à Diomka.

Son père embrassé, Alla, pleine d'entrain, leva encore une fois une main aux cinq doigts écartés :

« Allez, papa, combats pour ta santé. Lutte, guéris, rejette cette tumeur — et ne te fais aucun souci — dit-elle en y mettant un sous-entendu évident, absolument tout, tout, tout ira pour le mieux. »

DEUXIEME PARTIE
(1967)

CHAPITRE XXII

LA RIVIERE QUI FINIT DANS LES SABLES

3 mars 1955.

Chers Hélène et Nicolas,

Devinez ce que c'est et où nous sommes : aux fenêtres, des barreaux (il est vrai que c'est seulement au rez-de-chaussée, contre les voleurs, et que ce sont des barreaux ouvragés, disposés en rayons à partir d'un angle, et aussi qu'il n'y a pas d'écran devant). Dans les chambres, des lits avec draps et couverture. Sur chaque lit, un bonhomme transi de peur. Au petit jour, la ration de pain, de sucre, du thé (un petit déjeuner, quelle entorse au règlement !). Le matin, un silence renfrogné, personne ne veut rien dire à personne ; le soir, au contraire, une rumeur continue, un débat général animé : faut-il ouvrir ou non le vasistas, qui va aller mieux et qui moins bien, et combien il a fallu de briques pour bâtir la mosquée de Samarcande. Le jour, on vous « sort » chacun séparément, pour des entretiens avec les autorités, pour les diverses procédures, pour les visites des proches. Il y a des jeux d'échecs, des livres. On

*apporte aussi des colis, et les destinataires s'empiffrent.
Il y a même des gens qui reçoivent des suppléments —
mais il est vrai que ce ne sont pas les mouchards (je le
dis en connaissance de cause, car je suis de ceux qui en
reçoivent). Il y a parfois des fouilles, on vous enlève
vos effets personnels, il faut les mettre à l'abri et lutter
pour défendre son droit à la promenade. Le bain est
un événement considérable et en même temps une catastrophe : y fera-t-il chaud ; y aura-t-il assez d'eau, comment sera le linge qu'on vous donnera ? Le plus drôle,
c'est quand on vous amène un nouveau et qu'il se met
à poser les questions les plus saugrenues, car il ne se
figure pas encore ce qui l'attend...*

*Eh bien, vous avez deviné ?... Vous allez bien sûr me
démontrer que j'exagère : pour une prison d'étape, la
literie est de trop, et, pour une prison de dépôt, il manque les interrogatoires nocturnes ? Comme cette lettre
va probablement être contrôlée à la poste d'Ouch-Terek,
j'arrête là les analogies.*

*J'ai déjà derrière moi cinq semaines de ce train-train
au pavillon des cancéreux. Par moments, il me semble
que je suis revenu à ma vie passée et que cela n'en
finira jamais. Le plus accablant est d'être là pour une
durée illimitée, « jusqu'à nouvel ordre ». (Alors que,
n'est-ce pas, l'autorisation de la Sûreté n'est valable que
pour trois semaines, théoriquement elle est déjà péri-
mée, on pourrait me juger pour délit de fuite.) On ne
veut pas me dire quand je pourrai sortir, on ne veut
rien me promettre. Manifestement, d'après leurs instructions thérapeutiques, ils doivent faire dégorger au malade tout ce qu'ils peuvent en tirer et ne le relâcher que
lorsque son sang ne « tient » plus du tout.*

*Résultat : cette amélioration, cet état « euphorique »,
comme vous l'avez appelé dans votre dernière lettre,
que je ressentais après deux semaines de traitement,
lorsque tout simplement je revenais joyeusement à la
vie — tout cela s'est évanoui sans laisser de traces.
Je regrette beaucoup de n'avoir pas insisté à ce moment-
là pour qu'on me laisse sortir. Tout ce qu'il y avait d'utile*

dans mon traitement est épuisé, et ce qu'on commence maintenant ne peut me faire que du mal.

On m'assène des rayons X à raison de deux séances par jour, vingt minutes chacune, trois cents R, et si j'ai oublié depuis longtemps les douleurs que je ressentais en quittant Ouch-Terek, en revanche, j'ai appris ce que c'était que la nausée. Mes amis ! La nausée des rayons X (et peut-être aussi celle des piqûres, tout ça se combine) — quelle cochonnerie ! Ça vous prend à la poitrine, et on en a pour des heures ! Les cigarettes, bien sûr, j'ai laissé tomber — elles sont tombées d'elles-mêmes à vrai dire. Et ça vous met dans un état pénible — je ne peux pas me promener, je ne peux pas rester assis, la seule bonne position que j'aie découverte (c'est dans cette position que je vous écris en ce moment, d'où le crayon, et le fait que ça ne soit pas très droit), c'est sans oreiller, sur le dos, les jambes un peu relevées, la tête, au contraire, presque pendante au bord du lit. Lorsqu'on vous appelle pour la séance suivante, au moment d'entrer dans la salle, où l'odeur « radiothérapique » est la plus dense, on a peur de se mettre à vomir, tout simplement. Il y a bien une chose qui atténue cette nausée, ce sont les concombres marinés et les choux aigres, mais, bien sûr, on n'en trouve ni à l'hôpital ni dans la cité hospitalière, et les malades n'ont pas le droit de sortir. « Vous n'avez qu'à vous en faire apporter par votre famille », vous dit-on. Notre famille ! Notre famille à nous, elle court à quatre pattes dans la taïga de Krasnoïarsk, comme on sait ! Que reste-t-il à faire au pauvre détenu ? Je mets mes bottes, j'attache mon ceinturon d'uniforme par-dessus ma robe de chambre de bonne femme et me faufile jusqu'à un endroit où le mur de la cité hospitalière est à moitié démoli. Je sors, je traverse la voie ferrée, et en cinq minutes je suis au marché. Ni dans les ruelles qui mènent au marché ni au marché même mon allure n'éveille chez qui que ce soit le moindre étonnement, la moindre moquerie. Je vois là un signe de la santé spirituelle de notre peuple, qui s'est fait à tout. Je parcours le marché et, l'air maussade, je marchande comme seuls sans doute les prisonniers politiques savent le faire (devant un poulet jaune crème bien gras, on lâche dédaigneusement : « Et c'est combien, la mère, ce poussin tuberculeux ? » Vous imaginez ma fortune. Et ce qu'elle m'a coûté... Mon grand-père disait : « Le kopeck sauve le rouble et le rouble sauve la vie. » Il n'était pas bête, mon grand-père.

Les concombres, c'est mon seul salut. L'appétit qui m'était soudain revenu au début du traitement est déjà retombé. Figurez-vous que je grossissais sous les rayons X ! Maintenant, je maigris. J'ai la tête lourde, une fois même, j'ai eu un drôle de vertige. Oui, bien sûr, la tumeur a fondu de moitié, elle est molle sur les bords, j'ai du mal à la sentir moi-même en tâtant. Mais pendant ce temps-là, j'ai le sang qui se démolit, on m'abreuve de médicaments spéciaux qui doivent faire augmenter les leucocytes (et en même temps détériorer quelque chose !) et on veut « pour provoquer la leucocytose » (c'est comme ça que ça s'appelle ici : joli langage, hein !) me faire... des piqûres de lait ! De la barbarie pure et simple, qu'est-ce que je vous disais ! Vous m'en donneriez plutôt une tasse à boire, du bien frais, malins ! Pour rien au monde je ne me laisserai piquer.

On me menace aussi d'une transfusion de sang. Là aussi, je résiste. Ce qui me sauve, c'est mon groupe sanguin, le numéro un : il en vient rarement.

D'une façon générale, mes relations avec le chef du service de radiothérapie sont tendues, on ne peut pas se voir sans se disputer. Elle est un peu trop dure, cette femme. La dernière fois, elle s'est mise à me palper la poitrine et à affirmer que je ne « réagissais pas au synoestrol », que je me dérobais aux piqûres, que je la trompais. Naturellement, j'ai joué l'indignation (la vérité, bien entendu, c'est que je la trompe).

Avec mon médecin traitant, en revanche, j'ai plus de mal à me montrer ferme, et pourquoi ? Parce qu'elle est trop douce. (Cher Nicolas, vous aviez un jour commencé à m'expliquer d'où venait l'expression « une parole douce brise les os ». Rappelez-le-moi, je vous prie.) Non seulement elle n'élève jamais la voix, mais elle ne sait même pas froncer les sourcils comme il faut. Elle prescrit quelque chose dont je ne veux pas, et elle baisse les yeux. Et moi, Dieu sait pourquoi, je cède. Et puis il y a des détails dont il nous est difficile de discuter ensemble : elle est encore jeune, plus jeune que moi, et j'ai une certaine gêne à l'interroger jusqu'au bout. Jolie, du reste, avec quelque chose de très attirant. Elle m'a dit spontanément qu'elle était mariée, je m'en souviens très bien, et j'ai appris un beau jour que le mari était une fable. Manifestement, elle ressent son célibat comme une humiliation, c'est la raison pour laquelle elle m'a menti.

Il faut dire qu'elle est bien infectée elle aussi par les préjugés d'école, elle croit dur comme fer, elle aussi, aux méthodes thérapeutiques établies, et je n'arrive pas à ébranler sa foi. D'une façon générale, personne ne s'abaisse à discuter de ces méthodes avec moi, personne ne veut se faire de moi un allié raisonnable. Je dois écouter attentivement les conversations des médecins, essayer de deviner, suppléer ce qu'on ne dit pas, me procurer des livres de médecine — tout cela pour me faire une idée de la situation.

Et tout de même, il ne m'est pas facile de décider de ce que je dois faire et de la voie à suivre. Par exemple, on me palpe souvent sous les clavicules, mais dans quelle mesure est-il vraisemblable que l'on puisse y découvrir des métastases ? Pourquoi me crible-t-on de ces milliers d'unités Roentgen ? Est-ce vraiment pour que la tumeur ne recommence pas à croître ? Ou bien, à tout hasard, pour quintupler ou décupler la marge de sécurité, comme quand on construit un pont ? Ou seulement pour suivre une instruction insensée et indifférente dont ils ne peuvent pas s'écarter, sous peine de licenciement ? Mais moi, je pourrais m'en écarter ! Moi je pourrais briser ce cercle, si seulement on voulait bien me dire la vérité !... Mais non, ils ne me la diront pas.

Car enfin, je ne demande pas à vivre longtemps ! A quoi bon, du reste, regarder si loin... J'ai d'abord vécu avec toujours une escorte sur le dos, puis j'ai vécu avec toujours des douleurs dans le ventre, — à présent je

voudrais vivre un tout petit peu sans escorte ni dou-
leurs, les deux choses à la fois : je n'en demande pas
davantage. Je ne demande ni Leningrad, ni Rio de Ja-
neiro, je veux notre trou perdu, notre modeste Ouch-
Terek. L'été approche, et je veux, cet été, dormir à la
belle étoile sur mon châlit, et me réveiller au milieu de
la nuit, reconnaître l'heure au déploiement du Cygne
et de Pégase. Vivre cet été seulement, rien que celui-là,
de telle façon que je puisse voir les étoiles sans qu'elles
soient masquées par les lanternes de la zone — après
quoi, je veux bien ne plus me réveiller du tout. Oui, et
je voudrais encore, cher Nicolas, lorsque les chaleurs se-
ront un peu retombées, m'en aller avec vous (et, bien en-
tendu, avec Jouk et avec Tobik) par le petit sentier qui
mène à travers la steppe jusqu'à la Tchou, et m'asseoir là
où il y a un peu de fond, où on a de l'eau jusqu'au genou,
m'asseoir sur le fond sablonneux, les jambes dans le
courant, et rester ainsi longtemps, longtemps, rivaliser
d'immobilité avec la grue qui se tient sur l'autre rive.

Notre Tchou n'atteint pas la mer, ni aucun lac, ni
aucune vaste étendue d'eau. Une rivière qui finit dans
les sables ! Une rivière qui ne se jette nulle part, qui
distribue généreusement ses meilleures eaux, ses meil-
leures forces, comme ça, au passage et à l'occasion, à
ses amis ! N'est-ce pas l'image de nos vies de bagnards,
auxquelles il n'est pas donné de réaliser quoi que ce
soit, qui sont vouées à un étouffement sans gloire, et ce
que nous avons eu de meilleur, c'est un plan d'eau où nous
n'étions pas encore à sec, et tout ce qui reste de nous,
c'est ce qu'il tient d'eau dans la paume des deux mains, ce
que nous avons mis de nous-mêmes et échangé avec au-
trui dans une rencontre, une conversation, un secours.

Une rivière qui finit dans les sables !... Et c'est ce
dernier plan d'eau que les médecins veulent m'enlever.
Au nom de je ne sais quel droit (il ne leur vient pas à l'es-
prit de se demander quel est ce droit), ils décident sans
moi et à ma place de m'appliquer ce terrible traitement
qu'est l'hormonothérapie. Car enfin, c'est un morceau de
fer chauffé à blanc que l'on vous applique une seule fois,

*et on fait de vous un infirme pour toujours. Et cela pa-
raît si banal dans le train-train banal de la clinique !*

*Il m'était déjà arrivé de me demander, et je me le
demande de plus en plus à présent, quel est tout de
même le prix maximum de la vie. Que peut-on donner pour la conserver, et où est la limite ? Comme on
vous l'enseigne maintenant à l'école : « Ce que l'homme
a de plus cher, c'est la vie, elle ne lui est donnée qu'une
fois. » Par conséquent : s'accrocher à la vie à n'importe
quel prix... Nous sommes beaucoup à qui les camps ont
fait comprendre que la trahison, le sacrifice d'êtres bons
et démunis était un prix trop élevé, et que notre vie ne le
valait pas. Quant à la servilité, la flatterie, le mensonge,
les avis, au camp, étaient partagés : certains disaient que
ce prix-là était acceptable, et c'est peut-être vrai.*

*Oui, mais avoir la vie sauve au prix de tout ce qui
en fait la couleur, le parfum, l'émotion ? Obtenir la vie
avec la digestion, la respiration, l'activité musculaire
et cérébrale, et rien de plus. Devenir un schéma ambu-
lant. Ce prix-là, n'est-ce pas un peu trop demander ?
N'est-ce pas une dérision ? Faut-il le payer ? Après sept
ans d'armée et sept ans de camp — deux fois sept ans,
deux fois le délai des fables ou de la Bible — perdre
l'habitude de distinguer un homme d'une femme — n'est-
ce pas un peu trop demander ?*

*Allons, je n'aurais pas hésité un seul instant, je serais
parti depuis longtemps, après une bonne engueulade —
oui, mais alors adieu l'attestation qu'ils doivent me
donner, la déesse Attestation, et Dieu sait si un relégué ne peut s'en passer ! Demain, le commandant ou
l'officier de Sûreté aura peut-être la fantaisie de m'expédier à trois cents kilomètres d'ici, dans le désert — et
moi, je pourrai m'accrocher à mon attestation : doit
rester en observation, exige des soins permanents, par-
don-excuses, mon commandant ! Un ancien bagnard, renoncer à une attestation médicale ? Impensable !*

*Donc, ruser encore, faire semblant, tromper, faire
traîner les choses — comme si ça ne suffisait pas, après
toute une vie !... (A ce propos, trop de ruse finit par*

nous fatiguer et nous faire commettre des erreurs. C'est moi-même qui me suis attiré tout cela, avec la lettre de la laborantine d'Omsk que je vous ai demandé de m'envoyer. Je l'ai lâchée, ils se sont précipités dessus, ils l'ont jointe au dossier de la maladie, et j'ai compris trop tard que le chef du service m'avait pris au piège : maintenant, c'est avec assurance qu'elle me fait l'hormonothérapie, autrement elle aurait peut-être encore des doutes.)

Attendez que je sois revenu à Ouch-Terek : pour que la tumeur n'aille pas faire des métastases, je m'en vais l'assommer encore un peu avec de la racine du lac Issyk-Koul. Se soigner avec un poison violent, ça a quelque chose de noble : le poison ne se fait pas passer pour un remède innocent, il vous dit tout net : je suis un poison, méfie-toi, c'est ou bien ou bien! Et nous savons ce que nous risquons.

Votre dernière lettre (elle a fait bien vite, cinq jours seulement, alors que les précédentes mettaient toutes huit jours) m'a tout remué. Comment ? Une expédition géodésique dans notre région ? Quelle joie ce serait que de me retrouver auprès d'un théodolite ! Travailler sérieusement, ne serait-ce qu'un an ! Mais me prendra-t-on ? Car enfin, il faut nécessairement franchir les limites de la zone de relégation, et puis tout ça est ultra-secret, c'est toujours comme ça, et je suis un homme taré.

Ce Pont de Waterloo et Rome, ville ouverte dont vous me dites du bien, je ne les verrai plus, maintenant : ils ne passeront pas une seconde fois à Ouch-Terek, et ici, pour aller au cinéma, il me faudrait passer la nuit quelque part après ma sortie de l'hôpital, et comment faire ? Et puis, qui sait si je n'en sortirai pas à quatre pattes, de l'hôpital...

Vous me proposez de me faire passer de l'argent. Merci. J'ai d'abord voulu refuser : j'ai toujours cherché à éviter les dettes (et j'y suis parvenu). Mais j'ai songé que j'aurai tout de même quelque chose à laisser à mes héritiers : ma demi-pelisse en peau de mouton d'Ouch-Terek, ce n'est pas rien ! Et les deux mètres de drap noir qui me servent de couverture ? Et l'oreiller de plumes dont Melnitchoukov m'a fait cadeau ? Et mes trois caisses clouées en forme de lit ? Et mes deux casseroles ? Le quart qui vient du camp ? La cuillère ? Et un seau, pardon ! Un reste de saksaoul ! Une hache ! Enfin, une lampe à pétrole ! Je suis bien léger, ma parole, de n'avoir pas rédigé de testament !

Donc, si vous m'envoyez dans les cent cinquante roubles (pas plus !), je vous en serai reconnaissant. J'ai pris note de votre commande : chercher du permanganate, de la soude et de la cannelle. Réfléchissez, et écrivez-moi si vous avez encore besoin d'autre chose. Peut-être faut-il quand même vous rapporter un fer à repasser léger ? Je peux le faire, ne vous gênez pas.

Votre bulletin météo, Nicolas, m'apprend qu'il continue à faire plutôt froid, chez vous, et qu'il y a encore de la neige. Ici, c'est le printemps, un printemps si beau que c'en est inconvenant et incompréhensible.

A propos de météo. Si vous voyez Stroehm, transmettez-lui un très grand salut de ma part. Dites-lui qu'ici je pense souvent...

Et puis non, ce n'est peut-être pas nécessaire...

Je souffre comme ça de sentiments confus, je ne sais pas moi-même ce que je veux, ce que j'ai le droit de vouloir.

Mais lorsque je pense à notre consolateur, le grand dicton : « On en a vu d'autres », je me sens tout de suite mieux. Ce n'est tout de même pas nous qui allons nous laisser abattre ! On va donc encore barboter un coup !

Hélène remarque qu'en deux soirées elle a écrit neuf lettres. Et je me suis dit : qu'elle est rare, de nos jours, cette attention pleine de sympathie et de constance à l'égard des autres que l'on trouve chez vous ! Qui, aujourd'hui, pense ainsi à ceux qui sont loin et leur consacre toutes ses soirées ? Si l'on aime à vous écrire de longues lettres, c'est bien parce qu'on sait que vous les lirez à haute voix, et que vous les relirez, et que vous reviendrez encore sur chaque phrase et répondrez à tout.

Soyez donc toujours entourés de ce bonheur et de cette clarté, mes amis !

Votre
OLEG.

CHAPITRE XXIII

POURQUOI VIVOTER ?

Le 5 mars fut un jour blafard, un jour de pluie fine et froide à l'extérieur et, dans le pavillon, un jour mêlé, plein de changements : Diomka qui, la veille, avait accepté par écrit l'opération, descendait au service de chirurgie, et on avait amené deux nouveaux malades.

Le premier, justement, avait occupé le lit de Diomka, dans le coin, près de la porte. C'était un homme de haute taille, mais très voûté, au dos déjeté et au visage usé à en paraître vieux. Il avait des poches sous les yeux, et ses paupières inférieures étaient si tirées que l'ovale horizontal auquel nous sommes habitués était devenu chez lui un cercle, et, dans ce cercle, le blanc des yeux laissait apparaître une rougeur malsaine, tandis que l'iris tabac clair paraissait aussi plus gros que de coutume à cause de l'affaissement des paupières inférieures. De ces grands yeux ronds le vieillard paraissait examiner tout le monde avec une attention soutenue qui produisait une impression désagréable.

Pendant toute la dernière semaine, Diomka n'était

plus lui-même : il avait à la jambe des douleurs et des
tiraillements que rien ne pouvait calmer, il ne parvenait plus à dormir, il ne pouvait plus rien faire et il
devait serrer les dents pour ne pas déranger ses voisins
par des cris. Il était tellement à bout que sa jambe ne
lui apparaissait plus comme une chose précieuse et
vitale, mais comme un fardeau maudit, dont il fallait se
débarrasser au plus vite et avec le moins de mal possible. Et l'opération dans laquelle, un mois plus tôt, il
voyait la fin de sa vie, lui apparaissait maintenant
comme un salut. Voilà comment changent nos mesures.

Mais bien que Diomka eût pris l'avis de tous les
malades du pavillon avant de donner son accord écrit,
aujourd'hui encore, tandis que, son balluchon noué, il
leur faisait ses adieux, il cherchait à se faire convaincre
et réconforter. Et Vadim dut répéter ce qu'il avait déjà
dit mille fois : que Diomka avait de la chance de s'en
tirer à si bon compte ; que lui, Vadim, serait heureux
d'être à sa place.

Mais Diomka trouvait encore des objections :

« C'est que l'os, on te le coupe avec une scie ! On
le scie tout bonnement, comme une poutre. On dit
qu'avec n'importe quelle anesthésie, ça se sent. »

Mais Vadim ne savait pas et n'aimait pas consoler
longuement :

« Eh bien quoi, tu n'es pas le premier. Puisque d'autres le supportent, tu le supporteras toi aussi. »

En cela, comme partout ailleurs, il était constant et
équitable : il ne demandait pas non plus à être consolé
et ne l'aurait pas supporté. Dans toute consolation, il
voyait quelque chose de mou, de religieux.

Vadim, toujours fier et poli, avait toujours autant
de tenue qu'au début de son séjour au pavillon ; seul
son hâle de montagnard commençait à jaunir, et l'on
voyait plus souvent ses lèvres frémir de douleur, et son
front se plisser d'impatience et de désarroi. Lorsque,
tout en répétant qu'il n'en avait plus que pour huit
mois à vivre, il continuait à monter à cheval, à prendre
l'avion pour Moscou, à rencontrer Tchernogorodtsev, il

était au fond convaincu qu'il s'en sortirait. Mais voilà
déjà un mois qu'il était couché ici, l'un de ces huit
mois de sursis, et pas le premier, mais peut-être déjà
le troisième ou le quatrième. Et chaque jour il souffrait
davantage en marchant, et il ne pouvait plus guère songer à monter à cheval et à s'en aller à travers champs.
Les douleurs étaient déjà remontées jusqu'à l'aine. Des
six livres qu'il avait apportés, il en avait lu trois, mais
il n'était plus aussi sûr que découvrir des gisements
de minerai à partir des eaux était la seule chose nécessaire et c'est pourquoi il ne lisait plus avec autant
d'attention, et il mettait à présent moins de points d'interrogation et de points d'exclamation dans les marges.

C'était jadis pour Vadim la plus belle caractéristique
d'une vie que de n'avoir pas assez de sa journée, tant
on était occupé. Mais ne voilà-t-il pas que la journée
commençait à lui suffire, et que même il en avait de
trop, et que c'était la vie, à présent, qui lui manquait.
Sa constante disposition au travail flottait comme une
corde détendue. Il ne lui arrivait plus aussi souvent
de se réveiller au petit jour pour travailler en profitant
du silence, et parfois même il restait couché sans rien
faire, enfoncé sous ses draps, et il avait soudain le
sentiment que peut-être il valait mieux se laisser aller
et en finir, et que ce serait plus facile que de lutter. La
médiocrité, les sottes conversations qui l'entouraient lui
donnaient une impression d'absurdité et d'angoisse, et,
déchirant le voile de sa belle tenue, l'envie lui venait
parfois de hurler comme une bête prise au piège :
« Allons, assez plaisanté, veux-tu bien me lâcher la
jambe ! »

La mère de Vadim avait fait quatre antichambres
haut placées sans obtenir d'or colloïdal. Elle avait rapporté de Russie de la *tchaga* et s'était entendue avec
une infirmière qui devait, tous les deux jours, apporter
à son fils un bocal d'infusion, tandis qu'elle-même
repartait pour Moscou : elle allait faire de nouvelles
antichambres, toujours pour obtenir cet or. Elle ne
pouvait se résigner à l'idée qu'il existait quelque part

de l'or radioactif et que, faute d'en obtenir, son fils allait faire des métastases.

Diomka s'approcha de Kostoglotov pour lui dire et entendre de lui un dernier mot avant de partir. Kostoglotov était couché de biais sur son lit, ses jambes relevées posées sur le montant, la tête pendante au-dessus du passage. C'est ainsi que, la tête renversée, et voyant lui-même Diomka à l'envers, il lui tendit la main et lui fit ses adieux à voix basse (depuis quelque temps il avait du mal à parler haut ; quand il le faisait il sentait quelque chose à la base du poumon) :

« Ne t'en fais pas, Diomka. Léon Leonidovitch est revenu, je l'ai vu. Il va t'enlever ça en un tournemain.

— C'est pas vrai ? dit Diomka épanoui. Tu l'as vu ?

— De mes yeux.

— C'est ça qui serait bien ! J'ai bien fait d'attendre ! »

Oui, il avait suffi qu'il réapparût dans les couloirs de la clinique, ce grand escogriffe de chirurgien avec ses bras trop longs qui lui pendaient le long du corps, et déjà les malades avaient repris courage, comme s'ils avaient compris que c'était justement cette perche qui leur avait manqué pendant tout ce dernier mois. Si l'on avait fait défiler les chirurgiens devant les malades pour les laisser choisir, ils se seraient sans doute tous fait inscrire chez Léon Leonidovitch. Il avait toujours l'air de s'ennuyer, pourtant, quand on le croisait dans les couloirs de la clinique ; mais même cet air ennuyé signifiait pour les malades que c'était un jour sans opérations.

Bien que Diomka n'eût absolument rien à reprocher à Eugénie Oustinovna, bien que la fragile Eugénie Oustinovna fût un excellent chirurgien, c'était tout de même autre chose de se confier à ces mains velues de grand singe. Quelle que fût l'issue, qu'il parvînt ou non à le sauver, il ne ferait pas de faux pas, Diomka en avait Dieu sait pourquoi la ferme conviction.

Elle ne dure guère la parenté qui s'établit entre malade et chirurgien, mais c'est une parenté plus étroite qu'entre un fils et son propre père.

« C'est donc un bon chirurgien ? » demanda d'une voix étouffée le nouveau malade, l'homme aux poches sous les yeux qui occupait le lit de Diomka. Il avait l'air de quelqu'un qui aurait été pris de court, désarçonné. Il grelottait, et, même dans la chambre, gardait par-dessus son pyjama une robe de chambre de futaine ouverte, sans ceinture ; et il regardait autour de lui, le vieillard, comme si, réveillé en pleine nuit par des coups frappés à la porte d'une maison isolée, il fût sorti de son lit et ne sût d'où venait la catastrophe.

« Mmmm », mugit Diomka, de plus en plus épanoui, de plus en plus content, comme s'il venait d'être soulagé d'une bonne moitié de l'opération. « Ça c'est un gars ! Formidable ! Vous aussi, vous devez être opéré ? Et de quoi ?

— Moi aussi », répondit seulement le nouveau venu, comme s'il n'avait pas entendu toute la question. Ses traits n'avaient pas réagi au soulagement de Diomka, rien n'avait changé dans l'expression de ses gros yeux ronds au regard fixe, un peu trop attentif, ou qui peut-être, au contraire, ne voyait rien ?

Diomka parti, on fit son lit au nouveau venu et il s'assit dessus, s'appuya au mur, et de nouveau fixa silencieusement la salle de ses yeux agrandis. Ceux-ci ne bougeaient pas, il les fixait sur l'un des malades et le dévisageait longuement. Puis il tournait la tête d'un seul bloc, et en regardait un autre. Ou peut-être regardait-il à côté. Il ne réagissait absolument pas aux bruits et aux mouvements qui se produisaient dans la salle. Il ne parlait pas, ne répondait pas, ne questionnait pas. Une heure se passa, et tout ce qu'on put tirer de lui, c'était qu'il venait de Ferghana. Et puis, par l'infirmière, on avait appris qu'il s'appelait Chouloubine.

Un hibou, voilà ce qu'il était, Roussanov l'avait aussitôt identifié : ces yeux ronds qui vous fixent, cette immobilité. Déjà comme ça, la salle n'était pas gaie ; mais ce hibou, c'était le comble. Il avait arrêté son regard maussade sur Roussanov et le dévisageait depuis

si longtemps maintenant que ça devenait tout bonnement déplaisant. Il les fixait tous comme ça, comme
s'ils avaient tous ici quelque chose à se reprocher.
Et déjà leur vie, dans cette salle d'hôpital, ne pouvait
plus suivre le cours nonchalant qu'elle avait suivi
jusqu'à présent.

Paul Nikolaïevitch avait eu la veille sa douzième
piqûre. Il s'était déjà habitué à ces piqûres, elles ne
le faisaient plus délirer, mais elles lui donnaient de
fréquents maux de tête et une sensation de faiblesse.
Mais surtout, il était clair maintenant qu'il n'était pas
en danger de mort, non, bien sûr, cela n'avait été
qu'une panique familiale. La tumeur avait déjà diminué de moitié, et ce qui en restait avait ramolli : elle
le gênait encore, bien sûr, mais beaucoup moins, et
sa tête pouvait de nouveau se mouvoir librement.
De sa maladie, il ne lui restait donc que cette faiblesse.
Mais la faiblesse était chose supportable, elle avait même
un côté agréable : rester couché, toujours couché, lire
l'*Ogoniok* et le *Crocodile*, prendre des fortifiants, penser
aux bonnes choses que l'on aimerait manger, causer
avec des gens sympathiques, écouter la radio — lorsqu'il
serait rentré chez lui, évidemment. Il n'y aurait donc
plus eu que cette faiblesse, si Dontsova n'avait pas continué à le palper aux aisselles d'un doigt rude qu'elle
enfonçait comme un bâton à chaque fois qu'elle l'examinait. Elle cherchait quelque chose, et, lorsqu'on avait
passé un mois ici, on devinait sans peine ce que c'était :
une nouvelle tumeur, encore une. Elle le faisait même
venir dans son bureau, lui demandait de s'allonger et
lui palpait l'aine, en appuyant de la même façon aiguë
et douloureuse.

« Vous pensez qu'elle pourrait essaimer ? » demandait
Paul Nikolaïevitch avec inquiétude. Toute la joie que
lui causait la diminution de sa tumeur en était assom-
brie.

« C'est bien pour l'éviter que nous vous soignons, faisait Dontsova avec un coup de tête énergique. Mais il
vous faudra encore supporter beaucoup de piqûres.

— Encore combien ? demandait Roussanov avec effroi.

— On verra bien. »

(Les médecins ne disent jamais rien de précis.)

Les douze piqûres précédentes l'avaient tellement affaibli que déjà ses analyses sanguines faisaient hocher la tête aux médecins, et il devrait encore en supporter autant ? D'une façon ou d'une autre, la maladie exigeait son dû. La tumeur diminuait, mais Paul Nikolaïevitch n'en tirait pas de véritable joie. Il était sans ressort, et passait ses journées à dormir. Par bonheur, Grande-gueule aussi s'était calmé, il avait cessé de brailler et de montrer les dents, et on voyait bien maintenant qu'il ne simulait pas, que la maladie l'avait eu lui aussi. De plus en plus souvent, il laissait pendre la tête au bord de son lit et restait longtemps couché, les yeux mi-clos. Paul Nikolaïevitch, lui, prenait des cachets contre les maux de tête, appliquait une compresse sur son front et protégeait ses yeux de la lumière. Et ils restaient ainsi couchés côte à côte, parfaitement en paix, sans échanger d'injures, pendant des heures.

Entre-temps, au-dessus du vaste palier (d'où l'on avait emporté à la morgue le petit homme qui suçait sans arrêt des ballons d'oxygène) on avait accroché un slogan, en lettres blanches sur une longue bande de tissu écarlate, comme il se doit :

« Malades ! Ne parlez pas entre vous de vos maladies ! »

Bien sûr, cette étoffe écarlate et cet endroit voyant auraient mieux convenu à un slogan en l'honneur des fêtes d'octobre ou du 1er mai ; mais, pour la vie qu'ils menaient ici, cette exhortation aussi avait son importance, et, plusieurs fois déjà, Paul Nikolaïevitch s'y était référé pour faire taire des malades qui se tourmentaient inutilement.

(D'ailleurs, si l'on se plaçait du point de vue de l'utilité publique, plutôt que de grouper tous ceux qui souffrent de tumeurs en un seul endroit, il aurait fallu les disperser dans des hôpitaux ordinaires ; ils ne se feraient pas peur les uns aux autres, et on pourrait éviter de leur dire la vérité, et ce serait beaucoup plus humain.)

Les occupants de la salle changeaient, mais il n'en venait jamais de gais : tous étaient abattus, à bout de forces. Seul Akhmadjan, qui avait déjà abandonné sa béquille, et qui n'allait pas tarder à sortir, souriait en découvrant ses dents blanches, mais il n'égayait que lui-même, et ne faisait peut-être qu'éveiller de l'envie chez les autres.

Et voilà qu'aujourd'hui, soudain, deux heures environ après l'arrivée du nouveau malade à l'air lugubre, au milieu d'une journée languissante où tout le monde restait couché et où les vitres, ruisselantes de pluie, laissaient passer si peu de jour qu'avant même l'heure du dîner on avait envie d'allumer la lumière et de voir arriver au plus vite la tombée de la nuit, on vit entrer soudain dans la salle, d'un pas rapide et dispos, précédant l'infirmière, un petit homme tout plein de vivacité. Entrer est trop peu dire : il fit littéralement irruption dans la salle, pressé comme s'il avait été attendu au garde-à-vous et que l'on se fût fatigué de l'attendre. Et il s'arrêta, surpris de voir tous ces malades apathiques, étendus sur leur lit. Il en siffla d'étonnement. Et, plein d'entrain, d'un ton de reproche vigoureux :

« Eh bien, les amis, vous voilà tous comme des poules mouillées ! Qu'est-ce que vous faites là avec vos jambes recroquevillées ? » Et, bien qu'ils n'eussent pas été prêts pour l'accueillir, il leur fit une sorte de salut quasi militaire : « Tchaly, Maxime Pétrovitch ! J'ai bien l'honneur ! Re-pos ! »

Sur son visage, rien ne laissait deviner l'épuisement des cancéreux : il s'éclairait d'un sourire plein d'optimisme et d'assurance, et quelques-uns des malades lui sourirent à leur tour, notamment Paul Nikolaïevitch. Depuis un mois, parmi tous ces geignards, c'était bien la première fois qu'on voyait un homme.

« Bon », disait-il, tandis que, d'un coup d'œil rapide, sans rien demander à personne, il repérait son lit et se dirigeait vers lui d'un pas énergique. C'était le lit voisin de celui de Paul Nikolaïevitch, l'ancien lit de Moursalimov, et le nouveau venu s'engagea dans le passage du côté où se trouvait Paul Nikolaïevitch. Il s'assit sur le lit, fit jouer les ressorts, qui grincèrent. Il trancha : « Amortissement soixante pour cent. Le médecin-chef se la coule douce. »

Et il se mit en devoir de déballer ses affaires, quoique, à vrai dire, il n'y eût rien à déballer : rien dans les mains, un rasoir dans une poche et dans l'autre un paquet, non pas de cigarettes, mais de cartes à jouer presque neuves. Il sortit la pile, la fit craquer en passant ses doigts sur la tranche et, regardant Paul Nikolaïevitch d'un air malin, demanda :

« Vous tapez la carte ?

— De temps en temps, avoua Paul Nikolaïevitch d'un ton bienveillant.

— La préférence ?

— Peu. Plutôt le nigaud.

— Ça ne s'appelle pas jouer, dit sévèrement Tchaly. Et le stoss ? Le wint ? Le poker ?

— Pensez-vous ! dit Roussanov confus, avec un geste de dénégation. Je n'ai jamais eu le temps d'apprendre.

— On vous l'apprendra ici, c'est l'endroit rêvé, reprit vivement Tchaly. Ce que tu ne sais pas, on te l'apprendra, ce que tu ne veux pas, on t'y forcera, comme on dit ! »

Et il riait. Il avait un nez un peu trop grand pour son visage, un grand nez mou et rougeoyant. Mais c'était justement ce nez qui donnait à tout son visage cet air naïf, avenant, ouvert.

« Rien ne vaut le poker, comme jeu ! affirma-t-il avec autorité. En cachant la mise. »

Et, déjà sûr de Paul Nikolaïevitch, il cherchait des yeux d'autres partenaires. Mais personne, dans le voisinage, ne lui donnait d'espérances.

« Moi ! Moi je veux apprendre ! criait derrière lui Akhmadjan.

— Bon, dit Tchaly d'un ton approbateur. Trouve-nous quelque chose à placer entre les lits. »

Il se retourna encore un peu, vit le regard figé de Chouloubine, vit encore un Ouzbek en turban rose, aux moustaches pendantes, fines, comme faites de fil d'argent — et c'est alors qu'entra Nelly, avec un seau d'eau pour laver le plancher.

« Ho-ho ! fit aussitôt Tchaly, appréciateur. Voilà une fille qui a de l'assise ! Ecoute, où étais-tu avant ? On aurait pu faire un tour aux balançoires ensemble. »

Nelly avança ses grosses lèvres, c'était sa manière de sourire :

« Ben quoi ! il est pas trop tard ! Mais ce n'est pas pour les malades.

— Panse à panse, tout se panse, annonça Tchaly. Ou peut-être que je t'intimide ?

— T'en reste-t-il seulement beaucoup, de ce qui fait un homme ? disait Nelly, l'évaluant du regard.

— Pour toi, de quoi traverser, t'en fais pas ! répondait Tchaly du tac au tac. Allons, vite, en position pour laver le plancher, j'ai envie de voir la façade !

— Regarde tant que tu veux, la maison l'offre gratis », faisait Nelly, bon enfant, et, jetant la serpillère mouillée sous le premier lit, elle se courbait pour laver le plancher.

Peut-être au fond n'était-il pas malade, cet homme ? Apparemment, il n'avait rien sur le corps, et son visage ne reflétait pas non plus de douleur cachée. Ou bien était-ce par un décret de sa volonté qu'il se tenait si bien en main, donnant l'exemple qui manquait dans la salle alors qu'il ne devrait pas y en avoir d'autre à notre époque et parmi nos concitoyens. Paul Nikolaïevitch regardait Tchaly avec envie.

« Qu'est-ce que vous avez ? demanda-t-il à voix basse et sur un ton confidentiel.

— Moi ? sursauta Tchaly. Des polypes. »

Des polypes, personne, parmi les malades, ne savait au juste ce que c'était, mais on en voyait souvent chez les uns ou chez les autres.

« Et ça ne fait pas mal ?

— Tiens pardi, dès que ça m'a fait mal, je suis venu. Il faut opérer ? Allez-y, je vous en prie, qu'est-ce qu'on attend ?

— Et vous les avez où ? demandait encore Roussanov,
qui éprouvait de plus en plus d'estime pour son interlocuteur.

— A l'estomac, paraît-il, disait Tchaly d'un air insouciant, et il souriait toujours. Bref, on va m'escamoter
l'estomac. On va en couper les trois quarts. »

Du revers de la main, il fit le geste de se découper
le ventre et plissa les paupières.

« Et alors ? dit Roussanov étonné.

— Ce n'est rien, je m'y ferai ! Pourvu que ça absorbe
la vodka !

— Vous en avez un moral !

— Mon cher voisin, dit Tchaly en hochant sa bonne
tête aux yeux francs et au grand nez rouge, pour ne
pas crever, il ne faut pas se faire de bile. Moins on raisonne et moins on a d'idées noires. Je te conseille d'en
faire autant. »

Akhmadjan apportait justement une planchette de
contre-plaqué. Il l'installa entre les lits de Roussanov
et de Tchaly, elle y tenait à merveille.

« Ça fait un peu plus chic, disait Akhmadjan tout
réjoui.

— Qu'on allume la lumière », commanda Tchaly.

On alluma donc la lumière. Cela faisait encore plus gai.

« Bon, et le quatrième ? »

Pas moyen de trouver un quatrième.

« Ça ne fait rien, expliquez-nous d'abord comme ça. »
Roussanov était remonté. Il était à présent assis, les
pieds au sol, comme un homme bien portant. Lorsqu'il
tournait la tête, son cou lui faisait beaucoup moins mal.
Contre-plaqué ou non, il avait devant lui une véritable
petite table de jeu, éclairée d'une lumière vive et joyeuse
qui tombait du plafond. Les signes nets, précis, gais, des
couleurs rouges et noires se détachaient sur la surface
blanche et glacée des cartes. Peut-être suffisait-il vraiment de se comporter ainsi, comme Tchaly, vis-à-vis de
sa maladie, pour qu'elle lâchât prise ? A quoi bon mi-
joter dans son jus ? Pourquoi toujours se laisser aller à
de sinistres pensées ?

« Qu'est-ce qu'on attend ? demandait Akhmadjan, impatient.

— Par-fait », disait Tchaly, et il fit passer toute la pile entre ses doigts experts avec la rapidité d'une bande cinématographique, écartant les cartes inutiles et gardant près de lui celles dont il avait besoin. « Ça se joue avec les cartes qui vont du neuf à l'as. Ordre des couleurs : trèfle, carreau, cœur, pique. Et il montrait les couleurs à Akhmadjan. Vu ?

— Vu ! » répondait Akhmadjan très satisfait.

Maxime Petrovitch faisait craquer la pile en la pliant entre ses doigts, battait les cartes, et continuait ses explications :

« On donne cinq cartes dans chaque main, le reste à la pile. Maintenant il faut comprendre l'ordre des figures. Les figures, les voilà : une paire. (Il montrait une paire.) Deux paires. Le street : c'est cinq cartes qui se suivent. Voilà. Ou comme ça. Ensuite la tierce. Le full...

— Tchaly est là ? fit une voix à la porte.

— Présent !

— A la réception, votre femme est venue vous voir.

— Vous n'avez pas vu si elle a un cabas ?... Bon, les amis, entracte. »

Et d'un pas vigoureux et insouciant il se dirigea vers la porte.

Le silence se fit dans la salle. Les lampes étaient allumées comme si c'était le soir. Akhmadjan retourna vers son lit. Nelly progressait, en jetant violemment sa serpillière pour arroser le plancher, et chacun devait ramener ses pieds sur son lit.

Paul Nikolaïevitch se coucha lui aussi. De son coin, il sentait littéralement le regard de ce hibou posé sur lui, comme une pression opiniâtre et réprobatrice sur le côté de sa tête. Et pour alléger cette pression, il demanda :

« Et vous, camarade, de quoi souffrez-vous ? »

Mais le vieillard morose ne fit même pas un mouvement poli dans sa direction, comme si la question ne s'adressait pas à lui. De ses gros yeux ronds couleur tabac mêlé de rouge, il paraissait regarder par-delà le visage de Roussanov. Paul Nikolaïevitch renonça à attendre une réponse et se mit à jouer avec les cartes glacées. Et c'est alors qu'une voix sourde répondit :

« De ça. »

Quoi « ça » ? Le malappris !... A son tour, Paul Nikolaïevitch ne tourna même pas les yeux vers lui, se coucha sur le dos et resta ainsi à rêvasser.

En fait, l'arrivée de Tchaly l'avait distrait, car il était en train d'attendre le journal. C'était aujourd'hui un jour mémorable, ô combien ! Un jour très important, d'une très grande signification, et le journal devait permettre de deviner bien des choses pour l'avenir. Or, l'avenir du pays, c'était bien son avenir à lui, Roussanov. Est-ce que tout le journal serait encadré de noir, en signe de deuil, ou seulement la première page ? Y aurait-il un portrait sur toute la page, ou sur un quart de page seulement ? Et en quels termes seraient rédigés les titres et l'éditorial ? Après les éliminations de février, tout cela était d'une importance capitale. Au bureau, Paul Nikolaïevitch aurait pu glaner quelques informations, mais ici il n'avait que le journal.

Nelly se démenait, se cognant entre les lits, car aucun passage n'était assez large pour elle. Mais la besogne allait bon train, voilà qu'elle avait terminé et qu'elle déroulait le tapis.

Et c'est sur le tapis déroulé que, revenant de la radio et déplaçant avec précautions sa jambe malade, tandis qu'un tic douloureux tiraillait sa lèvre, entra Vadim.

Et il apportait le journal.

Paul Nikolaïevitch lui fit signe d'approcher :

« Vadim ! Venez un peu par ici, asseyez-vous près de moi. »

Vadim s'arrêta, réfléchit, obliqua vers Roussanov et s'assit, retenant la jambe de son pantalon pour éviter les frottements.

A la façon dont le journal était plié, on devinait que Vadim l'avait déjà ouvert. En le prenant dans les mains,

Paul Nikolaïevitch avait déjà vu qu'il n'y avait ni liséré
noir, ni portrait en première page. Il le regarda de plus
près, il tourna patiemment les pages, mais il ne trou
vait pas... il ne trouvait toujours pas de portrait, ni de
liséré, ni d'en-tête — pas le moindre article, était-ce
possible ?

« Rien ? Il n'y a rien ? » demanda-t-il à Vadim, effrayé
sans même nommer la chose dont on ne disait rien.

Il ne connaissait presque pas Vadim. Sans doute celui-
ci était-il membre du parti, mais encore trop jeune. Et
il n'appartenait pas aux organes de direction, il avait
une étroite spécialité. Que pouvait-il bien avoir dans la
tête ? C'était difficile à imaginer. Une fois, cependant,
il avait donné de grands espoirs à Paul Nikolaïevitch :
on parlait dans la salle des nationalités déportées et Vadim, s'arrachant à sa géologie, avait regardé Roussanov,
haussé les épaules et dit à voix basse, s'adressant à lui
seul : « Si on les a déportées, c'est qu'il y a eu quelque
chose. On ne déporte pas pour rien, chez nous. »

Cette phrase juste lui avait révélé en Vadim un
homme intelligent aux convictions inébranlables.

Et, manifestement, Paul Nikolaïevitch ne s'était pas
trompé ! A présent, il n'avait pas eu besoin d'expliquer
à Vadim ce dont il s'agissait, celui-ci, déjà, cherchait de
son côté. Et il montra à Roussanov un article en bas de
page que celui-ci, dans son trouble, n'avait pas remarqué.

Un bas de page ordinaire. Rien pour le distinguer du
reste. Aucun portrait. La signature d'un académicien,
rien de plus. Et, dans l'article, il n'était pas question
de deuxième anniversaire ! De la douleur d'un peuple
entier ! De ce qu'il « était vivant et vivrait éternellement » ! Non, c'était simplement : « Staline et les problèmes de l'édification communiste. »

C'était tout ? « Et les problèmes » un point c'est tout !
Rien que ces problèmes ? Edification ? Pourquoi édification ? Ça pouvait aussi bien s'appliquer aux bandes
forestières protectrices ! Et que devenaient les victoires
militaires ? Et le génie philosophique ? Et le Coryphée
des Sciences ? Et l'amour du peuple entier ?

A travers ses lunettes, plissant le front d'un air douloureux, Paul Nikolaïevitch regarda le visage sombre de
Vadim.

« Comment est-ce possible, hein ?... » Par-dessus
l'épaule, il jeta un regard inquiet du côté de Kostoglotov. Celui-ci, manifestement, dormait : il avait les yeux
fermés, sa tête pendait toujours de la même façon. « Il
y a deux mois, deux, n'est-ce pas, c'est bien ça ? Rappelez-vous : le soixante-quinzième anniversaire ! Tout
était comme avant : un immense portrait, un titre immense : « Le grand continuateur », Hein ? Alors ? »

Ce n'était même pas le danger, non, pas le danger que
cela faisait planer sur les survivants, mais *l'ingratitude !*
L'ingratitude, voilà surtout ce qui blessait maintenant
Roussanov, comme si c'étaient ses propres mérites, sa
propre conduite irréprochable que l'on bafouait et réduisait en poussière. Si la Gloire qui retentit dans les siècles
tournait court au bout de deux ans ; s'il suffisait de
vingt-quatre mois pour mettre au rancart le Plus Aimé, le
Plus Sage, celui auquel se soumettaient vos chefs im-
médiats et les chefs de ces chefs, alors qu'est-ce qui
pouvait bien demeurer ? Sur quoi pouvait-on prendre
appui ? Et comment pouvait-on guérir ?

« Voyez-vous, dit Vadim très bas, en principe il y a
eu récemment une décision stipulant qu'on ne célébrerait
plus l'anniversaire des décès, mais seulement celui des
naissances. Mais, bien sûr, à en juger d'après l'article... »

Il secoua tristement la tête.

Lui aussi se sentait un peu blessé, surtout pour son
père qu'il avait perdu. Il se souvenait combien celui-ci
aimait Staline, plus que lui-même, en tout cas, c'était
certain (pour lui-même, son père n'avait jamais rien
cherché à obtenir). Et plus que Lénine. Et probablement plus que sa femme et ses fils. Sa famille, il pouvait en parler avec calme, ou ironie, mais Staline, jamais : sa voix tremblait un peu dès qu'il prononçait
son nom. Il y avait un portrait de Staline dans son bureau, un autre dans la salle à manger, un autre encore
dans la chambre d'enfants. Les années passaient, et les

petits garçons voyaient toujours au-dessus d'eux ces
sourcils épais, cette moustache épaisse, ce visage immuable, apparemment inaccessible à la peur ou à une
joie frivole, et dont tous les sentiments paraissaient se
concentrer dans l'éclat de ses yeux de velours noir. Et
puis aussi, après avoir lu chacun des discours de Staline, son père en lisait des passages aux garçons, leur
expliquant quelle profonde pensée il y avait là, et avec
quelle subtilité elle était exprimée, et combien son russe
était beau. Plus tard seulement, lorsqu'il eut perdu son
père, et qu'il eut grandi, Vadim commença à trouver
que la langue de ces discours était peut-être un peu fade,
que loin d'être denses, ses pensées auraient pu être
exprimées avec beaucoup plus de concision, et qu'il aurait pu y avoir davantage sous le même volume. C'était
là son sentiment, mais il ne l'aurait pas dit à voix haute.
C'était son sentiment, mais il se sentait plus en accord
avec lui-même lorsqu'il professait l'admiration que l'on
avait entretenue en lui depuis l'enfance.

Tout frais encore dans sa mémoire était le jour de
Sa mort. Jeunes, vieux, enfants, tout le monde pleurait.
Les jeunes filles étaient secouées de sanglots, les jeunes
gens s'essuyaient les yeux. A voir ainsi pleurer tout le
monde, on avait l'impression que ce n'était pas un homme qui était mort, mais l'univers entier qui se fissurait.
On avait l'impression que même si l'humanité parvenait
à survivre, ce jour se graverait à jamais en elle comme
le jour le plus sombre de l'année.

Et voilà qu'au deuxième anniversaire de cette mort,
on économisait déjà l'encre noire d'un encadrement de
deuil. Il n'aurait pas été difficile, pourtant, de trouver
quelques mots, simples et chaleureux : « Il y a deux
ans mourait... » Celui dont les soldats de la dernière
guerre avaient le nom à la bouche, leur dernière parole
ici-bas, lorsqu'ils trébuchaient et tombaient.

Et puis ce n'était pas seulement une question d'éducation : l'habitude, il aurait pu s'en débarrasser. Non,
tout bien considéré, la raison elle-même exigeait que
l'on honorât le Grand Défunt. Il était la netteté, il éma-

nait de lui l'assurance que les lendemains n'allaient pas
dévier de ce qui avait précédé. Il avait élevé la science
et les savants, les avait délivrés de leurs médiocres soucis de traitement, de logement. Et la science elle-même
exigeait Sa permanence, Sa constance, qui garantissaient
un avenir sans secousses, où les savants ne seraient pas
obligés de disperser leur attention, de sacrifier un travail supérieur par son utilité et son intérêt aux médiocres chicanes où il faudrait se lancer pour organiser la
société, éduquer les incultes, convaincre les sots.

C'est avec tristesse que Vadim regagna son lit pour
y poser sa jambe malade.

Mais voici que revenait Tchaly, très satisfait, avec un
sac plein de victuailles. Tout en les rangeant dans sa
table de nuit, qui se trouvait du côté opposé à celui du
lit de Roussanov, il souriait modestement :

« Plus que quelques jours pour en profiter ! Après,
avec rien que les boyaux, Dieu sait comment ça va marcher ! »

Roussanov n'en finissait pas de s'extasier sur Tchaly :
en voilà un optimiste ! en voilà un gaillard !

« Des tomates marinées... », disait Tchaly en continuant à décharger son sac. Plongeant les doigts dans le
bocal, il en retira une, l'avala, plissa les paupières :
« Fameuses !... Et du rôti de veau. Bien juteux, pas
trop sec. » Il tâta et lécha. « De l'or, ces mains de femmes ! »

Et, sans rien dire, tournant le dos à la salle, mais de
façon à être vu de Roussanov, il mit un demi-litre de
vodka dans sa table de nuit. Et adressa un clin d'œil
à Roussanov.

« Alors vous êtes d'ici, dit Paul Nikolaïevitch.

— Mais non, je ne suis pas d'ici. J'y viens de temps
à autre. En service commandé.

— C'est votre femme alors qui habite ici ? »

Mais Tchaly n'entendait plus, il était déjà parti rapporter le sac vide.

Lorsqu'il fut de retour, il ouvrit sa table de nuit,
fronça les sourcils, fit son choix, avala encore une to-

mate, referma la porte. Il secoua la tête avec satisfaction.

« Bon, où en étions-nous ? Continuons. »

Entre-temps, Akhmadjan avait trouvé un quatrième, le jeune Kazakh de l'escalier : en attendant le retour de Tchaly, il l'avait fait asseoir sur son lit, et, tout échauffé, lui racontait en russe, avec force gestes, comment nos soldats russes avaient rossé les Turcs. (Il était allé la veille voir le film *La Prise de Plevna* dans un autre pavillon.) Tous deux s'approchèrent, replacèrent la planchette entre les deux lits et Tchaly, plus gai que jamais, se mit à jongler avec les cartes de ses mains prestes et adroites, en leur donnant des exemples :

« Ça c'est donc le full, vu ? C'est quand tu as dans la main une tierce et une paire ensemble. Compris, le tchetchmek ?

— Je ne suis pas un tchetchmek, fit vivement Akhmadjan sans se vexer. Avant le service militaire j'étais tchetchmek, plus maintenant.

— Bon. Ensuite c'est le flush. C'est quand on a toutes les cinq cartes de la même couleur. Puis la calèche : quatre pareilles, la cinquième d'une autre couleur. Ensuite le petit poker. C'est un street dans la même couleur, du neuf au roi. Tiens, comme ça... Ou comme ça... Et plus encore : le grand poker... »

Non, ils n'avaient pas tout compris, mais Maxime Pétrovitch leur avait promis qu'ils y verraient plus clair lorsqu'on se mettrait à jouer. Mais surtout, il parlait avec tant de gentillesse, d'une voix si cordiale et si limpide, que Paul Nikolaïevitch en eut le cœur tout réchauffé... Un homme si sympathique, si affable, il n'espérait pas en trouver tant dans un hôpital public ! Assis comme ils l'étaient, ils formaient dès à présent un groupe uni et amical, et cela continuerait ainsi heure après heure, et on pourrait recommencer tous les jours, au lieu de penser à la maladie. Penser à la maladie ? Pour quoi faire ? Aux autres ennuis ? A quoi bon ? Il avait raison, Maxime Pétrovitch !

Roussanov allait leur dire que, tant qu'ils n'auraient

pas bien assimilé les règles du jeu, on ne jouerait pas pour de l'argent. Et tout à coup, à l'entrée de la salle, on demanda :

« Tchaly est là ?

— Présent !

— A la réception, une visite de votre femme !

— Merde, la salope ! dit Maxime Pétrovitch, bon enfant. Je lui avais pourtant dit de venir dimanche, pas samedi. Je me demande comment elles ont fait pour ne pas se retrouver nez à nez !... Bon, excusez-moi, les amis. »

Et de nouveau le jeu tomba à l'eau : Maxime Pétrovitch s'en alla tandis qu'Akhmadjan et le Kazakh s'emparaient des cartes pour répéter et s'exercer.

Et de nouveau, Paul Nikolaïevitch songea à sa tumeur et au 5 mars, sentit le regard désapprobateur que le hibou, dans son coin, fixait sur lui, vit aussi, en se retournant, les yeux ouverts de Grandegueule. Il ne dormait pas, Grandegueule, pensez-vous !

Non, Kostoglotov ne dormait pas. Il n'avait pas dormi pendant tout ce temps, et, tandis que Roussanov et Vadim tournaient les pages du journal et bavardaient à voix basse, il entendait chaque mot et faisait exprès de ne pas ouvrir les yeux. Il était curieux de savoir ce qu'ils diraient, ce que dirait Vadim. Maintenant il n'avait plus besoin de tirer à lui le journal et de le déplier, il avait tout compris.

De nouveau, il battait. Son cœur battait. Son cœur martelait le portail de fonte qui ne devait plus jamais s'ouvrir : et voilà que ça se mettait à grincer ! Voilà que ça se mettait à trembler ! Et la rouille s'écaillait et se détachait des gonds.

Kostoglotov n'arrivait pas à digérer ce qu'il avait entendu dire à ceux qui étaient restés en liberté : que ce jour-là, deux ans plus tôt, les vieillards avaient pleuré, les jeunes filles avaient pleuré, que c'était soudain comme si le monde s'était trouvé orphelin. Il n'arrivait pas à se l'imaginer, parce qu'il se rappelait comment cela s'était passé chez *eux*. Un beau jour on ne les avait pas

emmenés au travail, on n'avait même pas ouvert les
baraquements où ils étaient parqués. Et le haut-parleur,
en dehors de la zone, que l'on entendait toujours, avait
été stoppé. De tout cela, il ressortait clairement que les
autorités avaient perdu la tête, qu'il leur était arrivé un
grand malheur. Or, un malheur pour les patrons, c'est
une joie pour les bagnards ! On ne travaille plus, on
peut rester coucher, la ration est livrée à domicile.
D'abord, on avait dormi tout son soûl, puis on avait
commencé à trouver ça bizarre, puis, çà et là, on s'était
mis à jouer de la guitare, de la bandoura, à aller d'une
baraque à l'autre en essayant de deviner. On a beau
enterrer le bagnard au fin fond d'un trou perdu, la vérité finit toujours par filtrer, toujours ! — par la bou-
langerie, par la chaufferie, par la cuisine. Et la chose
avait commencé à se répandre ! Pas très fermement
d'abord : quelqu'un parcourait le baraquement, s'asseyait sur les planches : « Ohé, les gars ! Il paraît que
l'ogre a crevé... — Sans blagues ? — Pas possible ! —
Tout à fait possible ! — Il était temps ! » Et un grand
rire en chœur ! En avant les guitares, en avant les bala-
laïkas ! Mais vingt-quatre heures durant, les baraquements étaient restés fermés. Et le lendemain matin (il
gelait encore, comme il se doit en Sibérie), on avait fait
aligner tous les détenus sur le lieu de rassemblement ; le
major, les deux capitaines, les lieutenants, tout le monde
était là. Et le major, le visage noir tellement il était malheureux, avait annoncé :

« C'est avec une profonde affliction... hier à Moscou... »

Et un sourire, il fallait se retenir pour ne pas jubiler
ouvertement, avait illuminé toutes ces gueules de bagnards, sombres, grossières, rugueuses, avec leurs pommettes saillantes. Et voyant s'épanouir ces sourires, le
major, hors de lui, avait commandé :

« Chapeaux bas ! »

Et l'espace d'un instant, tout était resté en balance
sur le tranchant du couteau : désobéir, ce n'était pas
encore possible ; obéir, c'était trop vexant. Mais, devan

çant tout le monde, le bouffon du camp, un humoriste-né, avait arraché son bonnet « à la Staline », en imitation de fourrure, et l'avait lancé en l'air ! Il avait obéi !

Et des centaines d'yeux l'avaient vu ! Et des centaines de mains jetaient leurs bonnets en l'air !

Et le major avait dû avaler !

Et voilà qu'à présent Kostoglotov apprenait que les vieillards avaient pleuré, que les jeunes filles avaient pleuré, et que le monde entier paraissait être devenu orphelin...

Tchaly revint, plus gai que jamais, et de nouveau avec un plein cabas de victuailles, un autre cabas il est vrai. Quelqu'un ricana, mais Tchaly ne l'avait pas attendu pour en rire, et ouvertement :

« Elles sont comme ça, que voulez-vous ! Si ça leur fait plaisir ? Pourquoi ne pas les réconforter, ça ne fait de mal à personne ?

> *Demoiselle huppée ou pas,*
> *On la... en tous les cas.* »

Et il éclata de rire, entraînant ses auditeurs, et agitant les bras comme pour écarter de lui ce rire débordant. Roussanov lui aussi se mit à rire de bon cœur, tant la réplique de Maxime Pétrovitch était bien venue.

« Alors c'est laquelle, ta femme ? demanda Akhmadjan en s'étranglant de rire.

— Ne m'en parle pas, petit frère, soupirait Maxime Pétrovitch, tout en transvasant le contenu du cabas dans sa table de nuit. Il faut réformer la législation. Chez les musulmans, c'est plus humain. Justement, en août on a autorisé les avortements, ça a beaucoup simplifié la vie ! Pourquoi une femme devrait-elle vivre seule ? Pourvu que quelqu'un vienne la voir ne serait-ce qu'une fois par an. Et pour les gens en service commandé, c'est commode : une chambre dans chaque ville avec bonne soupe, bon gîte et le reste. »

De nouveau, parmi les victuailles, on aperçut un flacon de couleur sombre. Tchaly referma la table de nuit et alla rapporter le cabas vide. Cette femme-là, apparemment, il ne la gâtait pas, car il revint aussitôt. Il se planta en travers du passage, là où naguère se mettait Ephrem, et, regardant Roussanov, gratta sa nuque couverte de cheveux bouclés (et il avait des cheveux abondants, entre le lin et la balle d'avoine) :

« Dis donc, voisin, si on cassait la croûte ? »

Paul Nikolaïevitch eut un sourire approbateur. Le repas commun tardait à venir, et, du reste, il ne faisait plus guère envie lorsqu'on avait vu Maxime Pétrovitch détailler avec appétit les provisions qu'il rangeait. Il faut dire aussi que Maxime Pétrovitch lui-même, avec ce sourire de ses grosses lèvres, avait quelque chose d'agréable, de carnivore, qui donnait envie de l'avoir pour commensal.

« D'accord, dit Roussanov, en l'invitant à venir à sa table de nuit, j'ai là moi aussi différentes choses...

— Pas de petits verres ? fit Tchaly en se penchant vers lui, tandis que de ses mains adroites il transportait déjà sur la table de nuit de Roussanov les bocaux et les paquets.

— Mais c'est défendu ! dit Paul Nikolaïevitch en secouant la tête. Avec ce que nous avons, c'est rigoureusement interdit... »

Depuis un mois qu'il était dans la salle, personne n'avait eu le front d'y songer ; Tchaly, lui, n'avait même pas l'air d'envisager qu'il pût en être autrement.

« Comment t'appelles-tu ? » Il était déjà dans son passage, assis en face de lui, genou contre genou.

« Paul Nikolaïevitch.

— Mon cher Paul ! fit Tchaly, en posant amicalement sa main sur son épaule. Crois-moi, n'écoute pas les médecins ! C'est eux qui soignent, c'est eux qui vous envoient au tombeau. Et nous, nous devons vivre. »

Il y avait de la conviction et de la bienveillance sur le visage sans ruse de Maxime Pétrovitch, avec son gros nez rougeaud et ses grosses lèvres juteuses. Et on était samedi, tous les soins dans la clinique étaient interrompus jusqu'à lundi. De l'autre côté de la fenêtre de plus

en plus sombre la pluie tombait, s'interposant entre
Roussanov et sa famille, ses amis. Et dans le journal,
il n'y avait pas de portrait encadré de noir, et l'offense
laissait au fond de son cœur un trouble dépôt. Les lampes brillaient avec éclat, devançant de beaucoup une longue, très longue soirée, et il y avait là un homme vraiment agréable, avec lequel on pouvait tout de suite boire
un coup et manger un morceau, et ensuite jouer au
poker. (Une jolie surprise pour les amis de Paul Nikolaïevitch : le poker !)

Cependant Tchaly, ce malin, avait déjà sa bouteille
ici, sous l'oreiller. Du doigt, il fit sauter le bouchon, et
il remplit à moitié les deux verres qu'il tenait à la hauteur des genoux. Ils trinquèrent aussitôt.

En bon Russe, Paul Nikolaïevitch oublia et ses craintes récentes, et les interdictions, et les promesses so-
lennelles, et n'eut plus qu'une envie, celle de noyer son
cafard et de ressentir un peu de chaleur.

« Nous vivrons, mon cher Paul, nous vivrons ! » disait
Tchaly avec conviction, et son visage légèrement comique prit soudain une expression de sévérité, voire de
férocité. « Crève qui voudra, mais toi et moi nous allons vivre ! »

C'est à cela qu'ils burent. Pendant ce dernier mois,
Roussanov s'était beaucoup affaibli, il ne buvait en général que du vin rouge très léger, aussi ressentit-il instantanément la brûlure ; puis, de minute en minute,
cela s'étendait, s'épanouissait et le persuadait qu'il était
bien inutile de se casser la tête, que, tout compte fait,
on pouvait vivre même au pavillon des cancéreux, et
qu'on en sortait.

« Et ça fait très mal ces... ces polypes ? demanda-t-il.

— De temps en temps, oui, on ne peut pas dire. Mais
je ne me laisse pas faire !... Paul. La vodka ne peut pas
faire de mal, mets-toi bien ça dans la tête ! La vodka,
c'est bon pour toutes les maladies. Avant l'opération,
je vais boire de l'alcool, qu'est-ce que tu crois ! Celui
qui est là dans le flacon... Pourquoi de l'alcool ? Parce
qu'il est tout de suite absorbé, il ne reste plus du tout

d'eau dans l'estomac. Le chirurgien me retourne le ventre, et il n'y voit que du feu. Alors que moi, je suis bel
et bien soûl !... Mais tu as fait la guerre, toi aussi, tu
le sais bien : dès qu'il y a une offensive, en avant la
vodka... Tu as été blessé ?

— Non.

— Tu as eu de la chance !... Moi, deux fois : ici et ici,
tiens... »

Les verres étaient de nouveau remplis.

« Ça suffit, refusait mollement Paul Nikolaïevitch.
C'est dangereux.

— Comment dangereux ? Qui t'a fourré dans la tête
que c'était dangereux ?... Prends des tomates, prends !
Ah ! ces tomates ! »

Et c'est vrai, un déci ou deux, quelle différence est-
ce que ça faisait, puisque de toute façon on avait en-
freint le règlement ? Deux décis ou deux décis et demi,
quelle différence, si le grand homme était mort et qu'on
ne parlait plus de lui ? A la mémoire du Patron, Paul
Nikolaïevitch vida encore un verre. Comme à un repas
funéraire. Et ses lèvres grimacèrent tristement. Et, entre
ces mêmes lèvres, il mettait des tomates. Et, le
front contre celui de Maxime, il l'écoutait avec sympathie.

« Ah ! les jolies tomates bien rouges ! commentait
Maxime. Ici elles sont à un rouble le kilo, et à Karaganda elles font trente roubles. Et tu verrais comme
on se jette dessus, là-bas ! Mais c'est défendu de les
transporter ; aux bagages, on ne les prend pas. Pourquoi est-ce défendu ? Dis-moi un peu, hein, pourquoi ? »

Il s'échauffait, Maxime Pétrovitch, ses yeux s'étaient
agrandis, on y lisait un intense besoin de savoir, de pénétrer le sens. Le sens de l'existence.

« Un petit bonhomme en veston râpé vient voir le
chef de gare : « Tu tiens à la vie, toi, chef ? » L'autre
se précipite vers son téléphone, il croit qu'on est venu
le tuer... Mais le bonhomme lui met trois billets sur la
table. « Pourquoi est-ce défendu ? Comment ça se fait
« que c'est défendu ? Tu tiens à la vie, et moi aussi. Fais

« embarquer mes paniers ! » Et la vie triomphe, mon cher
Paul ! Le train part, « train de voyageurs » qu'il s'appelle,
seulement en réalité c'est un train de tomates, avec des
paniers sur les banquettes, sous les banquettes, partout.
Le convoyeur, on lui graisse la patte, le contrôleur, on
lui graisse la patte. Lorsqu'on arrive à la limite du ré-
seau, où on embarque de nouveaux contrôleurs, eh bien
on leur graisse la patte à eux aussi. »

Roussanov sentait que la tête lui tournait légèrement,
il était bien remonté et se sentait maintenant plus fort
que sa maladie. Mais il lui semblait que Maxime disait
là des choses qui ne pouvaient pas être accordées... accordées... Qui allaient à l'encontre...

« Ça va à l'encontre ! fit Paul Nikolaïevitch, tenant
tête. Pourquoi donc ?... Ce n'est pas bon...

— Pas bon, fit Tchaly, surpris. Alors prends un
concombre ! Ou du caviar, là !... A Karaganda, il y a une
inscription en pierre sur de la pierre : « Le charbon,
« c'est du pain. » Pour l'industrie, bien entendu. Mais
des tomates pour les gens, il n'y en a pas. Et il n'y en
aura jamais, si des gens entreprenants n'en amènent
pas. On se les arrache à vingt-cinq roubles le kilo, et
encore les gens vous disent merci. Au moins ils en voient
de leurs propres yeux, des tomates, sans ça ils n'en verraient même pas. Tu ne peux pas te figurer ce qu'ils
sont bêtes là-bas, à Karaganda ! Ils recrutent des gardes,
des grands nigauds, et au lieu de les envoyer cueillir des
pommes, une quarantaine de wagons qu'ils en auraient,
ils les mettent le long de toutes les routes qui traversent
la steppe pour arrêter ceux qui amèneraient des pommes à Karaganda. Interdit ! Voilà comment ils montent la garde, les nigauds !...

— Mais comment cela ? C'est toi qui fais ça ? Toi ?
fit Paul Nikolaïevitch, attristé.

— Pourquoi moi ? Moi, Paulot, je ne voyage pas avec
des paniers. Je voyage avec une serviette. Une mallette.
Il y a des majors, des lieutenants-colonels qui frappent
au guichet : leur permission se termine. Et pas de billets !... Moi je ne frappe pas, et j'arrive toujours à par-

tir. A chaque gare, je sais à qui m'adresser : ici, c'est au préposé à l'eau bouillante, là c'est à la consigne. Note bien ceci, Paul : la vie triomphe toujours !

— Mais au fond, qu'est-ce que tu fais comme métier ?

— Je suis technicien, Paulot. Bien que je n'aie pas fait le collège technique. Et aussi agent. Je fais le métier qui rapporte. Là où on cesse de payer, je m'en vais. Tu comprends ? »

Allons, Paul Nikolaïevitch commençait à remarquer qu'il y avait quelque chose qui ne tournait pas rond, qui n'allait pas dans le bon sens, qui allait même plutôt de travers. Mais c'était un si brave homme, si jovial, un copain, le premier depuis un mois. Il n'avait pas le cœur de le vexer.

« Mais est-ce bien ? demandait-il seulement.

— C'est bien, c'est bien ! l'apaisait Maxime. Prends aussi du veau. Maintenant on va s'envoyer de ta compote. Paul ! On ne vit qu'une fois, alors pourquoi vivoter ? Il faut vivre bien, Paul ! »

Paul Nikolaïevitch était bien forcé d'être d'accord, c'était vrai, on ne vivait qu'une fois, alors pourquoi vivre mal ? Seulement voilà...

« Tu comprends, Maxime, c'est mal..., rappelait-il mollement.

— Mais voyons, Paul, répondait Maxime du même ton amical, en le tenant par l'épaule. Mais voyons, ça dépend comment on le prend. C'est selon l'endroit.

> *Dans l'œil une poussière,*
> *Ça gêne*
> *Ailleurs trente centimètres*
> *Ça... »*

disait Tchaly, et il riait à gorge déployée, en tapant sur le genou de Roussanov, et Roussanov ne pouvait pas se retenir et était secoué lui aussi par un rire convulsif :

« Eh bien, tu en connais de ces vers ! Ma parole, tu es un poète, Maxime !

— Et toi, tu fais quoi ? Tu fais quoi comme métier ? » lui demandait son nouvel ami.

Ils avaient beau en être déjà à s'embrasser, pourtant Paul Nikolaïevitch prit un air digne : sa situation l'y obligeait.

« En gros, dans le service du personnel. »

Il faisait le modeste. Il était plus haut placé, bien sûr.

« Et où ? »

Paul Nikolaïevitch nomma l'endroit.

« Ecoute ! dit Maxime tout réjoui. Il y a un type bien qu'il faut absolument caser ! Pour les frais, bien entendu, tu n'as pas à t'en faire !

— Tu es fou, voyons ! Tu n'y penses pas ! fit Paul Nikolaïevitch, offensé.

— Mais ça va de soi, dit Tchaly, surpris, et de nouveau, la même interrogation sur le sens de la vie, un peu vague après ce qu'il avait bu, frémit dans ses yeux. Si les gens du service du personnel ne touchaient pas de droits d'entrée, de quoi vivraient-ils ? Avec quoi pourraient-ils élever leurs enfants ? Tu as combien d'enfants ?

— Le journal est libre maintenant ? » dit au-dessus d'eux une voix sourde et désagréable.

C'était le hibou qui s'en était venu de son coin, avec ses yeux enflés au regard mauvais, et sa robe de chambre ouverte.

Le journal, Paul Nikolaïevitch était assis dessus, il l'avait même un peu froissé.

« Je vous en prie, je vous en prie ! répondit Tchaly, en retirant le journal de sous Roussanov. Soulève-toi, Paul ! Tiens, grand-père, c'est pas ça qui va me manquer ! »

Chouloubine prit le journal d'un air sombre et voulut s'en aller, mais Kostoglotov le retint. Ce regard insistant et silencieux qu'il fixait sur tout le monde, Kostoglotov à son tour le fixait à présent sur lui, et il le voyait maintenant de tout près, avec une netteté particulière.

Qui pouvait bien être cet homme ? Avec ce visage qui ressemblait si peu aux autres ? On aurait dit un acteur qui venait de se démaquiller et qui était encore

432   LE PAVILLON DES CANCEREUX

épuisé par la représentation, Avec le sans-gêne des prisons d'étape, où l'on peut, sans préambule, demander n'importe quoi à n'importe qui, Kostoglotov, à demi renversé sur son lit, dans sa pose habituelle, demanda :

« Qu'est-ce que vous faites comme métier, grand-père ? »

Chouloubine ne se borna pas à diriger son regard sur Kostoglotov : il tourna la tête vers lui. Il le regarda encore, sans sourciller. Et tout en continuant à le regarder, il passa bizarrement sa main autour de son cou, dans un geste circulaire, comme si son col le gênait, alors qu'il n'avait pas de col qui pût le gêner, et qu'il était à l'aise dans sa chemise de corps à large encolure. Et soudain il répondit, il consentit à répondre :

« Bibliothécaire.

— Où ça ? dit Kostoglotov, n'hésitant pas à lui adresser une seconde question.

— Dans un collège d'enseignement agricole. »

Pour quelque obscure raison, sans doute à cause de son regard pesant, et de son silence de hibou dans son coin, Roussanov eut envie de l'humilier, de le remettre à sa place. Peut-être aussi était-ce la vodka qui parlait en lui : plus haut, plus légèrement qu'il ne fallait, il l'interpella :

« Sans parti, bien sûr ? »

Le hibou le fixa de ses yeux couleur tabac. Il cilla, comme s'il croyait avoir mal entendu la question. Il recilla. Et puis soudain il ouvrit le bec :

« Au contraire. »

Et il partit vers l'autre bout de la salle.

Sa démarche avait quelque chose de contraint. Un frottement, un point douloureux devaient le gêner. Il clopinait, les pans de sa robe de chambre écartés, plutôt qu'il ne marchait vraiment, et, se penchant maladroitement, il faisait penser à un gros oiseau dont on aurait rogné les ailes pour l'empêcher de voler.

CHAPITRE XXIV

LA TRANSFUSION DE SANG

En plein soleil, sur la pierre, au pied du banc de jardin, Kostoglotov était assis, ses jambes bottées inconfortablement ramenées vers lui, les genoux au ras du sol. Ses bras aussi pendaient jusqu'au sol. Sa tête découverte était penchée sur sa poitrine. Et c'est ainsi qu'il se chauffait au soleil, dans sa robe de chambre grise déjà grande ouverte, lui-même immobile et anguleux comme cette pierre grise. Sa tête aux cheveux noirs brûlait et son dos cuisait, mais il restait assis sans faire le moindre mouvement, accueillant en lui la chaleur de mars, sans rien faire, sans penser à rien. Il pouvait rester ainsi des heures entières sans but, compensant en chaleur solaire le pain et la soupe dont il avait été privé.

On ne voyait même pas ses épaules se lever et s'abaisser au rythme de sa respiration. Pourtant il ne tombait pas non plus sur le côté, il arrivait Dieu sait comment à se retenir.

La grosse fille de salle du premier étage, cette femme massive, qui naguère voulait le chasser du couloir sous prétexte qu'il y amenait des bacilles, et qui, très friande

de graines de tournesol, venait justement, par désœuvrement, d'en croquer quelques-unes, s'approcha de lui
et l'apostropha d'une voix bonasse de marchande des
quatre saisons :

« Ohé, l'ami ! L'ami, tu entends ? »

Kostoglotov leva la tête et, plissant les yeux face au
soleil, la regarda avec une grimace qui déformait ses
traits.

« Va à la salle des pansements, le docteur t'appelle. »

Il s'était si bien laissé pétrifier au soleil, il avait si
peu envie de bouger, de se lever, que cela lui apparaissait comme un labeur détestable !

« Quel docteur ? grommela-t-il.

— Celui qui a besoin de toi, tiens pardi ! dit la fille
de salle en élevant la voix. C'est pas mon travail de
venir vous cueillir dans le jardin. Vas-y, puisqu'on te
le dit.

— Mais je n'ai pas de pansement à me faire faire. Ça
doit être un autre qu'on demande, s'entêtait Kostoglotov.

— C'est toi, je te dis ! disait la fille de salle tout en
continuant de cracher les graines de tournesol. Comme
si on pouvait te prendre pour un autre avec tes jambes
d'échassier ! Nous n'en avons qu'un comme ça, ici. »

Kostoglotov soupira, redressa les jambes et, s'aidant
de ses mains, il se releva en geignant.

La fille de salle le regardait avec réprobation :

« Voilà ce que c'est que de marcher tout le temps
et de gaspiller ses forces. Il fallait rester couché.

— Ah ! nounou, soupira Kostoglotov. Si jeunesse savait ! »

Et il partit clopinant le long de l'allée. Plus de ceinturon, plus rien de son maintien de soldat, et avec ça
son dos qui se voûtait.

Il allait vers la salle des pansements où l'attendait
quelque nouveau désagrément, prêt à résister, même s'il
ne savait pas encore à quoi.

Le médecin qui l'avait fait venir dans la salle des
pansements n'était pas Ella Rafaïlovna, qui depuis dix
jours déjà remplaçait Vera Kornilievna, mais une jeune

femme assez forte, aux joues non pas roses, mais pourpres, tant elles respiraient la santé. C'était la première fois qu'il la voyait.

« Votre nom ? » lui lança-t-elle au moment même où il franchissait le seuil.

Bien qu'il ne fût plus gêné par le soleil, Kostoglotov avait toujours les yeux plissés et l'air mécontent. Il se hâtait d'évaluer la situation, de comprendre, mais pas de répondre. Il est parfois nécessaire de cacher son nom, de mentir. Il ne savait pas encore si c'était le cas en ce moment.

« Alors ? Votre nom ? répétait la doctoresse aux bras potelés.

— Kostoglotov, admit-il de mauvaise grâce.

— Où êtes-vous donc allé vous fourrer ? Déshabillez-vous en vitesse ! Venez ici, couchez-vous sur la table ! »

Kostoglotov venait de se souvenir, de voir, de comprendre, tout cela en même temps : c'était la transfusion de sang ! Il avait oublié que ça se faisait dans la salle des pansements. Mais, premièrement, il s'en tenait fermement à son principe : ne pas accepter le sang d'un autre, ne pas donner le sien ! Et deuxièmement, cette petite bonne femme énergique, qui paraissait elle-même nourrie du sang des donneurs, ne lui inspirait pas confiance. Véga était partie. Une fois de plus un nouveau médecin, de nouvelles habitudes, de nouvelles erreurs — et qui diable pouvait bien faire tourner ce carrousel, où il n'y avait rien de durable ?

D'un air maussade, il enlevait sa robe de chambre, cherchait où la suspendre — l'infirmière le lui indiqua — tandis qu'intérieurement il se demandait à quoi il pourrait bien s'accrocher pour ne pas se laisser faire. Il suspendit sa robe de chambre. Il enleva sa veste de pyjama, la suspendit à son tour. Il poussa ses bottes dans un coin. Pieds nus sur le lino bien propre, il se dirigea vers la haute table rembourrée. Il n'arrivait toujours pas à trouver de prétexte, et se demandait ce qu'il pourrait bien inventer.

Au-dessus de la table, un support d'acier brillant sou-

tenait l'appareil à transfusions : des tuyaux de caoutchouc, des tubes de verre, dont l'un était rempli d'eau.
Le même support était muni de plusieurs anneaux faits
pour des ampoules de différentes grandeurs : un demi-
litre, un quart et un huitième de litre. Il portait en ce
moment une ampoule d'un huitième de litre. Le sang
brun qu'elle contenait était en partie dissimulé par une
étiquette qui indiquait le groupe sanguin, le nom du
donneur et la date de la prise.

Avec cette habitude qu'il avait de promener son regard là où il n'avait que faire, Kostoglotov, tandis qu'il
se hissait sur la table, avait lu tout cela. Et au lieu de
poser la tête sur le chevet, il déclara aussitôt :

« Ho-ho ! Le 28 février ! Il est vieux, votre sang. Pas
question de faire la transfusion.

— En voilà des raisonnements ! fit la doctoresse indignée. Vieux ou pas, qu'est-ce que vous y comprenez,
vous, à la conservation du sang ? Le sang peut se conserver plus d'un mois ! »

Sur son visage pourpre, l'irritation était écarlate. Ses
bras, dénudés jusqu'au coude, étaient potelés, roses, et
sa peau couverte de papilles, non pas de celles que
provoque le froid, mais de constantes. Or, c'étaient justement ces papilles qui, Dieu sait pourquoi, persuadè-
rent Kostoglotov de ne pas céder.

« Remontez votre manche et laissez aller votre bras ! »
ordonnait la doctoresse.

Voilà déjà deux ans qu'elle faisait des transfusions
et elle n'avait pas encore vu un seul malade qui ne se
montrât soupçonneux : chacun se conduisait comme
s'il avait eu dans les veines du sang princier et qu'il
eût craint les mélanges. A tous les coups, les malades
louchaient vers le sang, n'aimaient pas sa couleur, son
groupe, sa date, se demandaient s'il n'était pas trop
froid ou trop chaud, s'il n'avait pas tourné, et parfois
même demandaient avec assurance : « Comment, vous
transfusez du sang gâté ? » — « Pourquoi gâté ! » —
« Il y avait dessus *Défense de toucher.* » — Mais c'est
parce qu'on le réservait pour quelqu'un, et qu'il n'a pas

été utilisé. » Alors le malade se laisse quand même piquer, tout en bougonnant intérieurement : « C'est donc bien qu'on l'a trouvé mauvais. » Seule une attitude résolue permettait de briser cette sotte méfiance. De plus, la doctoresse était toujours pressée parce que la norme quotidienne de transfusions qu'elle devait faire en divers endroits était considérable.

Mais Kostoglotov, de son côté, avait déjà vu pas mal de choses, ici, à la clinique : des poches de sang — des hématomes — qui s'étaient formées parce que la piqûre avait traversé la veine ou parce que le bout de l'aiguille avait été mal dirigé ; des frissons et des tremblements après l'introduction de l'aiguille parce qu'on s'était hâté de l'introduire et qu'on n'avait pas fait durer suffisamment les essais. Aussi n'avait-il pas la moindre envie de se confier à ces bras roses, dodus et couverts de papilles. Son sang à lui, rudement éprouvé par les rayons X, son sang malade et fatigué, il y tenait tout de même plus qu'à un apport de sang frais. Ce sang, il finirait bien par se rétablir un jour. Et s'il restait en mauvais état, on cesserait plus tôt le traitement, et ce serait tant mieux.

« Non, dit-il d'un air sombre, refusant de remonter sa manche et de laisser aller son bras. Il est trop vieux, votre sang, et je ne me sens pas bien aujourd'hui. »

Il savait bien pourtant qu'il ne fallait jamais donner deux raisons à la fois, mais toujours une seule ; mais c'était venu malgré lui.

« On va tout de suite contrôler la tension », disait la doctoresse sans se troubler, et déjà l'infirmière lui apportait l'appareil.

La doctoresse était nouvelle, tandis que l'infirmière était d'ici, de la salle des pansements, mais Oleg n'avait jamais eu affaire à elle. C'était presque une petite fille encore, mais de haute taille, brune, les yeux fendus comme une Japonaise. Sa tête était surmontée d'un édifice si compliqué que ni un bonnet ni même un fichu n'auraient pu le recouvrir : aussi chaque saillie et chaque mèche de cette tourelle capillaire était-elle patiemment entourée de bandages, ce qui signifiait que l'infirmière devait venir à son travail avec un bon quart d'heure d'avance pour avoir le temps de s'enrubanner.

Tout cela, Oleg n'avait qu'en faire, mais il examinait avec intérêt cette couronne blanche, essayant d'imaginer la coiffure de la jeune fille sans cet enchevêtrement de bandages. Le personnage principal était ici la doctoresse, et c'est avec elle qu'il fallait se battre sans tarder, c'est à elle qu'il fallait présenter des objections, résister, et lui, au lieu de cela, perdait la cadence en examinant la jeune fille aux yeux fendus à la japonaise. Comme toute jeune fille, simplement parce qu'elle était jeune, elle recelait une énigme, elle la portait en elle à chaque pas, en avait conscience à chaque mouvement de tête.

Et pendant ce temps, on lui avait serré le bras d'un serpent noir, et conclu que la tension était normale.

Il ouvrait la bouche pour émettre une nouvelle objection, quand on vint appeler la doctoresse au téléphone.

Elle sursauta et s'en alla, tandis que l'infirmière rangeait les tubes noirs dans leur étui, et qu'Oleg restait allongé sur le dos.

« D'où est-elle cette doctoresse, hein ? » demanda-t-il.

La mélodie de la voix appartenait aussi à l'énigme que la jeune fille portait en elle : elle le sentait, et parlait en écoutant attentivement le son de sa propre voix :

« Du centre de transfusion sanguine.

— Et pourquoi est-ce qu'elle amène du sang trop vieux ? demanda Oleg pour vérifier la chose, ne serait-ce qu'auprès d'une gamine.

— Il n'est pas trop vieux », fit la jeune fille avec un mouvement de tête harmonieux, et elle traversa la pièce, portant sa chevelure comme une couronne.

Cette gamine était parfaitement convaincue de savoir tout ce qu'elle avait besoin de savoir.

Et peut-être avait-elle raison.

Le soleil avait tourné et donnait maintenant sur la salle des pansements. Il ne parvenait pas jusqu'ici, mais les deux fenêtres étaient vivement éclairées, ainsi qu'une partie du plafond où un reflet de soleil formait une grande tache de lumière. Il faisait très clair, très pur, très calme.

Il faisait bon dans la pièce.

La porte s'ouvrit — Oleg ne la voyait pas — mais ce fut une autre qui entra, pas celle qu'il attendait.

Elle entra, presque sans faire de bruit, sans annoncer « c'est moi » de ses talons hauts.

Et Oleg devina.

Il n'y avait qu'elle pour marcher ainsi. Et c'était elle qui manquait dans cette pièce, elle seule.

Véga !

Oui, c'était elle. Elle avait pénétré dans son champ visuel. Elle était entrée aussi simplement que si elle venait à peine de quitter la pièce.

« Mais où donc avez-vous été, Vera Kornilievna ? » disait Oleg en souriant.

Ce n'était pas une exclamation, c'était une question qu'il posait sans élever la voix, heureux. Et sans se dresser sur son séant, bien qu'il ne fût pas attaché à la table.

Il faisait maintenant tout à fait calme, tout à fait clair, tout à fait bon dans la pièce.

Mais Véga avait aussi sa question à poser, en souriant elle aussi :

« Alors, c'est une mutinerie ? »

Mais déjà affaibli dans sa volonté de résistance, et se réjouissant à l'idée d'être couché sur cette table, et de n'être pas près de s'en laisser déloger, Oleg répondit :

« Moi ?... Non, j'en ai eu mon compte... Où étiez-vous ? Ça fait plus d'une semaine. »

Distinctement, comme si elle dictait à un auditeur un peu borné des mots nouveaux dont celui-ci n'aurait pas l'habitude, elle prononça, debout au-dessus de lui :

« Je suis allée fonder de nouveaux centres de dépistage du cancer. Faire de la propagande anticancéreuse.

— Quelque part au fin fond du pays ?

— Oui.

— Et vous ne partirez plus ?

— Pas pour le moment. Et vous, vous ne vous sentez pas bien ? »

Qu'y avait-il dans ces yeux ? L'absence de hâte. L'attention. Un début d'inquiétude que rien ne confirmait encore. Des yeux de médecin.

Mais en plus de tout cela, ils étaient café clair. Comme deux doigts de lait dans un verre de café. Du reste, il y avait si longtemps qu'Oleg n'avait pas bu de café, qu'il en avait un peu oublié la couleur, mais amicaux, cela oui, des yeux de très vieil ami, certainement !

« Non, non, ce n'est rien. Je suis probablement resté un peu trop longtemps à me chauffer au soleil. Je me suis assis, et j'ai failli m'endormir.

— Au soleil ! Comment pouvez-vous faire ça ? N'avez-vous pas compris depuis que vous êtes ici que la chaleur était mauvaise pour les tumeurs ?

— Je pensais que c'étaient les bouillottes.

— Et le soleil à plus forte raison.

— Autrement dit, les plages de la mer Noire me sont interdites ? »

Elle fit oui de la tête.

« Quelle vie !... A vous donner envie d'échanger l'exil contre Norilsk [1]... »

Elle leva les épaules. Les laissa retomber. Cela passait ses forces, cela passait l'entendement.

« Et pourquoi avez-vous trahi ?

— Trahi quoi ?

— Notre arrangement. Vous aviez promis de me faire les transfusions vous-même, de ne jamais me laisser entre les mains d'un stagiaire.

— Ce n'était pas un stagiaire, mais au contraire un spécialiste. Lorsqu'ils sont là, nous n'avons pas le droit d'en faire. Mais elle est déjà partie.

— Comment cela, partie ?

— Un appel ! »

Oh ! ce carrousel ! Le carrousel qui vous sauvait du carrousel.

---

1. Lieu de détention dans les régions subpolaires de la Sibérie.

« Alors ce sera vous ?

— Oui. Et où est-il ce sang que vous trouvez trop vieux ? »

Il le désigna de la tête.

« Il n'est pas vieux. Mais il n'est pas pour vous. On vous en donnera deux cent cinquante centimètres cubes. Tenez. » Vera Kornilievna alla chercher l'ampoule sur une autre table et la lui montra. « Lisez, contrôlez.

— Mais, Vera Kornilievna, c'est cette sacrée vie qui veut ça : on ne croit plus à personne, on a besoin de tout contrôler. Je vous assure que c'est un bonheur que de ne pas être obligé de contrôler. »

Il avait dit cela d'un air si fatigué, qu'on l'aurait cru mourant. Mais à ses yeux furtifs, il ne pouvait tout à fait refuser une vérification. Et ils lurent : « Groupe 1 - I.L. Yaroslavtseva - 5 mars. »

« Oh ! le 5 mars, ça nous va parfaitement bien ! dit Oleg en s'animant. C'est très bon pour nous.

— Vous avez enfin compris que c'était bon pour vous. Après toutes ces discussions ! »

C'est qu'elle n'avait pas saisi. Tant pis.

Et il releva sa manche au-dessus du coude et laissa reposer son bras droit le long de son corps.

Oui, c'était bien là ce qu'il y avait de plus agréable pour son attention constamment soupçonneuse : se confier, s'abandonner à la confiance. En ce moment il savait que cette femme pleine de douceur, faite d'air, d'un air à peine concentré, qui se mouvait sans bruit et méditait chacun de ses mouvements, ne ferait aucune erreur.

Et il restait couché, et avait l'impression de se reposer.

Une grande tache de soleil, pâle et légère comme une dentelle, inondait le plafond, dessinant un cercle irrégulier. Et cette tache aussi, formée par quelque reflet, lui était agréable en cet instant, ornait la pièce propre et silencieuse.

Et pendant ce temps-là, avec son aiguille, Vera Kornilievna lui avait sournoisement tiré de la veine une certaine quantité de sang, faisait tourner la centrifugeuse, et étalait quatre secteurs sur la soucoupe.

« Et pourquoi quatre ? » demandait-il, simplement
parce que, pendant toute sa vie, on l'avait partout habitué à poser des questions. Car en ce moment, il
n'avait même pas envie de savoir pourquoi.

« L'un pour la compatibilité, et les trois autres pour
contrôler le groupe. A tout hasard.

–– Quelle compatibilité ? Ça ne suffit pas que le groupe
sanguin soit le même ?

— Il faut voir si le sang du donneur ne fait pas tourner le sérum du malade. C'est rare, mais ça arrive.

— Tiens tiens ! Et cette centrifugeuse, c'est pour
quoi ?

— Pour séparer les globules rouges. Vous voulez tout
savoir. »

Au fond il n'y tenait pas du tout. Il regardait la tache
de lumière diffuse qui s'étalait au plafond. Il y avait
tant de choses qu'on ne saurait jamais... De toute façon,
on ne serait pas plus avancé au moment de mourir.

L'infirmière à la couronne blanche fixa dans les pin-
ces du support l'ampoule du 5 mars renversée. Puis elle
lui mit un coussinet sous le coude. Au-dessus du coude,
elle lui entoura le bras d'un garrot de caoutchouc rouge
qu'elle se mit à tordre, en guettant de ses yeux japonais le moment où il faudrait arrêter.

Comment avait-il pu entrevoir une énigme dans cette
petite fille ? Il n'y avait pas d'énigme. Une gamine parmi d'autres.

Le docteur Gangart s'approcha, la seringue à la main.
C'était une seringue ordinaire, remplie d'un liquide
transparent, mais l'aiguille, elle, n'était pas ordinaire :
c'était un tuyau, plutôt qu'une aiguille, un tuyau à extrémité triangulaire. Un tuyau qui n'avait rien de particulier,
à condition qu'on n'aille pas vous l'enfoncer dans la chair.

« Vous avez une veine bien apparente », disait Vera
Kornilievna pour détourner son attention, et en même
temps elle cherchait, le sourcil frémissant. Et, avec effort, avec un déchirement de la peau qu'il crut entendre, elle introduisit l'aiguille monstrueuse. « C'est tout. »

Il y avait là beaucoup de choses qu'il ne comprenait

pas encore : pourquoi lui avait-on mis un garrot au-dessus du coude ? Pourquoi la seringue contenait-elle un liquide qui était comme de l'eau ? On pouvait le demander, mais on pouvait aussi se creuser un peu la tête tout seul : c'était sans doute pour éviter que l'air s'engouffre dans la veine et le sang dans la seringue.

Cependant l'aiguille était restée dans sa veine, on avait desserré le garrot, puis on l'avait ôté, on avait adroitement détaché la seringue, l'infirmière avait secoué au-dessus d'une cuvette le bec de l'appareil à transfusions, de façon à expulser les premières gouttes de sang, et déjà le docteur Gangart avait adapté ce bec à l'aiguille, à la place de la seringue, et elle le tenait dans cette position, tout en dévissant légèrement le haut de l'appareil.

Dans le tube de verre élargi de l'appareil, des bulles d'air transparentes se mirent à monter lentement, une à une, à travers le liquide transparent.

De même que ces bulles, les questions, l'une après l'autre, faisaient surface : pourquoi une aiguille si large ? Pourquoi avait-on secoué les gouttes de sang ? Et ces bulles, que signifiaient-elles ? Mais un sot est capable à lui tout seul de poser tant de questions, qu'il faudrait plus de cent pages pour y répondre.

Questionner pour questionner, on avait plutôt envie de demander autre chose.

Tout, dans la pièce, avait un air de fête, et particulièrement cette tache laiteuse de soleil au plafond.

L'aiguille n'était pas près d'être enlevée. Le niveau de sang dans l'ampoule ne diminuait presque pas. Pas du tout, même.

« Vous avez besoin de moi, Vera Kornilievna ? demanda d'un ton insinuant l'infirmière aux yeux de Japonaise, tout en prêtant l'oreille au son de sa propre voix.

— Non, répondit doucement Vera Gangart.

— Je fais un saut... Pour une petite demi-heure, je peux ?

— Moi, je n'ai pas besoin de vous. »

Et l'infirmière partit, courant presque, avec sa couronne blanche.

Ils restèrent en tête-à-tête.

Les bulles montaient lentement. Mais Vera Korni-lievna toucha la vis, et elles cessèrent de monter. Il n'y en eut plus une seule.

« Vous avez fermé ?

— Oui.

— Et pourquoi ?

— Vous avez de nouveau besoin de le savoir ? » fit-elle en souriant. Mais c'était un sourire encourageant.

La salle des pansements était très silencieuse avec ses vieux murs, ses portes solides. On pouvait parler à peine plus haut qu'un murmure, sans effort, comme dans une simple expiration. Et c'est ce qu'on avait envie de faire.

« J'ai un sacré caractère, que voulez-vous. Je voudrais toujours en savoir plus qu'il n'est permis.

— C'est déjà bien de vouloir... », remarqua-t-elle. Ses lèvres ne restaient jamais indifférentes à ce qu'elles pro-nonçaient. Par de minuscules mouvements — un pli qui n'était pas le même à gauche qu'à droite, une façon im-perceptible de s'avancer, de frémir, elles soutenaient la pensée et l'éclairaient. « Il est recommandé de faire une pause importante après les vingt-cinq premiers cen-timètres cubes pour voir comment se sent le malade. » D'une main, elle continuait à tenir le bec contre l'ai-guille. Et, penchée au-dessus d'Oleg, avec un sourire qui entrouvrait ses lèvres, elle le fixait d'un regard amical et attentif : « Comment vous sentez-vous ?

— En cet instant précis, parfaitement bien.

— « Parfaitement bien », n'est-ce pas un peu fort ?

— Non, vraiment très bien. Beaucoup mieux que « bien ».

— Pas de frisson, de mauvais goût dans la bouche ?

— Non. »

L'ampoule, l'aiguille et la transfusion — c'était un tra-vail en commun qui les unissait au-dessus d'un tiers, qu'à eux deux, la main dans la main, ils soignaient et voulaient guérir.

« Et en dehors de cet instant précis ? En général ?

— En général ? » C'était merveilleux de la regarder

si longtemps ainsi, les yeux dans les yeux, lorsqu'on se sentait en droit de le faire et qu'il ne fallait pas détourner le regard. « En général, pas bien du tout.

— Comment cela ? A quel point de vue ?... »

Elle l'interrogeait avec sympathie, avec inquiétude, comme une amie. Mais elle avait mérité un coup. Et ce coup, Oleg sentait qu'il fallait maintenant le lui porter. Que, si doux que fussent ses yeux café-au-lait, le coup devait tomber.

« Pas bien au point de vue du moral. Pas bien parce que j'ai conscience de payer trop cher le droit de vivre. Et que, même vous, vous y contribuez et vous me trompez.

— Moi ? »

Lorsqu'on se regarde interminablement les yeux dans les yeux, il se produit comme un changement de qualité : on aperçoit ce qui reste caché à un regard qui glisse rapidement. Les yeux paraissent perdre leur enveloppe protectrice colorée et vous éclaboussent silencieusement d'une vérité qu'ils n'ont pas su retenir.

« Comment avez-vous pu m'assurer avec tant de véhémence que les piqûres étaient nécessaires, mais que je ne pourrais pas en comprendre la signification ? Qu'y a-t-il à comprendre ? L'hormonothérapie, n'est-ce pas assez clair ? »

Oui, bien sûr, c'était un coup bas que de prendre ainsi en traître ces yeux café-au-lait sans défense. Mais il n'y avait que ce moyen-là de poser sérieusement la question. Quelque chose, dans ces yeux, trembla, perdit contenance.

Et le docteur Gangart — non, Vera — retira son regard.

Comme on retire du champ de bataille une compagnie qui n'est encore qu'à moitié défaite.

Elle regarda l'ampoule — pour quoi faire, puisque le débit était interrompu ? Elle regarda les bulles — comme si les bulles n'avaient pas cessé de monter.

Et elle desserra la vis. Les bulles montèrent. Le moment était venu, sans doute.

Elle fit glisser ses doigts le long du tube de caout-

chouc qui pendait entre l'appareil et l'aiguille, comme
pour aider à en évacuer tout obstacle. Elle mit un peu
de coton sous le bec, pour que le tube ne fasse pas de
pli. Elle avait du leucoplast sous la main, elle en prit
une bande pour fixer le bec du tuyau au bras d'Oleg
et fit passer le tuyau de caoutchouc entre les doigts de
sa main ouverte, qui se dressaient là comme des crochets, et le tuyau tint tout seul.

Et maintenant Vera pouvait cesser de tenir le tuyau,
et de rester debout près de lui, et de le regarder dans
les yeux.

Le visage assombri, sévère, elle régla les bulles, aug-
mentant légèrement leur débit, et dit :

« Voilà, ne bougez plus. »

Et elle s'éloigna.

Elle n'avait pas quitté la pièce — mais seulement le
cadre qu'embrassait son regard. Mais comme il ne devait
pas bouger, il ne resta plus dans son champ visuel que le
support de l'appareil, l'ampoule remplie de sang brun, les
bulles claires, le haut des fenêtres ensoleillées ; le reflet
de leurs six carreaux dans le plafonnier mat et tout le vaste plafond où scintillait toujours la tache de soleil tamisé.

Et Véga avait disparu.

Mais la question, elle, était tombée, comme un objet
que l'on a passé à quelqu'un d'autre avec maladresse,
sans précautions.

Et elle ne l'avait pas rattrapée.

C'était donc à Oleg de la reprendre en main.

Et, dirigeant son regard vers le plafond, il se mit à
penser à voix haute lentement :

« Puisque de toute façon ma vie est fichue. Puisque
mes os eux-mêmes ne peuvent pas oublier que je suis
un bagnard, un détenu éternel. Puisque le destin ne me
réserve rien de mieux que cela. Et il faut encore que
consciemment, artificiellement, on tue en moi jusqu'à
cette possibilité-là, à quoi bon alors sauver une vie comme celle-là ? Pour quoi faire ? »

Véga entendait tout, mais elle était en dehors du cadre.
C'était peut-être tant mieux : il était plus facile de parler.

« D'abord on m'a privé de ma propre vie. A présent on me prive encore du droit... d'avoir une descendance. Qui voudra de moi, à quoi serai-je bon maintenant ? Le pire des monstres ! A implorer la pitié ? A demander l'aumône ? »

Véga se taisait.

Et cette tache au plafond — parfois elle frémissait, on ne savait pourquoi : ses bords paraissaient se resserrer, ou bien elle était parcourue d'une ride, comme si elle aussi réfléchissait et ne comprenait pas. Et puis elle redevenait immobile.

Les bulles transparentes clapotaient joyeusement. Le sang descendait dans l'ampoule. Il s'en était déjà écoulé un bon quart. Du sang féminin. Le sang d'Irène Yaroslavtseva. Une jeune fille ? Une vieille femme ? Une étudiante ? Une marchande ?

« L'aumône... »

Et soudain Véga, tout en restant invisible... Non, elle ne répondait pas, elle s'élançait toute en avant, là-bas quelque part :

« Mais ce n'est pas vrai, enfin !... Ce n'est quand même pas *vous* qui le pensez ? Je ne veux pas croire que vous le pensiez, oui, vous !... Interrogez-vous bien ! Ce sont des attitudes d'emprunt, qui ne viennent pas de vous ! »

Elle parlait avec une énergie qu'il ne lui connaissait pas. Elle semblait plus touchée qu'il ne s'y attendait.

Et soudain elle s'interrompit et se tut.

« Que faut-il donc penser, alors ? » fit Oleg, cherchant prudemment à la provoquer.

Mais quel silence ! Ces bulles légères dans un ballon fermé, on les entendait tinter.

Elle avait du mal à parler ! D'une voix brisée, à bout de forces, elle tentait de franchir le fossé.

« Il faut tout de même qu'il y en ait qui voient les choses autrement ! Ne serait-ce qu'une minorité, une poignée, mais qui pense autrement ! Sinon, si tous pensent comme cela, alors où vivre, au milieu de qui ? A quoi bon ?... Ce n'est pas possible !... »

Cette dernière phrase, le fossé franchi, elle l'avait de nouveau criée avec désespoir. Et ce cri, ce fut comme une brusque poussée qu'elle imprimait à Oleg. Comme elle l'avait poussé, la pauvrette, de toutes ses forces, pour qu'il atterrît, lourd, encroûté, au seul endroit où il pouvait trouver le salut !

Et comme une pierre lancée par la fronde hardie d'un gamin (une tige de tournesol qui vous allongeait le bras) ; mieux encore : comme un obus de ces canons à longs tubes de la dernière guerre — un de ces obus qui grondaient, sifflaient, puis volaient au-dessus de vous avec un bruit de ventouse — Oleg partit et vola le long d'une parabole insensée, s'arrachant à ce qu'il avait appris, balayant les idées reçues, par-dessus un premier, puis un second désert de sa vie, et fut transporté dans un pays ancien.

Le pays de l'enfance ! Il ne le reconnut pas aussitôt. Mais à peine l'avait-il reconnu de ses yeux éblouis et encore embrumés, que déjà il avait honte, lui qui jadis, petit garçon, pensait justement comme elle — il avait honte d'avoir non pas à le lui dire, mais au contraire à l'apprendre d'elle comme une vérité toute neuve, et que l'on entend pour la première fois.

Et il y avait encore quelque chose qui remontait, remontait du fond de sa mémoire vers eux deux, vers cette occasion, et il fallait vite s'en souvenir, et il se souvint !

Il s'en était souvenu brusquement, mais il en parla d'un ton réfléchi, en détaillant ses souvenirs :

« Au cours des années vingt, on faisait beaucoup de bruit chez nous autour des livres d'un vénérologue, le docteur Friedland. On jugeait alors très utile de révéler certaines choses, à la population en général, et en particulier à la jeunesse. C'était comme une sorte de propagande sanitaire portant sur les questions les plus difficiles à nommer. C'est d'ailleurs nécessaire, sans doute, ça vaut mieux qu'un silence hypocrite. Il y avait un livre qui s'appelait *Derrière la porte fermée*, et un autre *Les souffrances de l'amour*. Vous n'avez jamais eu l'occasion de les lire ? Même comme médecin ? »

On entendait le glouglou espacé des bulles. Et peut-être aussi une respiration, en dehors du cadre.

« Je les ai lus, je l'avoue, un peu trop tôt, vers les douze ans. En cachette, bien sûr. C'était une lecture bouleversante, mais ravageante. L'impression que ça faisait, c'était qu'on n'avait même plus très envie de vivre...

— Moi aussi je les ai lus, lui fut-il soudain répondu d'une voix neutre.

— Ah oui, vous aussi ? » fit Oleg, réjoui. Il avait dit « vous aussi » comme si maintenant encore il avait été le premier à soutenir ce point de vue. « Un matérialisme si conséquent, si logique, si irréfutable que, finalement, à quoi bon vivre ? Ces comptes précis, en pourcentage, du nombre de femmes qui ne ressentent rien, et de celles qui connaissent l'extase. Ces histoires racontant comment les femmes,... à la recherche d'elles-mêmes, changent de catégorie... » Se rappelant toujours de nouveaux détails, il aspira profondément, comme après un coup ou une brûlure. « Cette froide conviction que, dans le lien conjugal, toute psychologie est seconde, et l'auteur se fait fort d'expliquer par la seule physiologie n'importe quelle « incompatibilité de caractères ». Mais vous devez vous souvenir de tout cela. Quand l'avez-vous lu ? »

Elle ne répondait pas.

Il n'aurait pas fallu la questionner. Et d'une façon générale, il s'était sans doute exprimé de manière trop grossière et trop directe. Il ne savait pas du tout parler aux femmes.

Au plafond, l'étrange tache de soleil jaune pâle frissonna soudain, des étincelles d'argent jaillirent çà et là et coururent le long de sa surface. Et à ces rides mouvantes, à ces minuscules vaguelettes, Oleg comprit enfin que cette nuée mystérieuse qui couvrait le plafond n'était que le reflet d'une mare qui n'avait pas eu le temps de sécher près de la palissade. La transfiguration d'une simple mare. Et une brise légère venait de se lever.

Véga se taisait.

« Pardonnez-moi, je vous en prie ! » dit Oleg. Il lui

était agréable, il lui était doux, même, de s'accuser devant elle. « J'ai dû mal m'exprimer... » Il essayait de tourner la tête vers elle, mais ne la voyait toujours pas. « C'est que cela anéantit tout ce qu'il y a d'humain sur terre. Car enfin si l'on obéit à cela, si l'on admet tout cela... » Et le voilà qui s'abandonnait avec joie à sa foi passée, et c'était elle qu'il s'efforçait de convaincre !

Et Véga revint ! Elle revint dans le cadre, et, sur son visage, il n'y avait ni le désespoir ni la sévérité qu'il avait cru discerner dans sa voix, mais son sourire habituel, si plein de bienveillance.

« Justement, je ne veux pas que vous l'admettiez. Et j'étais sûre que vous ne l'admettiez pas. »

Elle en paraissait radieuse.

Oui, c'était la petite fille de son enfance, sa camarade de classe, comment avait-il fait pour ne pas la reconnaître !

Il aurait voulu lui dire quelque chose de si amical, de si simple, par exemple : « Donne la patte ! » Et lui serrer la main comme pour dire : « Comme c'est bien tout de même que nous ayons parlé. »

Mais sa main droite était sous l'aiguille.

L'appeler tout simplement Véga ! Ou Vera !

Mais c'était impossible.

Et cependant, l'ampoule pleine de sang s'était déjà vidée de moitié. Ce sang, quelques jours plus tôt, il coulait encore dans les veines de quelqu'un d'autre, qui avait son caractère, ses pensées à lui, et le voilà maintenant qui déversait en lui sa santé brun-rouge. Et vraiment il ne lui apportait rien d'autre ?

Oleg suivait du regard les mains de Véga qui voletaient çà et là : arrangeant le coussinet sous son coude, le coton sous le bec du tuyau, passant le doigt le long du tuyau de caoutchouc, relevant légèrement la partie supérieure mobile de l'appareil qui maintenait l'ampoule.

Ce n'était même pas de serrer cette main qu'il avait envie, c'était de la baiser.

Même si c'était en contradiction avec ce qu'il venait de dire.

CHAPITRE XXV

VÉGA

ELLE sortit de la clinique le cœur en fête, chantonnant
à mi-voix, les lèvres closes, pour elle toute seule. Avec
son léger manteau gris clair et ses chaussures basses au
lieu de bottes parce que les rues étaient déjà sèches
partout, elle se sentait particulièrement légère, le corps
léger et surtout les jambes légères ; elle marchait sans
aucune peine, elle aurait pu traverser la ville entière
d'un bout à l'autre.

La soirée était aussi ensoleillée que l'avait été la
journée, le temps avait déjà fraîchi, mais restait très
printanier. Il était absurde d'aller s'étouffer dans l'autobus. La seule chose qui faisait envie, c'était d'aller à
pied.

Et elle s'en alla à pied.

Il n'y avait rien de plus beau dans leur ville que l'abricotier en fleur. Elle eut soudain envie de voir tout de
suite, en avance sur le printemps, ne serait-ce qu'un seul
abricotier en fleur, comme présage de bonheur, d'apercevoir même de loin, derrière quelque palissade ou quel-

que mur de terre battue, ce rose aérien que l'on ne pouvait confondre avec rien d'autre.

Mais c'était trop tôt. Les arbres encore gris commençaient à peine à verdir : c'était le moment où, s'il y avait déjà du vert sur les arbres, le gris dominait encore. Et là où, derrière un mur de terre battue, on apercevait un lambeau de jardin que la pierre urbaine n'avait pas envahi, on ne voyait encore qu'une terre sèche et rougeâtre, retournée par la première pioche.

C'était encore trop tôt.

D'habitude, comme si elle était pressée, Vera prenait l'autobus, et, se calant sur les ressorts défoncés du siège ou suspendue du bout des doigts à la poignée, elle se disait qu'elle n'avait envie de rien faire, mais rien de rien, qu'elle avait toute la soirée devant elle, mais que rien ne lui faisait envie. Et en dépit de tout bon sens, la soirée se passerait à tuer le temps, et le lendemain matin, dans un autobus pareil à celui-là, il lui faudrait de nouveau se hâter vers son travail.

Aujourd'hui, au contraire, elle marchait sans hâte, et tout, mais tout lui faisait envie ! D'un seul coup, il se présentait une foule de choses à régler, chez soi, dans les magasins, à la bibliothèque, et puis même des travaux de couture, peut-être, et pour tout dire des occupations agréables, que personne ne lui interdisait, auxquelles rien ne faisait obstacle, mais que Dieu sait pourquoi elle avait fuies jusqu'à présent. Et maintenant, elle avait envie de faire tout cela, et tout à la fois, même ! et pourtant elle ne se hâtait pas le moins du monde de rentrer pour s'y mettre au plus vite, au contraire, elle marchait lentement, savourant chaque pas, chaque contact de sa chaussure basse sur l'asphalte sec.

Elle longeait les magasins, encore ouverts, mais elle n'y entrait pas pour acheter la nourriture ou les objets d'usage courant dont elle avait besoin. Elle passait devant des affiches, mais elle n'en lut aucune, bien que ce fût précisément l'une des choses dont elle avait envie.

Elle allait, et c'est tout, elle allait longuement, et tout le plaisir était là.

Et parfois elle souriait.

Elle aurait voulu voir un abricotier en fleur, mais il n'y en avait pas, c'était encore trop tôt.

Hier, c'était jour de fête, mais comme elle s'était sentie accablée, méprisable ! Et aujourd'hui, c'était un jour de semaine, un jour comme les autres, et elle se sentait si légère et si heureuse.

La fête, c'était de savoir que l'on avait raison. Ses raisons secrètes, ses raisons opiniâtres, celles dont tout le monde se moque et que personne ne veut reconnaître, ce fil si mince, le seul auquel on soit encore suspendu, se révèle soudain un câble d'acier, dont la solidité est reconnue par un vieux routier méfiant et intraitable, qui lui-même s'y accroche avec assurance.

Et comme dans une cabine de téléphérique au-dessus de l'abîme inconcevable de l'incompréhension humaine, ils glissent sans heurts, confiants l'un en l'autre.

Elle en était tout bonnement enthousiasmée. Car enfin, savoir que l'on est normale, que l'on n'est pas folle, ce n'est rien : mais l'entendre dire, entendre confirmer que oui, on est normale, non, on n'est pas folle — et l'entendre confirmer par qui ! Il aurait fallu pouvoir le remercier de l'avoir dit, de le penser, d'être resté ce qu'il était après avoir traversé les abîmes de la vie.

Il méritait qu'on le remerciât, mais en attendant il fallait se justifier devant lui, justifier l'hormonothérapie : il rejetait Friedland, mais il repoussait aussi l'hormonothérapie. Logiquement, il y avait là une contradiction, mais c'est au médecin, et non au malade, que l'on demande d'être logique.

Contradiction ou pas, il fallait le persuader de se soumettre à ce traitement ! Elle ne pouvait pas abandonner cet homme, le rendre à sa tumeur ! Elle se piquait au jeu, de plus en plus : il fallait, à force d'obstination, convaincre et guérir ce malade-là ! Mais pour convaincre encore et toujours un homme aussi têtu et aussi prompt à montrer les dents, il fallait avoir soi-même beaucoup de foi. Or, en entendant ses reproches, elle s'était soudain rendue compte que l'hormonothérapie avait été introduite dans leur clinique par une instruction générale, valable à travers tout le pays pour une vaste catégorie de tumeurs et avec une indication assez large. Sur les résultats de l'hormonothérapie dans la lutte avec le séminome, elle ne se souvenait pas à présent d'avoir jamais lu un seul article dans les revues spécialisées. Or, il se pouvait bien qu'il y en eût plus d'un à ce sujet, sans compter ceux qui avaient pu paraître à l'étranger. Et pour arriver à prouver quelque chose, il faudrait avoir tout lu. D'une façon générale, elle n'avait guère le temps de lire.

Mais maintenant ! Maintenant, elle trouverait le temps de tout faire ! Maintenant, elle les lirait certainement.

Kostoglotov lui avait un jour jeté à la figure qu'il ne voyait pas en quoi son guérisseur, avec sa racine du lac Issyk-Koul, ne valait pas un médecin, et que — c'étaient ses propres termes — pour la précision mathématique il n'en voyait guère dans sa médecine à elle. Ce jour-là, Vera s'était presque vexée. Mais ensuite, elle s'était dit que c'était en partie vrai. Car enfin, lorsqu'on détruisait des cellules avec les rayons X, connaissait-on, même approximativement, la proportion de cellules saines et de cellules malades que l'on détruisait ? Etait-ce donc tellement plus sûr que ce que faisait le guérisseur lorsqu'il prenait de la racine desséchée à pleines poignées, sans la peser ? Ou encore ceci : tout le monde s'était mis à soigner à la pénicilline, la pénicilline était devenue panacée, mais quelle autorité médicale avait vraiment expliqué la nature de son action ? N'était-ce pas un mystère ?... Comme il était nécessaire, en ce domaine, de suivre les revues, de lire, de réfléchir !

Mais maintenant, elle aurait le temps de tout faire !

Voilà que déjà — si vite, qu'elle ne s'en était pas aperçue — elle était arrivée dans la cour de sa maison. Gravissant quelques marches, elle se trouva sur la grande véranda commune entourée d'une balustrade sur laquelle on avait suspendu des tapis et des paillassons. Traversant la surface cimentée et bosselée de la terrasse, elle ouvrit sans écœurement la porte de l'appartement communautaire dont le capitonnage était arraché çà et là, et s'engagea dans le couloir obscur où l'on ne pouvait pas allumer n'importe quelle lampe, parce qu'elles étaient branchées sur des compteurs différents.

Avec sa deuxième clef de sécurité, elle ouvrit la porte de sa chambre — et elle ne ressentit aucune impression d'étouffement à la vue de cette cellule de monastère ou de prison dont la fenêtre était protégée des voleurs par une grille, comme l'étaient dans la ville toutes les fenêtres du rez-de-chaussée, et où déjà montait le crépuscule, tandis que le soleil ne s'y montrait que le matin. Vera s'arrêta sur le pas de sa porte, sans ôter son manteau, et regarda sa chambre avec étonnement, comme si elle ne l'avait jamais vue. La vie pouvait y être agréable et très gaie ! Il faudrait seulement changer tout de suite la nappe. Et essuyer un peu la poussière. Et peut-être suspendre la nuit blanche sur la forteresse Pierre et Paul à la place des cyprès noirs d'Aloupka et inversement.

Mais, une fois qu'elle eut enlevé son manteau et noué son tablier, elle commença par se rendre à la cuisine. Elle se souvenait vaguement qu'il y avait d'abord quelque chose à faire à la cuisine. Ah oui ! Il fallait allumer le réchaud à pétrole et se préparer quelque chose à manger.

Seulement le fils des voisins, un costaud, qui avait abandonné l'école, avait rempli toute la cuisine de sa motocyclette : il la démontait en sifflotant, disposait les pièces sur le plancher et les graissait. Le soleil couchant envahissait la cuisine, et il y faisait encore clair. Bien sûr, elle aurait pu se faufiler jusqu'à sa table. Mais brusquement, elle se rendit compte qu'elle n'avait pas la moindre envie de s'affairer ici, et qu'elle n'aspirait qu'à une seule chose : être dans sa chambre, toute seule.

Et puis au fond elle n'avait pas faim, pas faim du tout.

Elle revint donc chez elle, et, avec satisfaction, fit claquer sa serrure de sûreté. Elle n'avait aujourd'hui absolument aucun besoin de sortir de sa chambre. Il y avait des chocolats dans une petite coupe, il lui suffirait d'en grignoter de temps à autre...

Vera s'accroupit devant la commode de sa mère et ouvrit un lourd tiroir, dans lequel se trouvait l'autre nappe.

Mais non, il fallait commencer par essuyer la poussière.

Mais auparavant, il fallait se changer, mettre un vêtement plus simple !

Et tous ces changements de programme, Vera s'y prêtait avec plaisir, comme on change de pas dans une danse. Chaque changement lui faisait plaisir, c'était là ce qui faisait la danse.

Mais peut-être fallait-il d'abord intervertir la forteresse et les cyprès ? Non, cela demandait un marteau et des clous, et rien de plus désagréable à faire que ce travail d'homme. Ils n'avaient qu'à rester où ils étaient pour le moment.

Et elle prit un chiffon et partit à travers la chambre en chantonnant à mi-voix.

Mais presque aussitôt, elle tomba sur une carte postale en couleurs qu'elle avait reçue la veille et qui était appuyée à un flacon ventru. A l'avers, il y avait des roses rouges, des rubans verts et un huit bleu. Au revers, un message de félicitations tapé à la machine. C'était le syndicat qui lui envoyait ses vœux à l'occasion de la journée internationale de la femme [1].

Toute fête collective est pénible pour un solitaire. Mais pour une femme seule, et qui voit passer les années, la fête des femmes a quelque chose d'insupportable. Veuves et célibataires, elles se rassemblent ce jour-là pour boire et chanter en faisant semblant de s'amuser. La veille, dans leur cour, il s'en était rassemblé une bruyante compagnie. Il y avait un mari parmi elles ; un peu plus tard, lorsqu'elles avaient été ivres, elles s'étaient mises à l'embrasser.

Sans la moindre ironie, le syndicat lui souhaitait de

---

1. Cette fête a lieu le 8 mars. (N. du T.)

grands succès dans son travail et du bonheur dans sa vie privée.

Sa vie privée !... Un masque mal accroché. Une larve morte qu'on rejette [1].

Elle déchira la carte postale en quatre morceaux qu'elle jeta au panier.

Elle repartit, son chiffon à la main, essuyant ici un flacon, là une petite pyramide de verre avec des paysages de Crimée, là une boîte remplie de disques à côté de la radio, là le coffret en matière plastique de l'électrophone.

Tiens, elle pourrait maintenant écouter sans en souffrir n'importe lequel de ses disques, elle pourrait même mettre l'insupportable :

> « *En ces jours, à présent*
> *Seul, tout seul, comme avant...* »

Mais elle en cherchait un autre : elle le trouva, le mit sur le pick-up, brancha celui-ci sur la radio, et s'installa dans le profond fauteuil de sa mère, ramenant sous elle ses jambes gainées de bas.

Ses doigts distraits continuaient à retenir un coin du chiffon à poussière, qui pendait vers le sol comme un fanion.

Il faisait déjà tout à fait gris dans la chambre, et le cadran vert du poste de radio brillait avec netteté.

C'était la suite de ballet de *La Belle au Bois dormant*. On en était à l'adagio, puis ce fut « l'apparition des fées ».

Véga écoutait, mais pas pour elle-même. Elle voulait se représenter la façon dont pourrait écouter cet adagio du balcon de l'opéra un homme trempé par la pluie, écartelé par la douleur, condamné à mort et qui n'avait jamais connu le bonheur.

Elle remit le disque.

---

1. Association verbale intraduisible : les mots *privé, masque* et *larve* ont en russe des sonorités voisines. (N. du T.)

Et elle le remit encore.

Elle se mit à bavarder — mais pas à voix haute. Elle s'imaginait causant avec lui, comme s'il était assis là devant elle, de l'autre côté de la table ronde, éclairé par cette même lueur verdâtre. Elle disait ce qu'elle avait à dire, puis elle l'écoutait parler : elle avait l'oreille assez juste pour saisir ce qu'il aurait pu répondre. Avec lui, il était toujours difficile de prévoir la façon dont il tournerait les choses, mais elle avait l'impression de s'y être faite.

Elle revenait à leur conversation d'aujourd'hui pour achever ce que, étant donné leurs relations, elle n'avait pu lui dire en face : maintenant, c'était possible. Elle développait devant lui sa théorie de l'homme et de la femme. Les surhommes de Hemingway, c'étaient des êtres qui n'avaient pas encore atteint le niveau humain, Hemingway, ça manquait d'envergure. (Oleg allait grommeler, elle en était sûre, qu'il n'avait jamais lu Hemingway, et il allait même déclarer fièrement qu'il n'y en avait ni à l'armée ni au camp.) Ce n'était pas du tout cela que les femmes attendaient des hommes : ce qu'elles en attendaient, c'était une tendresse attentionnée et un sentiment de sécurité, l'impression d'être protégées, abritées.

(Chose étrange, c'était justement avec cet homme privé de droits, privé de tout statut civil, que Véga avait cette impression de sécurité.)

Quant à la femme, la confusion qui régnait sur ce sujet était encore plus grande. On avait fait de Carmen la plus féminine des femmes. On avait fait un modèle de féminité de la femme qui recherche activement le plaisir. Mais ce n'était pas une vraie femme, c'était un homme travesti.

Là-dessus il y avait encore bien des choses à dire. Mais apparemment, cette idée à laquelle il n'était pas préparé l'avait pris au dépourvu. Il réfléchit.

Elle, cependant, remit encore une fois le même disque.

Il faisait déjà tout à fait sombre, et elle ne songeait

plus à essuyer la poussière. Toujours plus profond, toujours plus éloquent, le cadran lumineux de la radio éclairait la pièce d'une lueur verdâtre.

Pour rien au monde elle n'aurait voulu allumer la lumière, et pourtant il fallait absolument regarder.

Mais, malgré la pénombre, c'est d'une main sûre qu'elle trouva ce petit cadre accroché au mur, qu'elle le décrocha tendrement et l'approcha du cadran. Même si le cadran n'avait pas répandu ce vert étoilé, même s'il s'était éteint en cet instant précis, Vera n'aurait pas cessé de voir cette photo, d'en distinguer chaque détail : ce visage pur de petit garçon ; cette limpidité vulnérable d'un regard qui n'avait encore rien vu ; la première cravate de sa vie sur une chemise blanche ; le premier complet de sa vie ; et, au risque d'abîmer le revers du veston, l'insigne austère vissé à la boutonnière : un profil noir sur un cercle blanc. La photo était du six-neuf, l'insigne était tout à fait minuscule, et pourtant, à la lumière du jour, on voyait distinctement (et, de mémoire, on le voyait même en ce moment) que ce profil était celui de Lénine.

« C'est la seule décoration que je souhaite », disait le sourire du petit garçon.

C'était ce petit garçon qui avait eu l'idée de l'appeler Véga.

L'agave ne fleurit qu'une fois avant de mourir.

C'est ainsi que Vera Gangart avait aimé. Toute jeune encore, à son pupitre d'écolière.

Et il avait été tué sur le front.

Après cela, la guerre pouvait être tout ce qu'on voulait : juste, héroïque, patriotique, sacrée, mais pour Vera Gangart c'était la *dernière* guerre. Une guerre au cours de laquelle, en même temps que son fiancé, on l'avait tuée elle aussi.

Elle avait tant souhaité, après cela, d'être tuée elle aussi ! Elle avait voulu abandonner sur-le-champ l'institut et partir pour le front. Mais, comme elle était d'origine allemande, on n'avait pas voulu d'elle.

Ils avaient encore passé ensemble les deux ou trois

mois du premier été de la guerre. Et il était clair à ce moment-là que d'un instant à l'autre il allait partir pour le front. Et maintenant que le temps d'une génération était passé, elle aurait été incapable d'expliquer comment ils avaient pu faire pour ne pas se marier. Et même sans se marier, comment avaient-ils pu perdre ces mois, les derniers ? les seuls ? Se pouvait-il qu'ils eussent encore trouvé devant eux un obstacle, lorsque tout craquait et se brisait autour d'eux ?

Oui, il y avait un obstacle.

Et maintenant, elle n'aurait pu le justifier devant personne. Pas même à ses propres yeux.

« Véga ! Ma Véga ! lui criait-il du front. Je ne peux pas mourir sans t'avoir faite mienne. Il me semble à présent que si je pouvais m'arracher d'ici ne serait-ce que pour trois jours, en permission, pour l'hôpital, peu importe, nous nous marierions ! Oui ? Oui ? »

« Que cela ne te déchire pas. Je ne serai jamais à personne. A toi seul. »

Avec quelle assurance n'écrivait-elle pas cela ! Mais elle s'adressait alors à un vivant !

Il n'avait pas été blessé, il n'était allé ni à l'hôpital ni en permission. On l'avait tué du premier coup.

Il était mort, et elle, son étoile, brillait, brillait toujours...

Mais sa lumière se répandait en vain.

Ce n'était pas l'étoile dont la lumière continue à se répandre alors même qu'elle est éteinte. Mais celle qui luit, qui luit encore de toutes ses forces, mais dont personne ne voit plus la lumière et dont la lumière n'est plus nécessaire à personne.

On n'avait pas voulu la prendre pour l'envoyer elle aussi à la mort. Il fallait donc vivre. Continuer ses études à l'institut. A l'institut, elle était même la responsable de son groupe. Partout la première : aux corvées de moissons, aux corvées d'aménagement, aux équipes volontaires du dimanche. Que lui restait-il d'autre à faire ?

Elle avait brillamment passé ses examens de fin d'études, et le docteur Orechtchenkov, chez lequel elle avait fait son stage, s'était montré très content d'elle (c'était lui qui l'avait recommandée à Dontsova). Elle n'avait plus que cela au monde : les soins, les malades. C'était sa planche de salut.

Bien sûr, si l'on se plaçait au niveau d'un Friedland, tout cela n'était que balivernes, anomalie, folie : garder le souvenir d'un mort et ne pas rechercher de vivant ! Cela ne pouvait pas exister, parce qu'il y avait les lois imprescriptibles des tissus, des hormones, de l'âge.

Cela ne pouvait pas exister. Mais Véga savait fort bien que, chez elle, aucune de ces lois ne jouait.

Non qu'elle se considérât comme éternellement liée par sa promesse. Mais cela aussi avait son importance : un être trop proche de nous ne peut pas mourir tout à fait, et, par conséquent, il voit un peu, il entend un peu, il est présent, il *est*. Et il verra impuissant, muet, comme on le trompe.

Et puis comment peut-on parler de lois de développement des cellules, de réactions et de sécrétions, que viennent-elles faire, ces lois, s'il n'y a pas deux hommes comme celui-là ! S'il est le seul, s'il n'y en a pas deux ! Que viennent faire ici les cellules ? Que viennent faire les réactions ?

Non : tout simplement avec les années, nous nous émoussons. Nous nous fatiguons. Ce qui nous manque, c'est le vrai talent, dans le malheur comme dans la fidélité. Nous laissons faire le temps. Ah ! pour ce qui est d'avaler quotidiennement notre nourriture et de nous lécher les doigts, là-dessus nous ne transigeons pas. Que, pendant deux jours, on ne nous donne pas à manger, et nous voilà déboussolés et comme enragés.

Ah ! on peut dire qu'elle en a fait du chemin, l'humanité !

Véga n'avait pas changé, mais elle était brisée. Et puis elle avait perdu sa mère — et elles vivaient seules toutes les deux. Sa mère était morte, brisée elle aussi : son fils, le frère aîné de Vera, un ingénieur, avait été arrêté en quarante. Pendant quelques années encore, il avait écrit. Pendant quelques années, on lui avait envoyé des

colis quelque part en Mongolie bouriate. Mais un jour, la
mère de Vera avait reçu de la poste un avis rédigé en
termes obscurs, et le colis était revenu avec plusieurs
tampons et des ratures. Elle l'avait rapporté chez elle
comme un petit cercueil. Lorsque son fils était né, il
aurait presque pu entrer dans cette boîte.

Voilà ce qui avait brisé sa mère. Le fait aussi que sa
belle-fille n'ait pas tardé à se remarier. Cela, sa mère
n'arrivait pas à le comprendre. Elle comprenait Vera.

Et Vera était restée seule.

Seule ? Non, bien sûr, elle n'était pas la seule : elles
étaient des millions comme elle.

Il y avait tant de femmes seules dans le pays, qu'on
était même tenté de calculer rapidement, parmi ses
connaissances, s'il n'y en avait pas plus que de femmes
mariées. Et ces femmes seules, elles avaient toutes à peu
près son âge : dix classes de suite. Les contemporaines
de ceux qui étaient morts à la guerre.

Miséricordieuse envers les hommes, la guerre les avait
emportés. Les femmes, elle les avait laissées souffrir
jusqu'au bout.

Et ceux qui, restés sains et saufs au milieu des ruines,
étaient revenus célibataires, ceux-là ne choisissaient pas
des femmes de leur âge, mais de plus jeunes. Quant à
ceux qui étaient plus jeunes de quelques années, ils
l'étaient en réalité de toute une génération : c'étaient
des enfants, à qui la guerre n'était pas passée sur le
corps.

Et c'est ainsi que vivaient des millions de femmes qui
jamais n'avaient été réunies en divisions, et qui étaient
venues au monde pour rien. Un faux pas de l'Histoire.

Mais parmi elles, certaines n'étaient pas encore
condamnées : c'étaient celles qui étaient capables de
prendre la vie du bon côté.

Les années passaient, de longues années de vie ordinaire du temps de paix, et Véga vivait comme protégée
d'un masque à gaz perpétuel, la tête toujours prise dans
ce caoutchouc hostile. Il l'avait tout simplement enlai-

die, affaiblie — et, un beau jour, elle avait arraché le masque à gaz.

Autrement dit, elle s'était mise à vivre de façon plus humaine : elle s'était permis d'être avenante, elle s'habillait avec soin, elle n'évitait pas les contacts avec autrui.

Il y a, dans la fidélité, une haute volupté. La plus haute peut-être. Même si, de cette fidélité, les autres ne savent rien. Même s'ils n'en connaissent pas le prix.

Mais encore faut-il qu'elle fasse avancer quelque chose !...

Et quand elle ne fait rien avancer ? Quand personne n'en a besoin ?

Si grands que fussent les yeux ronds du masque à gaz, on voyait peu et mal à travers eux. Maintenant, sans ces verres, Véga aurait pu mieux voir.

Mais elle ne vit pas mieux. Faute d'expérience, elle se cogna. Faute de précautions, elle trébucha. Cette brève et humiliante intimité, loin de faciliter et d'éclairer sa vie, l'avait souillée, humiliée, en avait brisé l'intégrité, rompu la belle tenue.

A présent, elle n'arrivait pas à l'oublier. Et elle ne pouvait plus l'effacer.

Non, prendre la vie du bon côté, ce n'était pas son lot. Plus un être est né fragile, plus il lui faut des dizaines et même des centaines de circonstances concomitantes pour qu'il parvienne à se rapprocher de son semblable. Une coïncidence de plus ne fait qu'accentuer légèrement le rapprochement. En revanche, une seule divergence peut tout démolir d'un seul coup. Et cette divergence surgit toujours si tôt, apparaît avec tant d'évidence. Et elle n'avait personne pour lui montrer comment faire, comment vivre.

Autant de gens, autant de voies différentes.

On lui avait beaucoup conseillé d'adopter un enfant. Longuement et dans les moindres détails, elle en avait discuté avec d'autres femmes, et déjà celles-ci l'avaient convaincue, déjà elle s'était enflammée, déjà elle avait visité des orphelinats.

Et puis finalement, elle avait reculé. Elle ne pouvait

pas aimer un enfant comme ça, du premier coup, par un décret de sa volonté, en désespoir de cause. Pire encore : plus tard, elle pourrait cesser de l'aimer. Et il y avait encore pire, il y avait un danger plus grand : il pourrait, en grandissant, lui devenir tout à fait étranger.

Ah ! avoir une fille à soi, vraiment à soi ! (Une fille, parce qu'on pouvait l'élever en partant de sa propre expérience, ce qui n'était pas possible pour un garçon.)

Mais parcourir une fois encore ce chemin boueux avec un homme qui lui serait étranger, elle ne le pouvait pas davantage.

Elle resta dans son fauteuil jusqu'à minuit, sans avoir rien fait de ce qu'elle avait envie de faire au début de la soirée, sans même avoir allumé la lumière. Celle du cadran du poste de radio lui suffisait largement, et il faisait bon réfléchir, les yeux fixés sur ce vert moelleux et sur ces petits traits noirs.

Elle écouta beaucoup de disques et n'eut aucune peine à supporter les plus déchirants d'entre eux. Elle écouta aussi des marches. Et les marches étaient comme des cortèges triomphaux qui défilaient à ses pieds dans les ténèbres. Et, assise un peu de biais dans son vieux fauteuil au grand dossier solennel, ses jambes légères ramenées sous elle, elle était la triomphatrice.

Elle avait traversé quatorze déserts, et voici qu'elle atteignait le but. Elle avait traversé quatorze années de folie, et voici qu'elle avait été dans le vrai !

C'était aujourd'hui que ses longues années de fidélité avaient pris un sens nouveau et achevé.

Fidélité ? Presque. On pouvait admettre que c'était de la fidélité. Pour l'essentiel, c'était de la fidélité.

Mais c'est à présent seulement que son fiancé disparu était devenu dans son souvenir un petit garçon et non un homme de son âge, qu'il s'était trouvé dépouillé de cette inerte pesanteur masculine en dehors de laquelle il n'est pas de havre pour la femme. Il n'avait pas vu toute la guerre, ni sa fin, ni toutes les dures années qui avaient suivi, il était resté l'adolescent aux yeux purs et vulnérables.

Elle se coucha, et ne s'endormit pas aussitôt, mais l'idée qu'elle ne dormirait pas assez cette nuit ne la préoccupait pas... Et lorsqu'elle s'endormit, ce fut pour se réveiller plusieurs fois encore, et elle fit beaucoup de rêves, beaucoup trop, lui semblait-il, pour une seule nuit. Et certains d'entre eux étaient tout à fait hors de propos, mais il y en avait qu'elle s'efforçait de retenir jusqu'au matin.

Le lendemain matin, lorsqu'elle se réveilla, elle souriait.

Dans l'autobus on la serra, on l'écrasa, on la bouscula, on lui marcha sur les pieds, mais elle supportait tout cela sans la moindre irritation.

Ayant enfilé sa blouse blanche, et tandis qu'elle se rendait à la conférence quotidienne, elle eut la joie d'apercevoir de loin, dans le couloir opposé du rez-de-chaussée, la silhouette massive, puissante, gentiment comique du gorilloïde Léon Leonidovitch, qu'elle n'avait pas encore vu depuis son retour de Moscou. Ses bras apparemment trop lourds et trop longs pendaient, faisant presque fléchir les épaules, mais ce qu'on eût volontiers considéré comme un défaut de sa silhouette ne faisait en réalité que l'embellir. Sur son crâne échelonné, taillé à coups de hache et dont la calotte paraissait déjetée en arrière, était perché négligemment, comme toujours, comme quelque chose d'inutile, un petit calot blanc avec des espèces d'oreillettes pointant vers l'arrière et une coiffe vide et froissée... Sa poitrine, à l'étroit dans une blouse sans échancrure, ressemblait au poitrail d'un tank avec son camouflage d'hiver, tout blanc. Il allait, les paupières plissées comme toujours, avec une expression sévère et menaçante, dont Véga savait bien que le plus léger changement de ses traits suffisait à la transformer en sourire.

C'est ce qui arriva lorsque Vera et Léon Leonidovitch sortirent en même temps des couloirs opposés et se trouvèrent nez à nez, au pied de l'escalier.

« Comme je suis contente que tu sois revenu ! Tu nous manquais beaucoup ! » dit Vera, parlant la première.

Le sourire du chirurgien se précisa et, levant sa main

pendante, il lui saisit le coude et la fit tourner vers l'escalier.

« Tu es bien gaie, aujourd'hui ! Dis-moi la bonne nouvelle !

— Mais non, rien de particulier. Tu as fait un bon voyage ? »

Léon Leonidovitch soupira :

« Oui et non. Ça vous remue les sangs, Moscou.

— Il faudra que tu me racontes ça en détail.

— Je t'ai rapporté des disques. Trois.

— C'est vrai ? Lesquels ?

— Tu sais bien que je les confonds, moi, tous ces Saint-Saëns... Bref, il y a maintenant au Goum un rayon de microsillons, je leur ai donné ta liste, et ils m'en ont emballé trois. Je te les apporte demain. Ecoute, ma petite Vera, viens donc avec moi au tribunal, ce soir.

— Quel tribunal ?

— Tu ne sais donc rien ? On doit juger un chirurgien, de l'hôpital numéro 3.

— Un vrai tribunal ?

— Non, une cour d'arbitrage pour le moment. Mais l'enquête a tout de même duré huit mois.

— Et de quoi est-il donc accusé ? »

L'infirmière Zoé, qui venait d'achever sa garde de nuit, descendait le long de l'escalier. Elle les salua, faisant briller tout près d'eux ses grands cils blonds.

« Un enfant mort des suites d'une opération... Pendant que je suis encore sur ma lancée de Moscou, je vais certainement y aller, pour faire un peu de tapage. Sinon, il suffit d'une semaine chez soi pour qu'on se fasse de nouveau tout petit. Tu viendras ? »

Mais Vera n'eut le temps ni de répondre ni de décider : ils entraient déjà dans la pièce aux fauteuils couverts de housses et à la nappe bleu vif où se tenaient les conférences quotidiennes.

Vera attachait beaucoup de prix à ses relations avec Léon. Avec Lioudmila Afanassievna, c'était l'être dont elle se sentait ici le plus proche. Leurs relations avaient ceci de précieux, qu'elles étaient d'une qualité rare entre un célibataire et une femme seule : pas une seule fois, Léon n'avait eu pour elle un regard, un mot, un geste de trop, rien qui pût trahir la convoitise, et elle à plus forte raison. Leurs relations étaient amicales, sans danger, sans rien de tendu : il n'y avait qu'une chose qu'ils évitaient toujours de nommer ou de discuter entre eux, c'était l'amour, le mariage et tout ce qui s'y rapporte, ils faisaient comme si cela n'existait pas. Léon Leonidovitch devinait sans doute que Vera avait précisément besoin de ce genre de relations. Lui-même avait jadis été marié, puis avait divorcé, puis avait eu une « amie » ; la partie féminine du dispensaire (c'est-à-dire le dispensaire entier) aimait à discuter de lui, et on lui attribuait en ce moment une liaison avec l'infirmière de la salle d'opérations. Une jeune chirurgienne, Angéline, l'affirmait avec certitude, mais on la soupçonnait elle-même d'avoir des vues sur lui.

Pendant toute la conférence, Lioudmila Afanassievna passa son temps à dessiner des objets anguleux sur sa feuille de papier, et même à y faire des trous avec sa plume. Vera, au contraire, était aujourd'hui plus calme que jamais. Elle se sentait particulièrement équilibrée.

La réunion prit fin, et elle commença sa visite par la grande salle des femmes. Elle y avait de nombreuses malades, et elle passait toujours beaucoup de temps auprès d'elles. Elle s'asseyait sur le lit de chacune et l'examinait ou causait avec elle à voix basse, sans imposer le silence au reste de la salle, parce que cela aurait été trop long, et aussi parce qu'avec des femmes, ce n'était guère possible. (Dans les salles de femmes il fallait faire preuve de plus de tact et de prudence encore que chez les hommes. Ici, son importance et sa prééminence de médecin n'étaient pas aussi absolues. Il lui suffisait de se montrer de trop bonne humeur ou de trop se laisser aller aux assurances encourageantes recommandées par la psychothérapie (« Vous verrez, tout ira bien ! »), pour que déjà elle sentît peser sur elle le regard cru ou voilé de l'envie : « Ça t'est bien égal, à toi ! Tu n'es pas malade, toi. Tu ne peux pas comprendre. » Toujours selon la psychothérapie, elle poussait les malades, malgré leur désarroi, à prendre soin d'elles-mêmes comme par le passé, à s'arranger les cheveux, à se farder — mais elle aurait été mal reçue si, de son côté, elle avait accordé trop de soin à tout cela.

C'est ainsi qu'aujourd'hui encore elle allait de lit en lit, aussi humble, aussi concentrée que possible, et, habituée comme elle l'était, n'entendait pas le vacarme général, mais seulement sa patiente. Tout à coup, une voix particulièrement poissarde, particulièrement débraillée retentit à l'autre bout de la salle.

« Ça dépend des malades ! Il y en a ici qui font les jolis cœurs je ne vous dis que ça. Il n'y a qu'à voir l'ébouriffé, vous savez, celui qui porte un ceinturon, eh bien, la Zoé, l'infirmière, toutes les fois qu'elle est de garde, il passe la nuit à la peloter dans les coins. »

« Pardon ? Vous disiez ? redemanda Vera à la malade qu'elle était en train d'examiner. Répétez, je vous prie. »

La malade répéta.

(C'était bien Zoé qui était de garde cette nuit, n'est-ce pas ? Cette nuit, pendant que brillait le cadran vert...)

« Excusez-moi, il va falloir que je vous demande de recommencer à partir du début, et en détail ! »

CHAPITRE XXVI

UNE HEUREUSE INITIATIVE

A QUEL moment s'inquiète un chirurgien, lorsqu'il n'est pas novice ? Pas pendant l'opération. Pendant qu'il opère, il travaille franchement, à découvert, il sait toujours ce qu'il va faire l'instant d'après, et la seule chose qui compte est d'éliminer bien à fond tout ce qu'il a à découper, pour ne pas avoir ensuite à regretter les bavures. Parfois, bien sûr, on se trouve soudain devant une complication, le sang jaillit, et on se souvient que Rutherford est mort pendant qu'on lui enlevait une hernie. Non, les inquiétudes du chirurgien commencent après l'opération, lorsque, on ne sait trop pourquoi, la fièvre refuse de descendre ou le ventre de s'affaisser, et qu'il faut maintenant, dans le peu de temps qui vous reste, inciser, voir, comprendre et corriger, tout cela en pensée, sans bistouri.

Voilà pourquoi Léon Leonidovitch avait l'habitude d'aller jeter un rapide coup d'œil à ses opérés, avant même la conférence matinale. Il devait y avoir aujourd'hui une longue visite générale à la veille du prochain jour d'opérations, et il ne pouvait pas rester encore une demi-heure sans savoir comment allait son opéré de l'estomac et comment se portait Diomka. Il alla donc voir rapidement l'opéré de l'estomac : ça n'allait pas trop mal. Il dit à l'infirmière ce qu'il fallait lui donner à boire et combien. Puis, il alla voir Diomka dans la petite chambrette voisine qui n'avait que deux lits.

L'autre malade était en train de se remettre, et pouvait déjà sortir. Diomka, lui, était couché sur le dos, la couverture remontée sur la poitrine, le teint gris. Il avait les yeux tournés vers le plafond, mais avec une expression non pas d'apaisement, mais d'inquiétude, tous les muscles tendus autour des yeux, comme s'il s'efforçait, sans y parvenir, de distinguer quelque chose de menu au plafond.

Léon Leonidovitch s'arrêta sans rien dire, les jambes légèrement écartées, un peu de biais, et, laissant pendre ses longs bras, le bras droit légèrement en retrait, il le regardait par en dessous, avec l'air de se demander : et si je lui envoyais maintenant un direct du droit à la mâchoire, qu'est-ce que ça donnerait ?

Diomka tourna la tête, le vit et éclata de rire.

Et l'expression sévère et menaçante du chirurgien s'épanouit aussi en sourire. Et Léon Leonidovitch fit un clin d'œil à Diomka comme à un copain avec qui on se comprend à demi-mot.

« Alors ça va ? Tout est normal ?

— Normal ? Allons donc ! » Diomka aurait eu bien des raisons de se plaindre. Mais effectivement, d'homme à homme, il n'y avait pas de quoi se plaindre.

« Ça élance ?

— Mm-hm.

— Toujours au même endroit ?

— Mm-hm.

— Et tu en as encore pour un bout de temps, Diomka. Dans un an, il t'arrivera encore d'avoir des élancements à ta jambe coupée. Mais quand ça élance, rappelle-toi tout de même que c'est parti ! Et tu te sentiras mieux.

L'essentiel, c'est que tu vas vivre à présent, compris ?
Et ta jambe, elle est bien où elle est ! »

Léon Leonidovitch avait dit ça d'un air si soulagé !
Et effectivement, cette affreuse saleté était bien où elle
était ! Bon débarras.

« Allez, on va encore passer te voir tout à l'heure ! »

Et, agitant les bras comme pour fendre l'air, il fila à
la conférence, en retard, bien sûr (et Nizamoutdine
n'aimait pas les retardataires), bon dernier. Sa blouse
fermée sur le devant se bombait, enserrant la poitrine,
tandis que, dans le dos, les bords n'arrivaient pas à se
joindre, et les attaches étaient tendues par-dessus le
veston. Lorsqu'il allait seul à travers la clinique, il marchait toujours vite, montant les escaliers quatre à quatre,
avec de grands mouvements des bras et des jambes, et
c'étaient précisément ces grands mouvements qui donnaient aux malades le sentiment qu'il n'était pas en train
de traîner dans les couloirs et de dépenser son temps
pour lui-même.

Puis ce fut, pendant une demi-heure, la conférence
quotidienne. Dignement (selon lui), Nizamoutdine entra,
dignement (selon lui), il salua, et plaisamment (selon lui)
et sans hâte, il ouvrit la séance. Manifestement, il s'écoutait parler, et, à chaque geste, à chaque mouvement qu'il
faisait, il se voyait du dehors, imposant, plein d'autorité,
instruit et intelligent. Dans son village natal, il se créait
sur lui des légendes, toute la ville le connaissait, et il
était même parfois question de lui dans les journaux.

La chaise de Léon Leonidovitch se trouvait assez
loin de la table, il avait croisé ses longues jambes,
et glissé ses pattes aux doigts écarquillés sous le tor-
tillon de la ceinture blanche qui était nouée sur son
ventre. Il se renfrognait, l'air mauvais, sous son calot,
mais comme il était presque toujours renfrogné lorsqu'il se trouvait en présence des autorités, le médecin-
chef ne pouvait pas le prendre à son compte.

Dans la fonction qu'il occupait, le médecin-chef ne
voyait pas une constante, vigilante et épuisante obli-
gation, mais une pose avantageuse, des distinctions et

un vaste clavier de droits. Il portait le titre de médecin principal et croyait que cette dénomination suffisait à faire effectivement de lui le principal médecin
de la clinique, qu'il s'y entendait mieux que les autres
médecins ici présents, peut-être pas dans les moindres
détails, bien sûr, mais en tout cas qu'il comprenait
parfaitement ce que faisaient ses subordonnés, et que
c'était seulement en les corrigeant et en les dirigeant
qu'il leur évitait des erreurs. Voilà pourquoi il devait
tellement prolonger la conférence, à laquelle, manifestement, tout le monde prenait plaisir. Et puisque
les droits du médecin principal excédaient à ce point
et si heureusement ses obligations, il engageait sans
difficulté dans son dispensaire des administrateurs,
des médecins, des infirmières : ceux qu'on lui recommandait par un coup de téléphone de la direction
régionale de la santé publique, ou du comité municipal du parti, ou de l'Institut où il comptait bientôt
présenter sa thèse ; ou encore ceux qu'il avait promis
d'engager dans un moment d'euphorie au cours d'un
repas ; ou bien lorsque la personne en question appartenait au même rameau de son antique tribu. Et si
un chef de service lui faisait remarquer que la personne engagée ne connaissait rien et ne savait rien
faire, alors Nizamoutdine Bakhramovitch se montrait
encore plus surpris que lui : « Alors il faut le lui
enseigner, camarade ! Vous êtes ici pour quoi faire ? »
    Avec cette couronne de cheveux gris qui, après un
certain nombre de dizaines d'années, nimbe indifféremment de noblesse les génies et les sots, les modèles
d'abnégation et les aventuriers, les hommes d'action
et les paresseux ; avec cet air digne et satisfait que
la nature nous donne en récompense des tourments
de la pensée que nous n'avons pas endurés ; avec ce
hâle rond et égal qui s'accorde si bien aux cheveux
gris, Nizamoutdine Bakhramovitch exposait à ses travailleurs médicaux ce qui n'allait pas dans leur travail
et comment ils pourraient lutter plus sûrement pour
sauver de précieuses vies humaines. Et, sur les divans

à dossiers raides du mobilier d'Etat, sur les fauteuils et sur les chaises dressées autour de la nappe bleue comme des plumes de paon, étaient assis, écoutant Nizamoutdine avec une attention apparente, ceux qu'il n'avait pas encore pris la décision de congédier et ceux qu'il avait déjà décidé d'admettre.

De là où il était assis, Léon Leonidovitch voyait bien la chevelure crépue de Khalmoukhamedov. Celui-ci avait l'air de sortir tout droit d'une illustration des voyages du capitaine Cook, comme s'il venait de s'échapper de la jungle : la végétation des forêts vierges s'entrelaçait sur sa tête, des incrustations d'un noir de charbon parsemaient son visage de bronze, un sourire de joie sauvage découvrait de grandes dents blanches — il n'y manquait qu'un anneau dans le nez. Mais l'important, bien sûr, ce n'était pas son apparence, ni le diplôme en bonne et due forme de l'Ecole de médecine : c'était le fait qu'il ne pouvait pas pratiquer une seule opération sans tout gâcher. Léon Leonidovitch l'avait laissé faire une fois ou deux, et il ne cesserait jamais de se le reprocher. On ne pouvait pas non plus le chasser, cela aurait été contraire à la politique des cadres nationaux. Il y avait donc quatre ans que Khalmoukhamedov tenait les dossiers de maladies, quand ce n'était pas trop compliqué, assistait, l'air important, aux visites et aux pansements, faisait des gardes de nuit (c'est-à-dire dormait), et touchait même, ces derniers temps, un demi-salaire supplémentaire, ce qui ne l'empêchait pas, du reste, de quitter l'hôpital à la fin de la journée de travail.

Il y avait encore là deux femmes titulaires d'un diplôme de chirurgien. L'une était Pantiokhina, une femme très grosse, d'une quarantaine d'années, toujours très préoccupée, d'autant plus préoccupée qu'elle devait élever six enfants nés de deux pères différents, et que l'argent manquait, et aussi quelqu'un pour veiller sur eux. Ces soucis restaient gravés sur son visage même aux heures dites de service, c'est-à-dire celles

qu'elle devait passer dans les locaux du dispensaire
pour toucher son salaire. L'autre, Angéline, toute jeune
— elle n'avait terminé ses études que depuis deux
ans — petite, rousse, assez jolie, qui s'était prise de
haine pour Léon Leonidovitch à cause de l'indifférence
que ce dernier lui témoignait, était maintenant l'ins-
piratrice principale des intrigues qui se tramaient
contre lui au service chirurgical. L'une et l'autre ne
pouvaient être chargées d'une tâche plus difficile que
la consultation au dispensaire, on ne pouvait jamais
leur confier un bistouri, mais là encore il y avait de
graves raisons pour lesquelles le médecin principal
ne les eût jamais congédiées ni l'une ni l'autre.

Le service comprenait donc en théorie cinq chirurgiens, et c'est en fonction de ce nombre que l'on pro-
grammait les opérations, mais ils n'étaient que deux à
pouvoir les faire.

Il y avait là aussi les infirmières, et certaines ne va-
laient guère mieux que ces médecins, mais celles-là aussi,
c'était Nizamoutdine Bakhramovitch qui les avait enga-
gées et qui les protégeait.

Par moments, Léon Leonidovitch se sentait tellement
à l'étroit, qu'il lui paraissait impossible de travailler ici
un seul jour de plus, et il se disait alors qu'il n'y avait
qu'une seule chose à faire, c'était de rompre et de s'en
aller ! Mais s'en aller où ? Partout il y aurait un médecin
principal, peut-être pire encore que celui-ci, partout il y
aurait des inepties monumentales, des chômeurs au lieu
de travailleurs. Autre chose eût été de prendre soi-même
la direction d'une clinique et, par originalité, tout établir
sur une base strictement utilitaire : faire en sorte que
tous ceux qui figurent sur la liste du personnel travaillent, et que seuls soient admis à travailler ceux dont on
a besoin. Mais Léon Leonidovitch n'était pas de ceux
auxquels on confie la direction d'une clinique, à moins
que ce ne soit vraiment très loin, et, venu de Moscou, il
se sentait déjà assez loin comme ça.

Du reste, la fonction de directeur en elle-même ne le
tentait pas le moins du monde. Il savait qu'il était diffi-

cile d'avoir les coudées franches lorsqu'on se trouvait
dans le rôle d'un administrateur. En outre, il y avait
eu une période dans sa vie où il avait vu de près des
hommes déchus, et connu à travers eux la vanité du
pouvoir : il avait vu des généraux de division qui rê-
vaient de devenir plantons, et c'est lui-même qui avait
tiré de la fosse aux ordures l'homme qui l'avait initié à
la pratique de son métier, le chirurgien Koriakov.

Parfois, au contraire, les choses s'adoucissaient, s'apla-
nissaient, et il semblait à Léon Leonidovitch que c'était
encore vivable et qu'il ne fallait pas partir. Et alors, au
contraire, il se mettait à craindre que lui-même, Dontsova et Gangart ne fussent évincés, et à se dire qu'on
finirait certainement par en arriver là, que la situation,
d'année en année, n'irait pas en se simplifiant, mais plutôt en se compliquant. Or, il ne supportait plus aussi
bien les vicissitudes de l'existence : il allait tout de
même sur ses quarante ans, et son corps exigeait maintenant du confort et de la stabilité.

D'une façon générale, il était un peu perplexe devant
son propre avenir. Il se demandait s'il devait faire une
percée héroïque ou au contraire nager doucement, au
gré des flots. Le travail sérieux, pour lui, avait commencé ailleurs et autrement : il avait eu, à ses débuts,
une remarquable envergure. Il y avait eu une année où
il n'était plus qu'à quelques mètres du prix Staline. Et
soudain, à force de tirer sur la corde et de se hâter, tout
leur institut avait craqué, et il avait fallu constater qu'il
n'avait même pas soutenu sa thèse de candidat [1]. C'était
un peu le fruit des leçons de Koriakov : « Travaillez,
travaillez ! Une thèse, vous aurez toujours le temps de
l'écrire. » « Vous aurez le temps », mais quand ?

Ou bien fallait-il envoyer la thèse à tous les diables ?

Ne voulant cependant pas laisser paraître sur son
visage la désapprobation que lui inspirait le médecin

---

1. Thèse complémentaire, que l'on soutient avant la thèse de
docteur. (N. du T.)

principal, Léon Leonidovitch fronçait les sourcils et paraissait écouter. D'autant plus qu'on lui proposait de
pratiquer le mois suivant sa première opération de la
cage thoracique.

Tout a une fin, pourtant, et la conférence s'acheva.
Et, sortant de la salle les uns après les autres, les chirurgiens se rassemblèrent sur le palier du vestibule
supérieur. Et, ses mains toujours sur son ventre, les
doigts glissés sous la ceinture, Léon Leonidovitch, pareil
à un général maussade et distrait, partit faire sa grande
visite, emmenant avec lui Eugénie Oustinovna, fluette
comme un roseau malgré ses cheveux gris, Khalmoukhamedov avec ses boucles tumultueuses, la grosse Pantiokhina, la rousse Angéline et deux infirmières.

Il y avait des visites rapides, les jours où le travail
ne pouvait pas attendre. Ce jour-là aussi, il aurait fallu
se hâter, mais l'emploi du temps prévoyait une lente
visite générale, qui n'omît pas un seul des lits chirurgicaux. Et, tous les sept, ils entraient lentement dans chaque salle, se plongeaient dans l'atmosphère confinée où
les mixtures pharmaceutiques, le peu d'enthousiasme des
malades pour l'aération et les malades eux-mêmes faisaient planer une odeur de renfermé ; il se serraient et
s'écartaient dans les étroits passages qui séparaient les
lits pour se laisser passer les uns les autres, puis regardaient par-dessus l'épaule de ceux qui étaient devant. Et,
réunis en cercle autour de chaque lit, ils devaient tous
en une, trois ou cinq minutes, se plonger dans les douleurs de chaque malade, comme ils s'étaient déjà plongés
dans l'air confiné de tous, dans ses douleurs, et dans
ses sentiments, et dans son anamnèse, dans l'histoire
de sa maladie, et dans l'évolution de son traitement,
et dans son état d'aujourd'hui, et dans tout ce que
la théorie et la pratique les autorisaient à faire ensuite.

Et s'ils avaient été moins nombreux ; et si chacun
d'eux avait été le meilleur dans sa partie, au lieu d'être
seulement un salarié à son gagne-pain ; s'il n'y avait pas
eu trente malades pour un médecin ; et s'ils n'avaient

pas eu à se préoccuper de ce qu'il fallait écrire — et de la façon la plus commode de le faire — dans cette pièce à conviction qu'était le dossier de maladie ; et s'ils n'avaient pas été des hommes, c'est-à-dire des êtres vivants, eux aussi, avec leur peau et leurs os, leur mémoire et leurs intentions, soulagés de penser qu'ils n'étaient pas eux-mêmes atteints de ces douleurs — alors, peut-être n'aurait-on pu inventer de meilleures solutions que cette visite.

Mais Léon Leonidovitch le savait, toutes ces conditions n'étaient pas remplies et l'on ne pouvait cependant ni supprimer la visite, ni la remplacer par autre chose. Aussi menait-il tout son monde selon les règles établies et, plissant les paupières (d'un côté plus que de l'autre), écoutait-il docilement ce que le médecin traitant lui disait de chaque malade (pas de mémoire, du reste, mais en consultant son dossier) : d'où il venait, quand il était entré à l'hôpital (pour les anciens, on le savait depuis longtemps) et pour quelle raison, quel traitement on lui faisait subir, quelles doses, comment était son sang, si on avait déjà pris la décision d'opérer, ce qui s'y opposait, ou bien si la question n'était pas encore résolue. Il écoutait, s'asseyait souvent sur le lit du malade, lui demandait parfois de découvrir l'endroit atteint, l'examinait, le palpait, après quoi il remontait lui-même la couverture, à moins qu'il ne proposât aux autres médecins de palper aussi.

Les cas vraiment difficiles, une telle visite ne permettait pas de les résoudre — il fallait pour cela convoquer le malade et l'examiner en tête-à-tête. Il n'était pas possible non plus de tout dire, d'appeler les choses par leur nom, et par conséquent de se mettre d'accord les uns avec les autres. On ne pouvait même pas dire d'un malade que son état avait empiré, tout au plus pouvait-on dire que « le processus s'était accentué ». On ne désignait les choses que par de lointaines allusions, des mots-codes (parfois même au second degré) ou en disant le contraire de ce qui était. Non seulement personne n'avait jamais prononcé les mots de « cancer » ou

de « sarcome », mais on ne prononçait pas davantage
des synonymes ou des abréviations tels que « carci-
nome », « c-r », « s-e », que les malades avaient fini par
comprendre à moitié. On disait à la place quelque chose
de tout à fait inoffensif, comme « ulcère », « gastrite »,
« inflammation », « polypes », et il fallait attendre la fin
de la visite pour que chacun pût expliquer clairement
ce qu'il entendait par-là. Pour arriver tout de même à
se comprendre, il était permis de dire des choses telles
que : « l'ombre médiastinale s'est élargie », ou « tympo-
nite », ou « le cas ne se prête pas à la résection », ou
« l'issue léthale n'est pas à exclure » (ce qui voulait dire :
pourvu qu'il ne meure pas sur la table d'opérations).
Lorsqu'il était vraiment à court d'expressions, Léon
Leonidovitch disait :

« Mettez de côté le dossier de maladie. »

Et l'on continuait la visite.

Moins ils parvenaient au cours d'une pareille visite à
comprendre la maladie, à se comprendre entre eux et à
se mettre d'accord, et plus Léon Leonidovitch accordait
d'importance à tout ce qui pouvait réconforter le malade. Il commençait même à voir dans ce réconfort
l'objet principal de la visite.

« Status idem, lui disait-on. (Cela signifiait que l'état
du malade était stationnaire.)

— Ah bon ? » faisait-il d'un air réjoui. Et il se hâtait
de s'en assurer auprès de la malade elle-même. « Vous
vous sentez un peu mieux ?

— Ma foi, oui. » La malade, un peu surprise, ne disait
pas non. Elle ne s'en était pas aperçue, mais si les médecins le disaient, c'était sans doute vrai.

« Vous voyez bien ! Petit à petit, vous finirez par vous
remettre. »

Une autre malade s'affolait.

« Ecoutez ! Pourquoi est-ce que la colonne vertébrale
me fait si mal ? C'est peut-être une autre tumeur ?

— Mais non-on, disait Léon Leonidovitch en souriant
et en allongeant les syllabes. C'est un phénomène secondaire. »

(Il disait vrai : la métastase était bien un phénomène secondaire.)

Au chevet d'un malade aux traits effroyablement tirés, au teint gris et cadavérique, et dont les lèvres remuaient à peine, on lui disait :

« Le malade reçoit un fortifiant et un analgésique. »

Autrement dit : fini, trop tard pour le soigner, rien à faire d'autre que de soulager autant que possible ses souffrances.

Et alors, rapprochant ses lourds sourcils, comme s'il se décidait à une pénible explication, Léon Leonidovitch soulevait le voile :

« Ecoutez, grand-père, parlons franchement, cartes sur table. Tout ce que vous ressentez, c'est une réaction au traitement qu'on vous a fait jusqu'à présent. Mais il ne faut pas nous bousculer, restez couché au calme, et nous vous guérirons. Vous vous reposez, apparemment on ne vous fait rien de particulier, mais nous aidons votre organisme à se défendre. »

Et le malade condamné faisait oui de la tête. Loin de lui être fatale, la franchise allumait en lui un espoir.

« Une formation tumorale de tel ou tel type dans la région iliaque », disait-on à Léon Leonidovitch tout en lui montrant la radiographie.

Il examinait à la lumière la transparence trouble et noirâtre du cliché et hochait la tête avec approbation.

« Très-très bon cliché ! Très-très bon ! »

Et la malade reprenait courage : son état n'était pas seulement bon, mais très-très bon !

Or, si le cliché était très bon, c'est qu'il dispensait d'en refaire un autre, et montrait de façon indiscutable les dimensions et les limites de la tumeur.

Ainsi, pendant une heure et demie, le temps que prenait la visite générale, le chef du service chirurgical disait autre chose que ce qu'il pensait, veillait à ce que son ton n'exprimât pas ses sentiments, et, en même temps, à ce que les médecins traitants prissent des notes exactes pour le dossier de maladie, cette liasse de feuillets de carton fin, remplis à la main, accrochant la

plume, qui pourrait servir plus tard à traîner en justice
n'importe lequel d'entre eux. Jamais il ne tournait brusquement la tête, jamais il ne les regardait d'un air inquiet, et, à son expression qui respirait la bonhomie et
l'ennui, les malades voyaient que leurs maladies étaient
tout ce qu'il y a de plus banal et de plus connu, et qu'il
n'y en avait pas de vraiment sérieuses.

Fatigué par cette comédie qu'il jouait depuis une heure
et demie, tout en continuant à réfléchir sérieusement, en
médecin, Léon Leonidovitch plissait et déplissait le front
pour se détendre.

Mais une vieille femme se plaignait de n'avoir pas été
auscultée depuis longtemps, et il l'ausculta.

Et un vieillard déclara :

« Bien ! Je vais vous dire quelque chose ! »

Et il se mit à exposer de façon fort embrouillée la
façon dont il comprenait lui-même l'origine et l'évolution
de ses douleurs. Léon Leonidovitch l'écoutait patiemment, et même hochait la tête en signe d'approbation.

« Vous vouliez aussi dire quelque chose ? » fit enfin le
vieillard.

Le chirurgien sourit :

« Que voulez-vous que je vous dise ? Nos intérêts
coïncident. Vous voulez guérir, et nous, nous voulons
vous guérir. Continuons donc à agir de concert. »

Lorsqu'il parlait aux Ouzbeks, il savait dire dans leur
langue les phrases les plus simples. Passant devant une
femme à lunettes, qui paraissait être une personne très
instruite, au point que l'on se sentait gêné de la voir en
robe de chambre sur un lit d'hôpital, il renonça à l'examiner en public. A un tout petit garçon qui se trouvait
auprès de sa mère, il tendit sérieusement la main. A un
enfant de sept ans, il administra une pichenette sur le
ventre, et tous deux se mirent à rire.

Seule une institutrice, qui exigeait qu'il appelât en
consultation un neuropathologue, s'attira une réponse
qui n'était pas tout à fait polie.

Il faut dire aussi que c'était la dernière salle. Il

en sortit fatigué, comme après une bonne opération. Et il déclara :

« Cinq minutes de récréation. »

Et, avec Eugénie Oustinovna, ils allumèrent chacun une cigarette, avec tant de hâte qu'on aurait pu croire que toute la visite n'avait pas eu d'autre but (et pourtant ils disaient sévèrement aux malades que le tabac était cancérigène et absolument contre-indiqué).

Puis tout le monde alla s'asseoir dans une petite pièce, autour d'une table commune, et de nouveau on entendit les noms qui avaient été prononcés tout à l'heure, mais l'image d'une amélioration et d'une guérison générales qu'aurait pu se faire au cours de la visite un observateur non averti ne tarda pas ici à se disloquer et à tomber en pièces. Un tel était inopérable, et on lui faisait de la radiothérapie symptomatique, c'est-à-dire destinée à éliminer les douleurs, mais sans aucun espoir de guérison. Le petit auquel Léon Leonidovitch avait serré la main était incurable, avec un cancer en voie de généralisation, et ce n'était qu'à cause de l'insistance de ses parents qu'il fallait le garder encore quelque temps à l'hôpital. A propos de la vieille qui avait insisté pour être auscultée, Léon Leonidovitch déclara :

« Elle a soixante-huit ans. Si nous la soignons aux rayons X, nous réussirons peut-être à la prolonger jusqu'à soixante-dix. Si nous l'opérons, elle n'en a même pas pour un an à vivre. Qu'est-ce que vous en pensez, Eugénie Oustinovna ? »

Quand un fanatique du bistouri comme Léon Leonidovitch était prêt à renoncer à en faire usage, Eugénie Oustinovna n'allait tout de même pas le contredire.

En fait, Léon Leonidovitch n'était pas un fanatique du bistouri. C'était un sceptique. Il savait qu'aucun instrument ne permettait de voir aussi clair que l'œil nu. Et que rien ne tranchait aussi net que le bistouri.

A propos du malade qui, ne voulant pas décider tout seul de l'opération, avait demandé à prendre conseil auprès des siens, Léon Leonidovitch disait à présent :

« Ses parents sont au fin fond du pays. Le temps de

prendre contact, le temps qu'ils arrivent — et allez savoir ce qu'ils diront — il sera mort. Il faut le convaincre et le mettre sur le billard, pas demain, mais la prochaine fois. Il y a un gros risque à courir, bien sûr. Une fois que nous aurons vu la chose de près, nous allons peut-être le recoudre sans rien faire.

— Et s'il meurt sur le billard ? » demanda Khalmoukhamedov d'un air si important qu'on eût dit que c'était lui qui prenait le risque.

Léon Leonidovitch remua ses longs sourcils aux formes compliquées qui se rejoignaient au-dessus du nez.

« Ce n'est qu'un « si », tandis que si nous n'intervenons pas, c'est une certitude. » Il réfléchit. « Nous avons pour le moment un taux de mortalité excellent, nous pouvons risquer le coup. »

Chaque fois, il demandait :

« Y a-t-il un autre avis ? »

Mais le seul avis qui comptait à ses yeux était celui d'Eugénie Oustinovna. Et, si différents que fussent leur expérience, leur âge et leur tour d'esprit, leurs avis coïncidaient presque toujours, preuve que des gens sensés n'ont aucun mal à s'entendre.

« Et cette blonde, demanda Léon Leonidovitch, il n'y a vraiment rien à faire pour elle, Eugénie Oustinovna ? Il faut absolument exciser ?

— Rien. Absolument, fit Eugénie Oustinovna en serrant ses lèvres sinueuses et fardées. Il faudra encore une bonne dose de radiothérapie après !

— Dommage ! » soupira soudain Léon Leonidovitch, et il baissa sa tête échelonnée à la calotte déjetée en arrière sous son calot ridicule. Examinant ses ongles et passant son gros pouce sur les quatre autres doigts, il marmonna : « Si jeunes, ça vous fend le cœur de couper ! On a l'impression d'agir contre nature. »

Puis il passa encore le bout de l'index le long du contour de l'ongle du pouce. De toute façon, il n'y avait rien à faire. Et il leva la tête :

« Oui, camarades ! Vous avez compris ce qu'a Chouloubine ?

— Cancer du rectum ? dit Pantiokhina.

— Cancer du rectum, oui, mais vous savez comment on l'a découvert ? La voilà, notre propagande anticancéreuse, les voilà, nos centres de dépistage du cancer. Orechtchenkov l'a dit très justement lors d'une conférence : le médecin qui répugne à mettre le doigt dans le rectum d'un malade n'est pas un médecin ! Comme tout est négligé chez nous ! Chouloubine s'est traîné de dispensaire en dispensaire en se plaignant de besoins fréquents, d'hémorragies, puis de douleurs, et on lui a fait toutes les analyses, tous les examens, sauf le plus simple : tâter du doigt ! On l'a soigné de la dysenterie, des hémorroïdes, sans résultats. Et puis un beau jour, dans un dispensaire, il a lu une affiche de propagande anticancéreuse et il a tout deviné. Et il a lui-même trouvé sa tumeur en palpant ! Les médecins n'auraient pas pu le faire six mois plus tôt, non ?

— Et c'est loin ?

— C'était à sept centimètres, juste après le sphincter. On aurait encore parfaitement pu conserver le muscle, et on sauvait un homme ! Maintenant, le sphincter est atteint, c'est l'amputation rétrograde, il y aura par conséquent incontinence de l'intestin, il faudra faire une dérivation de l'anus, vous voyez cette vie ?... C'est un brave vieux... »

Ils se mirent à préparer la liste des opérations du lendemain. Ils notaient les malades qu'il fallait prémédiquer, ceux qu'il fallait mener au bain, ceux qu'il fallait préparer, et comment.

« Tchaly, ce n'est presque pas la peine de le prémédiquer, dit Léon Leonidovitch. Un cancer de l'estomac, et avec ça un moral comme on n'en voit guère. »

(S'il avait su que, le lendemain matin, Tchaly allait lui-même se prémédiquer avec son flacon d'alcool !)

On répartissait les assistants, on désignait ceux qui auraient à veiller au sang. De nouveau — il n'y avait pas moyen de faire autrement — c'était Angéline qui devait assister Léon Leonidovitch. Demain donc, elle serait de nouveau en face de lui, tandis qu'à ses côtés allait s'affairer l'infirmière de la salle d'opérations, et, au lieu de se consacrer à sa besogne, Angéline passerait son temps à épier son comportement avec l'infirmière. Une toquée, celle-là aussi : on ne pouvait même pas lui demander si sa soie était vraiment stérile ou non, et c'était pourtant de cela que dépendait la réussite de l'opération... sacrées bonnes femmes ! Il y a pourtant une règle masculine bien simple qu'elles devraient connaître : là où on travaille, pas de ça...

Les parents mal inspirés, qui avaient appelé leur nouveau-né Angéline, ne se figuraient pas quel démon elle ferait en grandissant. Léon Leonidovitch jetait des regards en coin à son joli petit museau de renard, et il avait envie de lui dire d'un ton conciliant :

« Ecoutez, Angéline, ou Angèle, comme vous préférez. Vous n'êtes pas sans capacités, tout de même, loin de là ! Si, au lieu de les employer à vous chercher un mari, vous les appliquiez à la chirurgie, vous pourriez obtenir d'excellents résultats. Ecoutez, nous ne pouvons vraiment pas nous disputer, nous sommes de part et d'autre d'une même table d'opérations... »

Mais elle aurait compris qu'il était épuisé par sa campagne de harcèlement et qu'il se rendait.

Il aurait voulu aussi raconter en détail le jugement de la veille. Mais, s'il en avait déjà dit quelques mots à Eugénie Oustinovna pendant qu'ils allumaient leurs cigarettes, l'idée d'en parler à ces compagnons de travail ne lui souriait guère.

Et, à peine leur conférence terminée, Léon Leonidovitch se leva, alluma une cigarette et, avec de grands gestes de ses bras trop longs, fendant l'air de son poitrail moulé de blanc, s'engagea à grands pas dans le couloir qui menait chez les radiologues. C'est à Vera Gangart qu'il avait envie de tout raconter. Il la trouva dans la salle, près des appareils de radiothérapie pénétrante, assise avec Dontsova devant une table converte de papiers.

« C'est l'heure du déjeuner ! annonça-t-il. Donnez-moi une chaise ! »

Et, faisant glisser une chaise sous lui, il s'assit. Il était d'humeur à bavarder joyeusement et à cœur ouvert, mais il remarqua :

« Vous n'êtes pas bien aimables avec moi, ce matin. »

Dontsova sourit, en faisant tourner autour de son doigt ses grandes lunettes de corne :

« Au contraire, je ne sais quoi inventer pour vous être agréable. Est-ce que vous voudrez bien m'opérer ?

— Vous ? Jamais de la vie !

— Pourquoi ?

— Parce que, si je vous infecte, on dira que c'est par envie, parce que votre service avait de meilleurs résultats que le mien.

— Je ne plaisante pas, Léon Leonidovitch, je parle sérieusement. »

Il est vrai qu'il était difficile d'imaginer Lioudmila Afanassievna en train de plaisanter.

Vera paraissait triste, tendue ; elle se tenait assise, les épaules rapprochées, comme si elle avait un peu froid.

« Nous allons examiner Lioudmila Afanassievna un de ces jours, Léon. Figurez-vous qu'elle souffre de l'estomac depuis quelque temps déjà, et elle ne dit rien. Et ça se dit cancérologue !

— Et, bien sûr, vous avez déjà recueilli tous les symptômes du cancer, hein ? » Léon Leonidovitch arqua ses étonnants sourcils qui lui barraient le front d'une tempe à l'autre. Dans la conversation la plus banale, là où il n'y avait rien d'amusant, il avait toujours l'air de se moquer de quelque chose, sans que l'on sût de quoi.

« Pas tous encore, reconnut Dontsova.

— Eh bien, lesquels, par exemple ? »

Elle les énuméra.

« C'est peu, trancha Léon Leonidovitch. Que Vera ici présente signe le diagnostic, et alors on en parlera. J'aurai bientôt ma clinique à moi, et je vous prendrai Vera comme diagnosticienne. Vous me la donnez ?

— Vera ? Jamais ! Prenez-en une autre !

— Je n'en veux pas d'autre, c'est Vera ou personne ! Vous pensez peut-être que je vais vous opérer gratis ? »

Il souriait et plaisantait tout en aspirant les dernières bouffées de sa cigarette, mais au fond de lui-même il réfléchissait sérieusement. Comme disait encore le même Koriakov : Si jeunesse savait, si vieillesse pouvait. Mais Vera Gangart, comme lui-même du reste, était maintenant à l'âge optimum où s'était déjà gonflé l'épi de son expérience, tandis que la tige de ses forces tenait encore bon. Il l'avait vue, jeune interne, devenir une diagnosticienne si perspicace qu'il lui faisait confiance autant qu'à Dontsova en personne. Des diagnosticiens comme elle sont de tout repos pour le chirurgien, même sceptique. Le seul ennui, c'est que chez les femmes cet âge dure encore moins que chez les hommes.

« Tu as un casse-croûte ? demanda-t-il à Vera. De toute façon, tu ne vas pas le manger, et tu seras obligée de le rapporter chez toi. Alors, donne-le-moi. »

Et, plaisanterie ou pas, on vit effectivement apparaître des sandwiches au fromage, et il se mit à manger, et alla même jusqu'à en offrir aux deux femmes :

« Mais prenez-en aussi, voyons !... Eh bien, voilà, j'ai été hier au tribunal. Vous auriez dû venir, c'était édifiant ! C'était dans le bâtiment de l'école. Il n'y avait pas loin de quatre cents personnes, ça intéresse les gens, vous pensez bien !... Voici en deux mots l'affaire :

« On doit opérer un gosse à cause de gros troubles du transit, un volvulus. L'opération a lieu. L'enfant reste en vie pendant plusieurs jours, il commence même à jouer, c'est prouvé. Et, tout d'un coup, une nouvelle occlusion partielle, et c'est la mort. On fait une enquête, pendant huit mois on tarabuste ce pauvre chirurgien — imaginez dans quelles conditions il doit opérer pendant tout ce temps. Pour le procès, on fait venir des gens du Service de santé municipal, le chirurgien principal de la ville, un accusateur public de l'Ecole de médecine, vous rendez-vous compte ? Et vas-y donc ! Négligence criminelle ! On amène comme témoins les parents — jolis témoins ! Ils vous parlent d'un édredon de travers, et autres balivernes. Et nos concitoyens, la masse, les voilà qui écarquillent les yeux : quelles crapules tout de même, ces médecins ! Nous sommes un certain nombre de médecins dans l'assistance et nous comprenons toute la sottise de la chose, et nous voyons l'engrenage inéluctable : car enfin, c'est nous-mêmes qu'on met dans le bain, toi aujourd'hui, moi demain ! Et nous nous taisons. Moi-même, si je n'avais pas été fraîchement débarqué de Mosoou, je me serais sans doute tu comme les autres. Mais avec ces deux mois à Moscou tout frais encore, les choses n'ont plus les mêmes proportions, et là où on voyait des grilles de fonte, on ne trouve plus que des barrières de bois pourri. Alors, j'y suis allé de mon laïus.

— On pouvait prendre la parole ?

— Oui, c'était une sorte de débat. Je leur dis : « Vous « n'avez pas honte de monter tout ce spectacle ? » (Textuellement ! Je me suis fait rappeler à l'ordre : « On « vous retire la parole ! ») Vous êtes sûrs qu'une erreur « judiciaire ne se produit pas aussi facilement qu'une er- « reur médicale ? Toute cette affaire demande une enquê- « te scientifique, et non judiciaire ! Il ne fallait réunir que « des médecins, pour un examen scientifique qualifié. « Nous autres chirurgiens, chaque mardi et chaque ven- « dredi nous affrontons un risque, nous traversons un « champ de mines ! Et notre travail est tout entier fondé « sur la confiance, une mère doit nous confier son enfant, « et non venir témoigner contre nous devant un tribunal ! »

De nouveau, l'émotion le saisit et sa voix trembla dans sa gorge. Il oublia le sandwich qu'il avait entamé et, déchirant le paquet de cigarettes à moitié vide, en prit une et l'alluma :

« Et encore, heureusement que le chirurgien était russe ! S'il avait été allemand, ou, tenez, *jjuif* — et il avança les lèvres en mouillant et en allongeant le « *j* » — alors il n'y avait plus qu'à le pendre, et plus vite que ça ! On m'a applaudi. Mais comment peut-on se taire ? Quand on tire sur le nœud coulant, il faut casser la corde ; et plus vite que ça ! »

Vera, bouleversée, écoutait ce récit en secouant doucement la tête. Son regard était plein d'une attention

intelligente et compréhensive, qui faisait justement que
Léon Leonidovitch aimait tout lui raconter. Quant à
Lioudmila Afanassievna, elle écoutait d'un air perplexe,
et, le récit achevé, elle secoua sa tête massive aux cheveux gris coupés court :

« Et moi je ne suis pas d'accord ! Pensez-vous donc
qu'on puisse nous faire entendre un autre langage, à
nous autres médecins ? Ici, on recoud le ventre d'un
malade en y oubliant une serviette, là on lui injecte du
sérum physiologique au lieu de novocaïne ; ailleurs, on
insensibilise les jambes en les mettant dans le plâtre ;
ailleurs encore on donne dix fois la dose prescrite par
erreur ! On se trompe de groupe sanguin lors d'une
transfusion ! On provoque des brûlures. Quel autre langage nous faire entendre ? Il faut nous tirer les oreilles, comme à des enfants !

— Vous me renversez, Lioudmila Afanassievna ! fit
Léon Leonidovitch en levant sa grande main ouverte à
la hauteur de son visage comme pour se défendre. Comment pouvez-vous dire cela, vous ! Comprenez que c'est
là une question qui ne touche pas seulement à la médecine ! C'est un combat qui met en cause le caractère
même de notre société !

— Voici ce qu'il faudrait faire. Voici ce qu'il faudrait
faire !... » disait Vera, tâchant de les réconcilier et de saisir leurs bras qui gesticulaient. « Il faut, bien sûr, accroître la responsabilité des médecins, mais ceci en abaissant
leurs normes, de moitié, des deux tiers ! Neuf malades
par heure pour les consultations du dispensaire, est-ce
concevable ? Il faut leur donner la possibilité de causer
tranquillement avec les malades, de réfléchir à loisir.
Pour les opérations, une seule par jour et par chirurgien,
et pas trois ! »

Mais Lioudmila Afanassievna et Léon Leonidovitch ne
voulaient pas en démordre et continuaient à crier. Vera
réussit quand même à les calmer et demanda :

« Et cela s'est terminé comment ? »

Léon Leonidovitch défronça les sourcils et sourit :

« On l'a sauvé ! Tout le procès est tombé à l'eau, on

l'a seulement reconnu coupable d'avoir mal tenu le dossier de maladie. Mais attendez, ce n'est pas tout ! Après le verdict, on donne la parole au représentant du Service de santé, vous voyez ça d'ici : nous éduquons mal nos médecins, nous éduquons mal nos malades, il n'y a pas assez de réunions syndicales. Puis, pour conclure, on donne la parole au chirurgien principal de la ville. Et quelles conclusions pensez-vous qu'il a tirées de tout cela ? Qu'est-ce que cela lui a fait comprendre ? Juger les médecins, nous déclare-t-il, que voilà une heureuse initiative, camarades, une excellente initiative !... »

CHAPITRE XXVII

INTERESSANT ? ÇA DEPEND POUR QUI...

C'ÉTAIT un jour de semaine tout à fait comme les autres, au moment d'une visite quotidienne de routine : Vera Kornilievna allait voir ses malades toute seule, et, dans le vestibule supérieur, une infirmière se joignit à elle.

Cette infirmière, c'était Zoé.

Elles restèrent quelques instants auprès de Sigbatov, mais comme c'était Lioudmila Afanassievna qui prenait elle-même toutes les décisions concernant ce malade, elles ne s'attardèrent pas et pénétrèrent dans la salle.

Elles avaient exactement la même taille : les lèvres, les yeux, le bonnet blanc, tout était à la même hauteur. Mais comme Zoé était beaucoup plus forte, elle paraissait aussi plus grande. On pouvait imaginer que dans deux ans, lorsqu'elle serait elle-même devenue médecin, elle aurait l'air plus imposant que Vera Kornilievna.

Elles commencèrent par l'autre rangée, et Oleg ne voyait que leurs dos, le petit chignon châtain foncé qui dépassait dessous le bonnet de Vera Kornilievna et les boucles d'or sous celui de Zoé.

Toute cette rangée était aujourd'hui composée de malades traités par les rayons, et elles avançaient lentement : Vera Kornilievna s'asseyait auprès de chaque malade, l'examinait, lui parlait.

A Akhmadjan, après avoir examiné sa peau et revu tous les chiffres que donnaient le dossier de maladie et la dernière analyse du sang, Vera Kornilievna dit :

« Bon, on va bientôt arrêter les rayons ! Tu vas pouvoir rentrer chez toi ! »

Akhmadjan, radieux, souriait de toutes ses dents blanches.

« Où habites-tu ?

— A Karabaïr.

— Eh bien, voilà, tu vas y retourner.

— Je suis guéri ? demandait Akhmadjan épanoui

— Tu es guéri.

— Tout à fait ?

— Pour le moment, tout à fait.

— Je ne reviendrai donc plus ?

— Tu reviendras dans six mois.

— Pourquoi faire, si c'est tout à fait ?

— Pour te montrer. »

Elle parcourut ainsi toute la rangée en tournant le dos à Oleg, sans regarder une seule fois dans sa direction. Zoé, elle, ne jeta un coup d'œil dans son coin qu'une toute petite fois.

Auprès de Vadim, Vera Kornilievna fit une longue halte. Elle examina sa jambe et lui palpa l'aine, les deux aines, puis le ventre et les fosses iliaques tout en demandant à chaque fois ce qu'il sentait ; elle lui posa encore une autre question, nouvelle pour lui : que sentait-il après avoir mangé, après avoir mangé différentes choses.

Vadim paraissait concentré ; elle posait ses questions à voix basse et il répondait de même. Lorsque, inopinément, elle commença à lui palper la fosse iliaque droite et à l'interroger sur ce qu'il mangeait, il lui demanda :

« C'est le foie que vous examinez ? »

Il se rappela que sa mère, avant son départ, l'avait, comme par mégarde, palpé au même endroit.

« Il aimerait tout savoir, fit Vera Kornilievna en hochant la tête. Les malades sont devenus si instruits de nos jours qu'il faudra bientôt leur céder la blouse blanche ! »

La tête posée à plat sur son oreiller blanc, avec son teint bronzé tirant sur le jaune et ses cheveux de jais, Vadim fixait sur le docteur un regard sévère et pénétrant, semblable à ces adolescents qu'on voit sur les icônes.

« Je comprends, vous savez, dit-il à voix basse. J'ai lu de quoi il s'agit. »

Il avait dit cela avec si peu d'insistance, sans paraître exiger que Vera tombât aussitôt d'accord avec lui et lui expliquât tout, qu'elle se troubla, ne sut que dire, et resta assise sur son lit comme une coupable. Il était jeune et beau, et probablement très doué, et il lui rappelait un jeune homme qu'elle avait connu jadis dans une famille proche de la sienne : il avait eu une longue agonie, tout en restant pleinement conscient, et les médecins ne savaient que faire pour l'aider, et c'était précisément à cause de lui que Vera, qui n'était alors qu'une collégienne de seconde, avait renoncé à devenir ingénieur et décidé de faire sa médecine.

Et voilà qu'elle ne pouvait rien pour lui, elle non plus.

Dans un bocal posé sur l'appui de la fenêtre, près de Vadim, il y avait une infusion brun-noir de tchaga, que les autres malades venaient regarder avec envie.

« Vous en buvez ?

— Oui. »

Vera Gangart ne croyait pas à la tchaga, à vrai dire elle n'en avait jamais entendu parler auparavant, mais au moins la chose était inoffensive, pas comme la racine du lac Issyk-Koul. Et si le malade y croyait, il n'en fallait pas plus pour qu'elle fût bienfaisante.

« Et avec l'or radio-actif où en est-on ? demanda-t-elle.

— On continue tout de même à m'en promettre. Peut-être ces jours-ci, dit-il, toujours aussi maître de lui et aussi sombre. Seulement il paraît qu'ils ne me le donneront pas directement, mais qu'ils l'enverront par la voie administrative. Dites-moi — il regardait Vera Gan-

gart droit dans les yeux, d'un air exigeant — si ça
arrive dans... deux semaines, il y aura déjà des métastases dans le foie, n'est-ce pas ?

— Mais non, vous n'y pensez pas ! Bien sûr que non !
dit Vera Gangart, mentant avec beaucoup d'assurance
et de vivacité — et, apparemment, elle l'avait convaincu. Si vous voulez le savoir, ces choses-là prennent des
mois. »

(Mais alors, pourquoi lui palper les fosses iliaques ?
Pourquoi lui demander comment il supportait la nourriture ?)

Vadim était tenté de la croire.

S'il la croyait, les choses devenaient plus faciles...

Pendant que Vera était assise sur le lit de Vadim,
Zoé, par désœuvrement, tourna la tête, et, de proche en
proche, regarda d'abord du coin de l'œil le livre qu'Oleg
avait posé sur la fenêtre, puis jeta à Oleg lui-même un
regard interrogateur. Mais que demandait-elle ? Ses yeux
interrogateurs aux sourcils relevés avaient un air charmant, mais le regard d'Oleg restait vide et ne répondait
pas. D'une façon générale, pendant les visites, elle trouvait toujours un moment où lui seul pouvait voir ses
yeux, et alors elle lui envoyait de véritables messages
en morse, de brèves étincelles de gaieté qui s'allumaient
dans ses yeux, des étincelles-saluts. Mais ces derniers temps, les étincelles-tirets avaient, semblait-il,
disparu, et les étincelles-points étaient moins nombreuses.

Oleg était fâché avec Zoé, il lui en voulait de ces quelques jours où il s'était senti si attiré par elle et l'avait
suppliée de lui céder, et suppliée en vain. Puis, les nuits
suivantes, lorsqu'elle était de garde, tandis que ses lèvres
et ses mains refaisaient ce qu'elles avaient fait les jours
précédents, il ne ressentait plus la même chose, il avait
l'impression de se monter la tête. Puis il avait cessé
d'aller la voir, et il dormait pendant qu'elle était de
garde. Et maintenant que tout cela était fini, il ne comprenait pas quel besoin elle avait de prolonger le jeu
par des œillades. C'est cela qu'il voulait lui dire par son

regard très calme. Non, décidément, pour jouer à ce
jeu-là, il se sentait un peu trop vieux.

Il s'était préparé à l'examen détaillé, qui était prévu
pour aujourd'hui : il avait enlevé sa veste de pyjama
et il se tenait prêt à ôter son maillot de corps.

Mais Vera Kornilievna, ayant fini d'examiner Zatsyrko, comme elle s'essuyait les mains et tournait le visage dans sa direction, loin de sourire à Kostoglotov,
loin de l'inviter à lui faire un récit détaillé et de s'asseoir
pour cela sur son lit, ne lui jeta qu'un regard fugitif,
juste assez long pour marquer qu'il allait maintenant
être question de lui. Pourtant, ce bref regard suffit à lui
montrer combien ses yeux exprimaient à présent l'éloi-
gnement. Cette clarté, cette joie particulière qui en éma-
naient le jour de la transfusion, et même cette douce
bienveillance qu'ils exprimaient auparavant, et même
cette sympathie attentive qu'il avait trouvée en eux encore plus tôt, tout cela en avait disparu comme par en-
chantement. Ses yeux, à présent, s'étaient vidés.

« Kostoglotov, nota Gangart, en regardant plutôt du
côté de Roussanov. Même traitement. C'est curieux, dit-
elle en regardant Zoé, la réaction à l'hormonothérapie
est peu marquée. »

Zoé haussa les épaules.

« C'est peut-être une particularité de son organisme ? »
Elle avait sans doute compris que le docteur Gangart
la consultait, elle, étudiante d'avant-dernière année, comme une collègue.

Mais, sans prendre garde à la suggestion de Zoé, Gangart, qui ne songeait manifestement pas à la consulter,
lui demanda :

« Est-ce qu'on lui fait bien régulièrement les piqûres ? »
Zoé comprit sur-le-champ : elle rejeta légèrement la
tête en arrière, ses yeux s'agrandirent légèrement, et, de
ces yeux brun-jaune, grands ouverts, pleins d'un sincère
étonnement, elle regarda la doctoresse droit dans les
yeux :

« Peut-il y avoir le moindre doute là-dessus ?... » Tous
les soins prévus, toujours... Encore un peu, et elle se

serait vexée. « En tout cas, quand c'est mon tour de garde... »

Pour les autres tours de garde, on ne pouvait rien lui demander, c'était clair. Mais ce « en tout cas », elle l'avait prononcé dans une sorte de murmure ininterrompu, et Dieu sait pourquoi, ce furent précisément ces sons hâtifs et précipités qui donnèrent à Vera Gangart la certitude que Zoé mentait. Du reste, il fallait bien que quelqu'un oubliât les piqûres, puisqu'elles n'agissaient pas comme il le fallait ! Ce ne pouvait pas être Marie. Ce ne pouvait pas être Olympiade Vladislavovna. Et pendant les gardes de nuit de Zoé, comme on sait...

Mais à son regard hardi et prêt à faire front, Vera Kornilievna comprit qu'elle ne pourrait pas lui en donner la preuve, que Zoé avait fermement décidé qu'on n'arriverait pas à le lui prouver ! Et la force de résistance et la résolution de nier qui animaient Zoé étaient telles, que Vera Kornilievna n'y put tenir et baissa les yeux.

C'est ainsi qu'elle les baissait toujours lorsqu'elle pensait de quelqu'un des choses désagréables.

Elle baissa les yeux d'un air coupable tandis que Zoé, victorieuse, continuait à la soumettre à l'épreuve de son regard franc et outragé.

Zoé triomphait, mais en même temps elle avait compris qu'elle ne pouvait pas continuer à prendre ce risque : que si c'était Dontsova qui se mettait à l'interroger, et si un malade, Roussanov par exemple, confirmait qu'elle ne faisait pas de piqûres à Kostoglotov, elle pourrait bien finir par perdre sa place à la clinique et être mal notée à l'Ecole de médecine.

Un risque, et au nom de quoi ? Au nom d'un jeu dont, en réalité, toutes les possibilités étaient épuisées, où il n'existait plus de coups inédits, qui était parvenu au bout de son rouleau. Car sortir des limites du jeu, se faire nommer dans ce trou ridicule d'Ouch-Terek, lier sa vie à celle d'un homme qui... Non, c'était vraiment trop absurde, Zoé n'y pensait même pas. Et elle toisa Oleg d'un regard qui signifiait la rupture, la rupture du

contrat par lequel elle s'était engagée à ne pas lui faire
de piqûres.

Oleg, lui, voyait clairement que Vera ne voulait même
pas le regarder, mais il n'arrivait pas à comprendre
pourquoi, et pourquoi si soudainement. Apparemment, il
ne s'était rien passé. Et il n'y avait eu aucune transition.
Hier, il est vrai, elle s'était détournée de lui dans le vestibule, mais il n'y avait vu qu'un hasard.

Ah ! ces caractères de femmes, voilà une chose qu'il
avait complètement oubliée ! C'est toujours comme ça
avec elles : un souffle, et tout disparaît ! Il n'y a que les
hommes avec qui on puisse avoir des relations durables,
stables, normales.

Même Zoé, voilà que, d'un battement de cils, elle lui
faisait des reproches. Elle s'était dégonflée. Et si elle
commençait à lui faire ses piqûres, que pourrait-il encore
y avoir entre eux, quel mystère pourrait encore subsister ?

Mais que voulait donc Gangart ? Tenait-elle donc absolument à ce qu'on lui fît toutes les piqûres ? Mais pourquoi y tenait-elle tant que ça ? N'était-ce pas payer trop
cher ses bonnes grâces ? Qu'elle aille... ailleurs !...

Pendant ce temps, Vera Kornilievna parlait à Roussanov avec sollicitude et cordialité. Cette cordialité faisait particulièrement ressortir le ton tranchant qu'elle
avait pris avec Oleg.

« Vous êtes maintenant un vieil habitué des piqûres.
Vous les supportez très bien, je parie que vous ne pourrez plus vous en passer », disait-elle en plaisantant.

(En voilà des minauderies, ma chère !)

Pendant qu'il attendait que le médecin s'approchât de
lui, Roussanov avait vu et entendu le heurt qui s'était
produit entre Gangart et Zoé. Il savait bien, lui, le voisin de Grandegueule, que la petite mentait à cause de
son Jules, et qu'ils étaient de mèche. Et s'il ne s'était agi
que de lui, Paul Nikolaïevitch l'aurait sans doute glissé
à l'oreille des médecins, peut-être pas ouvertement pendant la visite, mais par exemple dans leur cabinet. Mais,
chose étrange, il hésitait à faire une crasse à Zoé : de-

puis un mois qu'on le soignait ici, il avait compris que
même une petite infirmière de rien du tout pouvait se
venger durement. Ici, à l'hôpital, il y avait une hiérarchie
toute particulière, et, pendant qu'il s'y trouvait, il valait
mieux ne pas se mettre à dos même une simple infirmière, pour une bagatelle qui ne le regardait pas.

Et si Grandegueule, par bêtise, renonçait à ses piqûres, tant pis pour lui. Il n'avait qu'à crever, c'était son
affaire.

Quant à lui, Roussanov savait maintenant avec certitude que sa maladie n'était pas mortelle. La tumeur dé-
croissait rapidement, et chaque jour il attendait avec
satisfaction la visite, pour que les médecins le lui confir-
ment. Aujourd'hui encore, Vera Kornilievna lui avait
assuré que la tumeur continuait à décroître, et que le
traitement marchait bien ; quant à la faiblesse et aux
maux de tête qu'il ressentait, cela passerait avec le
temps. Et elle lui ferait encore une transfusion.

Paul Nikolaïevitch tenait beaucoup, maintenant, au
témoignage des malades qui avaient vu sa tumeur dès
le début. Grandegueule mis à part, il n'y avait plus dans
la salle qu'Akhmadjan qui fût dans ce cas, et aussi Federau qui était revenu ces jours-ci de la salle des malades
chirurgicaux. Son cou, contrairement à ce qui s'était
passé pour Poddouïev, se cicatrisait bien et, de pansement en pansement, l'épaisseur du bandage diminuait.
Federau occupait maintenant le lit de Tchaly, et se trouvait être ainsi le second voisin de Paul Nikolaïevitch.

En soi, c'était bien sûr une humiliation, un outrage du
sort : Roussanov, couché entre deux relégués ! Et, fût-il
resté ce qu'il était avant d'entrer à l'hôpital, il en aurait
certainement fait une question de principe : pouvait-on
en effet mêler de la sorte des membres de l'appareil
dirigeant à d'obscurs éléments socialement nuisibles ?
Mais en ces cinq semaines, ballotté par sa tumeur comme
au bout d'un crochet, Paul Nikolaïevitch s'était adouci,
simplifié peut-on dire. A Grandegueule il pouvait tourner
le dos, et du reste, celui-ci, à présent, ne faisait pas
beaucoup de bruit et ne remuait guère, mais restait tou-

jours couché. Quant à Federau, à le traiter avec un peu
d'indulgence, c'était un voisin supportable. Avant tout,
il s'extasiait sur la façon dont la tumeur de Paul Nikolaïevitch avait décru — des deux tiers, et ne cessait, à la
demande de Paul Nikolaïevitch, de l'examiner et de l'évaluer. Il était patient, sans insolence, et toujours prêt à
écouter docilement ce que Paul Nikolaïevitch lui racontait. Celui-ci, pour des raisons bien compréhensibles, ne
pouvait guère parler ici de son travail, mais rien ne l'empêchait de lui décrire en détail son appartement, qu'il
chérissait tendrement et où il allait bientôt revenir. Là,
au moins, il n'y avait rien de secret, et, bien sûr, cela
faisait plaisir à Federau d'entendre raconter comment on
pouvait bien vivre (et comment, un jour, tout le monde
vivrait). Un homme qui avait dépassé la quarantaine, on
pouvait parfaitement le juger et évaluer ses mérites
d'après son appartement. Et Paul Nikolaïevitch racontait, et même en plusieurs fois, comment était disposée et
meublée sa première chambre, puis la deuxième, puis la
troisième, à quoi ressemblait son balcon et comment
il était aménagé.

Paul Nikolaïevitch avait une excellente mémoire, et,
pour chaque armoire, pour chaque divan, il se souvenait
parfaitement du moment et de l'endroit où on les avait
achetés, de leur prix et de leurs avantages. Et il était
encore plus prodigue en détails lorsqu'il parlait de sa
salle de bain, décrivant le carrelage du sol et celui des
murs, et les plinthes de céramique, et la coupelle destinée au savon, et la courbe aménagée pour la tête, et le
robinet d'eau chaude, et le levier de la douche, et le
système prévu pour suspendre les serviettes. Tout cela
n'était pas aussi insignifiant qu'il pouvait y paraître :
c'était le quotidien, l'existence et, comme on sait, l'existence détermine la conscience, et il faut que l'existence
soit bonne et agréable, et alors la conscience aussi sera
correcte. « Un esprit sain dans un corps sain », comme
disait Gorki.

Et le blond, l'incolore Federau écoutait bouche bée les
histoires de Roussanov, sans jamais le contredire, parfois

même en approuvant de la tête, autant que le lui permettait son cou bandé.

Quoique Allemand, quoique déporté, ce taciturne était, au fond, un homme tout à fait convenable, un voisin de lit tout à fait potable, et avec qui on pouvait s'entendre. Théoriquement, du reste, il était membre du parti. Avec son franc-parler habituel, Paul Nikolaïevitch lui avait dit tout net :

« Le fait qu'on vous ait déporté, Federau, ça relève de la raison d'Etat. Vous comprenez ?

— Je comprends, je comprends, disait Federau en essayant de hocher la tête malgré la rigidité de son cou.

— Il n'y avait pas moyen de faire autrement, n'est-ce pas ?

— Bien sûr, bien sûr.

— Toutes les mesures doivent être interprétées correctement, y compris la déportation. On vous a tout de même gardé au parti : ça compte, ça !

— Et comment ! Bien sûr !

— Et des fonctions dans le parti, vous n'en aviez pas non plus avant, n'est-ce pas ?

— Non.

— Vous avez toujours été simple ouvrier ?

— Oui, toujours mécanicien.

— Moi aussi dans le temps j'ai été simple ouvrier, mais voyez où je suis arrivé, maintenant ! »

Ils parlèrent longuement de leurs enfants, et Roussanov apprit que la fille de Federau, Henriette, était déjà en seconde année à l'Ecole normale de la région.

« Vous vous rendez compte ! s'écria Paul Nikolaïevitch tout attendri. Ça compte, tout de même : une fille de déporté qui s'apprête à achever ses études supérieures ! Qui aurait pu rêver de cela dans la Russie tsariste ! Aucun obstacle, aucune restriction ! »

Ici, pour la première fois, Federau répliqua :

« C'est depuis cette année seulement qu'il n'y a plus de restrictions. Avant, il fallait une autorisation de la Sûreté. Et puis les instituts renvoyaient les dossiers :

refusée au concours, disaient-ils. Mais allez donc vérifier !

— Mais la vôtre est tout de même en seconde année !

— C'est que, voyez-vous, elle joue bien au basket. C'est
pour ça qu'on l'a prise.

— Quelle que soit la raison pour laquelle on l'a prise,
il faut être juste, Federau. Et depuis cette année, il n'y a
plus de restrictions du tout. »

En fin de compte, Federau était un travailleur de l'agriculture, et il appartenait à un travailleur de l'industrie
comme Roussanov de le parrainer.

« A présent, avec les décisions de l'assemblée plénière
de janvier, ça ira beaucoup mieux chez vous, lui expliquait Paul Nikolaïevitch avec bienveillance.

— Bien sûr, bien sûr.

— Parce que la création de groupe d'instructeurs ré-
partis par zones de stations de machines agricoles
— c'est le chaînon décisif. C'est ce qui va tout redresser.

— Oui, oui.

Mais ce n'était pas assez de dire « oui », il fallait comprendre, et Paul Nikolaïevitch expliquait encore avec
force détails à son voisin accommodant pourquoi les stations de machines agricoles deviendraient de véritables
forteresses après la création des groupes d'instructeurs.
Ils discutèrent aussi de l'appel du Comité central du
Komsomol sur la culture du maïs, et de la façon dont
cette année la jeunesse s'attaquerait au maïs, et cela aussi devait changer de façon décisive toutes les données
du problème agricole. Et puis le journal de la veille leur
avait appris qu'on allait modifier toute la pratique de la
planification agricole, et cela faisait aussi de longues
conversations en perspective.

Bref, Federau était, tout compte fait, un voisin positif,
et parfois Paul Nikolaïevitch lui lisait tout bonnement
le journal à haute voix, s'arrêtant même à des détails où
lui-même, sans les loisirs que lui laissait la maladie, ne
serait jamais entré : la déclaration expliquant pourquoi
il n'était pas possible de signer un traité de paix avec
l'Autriche avant de le signer avec l'Allemagne ; le discours

de Rakosi à Budapest ; la façon dont s'engage le combat contre les honteux accords de Paris ; avec quelle parcimonie et quelle indulgence coupable l'Allemagne de l'Ouest juge ceux qui ont eu affaire avec les camps de concentration. Parfois même il faisait profiter Federau de son surplus de provisions, en lui laissant une partie de l'ordinaire.

Mais ils avaient beau s'entretenir à voix basse, une chose, malgré eux, les gênait, c'était que Chouloubine, ce hibou immobile et taciturne, assis un peu plus loin sur son lit, entendait manifestement toutes leurs conversations. Depuis que cet homme était apparu dans la salle, on ne pouvait plus oublier qu'il était là, qu'il vous regardait de ses yeux alourdis, qu'il entendait tout et peut-être même désapprouvait, lorsqu'on le voyait ciller. Sa présence était devenue pour Paul Nikolaïevitch un poids de tous les instants. Il s'était efforcé de le faire parler, de savoir ce qu'il pouvait bien avoir dans la tête, ou au moins de quoi il souffrait, mais Chouloubine ne prononçait jamais que quelques paroles maussades, et ne jugeait même pas utile de parler de sa tumeur.

Même assis, il paraissait tendu ; au lieu d'être au repos comme tout le monde, il peinait et cette façon tendue qu'il avait d'être assis donnait également l'impression qu'il était toujours sur ses gardes. Parfois, fatigué par cette position, il se levait, mais la marche aussi lui faisait mal : il faisait quelques pas clopin-clopant, puis s'arrêtait et restait ainsi une demi-heure, une heure, immobile, et cela aussi avait quelque chose de peu ordinaire et d'accablant. En outre, comme Chouloubine ne pouvait se tenir ni auprès de son lit — il aurait bouché la porte — ni dans le passage, où il aurait gêné, il avait porté son choix sur le pan de mur qui séparait la fenêtre de Kostoglotov de celle de Zatsyrko. C'est là qu'il se dressait, sentinelle hostile, au-dessus de tout ce que mangeait, faisait et disait Paul Nikolaïevitch. Le dos à peine appuyé au mur, il pouvait rester des heures à ce poste.

C'est là qu'il se tenait encore aujourd'hui après la

visite. Il se trouvait à la croisée des regards d'Oleg et de
Vadim, jaillissant du mur comme un haut-relief.

De par la disposition de leurs lits, les regards d'Oleg
et de Vadim se rencontraient souvent, mais les deux hommes ne se parlaient guère. D'abord, parce qu'ils avaient
fréquemment la nausée, et qu'ils évitaient de se fatiguer
par des paroles inutiles. En second lieu, Vadim avait
prévenu, coupant court à toute tentative de conversation :

« Messieurs, pour échauffer un verre d'eau en parlant,
il faut deux mille ans, si l'on parle à voix basse et
soixante-quinze ans si on crie. Et ceci, à condition que le
verre conserve toute la chaleur. Alors à quoi bon tous
les bavardages ? »

Et puis aussi, sans le vouloir peut-être, ils avaient eu
l'un pour l'autre des paroles blessantes. Vadim avait déclaré à Oleg : « Il fallait lutter ! Je ne comprends pas
pourquoi vous n'avez pas lutté lorsque vous étiez là-bas. »
(Et il avait raison. Mais Oleg n'osait pas encore raconter
qu'ils avaient bel et bien lutté.) Quant à Oleg, il avait dit
à Vadim : « Pour qui le gardent-ils donc, leur or ? Ton
père a donné sa vie pour la patrie, pourquoi donc ne t'en
donnent-ils pas, à toi ? »

Et il avait raison lui aussi, Vadim lui-même le pensait
et se le demandait de plus en plus souvent. Mais il était
vexant de l'entendre de la bouche d'autrui. Un mois plus
tôt, il pouvait encore juger superflues les démarches de
sa mère, et gênant le recours au souvenir de son père.
Mais à présent, avec sa jambe prise au piège, il s'agitait,
attendait le télégramme joyeux de sa mère, et se disait
avec anxiété : pourvu que maman réussisse ! Avoir la
vie sauve en considération des mérites de son père
lui paraissait sans doute injuste, mais en revanche il
était infiniment juste d'avoir la vie sauve en considération de son propre talent, dont ceux qui répartissaient
l'or ne pouvaient cependant rien savoir. Sentir en soi-
même un talent qui n'a pas encore fait parler de lui et
qui vous déchire, c'est à la fois un tourment et un devoir ; mourir avant qu'il n'ait éclos, qu'il n'ait explosé
comme dans une violente décharge, c'est beaucoup plus

tragique que dans le cas d'un homme ordinaire, de n'importe lequel des malades qui se trouvaient dans cette salle.

Si la solitude l'agitait et le rendait fébrile, ce n'était pas parce qu'il n'avait pas auprès de lui sa mère ou Galia et que personne ne venait lui rendre visite, mais parce qui ni ceux qui l'entouraient, ni ceux que le soignaient, ni ceux dont dépendait son salut ne savaient combien sa vie à lui était plus importante, beaucoup plus importante que celle des autres !

Et cela cognait si fort dans sa tête, oscillant de l'espoir au désespoir, qu'il ne comprenait plus très bien ce qu'il lisait. Parfois, après avoir lu une page entière, il se rendait compte qu'il n'avait pas compris, que son intelligence s'était alourdie, qu'il ne pouvait plus bondir le long des pensées d'autrui comme une chèvre au flanc de la montagne. Et il s'immobilisait devant son livre, comme s'il avait continué à lire, alors qu'il ne lisait plus.

Sa jambe était prise au piège, et toute sa vie avec.

Il restait donc assis, tandis que près de lui, appuyé au mur, se tenait Chouloubine avec sa souffrance, avec son silence. Et Kostoglotov était couché, silencieux lui aussi, la tête suspendue hors de son lit.

C'est ainsi que, pareils aux trois cigognes de la fable, ils pouvaient rester fort longtemps sans rien dire.

L'étrange, c'est que ce fut justement Chouloubine, le plus obstinément silencieux des trois, qui demanda soudain à Vadim :

« Et vous êtes sûr que vous n'êtes pas en train de vous épuiser ? Que vous avez besoin de tout ça ? De ça et pas d'autre chose ? »

Vadim leva la tête. De ses yeux très sombres, presque noirs, il regarda le vieillard comme s'il n'arrivait pas à croire que cette longue question eût pu venir de lui, ou peut-être abasourdi par la question elle-même.

Mais rien ne permettait de penser que cette question absurde n'avait pas été posée ou qu'elle l'avait été par un autre que le vieillard, dont les yeux rouges et tirés se tournaient légèrement du côté de Vadim avec un air de curiosité.

Il fallait répondre. Vadim savait très bien ce qu'il fallait dire, mais, Dieu sait pourquoi, il ne sentait pas en lui-même l'impulsion qui, comme un ressort, déclenchait habituellement la réponse à cette question. Il répondit quasi machinalement. Sans élever la voix, gravement :

« Ça m'intéresse. Je ne connais rien au monde de plus intéressant. »

Il avait beau, intérieurement, se tourmenter, sa jambe avait beau l'élancer, les huit mois fatals avaient beau fondre à vue d'œil, Vadim éprouvait de la satisfaction à rester maître de lui-même, comme s'il n'avait été menacé d'aucun malheur, et qu'on fût ici dans une maison de repos et non au pavillon des cancéreux.

Chouloubine, tête baissée, fixait des yeux le plancher. Puis, gardant le corps immobile, il fit un étrange mouvement circulaire de la tête, tandis que son cou décrivait une spirale, comme s'il avait voulu délivrer sa tête sans y parvenir. Et il dit :

« Intéressant ! » — ce n'est pas un argument, ça. Le commerce aussi c'est intéressant. Gagner de l'argent, le compter, se constituer une fortune, construire, s'entourer de commodités — tout cela aussi est intéressant. Avec une explication comme celle-là, la science ne vaut guère mieux que toute une série d'autres occupations égoïstes et parfaitement immorales. »

Etrange point de vue. Vadim haussa les épaules :

« Mais si c'est réellement intéressant ? S'il n'y a rien de plus intéressant ?

— Ici, à l'hôpital ? Ou en général ?

— En général. »

Chouloubine ouvrit la main, et ses doigts craquèrent d'eux-mêmes en s'écartant.

« Avec cette attitude, vous ne créerez jamais rien de moral. »

L'objection, cette fois-ci, était tout à fait extravagante.

« Mais la science n'a pas à créer de valeurs morales,

expliqua Vadim. — La science crée des valeurs matérielles, c'est à cela qu'elle sert. Mais à propos, qu'est-ce
que vous appelez des valeurs morales ? »

Chouloubine eut un clignement d'yeux prolongé. Puis
un autre. Et il prononça lentement :

« Celles qui tendent à l'éclaircissement mutuel des
âmes.

— Mais éclaircir, c'est bien ce que fait la science, dit
Vadim en souriant.

— Pas les âmes ! fit Chouloubine en levant le doigt.
Du moment que vous trouvez cela « intéressant ». Vous
n'avez jamais eu l'occasion d'entrer pour cinq minutes
dans la basse-cour d'un kolkhoze ?

— Non.

— Eh bien, imaginez : une longue remise à plafond bas.
Sombre, parce qu'en guise de fenêtres il y a de simples
fentes dans les murs, et recouvertes de grillage pour que
les poules ne puissent pas s'envoler. Deux mille cinq
cents poules pour une fille de basse-cour. Le sol est de
terre, les poules n'arrêtent pas de le gratter, et il y a tant
de poussière dans l'air qu'il faudrait mettre un masque
à gaz. Par-dessus le marché, on y garde tout le temps des
anchois avariés dans un chaudron ouvert, vous voyez
l'odeur. Personne pour la relayer. La journée de travail,
en été, va de trois heures du matin au crépuscule. A
trente ans, la fille en paraît cinquante. Qu'est-ce que vous
en pensez : elle trouve ça *intéressant*, cette fille de
basse-cour ? »

Vadim était surpris. Il haussa les sourcils :

« Et pourquoi devrais-je me poser cette question ? »

Chouloubine rétorqua, levant le doigt :

« C'est comme ça que raisonne le commerçant.

— Ce dont elle est victime, c'est précisément du retard
de la science, dit Vadim, trouvant un argument de poids.
Quand la science aura fait des progrès, toutes les basses-
cours seront bien aménagées.

— Et en attendant, vos trois œufs sur le plat tous les
matins, vous les avalez tout de même, pas vrai ? » Chouloubine ferma un œil, et son regard n'en devint que plus

déplaisant. « En attendant qu'elle ait rattrapé son retard, ça ne vous dirait rien d'aller travailler un peu à la basse-cour ?

— Ils ne trouvent pas ça *intéressant*, eux ! » C'était Kostoglotov qui, de sa position suspendue, faisait entendre sa voix canaille.

Roussanov avait déjà remarqué l'assurance avec laquelle Chouloubine parlait d'agriculture. Un jour que Paul Nikolaïevitch s'était lancé dans une explication sur la culture des céréales, Chouloubine était intervenu pour le corriger. A présent, il lui lança un coup d'épingle :

« Dites donc, vous n'auriez pas fait l'Académie Timiriazev par hasard ? »

Chouloubine tressaillit et tourna la tête vers Roussanov :

« Si », fit-il, l'air surpris.

Et soudain il se hérissa, se gonfla, se voûta et, avec toujours les mêmes mouvements maladroits d'oiseau aux ailes rognées qui essaie de prendre son vol, il s'en alla clopin-clopant vers son lit.

« Alors pourquoi donc êtes-vous bibliothécaire ? » fit dans son dos la voix triomphante de Roussanov.

Mais l'autre, déjà, s'était tu. Muet comme une souche.

Paul Nikolaïevitch ne les respectait pas, ces gens qui dans la vie, au lieu de monter, descendent.

CHAPITRE XXVIII

IMPAIR PARTOUT

QUAND Léon Leonidovitch était apparu dans la clinique, Kostoglotov avait tout de suite compris que c'était un homme de décision. N'ayant rien de mieux à faire, il l'examinait pendant la visite. Ce calot, qu'il n'avait certainement pas posé sur sa tête devant un miroir ; ces bras trop longs, avec parfois ces poings serrés enfoncés dans les poches de devant de sa blouse fermée ; cette façon de pincer le coin des lèvres comme s'il avait envie de siffler ; cette manière enjouée de parler aux malades, avec toute sa force et de son air menaçant — tout cela le rendait très sympathique à Kostoglotov, et celui-ci avait envie de discuter avec lui et de lui poser quelques questions auxquelles aucune des femmes médecins ne pouvait ou ne voulait lui répondre.

Mais il n'en avait jamais l'occasion : pendant la visite, Léon Leonidovitch ne voulait voir que ses malades à lui et passait devant ceux du service de radiothérapie comme s'ils n'existaient pas ; sans doute, dans les couloirs et dans l'escalier, répondait-il toujours à ceux qui le saluaient, mais il avait toujours l'air pressé et préoccupé.

Or, un jour, parlant d'un malade qui avait d'abord nié, puis avoué, Léon Leonidovitch avait dit en riant : « Il s'est quand même *cassé* ! » et cela n'avait fait qu'exciter davantage la curiosité d'Oleg. Car n'importe qui ne pouvait pas connaître et employer ce mot dans ce sens-là.

Ces temps derniers, Kostoglotov errait moins souvent à travers la clinique et il lui arrivait plus rarement encore d'y croiser le chirurgien principal. Mais une fois il se trouva que Léon Leonidovitch ouvrit devant lui la porte d'une chambrette contiguë à la salle d'opération et y entra : Kostoglotov était donc sûr de l'y trouver seul. Et, ayant frappé à la vitre obscurcie de la porte, il entra.

Léon Leonidovitch avait déjà eu le temps de s'asseoir sur un tabouret devant la seule table de la pièce ; il était assis de travers, comme on le fait lorsqu'on ne s'assied que pour quelques instants, mais il écrivait déjà quelque chose.

« Oui ? » fit-il en levant la tête, pas même surpris, semblait-il, mais toujours aussi absorbé, réfléchissant à ce qu'il allait écrire.

Personne n'avait jamais le temps ! Il fallait prendre en une minute des décisions qui engageaient une vie entière.

« Excusez-moi, Léon Leonidovitch. » Kostoglotov essayait d'être aussi poli qu'il pouvait l'être. « Je sais, vous n'avez pas le temps. Mais, vous excepté, il n'y a absolument personne à qui... Deux minutes, vous permettez ? »

Le chirurgien fit oui de la tête. Il pensait manifestement à autre chose.

« Voilà : on me fait de l'hormonothérapie à cause de... des injections de synoestrol, intramusculaire, en doses de... (C'était le truc de Kostoglotov et sa fierté que de parler aux médecins dans leur propre langage et avec leur propre exactitude, exigeant par-là qu'à leur tour ils lui parlent ouvertement.) Alors ce qui m'intéresse c'est de savoir si l'action de l'hormonothérapie est cumulative ou non ? »

Toute cette entrée en matière ne lui avait pris que vingt secondes sur les cent vingt qu'il avait obtenues. Le reste ne dépendait plus de lui, et il se taisait, les mains derrière le dos, regardant du haut de sa grande taille son interlocuteur assis, et paraissant de ce fait un peu voûté.

Léon Leonidovitch plissa le front, faisant un effort pour se détacher de ce qui lui occupait l'esprit.

« Mais non, en principe elle ne devrait pas l'être », répondit-il. Mais cela ne sonnait pas comme une réponse définitive.

« Et moi, je ne sais pas pourquoi, j'ai l'impression qu'elle l'est, insistait Kostoglotov, comme s'il l'eût souhaité, ou comme s'il n'attachait plus guère de crédit aux paroles de Léon Leonidovitch lui-même.

— Mais non, elle ne devrait pas l'être, disait le chirurgien, toujours aussi peu catégorique, soit que ce ne fût pas sa partie, soit qu'il n'eût pas encore réussi à s'arracher à ses pensées.

— C'est très important pour moi de comprendre — Kostoglotov avait l'air de menacer —, est-ce que, après ce traitement je perdrai tout à fait la possibilité... vous savez... avec les femmes... Ou seulement pour un certain temps ? Est-ce que ces hormones qu'on aura introduites en moi seront éliminées ? Ou y resteront-elles pour toujours ? Ou peut-être, au bout d'un certain temps, pourra-t-on neutraliser cette hormonothérapie par des piqûres d'effet inverse ?

— Non, cela, je ne vous le conseillerais pas. On ne peut pas... » Léon Leonidovitch regardait ce malade aux cheveux noirs ébouriffés, mais il voyait surtout son intéressante cicatrice. Il se représentait l'entaille fraîche, au moment où on l'avait amené au service chirurgical, et comment il aurait fallu s'y prendre. « Mais pour quoi faire ? Je ne comprends pas.

— Comment ça « vous ne comprenez pas » ? — Kostoglotov ne comprenait pas ce qu'on pouvait bien ne pas comprendre. Ou bien était-ce tout simplement que, fidèle à sa caste médicale, cet homme d'esprit pratique ne

cherchait lui aussi qu'à inciter le malade à la résignation ? « Vous ne comprenez pas ? »

Les deux minutes étaient dépassées, et cela sortait
aussi du cadre des relations normales d'un médecin
avec ses malades, mais Léon Leonidovitch, avec cette
simplicité bon enfant que Kostoglotov avait tout de suite
remarquée et appréciée chez lui, lui dit soudain comme à
un vieil ami, d'une voix assourdie et amicale :

« Ecoutez, ce ne sont tout de même pas les nanas qui
font tout le bon côté de la vie ?... On finit par en avoir
par-dessus la tête, de tout ça... Ça ne fait qu'empêcher de
s'occuper de choses sérieuses. »

Il disait cela avec une parfaite sincérité, avec lassitude,
même. Il se rappelait qu'à l'instant le plus grave de sa
vie, la concentration nécessaire lui avait peut-être manqué
précisément à cause de cette perte d'énergie, de ce dé-
rivatif.

Mais Kostoglotov ne pouvait pas le comprendre ! Oleg,
en ce moment, ne pouvait imaginer qu'on pût en avoir
assez d'un sentiment comme celui-là ! L'air hébété, il
balançait la tête de droite à gauche, et son regard était
sans expression.

« A moi, il ne me reste rien de plus *sérieux* que ça
dans la vie. »

Non, vraiment, elle n'était pas prévue par le règlement de la clinique de cancérologie, cette conversation !
Il n'était pas prévu de consultations, consistant en réflexions sur le sens de la vie, et, par-dessus le marché,
avec un médecin qui appartenait à un autre service !
Quelqu'un entrouvrit la porte, regarda et aussitôt entra,
sans en demander la permission : c'était la petite chirurgienne toute frêle qui portait des talons hauts et se
balançait tout entière en marchant. Elle alla droit vers
Léon Leonidovitch, s'arrêta tout près de lui, posa devant
lui le résultat d'une analyse et se pencha elle-même au-
dessus de la table. (Oleg eut même l'impression qu'elle
se collait à Léon Leonidovitch), et, évitant de l'appeler
de quelque façon que ce fût, dit :

« Ecoutez, Ovdienko a dix mille leucocytes. »

Un petit nuage roux de cheveux follets dansait en plein devant le visage de Léon Leonidovitch.

« Et alors ? fit le chirurgien en haussant les épaules.
— Cela n'indique pas une bonne leucocytose. C'est tout simplement un processus inflammatoire qu'il va falloir réduire par la radiothérapie. »

Alors elle commença à parler, à parler (et le fait est que sa petite épaule s'appuyait bel et bien contre le bras de Léon Leonidovitch). Le papier que Léon Leonidovitch avait commencé à remplir reposait, abandonné, et la plume oisive s'était renversée entre ses doigts.

De toute évidence, Oleg aurait dû sortir : la conversation qu'il espérait depuis longtemps allait donc s'interrompre au moment le plus intéressant.

Angéline se retourna, apparemment surprise de voir que Kostoglotov était encore là, mais, par-dessus sa tête, Léon Leonidovitch lui adressa de son côté un regard où il y avait une pointe d'humour. Quelque chose, sur son visage, que Kostoglotov n'eût pu nommer, fit qu'il se décida à continuer :

« Je voudrais encore vous demander ceci, Léon Leonidovitch, avez-vous entendu parler du champignon de bouleau, de la *tchaga* ?
— Oui, confirma volontiers ce dernier.
— Et qu'en pensez-vous ?
— C'est difficile à dire. J'admets que certains types de tumeurs locales puissent y être sensibles. Celles de l'estomac, par exemple. A Moscou, en ce moment, on ne parle que de ça. On dit que dans un rayon de deux cents kilomètres il n'y a plus moyen d'en trouver, toutes les forêts ont été ratissées. »

Angéline se redressa, prit son papier et partit, l'air méprisant, avec toujours cette façon indépendante (et agréable) qu'elle avait de se balancer en marchant.

Elle s'en alla mais, hélas ! la première conversation d'Oleg avec le chirurgien était maintenant gâchée : sa question n'avait reçu qu'un début de réponse, mais il eût été déplacé d'y revenir pour discuter de ce que les femmes apportent dans la vie.

Cependant, la gaieté et la légèreté que Kostoglotov avait surprises dans le regard de Léon Leonidovitch, et cette absence de barrières qu'il sentait dans son attitude l'encourageaient à poser encore la troisième question qu'il avait préparée, et qui n'était pas non plus tout à fait insignifiante.

« Léon Leonidovitch ! Excusez mon indiscrétion, fit-il en rejetant la tête en arrière d'un mouvement oblique. — Si je me trompe, n'en parlons plus. Est-ce que vous... — il baissa la voix lui aussi et plissa la paupière — vous n'avez pas été *là où jamais ne cessent les danses et les chants* ? »

Léon Leonidovitch s'anima :

« Si.

— Pas possible ! » fit Kostoglotov, tout joyeux. C'est donc là qu'ils avaient été des égaux ! « Et en vertu de quel article ?

— Non, je n'étais pas condamné. J'étais libre.

— Ah ! voilà ! » dit Kostoglotov déçu.

Non, décidément, il n'y avait pas d'égalité entre eux.

« Comment avez-vous donc deviné ? demanda le chirurgien, curieux.

— C'est un mot que vous avez employé, « se casser ». Non, pas seulement, vous avez dit aussi *zanatchka* (« chicane »).

Léon Leonidovitch se mit à rire :

« Décidément, je n'arriverai jamais à m'en défaire. »

Egaux ou pas, ils étaient maintenant beaucoup plus unis que quelques instants plus tôt.

« Et vous y êtes resté longtemps ? » demandait Kostoglotov sans aucune gêne. Il s'était redressé, et n'avait même plus l'air crevé.

« Trois ans, tout de même. On m'a envoyé là-bas après ma démobilisation, et une fois qu'on y est, plus moyen de s'en sortir. »

Il aurait pu éviter d'ajouter cela. Pourtant, il l'avait fait. Drôle de service : digne de respect et plein de noblesse, et pourtant les honnêtes gens jugeaient nécessaire de s'en justifier ! Il existait donc bien, tout de même, quelque part au fond de nous-mêmes, ce compas indéracinable.

« Et qu'est-ce que vous faisiez ?

— J'étais chef de centre médical.

— Tiens ! tiens ! » C'était la même chose que Mme Doubinskaïa, maîtresse de la vie et de la mort. (Mais celle-là n'aurait pas cherché à se justifier. Et celui-ci n'avait pas tenu.)

« Alors vous aviez déjà fini vos études avant la guerre, questionnait Kostoglotov, se cramponnant comme un chardon. Non qu'il eût vraiment besoin de le savoir, mais c'était là une habitude prise dans les prisons d'étape ; avoir en quelques instants, entre deux claquements de guichet, un aperçu de la vie entière d'un compagnon de rencontre. — De quelle année êtes-vous donc ?

— Non, je suis parti après ma quatrième année, comme volontaire, en fonction de médecin », dit Léon Leonidovitch et, laissant là ce qu'il avait commencé d'écrire, il se leva, s'approcha d'Oleg d'un air intéressé et, passant le doigt sur sa cicatrice, se mit à la palper. « Et ça, ça vient de là-bas ?

— Mmm-hm.

— C'est du bon travail... Très bon. C'est un médecin détenu qui vous a fait ça ?

— Mmmm-hm.

— Vous ne vous souvenez pas de son nom ? Ce n'était pas Koriakov ?

— Je ne sais pas, c'était en étape. Il était arrêté en vertu de quel article, Koriakov ? dit Oleg, s'accrochant maintenant à Koriakov et cherchant à se faire rapidement une idée du personnage.

— Il a été arrêté parce que son père avait été colonel de l'armée du tsar. »

Mais l'infirmière aux yeux japonais et à la couronne blanche entra juste à ce moment-là pour inviter Léon Leonidovitch à se rendre à la salle des pansements.

Kostoglotov se voûta de nouveau et s'en fut le long du couloir.

Encore une biographie — en pointillé. Deux, même.

Le reste on pouvait le compléter par l'imagination. Toutes ces voies qui pouvaient mener *là-bas*... Non, voici ce qui comptait : couché dans un lit d'hôpital, ou marchant le long d'un couloir, ou se promenant dans le jardin, on a comme voisin de lit — ou bien on croise sur son chemin un homme comme les autres, et aucun des deux n'aurait l'idée de s'arrêter et de dire : « Allons, retourne ton revers ! C'est bien ce que je pensais, l'insigne de l'ordre secret : a été, s'est trouvé en rapport, a travaillé pour, est au courant ! » Et combien sont-ils ? Mais tout le monde reste muet. Et, de dehors, on ne devine rien. Faut-il que ça soit bien caché !

C'est fou ! En arriver à ce que les femmes paraissent une gêne ! Peut-on être blasé à ce point ? C'est inimaginable !

Somme toute, rien de bien réjouissant. Léon Leonidovitch ne niait pas avec suffisamment d'énergie pour qu'on pût le croire.

Il y avait une seule chose à comprendre : tout était perdu.

Tout...

Comme si on lui avait commué la peine capitale en réclusion à vie. Il restait vivant, mais pourquoi ? Pour rien.

Ayant oublié où il allait, il hésita dans le couloir du bas et s'arrêta sans rien faire.

Une porte s'ouvrit, la troisième à partir de l'endroit où il était, et une petite blouse blanche apparut, très serrée à la taille, et tout de suite si familière.

Véga !

Elle venait dans sa direction ! Elle n'avait que quelques pas à faire, il lui fallait juste contourner deux lits dressés près du mur. Mais Oleg ne s'avançait pas à sa rencontre — et il lui restait une seconde, une seconde, encore une seconde pour réfléchir.

Depuis la visite de l'autre fois, depuis trois jours, voilà comment elle était : sèche, affairée, pas un seul regard amical.

D'abord il s'était dit : qu'elle aïlle au diable, il allait

faire la même chose, tirer la chose au clair, puis se
borner à la saluer en passant...

Mais cela lui faisait de la peine. Il aurait de la peine
pour elle, s'il l'offensait. Et pour lui aussi. Maintenant,
par exemple : ils allaient passer l'un à côté de l'autre
comme des étrangers ?

Lui, coupable ? Non, la coupable, c'était elle : elle
l'avait trompé avec ses piqûres, elle lui voulait du mal.
C'était à lui de pardonner ou de refuser son pardon !

Sans le regarder (mais non sans le voir !), elle parvint à sa hauteur, et Oleg, en dépit de son intention, lui
dit à voix basse, d'un ton presque suppliant :

« Vera Kornilievna... »

(Quel ton absurde, mais qui lui était en même temps
agréable.)

C'est alors seulement qu'elle leva ses yeux froids et
l'aperçut.

(Non, vrai de vrai, quelle raison pouvait-il bien avoir
de lui pardonner ?)

« ...Vera Kornilievna... Vous ne voulez pas... me faire
encore une transfusion ? »

(Il avait l'air de s'humilier, mais c'était quand même
agréable.)

« Vous ne vouliez pas vous laisser faire pourtant ? »
fit-elle, le regardant toujours avec la même sévérité
inflexible, mais une hésitation avait tremblé dans ses
yeux. Ses chers yeux café-au-lait.

(Bon, de son point de vue à elle, elle n'était pas coupable. Et on ne pouvait pas vivre dans une même clinique comme deux étrangers.)

« J'y ai pris goût l'autre fois. J'en voudrais encore. »

Il souriait, ce qui raccourcissait sa cicatrice et la rendait plus sinueuse.

(Lui pardonner en attendant ; plus tard, on trouverait
bien une occasion de s'expliquer.)

Quelque chose cependant avait bougé dans ses yeux,
une sorte de remords.

« On aura peut-être du sang pour vous demain. »

Elle prenait encore appui sur quelque pilier invisible,

mais celui-ci déjà fondait, ou ployait sous sa main.

« Mais il faut que ce soit vous ! Vous, sans faute ! exigeait Oleg avec véhémence. Autrement, je ne me laisserai pas faire. »

Ecartant tout cela, s'efforçant de ne plus rien voir, elle secoua la tête :

« On verra comment ça se présente. »

Et elle passa.

Chère Véga, oui, chère, malgré tout.

Mais où voulait-il donc en venir, avec tout cela ? Condamné à perpétuité, que cherchait-il donc à obtenir ?

Oleg se tenait dans le passage, tout bête, essayant de se rappeler où il allait.

Ah ! oui, voilà ! Il allait rendre visite à Diomka.

Diomka était couché dans une petite chambre à deux lits, mais son voisin avait quitté l'hôpital, et le nouvel opéré n'était attendu que pour le lendemain. Pour le moment, il était donc tout seul.

Une semaine s'était déjà écoulée, et la jambe coupée avait déjà flambé de sa première flamme. L'opération s'éloignait dans le passé, mais la jambe continuait à vivre et à souffrir comme si elle était toujours là, et Diomka sentait même séparément chacun des doigts de sa jambe enlevée.

La visite d'Oleg lui fit autant de plaisir que celle d'un frère aîné. Il n'avait pour toute famille que les amis qu'il avait gardés dans son ancienne salle. Des femmes, aussi, lui apportaient des cadeaux qui étaient posés sur la table de nuit, sous une serviette. Hors de l'hôpital, il n'avait personne qui pût venir le voir et lui apporter quoi que ce fût.

Diomka était couché sur le dos, pour garder au repos sa jambe — ou plutôt ce qu'il restait de sa jambe, un moignon plus court que la cuisse, — avec son immense cocon de bandages. Mais il pouvait mouvoir librement la tête et les bras.

« Eh bien, salut, Oleg ! dit-il en prenant la main que celui-ci lui tendait. Assieds-toi, raconte. Comment ça va là-bas, dans la salle ? »

La salle du haut qu'il avait quittée était son monde habituel. Ici, en bas, tout était différent ; les infirmières, les gardes-malades, les règlements. Tout le monde y passait son temps à se disputer sur ce que chacun avait ou n'avait pas à faire.

« Qu'est-ce que tu veux que je te dise ? » faisait Oleg, regardant le visage raboté, pitoyable de Diomka. Comme si on lui avait creusé les joues de sillons, aminci et aiguisé les sourcils, le nez, le menton. « Toujours la même chose.

— Le *cadre* est toujours là ?

— Le *cadre* est là.

— Et Vadim ?

— Pas fameux. Ils n'ont pas réussi à avoir l'or. On craint les métastases. »

Diomka fronça les sourcils, soucieux, comme s'il avait été l'aîné :

« Le pauvre.

— Alors tu vois, Diomka, il faut bénir le Ciel de ce qu'on t'ait pris la tienne à temps.

— Je peux encore avoir des métastases.

— Allons, ça m'étonnerait. »

Médecin ou pas, qui pouvait y voir quelque chose ? Allez donc savoir si oui ou non elles avaient passé, ces cellules meurtrières, ces chaloupes de débarquement dans les ténèbres ? Et où elles avaient accosté ?

« On te fait des rayons ?

— Oui, on m'y amène sur le chariot.

— Toi, mon vieux, tu sais ce qu'il te reste à faire maintenant : te rétablir, et t'habituer à la béquille.

— C'est qu'il m'en faudra deux. Deux ! »

Il avait déjà pensé à tout, l'orphelin. Avant, il fronçait déjà les sourcils comme un grand ; maintenant, il avait encore pris de l'âge.

« Où est-ce qu'on va te les faire ? Ici ?

— Au service d'orthopédie.

— Ça sera gratis, au moins ?

— J'ai fait une demande. Avec quoi veux-tu que je paie ? »

Ils soupirèrent — ils avaient le soupir facile, comme tous ceux qui, année après année, ne voient jamais rien de bien gai.

« Comment donc pourras-tu finir ta dixième année l'an prochain ?

— Même si je devais en crever, il faut que je la finisse.

— Et de quoi vivras-tu ? Tu ne vas tout de même pas pouvoir retourner à l'atelier ?

— On m'a promis la carte d'invalide. Du second ou du troisième degré, je ne sais pas encore.

— Le troisième, c'est lequel ? » Il n'y connaissait rien, Kostoglotov, à tous ces degrés d'invalidité, comme du reste à tous les règlements civils.

« Le plus comme ça. De quoi s'acheter du pain, pas de quoi s'acheter du sucre. »

Un homme, Diomka : il avait pensé à tout. La tumeur le coulait, le coulait, et lui tenait bon le gouvernail.

« Et après, ce sera l'Université ?

— Je vais tâcher.

— Les lettres ?

— Oui.

— Ecoute, Diomka, je te parle sérieusement : tu vas te tuer. Mets-toi dans les postes de radio : tu auras la paix, et tu pourras te faire du supplément.

— Au diable les postes de radio, renifla Diomka, méprisant. Moi, ce que j'aime, c'est la vérité.

— Eh bien, tu n'as qu'à réparer des postes et dire la vérité, malin ! »

Décidément, ils n'étaient pas d'accord. Ils discutèrent encore de choses et d'autres. Ils parlèrent également des affaires d'Oleg. C'était là aussi, chez Diomka, un trait d'adulte : sa façon de s'intéresser à autrui. La jeunesse ne s'intéresse qu'à elle-même. Et Oleg, comme s'il s'adressait à un adulte, lui exposa sa propre situation :

« Ah ! quelle saloperie ! mugit Diomka.

— Je parie que tu ne voudrais pas être à ma place, hein !

— C'est difficile à dire... »

De tout cela il ressortait qu'avec ces histoires de rayons X et de béquilles, Diomka en avait encore pour six semaines à traîner ici, et qu'on le laisserait sortir en mai.

« Et où est-ce que tu iras d'abord ?

— Au zoo, tout de suite ! » Diomka s'épanouit. Plusieurs fois déjà il avait parlé à Oleg de ce zoo. Il leur était arrivé de se trouver côte à côte sur le perron du dispensaire, et Diomka montrait avec assurance à quel endroit, de l'autre côté du fleuve, dissimulé par d'épais feuillages, se trouvait le zoo. Il y avait déjà si longtemps que Diomka entendait parler de toutes sortes d'animaux, dans les livres et à la radio, et jamais il n'avait vu de ses propres yeux ni un renard, ni un ours, ni, à plus forte raison, un tigre ou un éléphant. Là où il habitait, il n'y avait ni ménagerie, ni cirque, ni forêt. Et c'était depuis longtemps son rêve le plus cher d'avoir un jour l'occasion de se promener dans un endroit où il verrait des bêtes sauvages ; et, avec l'âge, ce rêve ne perdait rien de sa force. De cette rencontre, il attendait quelque chose de particulier. Le jour où, avec sa jambe qui le rongeait, il était arrivé dans la ville pour venir s'étendre sur un lit d'hôpital, il avait donc commencé par aller au zoo : hélas ! c'était justement le jour de la fermeture. « Ecoute, Oleg ! Je pense que toi, tu vas sortir bientôt ? »

Oleg était assis, le dos voûté.

« Oui, probablement. J'ai le sang qui ne tient plus. Les nausées m'épuisent.

— Tu iras au zoo, n'est-ce pas ? » Diomka en était persuadé. Le contraire eût fait baisser Oleg dans son estime.

« Oui, ça se peut bien.

— Il faut absolument que tu y ailles ! Vas-y, je t'en prie ! Et tu sais quoi, envoie-moi une carte, après, hein ? Allez, tu peux bien faire ça pour moi ?... Ça me ferait tellement plaisir ! Tu m'écriras ce qu'il y a en ce moment comme animaux, lequel est le plus intéressant, hein ? Comme ça je le saurai un mois d'avance !

Tu vas y aller ? Tu m'écriras ? Il paraît qu'il y a des crocodiles, des lions... »

Oleg promit.

Il partit (il devait se coucher lui aussi), et Diomka, seul dans sa petite chambre, derrière sa porte fermée, resta encore longtemps sans reprendre son livre, à regarder le plafond, ou la fenêtre, à réfléchir. Par la fenêtre, il ne pouvait rien voir — elle était couverte d'une grille et donnait sur un étroit passage qui longeait le mur de la cité hospitalière. Et sur ce mur, en ce moment il n'y avait même pas de tache de soleil ; il n'était pas sombre non plus, mais moyennement éclairé, comme à travers une pellicule, par un soleil non pas couvert, mais légèrement voilé. Il devait faire une de ces molles journées, ni chaudes ni éclatantes, où, actif mais silencieux, s'accomplit le travail du printemps.

Diomka était couché, immobile, et pensait à des choses agréables : sa jambe coupée cesserait progressivement de lui faire mal ; il apprendrait à marcher sur des béquilles, vite et avec adresse ; il imaginait cette veille du premier mai, ce jour d'été déjà où, depuis le matin jusqu'au train du soir, il se promènerait à travers le zoo ; il aurait maintenant beaucoup de temps, et verrait rapidement et bien à fond tout le programme du secondaire, et lirait encore beaucoup de livres importants qu'il n'avait pas encore lus. Il n'y aurait plus désormais de ces soirées perdues où les copains allaient danser, et où il restait à se tourmenter, tenté d'y aller lui aussi, mais comment faire, puisqu'il ne savait pas danser. Non, tout cela était fini : on allume sa lampe et on travaille.

A ce moment-là, quelqu'un frappa à la porte.

« Entrez ! » dit Diomka. (Ce mot, il le prononçait avec une certaine satisfaction. Jamais encore il n'avait vécu de telle façon que l'on fût obligé de frapper avant d'entrer chez lui.)

La porte s'ouvrit brusquement, livrant passage à Assia.

Assia entra, fit irruption dans la pièce, comme si elle

se dépêchait, comme si on la poursuivait ; mais, ayant refermé la porte derrière elle, elle resta plantée près du montant, une main posée sur la poignée, et de l'autre joignant les revers de sa robe de chambre.

Ce n'était plus du tout la même Assia, celle qui n'était venue que « pour trois jours, pour se faire faire un examen », pendant qu'on l'attendait dans les allées du stade d'hiver. Elle s'était flétrie, avait terni, et même ses cheveux blonds, qui pourtant n'avaient pu changer si vite, pendaient maintenant de façon bien pitoyable.

Quant à la robe de chambre, c'était la même, vilaine, sans boutons, ayant passé sur bien des épaules, et bouilli dans Dieu sait quelles lessiveuses. Mais à présent elle paraissait bien mieux lui convenir que par le passé.

Les cils légèrement frémissants, Assia regardait Diomka ; était-elle bien entrée dans la bonne chambre ? N'aurait-elle pas dû courir plus loin ?

Mais défaite comme elle l'était, n'ayant plus sur Diomka l'ascendant d'une classe, de trois voyages lointains et de l'expérience, Assia ne l'intimidait plus du tout. Il l'accueillit avec joie :

« Assia ! Assieds-toi !... Qu'est-ce qui t'arrive ?... »

Entre-temps, ils avaient plus d'une fois bavardé ensemble, ils avaient même discuté de sa jambe (Assia soutenait dur comme fer qu'il ne fallait pas la laisser couper) et, après l'opération, elle était venue le voir deux fois, lui apportant des pommes et des gâteaux secs. Si familiers qu'ils eussent été dès le premier jour, ils étaient devenus encore plus familiers depuis. De son côté, elle avait fini par lui raconter franchement de quoi elle souffrait : elle avait mal au sein droit, on y avait trouvé des espèces de caillots, on lui faisait de la radiothérapie et on lui donnait aussi des tablettes à se mettre sous la langue.

« Assieds-toi, Assia ! Assieds-toi ! »

Elle lâcha la poignée et, laissant glisser sa main le long de la porte et du mur, comme pour se retenir ou pour en tâter la surface, elle s'avança vers le tabouret placé au chevet de Diomka.

Elle s'assit.

Elle s'assit, le regard fixé non pas sur les yeux de Diomka, mais à côté, sur la couverture. Elle ne se tournait pas vers lui, et lui non plus, du reste, ne pouvait pas se tourner vers elle.

« Eh bien, qu'est-ce qui t'arrive ? » (Se sentir l'aîné, il ne manquait plus que ça ! Du haut de ses oreillers, il tourna la tête dans sa direction — la tête seulement, tout en restant couché sur le dos.)

Sa lèvre trembla, et elle battit des paupières.

« A-assienka, ma petite Assia », eut juste le temps de dire Diomka (tant il avait pitié d'elle, car il n'aurait pas osé sans cela l'appeler Assienka), et déjà elle enfonçait la tête dans son oreiller, à côté de la sienne, et une mèche de ses cheveux lui chatouilla l'oreille.

« Allons, Assienka ! » la suppliait-il, et, à tâtons, il cherchait la main de la jeune fille sur la couverture, mais il ne la voyait pas et n'arrivait pas à la trouver.

Elle, cependant, sanglotait dans son oreiller.

« Eh bien, qu'est-ce que tu as ? Qu'est-ce que c'est, dis ? Mais il avait presque deviné.

— On-va-me-l'en-le-ver !... »

Et elle pleurait, pleurait. Puis elle se mettait à gémir : « O-o-oh ! »

Un long cri de détresse, que ce terrible « o-o-oh ! ». Diomka n'avait jamais rien entendu d'aussi déchirant.

« Mais peut-être que ce n'est pas encore décidé ? Peut-être que ça va encore s'arranger ? »

Mais il sentait qu'il en faudrait bien davantage pour venir à bout de ce « o-o-oh ! ».

Et elle pleurait, pleurait dans son oreiller qu'il sentait déjà tout mouillé à côté de lui.

Diomka trouva la main d'Assia et se mit à la caresser : « Assienka ! Peut-être que ça va s'arranger ?

— Non-on-on... C'est pour vendredi... »

Et elle gémissait longuement, déchirant le cœur de Diomka.

Diomka ne voyait pas son visage brouillé de larmes ;

seules de douces petites mèches de ses cheveux lui cha-
touillaient le visage et les yeux.

Il voulait lui dire, mais ne savait pas comment. Et il
se contentait de lui serrer la main, fort, très fort, pour
la calmer. Il avait tant de peine pour elle, plus que pour
lui-même.

« A-quoi-ça-sert-de-vivre ? put-elle prononcer à travers
ses sanglots. Pour-quoi ?... »

Diomka avait bien quelque chose à dire là-dessus à
partir de sa vague expérience, mais il n'arrivait pas à
le formuler avec précision. Et puis même s'il y était arrivé, il savait, rien qu'à entendre le gémissement d'Assia,
que ni lui, ni rien, ni personne n'auraient pu la convaincre. De son expérience à elle il n'y avait qu'une conclusion à tirer : c'était qu'à présent elle avait perdu toute
raison de vivre.

« Qui-vou-dra-de-moi-m-maintenant ?... se désolait-elle,
butant sur les mots. Qui ?... »

Et de nouveau elle s'enfonçait dans l'oreiller, si bien
que Diomka avait déjà la joue toute mouillée.

« Comment ? essayait-il de la convaincre, tout en continuant à serrer sa main dans la sienne. Tu sais bien
comment on se marie... on a les mêmes idées... le même
caractère...

— Quel est l'imbécile qui va aimer une fille pour son
caractère ! » se rebiffa-t-elle, furieuse, comme un cheval qui se cabre, et elle lui arracha sa main, et c'est
alors seulement que Diomka vit son visage mouillé,
rouge, couvert de taches, pitoyable et furieux. « Qui a
besoin d'une fille qui n'a qu'un sein ! Qui ? A dix-
sept ans ! » criait-elle, comme si tout cela était de sa
faute.

Il ne savait même pas la réconforter comme il faut.

« Mais comment est-ce que je pourrai aller à la plage ! s'écria-t-elle, transpercée par une nouvelle pensée.
A la plage ! Comment est-ce que je pourrai me baigner ?... » Elle se tordit, se figea, et Diomka la sentit
s'éloigner de lui et s'écrouler vers le plancher, de tout
son corps, la tête entre les bras.

Et, vision insupportable, Assia se représenta des costumes de bain de toutes les modes, à bretelles et sans bretelles, d'une pièce ou de deux pièces, de toutes les modes d'aujourd'hui et de demain, des costumes de bain orange et bleu ciel, framboise et bleu d'outremer, unis et à rayures, et bordés de lisérés, tous ceux qu'elle n'avait pas encore essayés, qu'elle n'avait pas encore contemplés devant un miroir, et que maintenant elle n'achèterait plus jamais et ne mettrait plus jamais ! Et c'est justement ce côté-là de son existence — l'impossibilité de se montrer désormais sur une plage — qui lui apparaissait maintenant comme le plus poignant et le plus infamant ! C'est cela qui ôtait tout son sens à la vie...

Et Diomka, du haut de ses oreillers, marmonnait des phrases maladroites, hors de propos :

« Tu sais, si personne ne veut de toi... Bien sûr, je sais bien que moi, maintenant... Mais sans ça, je serai toujours prêt à t'épouser, tu sais...

— Ecoute, Diomka », fit Assia, piquée par une nouvelle idée. Elle s'était levée et se tournait brusquement vers lui, le regardant de ses yeux grands ouverts et sans larmes. « Ecoute : tu es le dernier ! Tu es le dernier qui puisse encore le voir et l'embrasser ! Personne, plus personne ne pourra maintenant l'embrasser ! Diomka ! Toi au moins, embrasse-le ! Au moins toi ! »

Elle ouvrit brusquement sa robe de chambre, qui d'ailleurs s'ouvrait déjà d'elle-même et, se remettant, eût-on dit, à pleurer et à gémir, elle écarta le bord flottant de sa chemise, et fit jaillir le pauvre petit sein droit condamné.

Cela brilla comme si le soleil était entré droit dans la pièce ! Toute la pièce étincela, flamboya ! Et le rose du téton, plus gros que Diomka ne l'aurait imaginé, émergea devant lui, et son regard ne pouvait soutenir ce rose !

Assia se pencha vers lui, tout près, et resta ainsi.

« Embrasse-le ! Embrasse ! » Elle attendait, elle exigeait.

Et, aspirant cette chaleur intime qui lui était offerte, plein de reconnaissance et de bonheur, il se mit à presser de ses lèvres hâtives, comme un goret, toute cette surface onduleuse qui se gonflait au-dessus de lui, et gardait une forme constante, plus harmonieuse et plus belle que tout ce qu'on aurait pu dessiner ou sculpter.

« Tu te souviendras ?... Tu te souviendras qu'il a existé ? Et comment il était ?... »

Les larmes d'Assia tombaient sur sa tête aux cheveux coupés ras.

Elle restait là, au-dessus de lui, et il revenait vers ce rose et faisait doucement des lèvres ce que l'enfant qu'elle aurait un jour ne pourrait jamais faire avec ce sein. Ils étaient seuls dans la pièce, et il enveloppait de baisers cette merveille suspendue au-dessus de lui.

Aujourd'hui merveille, demain au panier.

CHAPITRE XXIX

PAROLE DURE, PAROLE DOUCE

Aussitôt que Ioura fut revenu de sa mission, il alla faire à son père une longue visite de deux heures. Auparavant, Paul Nikolaïevitch avait demandé par téléphone que son fils lui apportât des chaussures chaudes, un manteau et un chapeau ; il en avait par-dessus la tête de cette affreuse salle peuplée de souches, avec leurs conversations stupides, et le vestibule ne le tenait pas davantage, et, bien qu'il fût encore faible, il avait soif de grand air.

Ils allèrent donc au jardin. On n'eut aucune peine à emmitoufler la tumeur d'une écharpe : il la sentait bien encore un peu lorsqu'il tournait la tête, mais déjà beaucoup moins. Personne ne pouvait le rencontrer dans les allées de la cité hospitalière, et, de toute façon, on ne l'aurait pas reconnu dans son habillement bâtard, si bien que Paul Nikolaïevitch se promenait sans aucune gêne. Ioura le tenait par le bras. Paul Nikolaïevitch s'appuyait fortement sur lui. C'était très agréable de marcher pas à pas sur l'asphalte sec et propre et, surtout, cela faisait déjà pressentir un prompt retour —

d'abord dans son cher appartement, pour y prendre un peu de repos, puis à son cher travail. Paul Nikolaïevitch était épuisé, et pas seulement par le traitement, mais aussi par la sotte inaction qu'imposait l'hôpital, et par le fait qu'il avait cessé d'être le rouage important et indispensable d'un mécanisme considérable, ce qui lui donnait le sentiment d'avoir perdu toute puissance et toute signification. Il avait envie de revenir au plus vite là où on l'aimait et où l'on ne pouvait se passer de lui.

Au cours de la semaine, il y avait eu une vague de froid et de pluies, mais aujourd'hui, le temps s'était remis au beau. A l'ombre du bâtiment, il faisait encore frais et la terre gardait son humidité, mais au soleil, la chaleur était déjà si grande que Paul Nikolaïevitch avait du mal à supporter son manteau de demi-saison, et défaisait ses boutons l'un après l'autre.

C'était pour lui une excellente occasion de parler raison à son fils : ce samedi comptait comme son dernier jour de mission, et il n'avait pas besoin de se hâter de reprendre son travail. Et, bien sûr, Paul Nikolaïevitch n'était pas plus pressé que lui. Or, les choses avaient été négligées de ce côté-là, et peut-être même en étaient-elles arrivées à un point dangereux : cela, son cœur de père le lui disait. En ce moment même, depuis que son fils était arrivé, il sentait que celui-ci n'avait pas la conscience tranquille : son regard était fuyant, il paraissait éviter celui de son père. Etant enfant, Ioura n'était pas comme cela : c'était un petit garçon très franc ; cette attitude n'était apparue chez lui que pendant ses années d'études, et précisément dans ses rapports avec son père. Cette dissimulation ou cette timidité irritait Paul Nikolaïevitch, et il lui arrivait de l'apostropher rudement : « Allons, tête haute ! »

Aujourd'hui, cependant, il avait résolu d'éviter toute brusquerie, et de se montrer compréhensif. Il invita Ioura à lui raconter en détail comment il avait fait ses preuves et s'était illustré dans ses fonctions de représentant du ministère public dans les villes lointaines où il avait été en mission.

Ioura s'exécuta, mais sans grand enthousiasme. Il raconta un cas, puis un autre, mais il continuait à fuir le regard de son père.

« Vas-y ! Raconte ! »

Ils s'installèrent sur un petit banc bien sec, au soleil. Ioura portait un blouson de cuir et une casquette de lainage (on n'était pas arrivé à lui faire aimer le chapeau mou), il avait, ma foi, l'air sérieux, courageux, mais au fond de tout cela il y avait comme une paille qui gâchait tout.

« Oui, il y a eu aussi le cas de ce chauffeur..., fit Ioura, les yeux fixés au sol.

— Eh bien, quoi, ce chauffeur ?

— C'était un chauffeur qui transportait un chargement de denrées alimentaires pour la coopérative de consommation. C'était en hiver, il avait soixante-dix kilomètres à faire, et, à mi-chemin, il a été pris dans une tempête de neige. La neige a tout recouvert, le camion patinait, il gelait, et personne... La tempête a duré plus de vingt-quatre heures. Alors, il n'y a pas tenu, il a quitté sa cabine, abandonné son camion comme il était, avec les denrées, et il est allé chercher un gîte pour la nuit. Le matin, la tempête s'est calmée, il est revenu avec un tracteur, et il manquait une caisse de macaroni.

— Et l'accompagnateur ?

— C'était le chauffeur lui-même qui faisait fonction d'accompagnateur, ça s'était trouvé comme ça, il était seul.

— Quel laisser-aller !

— Eh oui !

— Il en avait profité pour faire son beurre.

— Papa, elle lui aurait coûté un peu cher, cette caisse ! » Ioura avait fini par lever les yeux. Son visage avait pris une expression mauvaise, têtue. « Cette caisse, elle lui a rapporté cinq ans. Et il y avait dans le camion des caisses de vodka, eh bien, elles sont restées intactes.

— Voyons, Ioura, il ne faut pas être si confiant et si naïf. Qui d'autre aurait pu la prendre, dans la tempête ?

— Il a pu passer des gens en voiture à cheval, qui

sait ! Au matin, toutes les traces avaient disparu.

— Mettons qu'il ne l'ait pas fait lui-même, en tout cas il a abandonné son poste ! Tu te rends compte ! Abandonner le bien de l'Etat et s'en aller ! »

L'affaire était claire, le verdict irréprochable, il s'en était même tiré à bon compte ! Et Paul Nikolaïevitch était piqué de constater que son fils ne comprenait pas cela et qu'il fallait le lui faire entrer dans la tête ! Un garçon plutôt mou, en général, mais, lorsqu'il se met à défendre une bêtise, il devient têtu comme une bourrique.

« Mais rends-toi compte, papa ; la tempête, dix degrés au-dessous de zéro, comment veux-tu qu'il passe la nuit dans sa cabine ? C'est la mort certaine !

— Qu'est-ce que ça veut dire, la mort, hein ? Qu'est-ce que ça veut dire ? Et les sentinelles, hein, n'importe quelle sentinelle à l'armée ?

— La sentinelle sait qu'elle va être relevée au bout de deux heures.

— Et si on ne la relevait pas ? Et au front ? Par tous les mauvais temps, il y a des gens qui restent debout et meurent sans déserter leur poste ! » Paul Nikolaïevitch montra même du doigt la direction où l'on restait debout à son poste. « Mais réfléchis un peu à ce que tu dis ! Si on pardonne à ce chauffeur-là, tous les autres vont commencer à déserter leur poste et il ne restera bientôt plus rien de l'Etat, comment peux-tu ne pas comprendre ça ? »

Non, Ioura ne comprenait pas ! A son silence buté, on voyait bien qu'il ne comprenait pas.

« Bon, admettons que ce soit là ton opinion de gamin, tu es jeune, on comprend ça ; admettons même que tu l'aies dit autour de toi ; mais j'espère que tu ne l'as pas exprimé par écrit. »

Le fils remua ses lèvres craquelées, les remua encore.

« J'ai... rédigé un pourvoi. J'ai suspendu l'effet de la sentence.

— Suspendu ? Et il y aura révision du procès ? Aïe-aïe-aïe ! Aïe-aïe-aïe ! » s'écria-t-il en levant les mains vers son visage, en se voilant la face à moitié. C'était bien ce

qu'il craignait ! Ioura gâchait la besogne, se faisait du
tort à lui-même, et par-dessus le marché compromettait
son père. Paul Nikolaïevitch ressentait jusqu'à la nausée
le dépit impuissant d'un père qui ne pouvait transmettre
ni son intelligence ni son adresse à son empoté de fils. Il
se leva, et Ioura le suivit, et ils marchèrent, et de nouveau Ioura voulut donner le bras à son père, mais Paul
Nikolaïevitch n'avait pas assez de ses deux mains pour
enfoncer dans la tête de son fils le sentiment de la faute
qu'il avait commise.

Il commença par lui expliquer ce qu'était la loi, et la
légalité, et l'intangibilité des fondements qu'il ne fallait
pas ébranler à la légère, surtout si on devait appartenir
au ministère public. Il précisait aussitôt, du reste, qu'il
n'y avait de vérité que concrète et que, par conséquent,
la loi, c'était très joli, mais il fallait aussi comprendre
la situation concrète, les circonstances, ce qu'exigeait la
minute présente. Et il y avait encore autre chose qu'il
s'évertuait à lui faire comprendre, c'était qu'il existait
une interaction organique de toutes les instances et de
toutes les ramifications de l'appareil d'Etat ; et que, par
conséquent, lorsqu'on arrivait dans un district perdu,
même revêtu des pleins pouvoirs des autorités républi-
caines, on ne devait pas se montrer arrogant, mais bien
au contraire tenir compte des conditions locales et ne
pas affronter sans nécessité les praticiens locaux, qui
connaissaient mieux ces conditions et leurs exigences ;
et si ce chauffeur avait eu ses cinq ans, c'est que, dans
ce district-là, c'était nécessaire.

Ils entraient dans l'ombre des bâtiments et en ressor-
taient, suivaient des allées rectilignes et des allées sinueuses, longeaient la rivière. Ioura écoutait, écoutait,
mais il ne dit qu'une chose :

« Tu n'es pas fatigué, papa ? On pourrait peut-être se
rasseoir un peu ? »

Tête de mule ! Dix degrés au-dessous de zéro dans la
cabine du chauffeur, c'est tout ce qu'il avait retenu de
cette affaire.

Paul Nikolaïevitch était fatigué, bien sûr, et il avait

trop chaud dans son manteau ; aussi s'assirent-ils de nouveau sur un banc au milieu de buissons épais — mais ces buissons n'étaient encore que des baguettes, tout ajourés parce que les toutes premières feuilles commençaient seulement à montrer le bout de l'oreille sur les bourgeons. Le soleil chauffait très fort. Paul Nikolaïevitch était resté sans lunettes pendant toute la promenade, son visage se reposait, ses yeux se reposaient. Il les ferma à demi et resta ainsi, silencieux, au soleil. En bas, sous la falaise, la rivière grondait comme un torrent de montagne. Paul Nikolaïevitch l'écoutait, se chauffait et songeait : comme c'était agréable tout de même de revenir à la vie, de savoir avec certitude que bientôt, lorsque tout allait reverdir, on vivrait aussi, et de même au printemps suivant.

Mais il fallait bien voir où on en était avec Ioura. Se dominer, ne pas se fâcher pour éviter de l'effaroucher. Et, ayant repris quelques forces, il l'invita à poursuivre et à lui raconter encore quelques-uns des épisodes de sa mission.

Malgré toute sa lenteur d'esprit, Ioura savait fort bien ce qui lui vaudrait les éloges de son père et ce qui lui attirerait ses reproches. Et il raconta un cas que Paul Nikolaïevitch ne pouvait manquer d'approuver. Mais il continuait d'éviter son regard, car il n'avait pas appris à mentir, et son père sentit qu'il y avait encore quelque chose qui se dissimulait là-dessous.

« Dis-moi tout, voyons, dis-moi tout ! Tu sais bien que tu ne pourras entendre de moi que de bons conseils. Je ne veux que ton bien, tu le sais. Je veux t'épargner les erreurs. »

Ioura soupira et raconta l'histoire suivante : au cours de son inspection, il avait eu à examiner beaucoup de vieux registres et de documents judiciaires, dont certains remontaient bien à cinq ans. Et il avait remarqué petit à petit qu'en maints endroits, où auraient dû être collés des timbres fiscaux d'un et de trois roubles, ceux-ci manquaient. A vrai dire, il en était resté des traces mais les timbres eux-mêmes n'étaient plus là. Où donc

avaient-ils pu passer ? Ioura avait réfléchi, fait quelques
recherches, et, sur des documents postérieurs, il avait
trouvé des timbres apparemment abîmés, un peu déchirés. Il avait alors deviné que l'une des deux jeunes filles,
Katia et Nina, qui avaient accès à toutes ces archives,
collait de vieux timbres au lieu de ceux qu'elle faisait
payer aux clients.

« Tu m'en diras tant ! grogna Paul Nikolaïevitch, perplexe, en se frappant dans les mains. Il y en a de ces
trucs ! Il y en a 'de ces trucs pour voler l'Etat ! C'est
que ça ne s'invente pas tout seul ! »

Ioura avait fait son enquête discrètement, sans en
souffler mot à personne. Il avait résolu d'aller jusqu'au
bout et de démasquer la coupable, et pour cela il avait
imaginé de faire la cour, pour la frime, d'abord à Katia,
puis à Nina. Il les avait emmenées l'une après l'autre au
cinéma, et les avait raccompagnées chez elles : celle qui
serait bien installée, avec de beaux meubles, des tapis,
devait être la voleuse.

« Bien vu ! » Paul Nikolaïevitch battit des mains avec
un large sourire. « Pas sot du tout ! Tu as l'air de t'amuser, et en même temps tu fais du bon travail. Bravo ! »

Mais Ioura avait découvert que toutes les deux vivaient
très pauvrement, l'une avec ses parents, l'autre avec sa
jeune sœur : non seulement elles n'avaient pas de tapis,
mais encore il leur manquait une foule de choses dont
Ioura concevait mal que l'on pût se passer. Réflexion
faite, il était allé trouver le juge et lui avait tout raconté,
tout en lui demandant de ne pas donner de suites judiciaires à cette affaire, mais de se borner à faire la leçon
aux jeunes filles. Le juge lui fut très reconnaissant
d'avoir préféré trancher à huis clos : la publicité lui
aurait fait du tort à lui aussi. Tous deux, ils avaient
donc convoqué les deux jeunes filles l'une après l'autre
et les avaient sermonnées plusieurs heures de suite. Toutes les deux avaient avoué. Au total, elles se faisaient
ainsi une centaine de roubles par mois chacune.

« Il aurait fallu les poursuivre, ah ! il aurait fallu les
poursuivre ! » Paul Nikolaïevitch se lamentait comme si

c'était lui qui avait raté son coup. D'un autre côté, bien
sûr, il ne fallait pas nuire au juge, et à ce point de vue,
Ioura avait agi avec tact. Au moins, elles auraient dû
tout rembourser !

Arrivé au bout de son récit, Ioura avait perdu tout
son entrain. Lui-même n'arrivait pas à comprendre le
sens de cette aventure. Lorsqu'il était allé voir le juge
et lui avait proposé de ne pas engager de poursuites, il
savait et sentait qu'il faisait preuve de générosité, et il
était fier de sa décision. Il imaginait la joie des deux
jeunes filles lorsque, après un pénible aveu, au lieu du
châtiment attendu, elles entendraient prononcer leur
pardon. Le juge et lui-même, à qui mieux mieux, s'étaient
efforcés de leur faire honte en leur peignant toute l'in-
famie et la bassesse de ce qu'elles avaient fait. Lui-même,
pénétré par la sévérité de sa propre voix, leur citait les
honnêtes gens qu'il avait connus en vingt-trois ans d'existence et qui, ayant tout loisir de voler, ne volaient pas.
Il fustigeait les jeunes filles de dures paroles, sachant
combien ensuite le pardon les mettrait en relief. Et le
pardon était venu, les jeunes filles étaient parties, et
pourtant, les jours suivants, loin de montrer à Ioura un
visage rayonnant, loin de venir le remercier de son geste
généreux, elles l'évitaient. Il en fut surpris ; cela lui
paraissait inexplicable ! N'avaient-elles donc pas compris le sort auquel elles avaient échappé ? Mais, travail-
lant auprès d'un tribunal, elles ne pouvaient l'ignorer.
N'y tenant plus, il finit par demander à Nina si elle était
contente. Et Nina de lui répondre : « Contente ? Et de
quoi ? Il faut maintenant que je me trouve un autre
travail. Je n'ai pas de quoi vivre avec ce que je touche
ici. » Quant à Katia, qui était d'un physique plus agréable, il avait voulu l'emmener encore une fois au cinéma.
Katia lui avait répondu : « Non, moi je flirte honnêtement ; comme ça, ce n'est pas mon genre ! »

Telle était l'énigme qu'il avait rapportée de sa mission,
et à laquelle il continuait à réfléchir. L'ingratitude des
jeunes filles l'avait piqué au vif. Il savait déjà que la vie
était moins simple que ne le croyait son père, avec sa

raideur et sa candeur, mais il voyait maintenant qu'elle
était encore moins simple qu'il ne l'avait cru lui-même.
Qu'aurait-il fallu faire ? Se montrer impitoyable ? Ou ne
rien dire, ne pas remarquer ces timbres réutilisés ! Mais
alors à quoi servait tout son travail ?

Son père avait cessé de lui poser des questions, et
Ioura n'était pas mécontent de pouvoir se taire.

Quant à son père, devant ce second exemple d'une
situation gâchée par des mains maladroites, il en arrivait à conclure une fois pour toutes que, lorsqu'un enfant n'avait pas d'échine, il n'en aurait jamais. Il était
difficile d'en vouloir à son propre fils, mais il le plaignait
et en éprouvait du dépit.

Ils devaient être restés trop longtemps assis. Paul
Nikolaïevitch commençait à avoir les pieds gelés, et il
avait très envie de s'allonger. Il se laissa embrasser, fit
ses adieux à Ioura et s'en retourna dans la salle.

Dans la salle, cependant, les malades discutaient avec
animation. A vrai dire, l'orateur principal était aphone :
c'était ce professeur de philosophie, homme d'une belle
prestance, qui naguère venait souvent rendre visite à
leur salle, qui avait subi depuis une opération de la
gorge et que l'on venait de transférer du service de
chirurgie au service de radiothérapie du premier étage.
Sur le devant de son cou, à l'endroit le plus apparent,
on lui avait fixé une pièce métallique qui ressemblait à
l'épingle d'une cravate de pionnier. Le professeur était
un homme bien élevé et avenant, et Paul Nikolaïevitch
avait à cœur de ne pas le froisser en montrant combien
l'incommodait la vue de cette agrafe qu'il avait au cou.
Pour arriver à parler d'une voix à peu près audible, le
philosophe devait maintenant, à chaque fois qu'il ouvrait
la bouche, appuyer son doigt sur cette agrafe. Mais il
aimait parler, il en avait l'habitude, et maintenant, après
son opération, ayant retrouvé l'usage de la parole, il en
profitait.

Il se tenait donc au milieu de la salle, et, d'une voix
sourde, plus forte cependant qu'un simple murmure, il
racontait :

« Ce qu'il avait bien pu rassembler comme bric-à-brac ! Dans une chambre, le plus sérieusement du monde, il avait disposé un ensemble de bois or pâle, avec les dossiers, les sièges, et les accoudoirs en peluche de velours lilas tendre : quatre fauteuils et un petit divan. Où avait-il bien pu piquer ça ? Au Louvre peut-être ? disait le philosophe, riant de bon cœur. Et dans la même chambre, un second ensemble, non rembourré, avec de grands dossiers noirs. Le piano était de Vienne. Une table en marqueterie, datant au moins de l'époque du Weimar de Gœthe, seulement il la recouvrait toujours d'une nappe bleue et or qui traînait jusqu'au plancher. Sur une autre table, il avait une statue de bronze : une femme nue qui se contorsionne, avec dans la main des flambeaux disposés en cercle, des flambeaux qui ne brûlaient pas, il est vrai. Un peu trop grande pour la chambre, la statue : elle touchait presque le plafond : elle était peut-être faite pour orner un parc... Et des pendules : suspendues, couchées, debout, allant de la table de nuit au plafond — et la plupart ne marchant pas. Un immense vase de musée, avec juste une orange dedans. Rien que dans les deux pièces où j'ai été, il n'y avait pas moins de cinq glaces, avec cadre de chêne sculpté, avec console de marbre... Et les tableaux : des marines, des paysages de montagne, des ruelles d'Italie... — Et le philosophe riait.

— Et ça venait d'où, tout ça ? demandait avec étonnement Sigbatov qui, comme toujours, tenait ses deux mains posées sur ses reins, comme pour les soutenir.

— Il y en a une partie qui sont des trophées de guerre et une partie qui viennent des antiquaires. Il a fait là-bas la connaissance d'une vendeuse qu'il a fait venir chez lui pour estimer ses meubles et puis il l'a épousée. A eux deux, ensuite, ils s'arrangeaient pour mettre la main sur tous les arrivages un peu intéressants.

— Et lui, qu'est-ce qu'il fait dans la vie ? s'enquérait Akhmadjan.

— Lui, rien. Lui, il est à la retraite depuis l'âge de quarante-deux ans. Et avec ça, un imbécile fini ! Il a

encore chez lui une belle-fille et une petite-fille, et il
leur parle comme ça : C'est moi qui commande ici !
C'est moi le patron ! Cette maison, c'est moi qui l'ai
construite ! Il se promène comme un maréchal, la main
glissée sous les pans de sa capote d'uniforme. D'après
son passeport, il s'appelle Emilien, mais, Dieu sait pourquoi, il exige que les siens l'appellent Sachik. Et vous
pensez qu'il est satisfait de la vie ? Pas du tout : il se
tourmente à l'idée que son ancien général d'armée possède à Kislovodsk une maison de dix pièces, avec un
homme pour faire marcher le chauffage et deux voitures,
tandis que lui, Sachik, n'est pas arrivé à obtenir tout
cela. »

On riait.

Pourtant, Paul Nikolaïevitch n'avait trouvé ce récit ni
drôle ni très à propos.

Chouloubine non plus ne riait pas. Il regardait tout
le monde comme si on l'empêchait de dormir.

« C'est drôle, d'accord, fit Kostoglotov, toujours la tête
en bas. Mais comment...

— C'est comme ce feuilleton qu'il y avait... quand ça ?
Enfin, l'autre jour dans le journal local, fit quelqu'un :
ce type qui se fait construire une maison avec l'argent
de l'Etat, mais on découvre le pot aux roses. Eh bien, le
type a reconnu sa faute, il a remis la maison à une institution pour enfants, et on lui a infligé un blâme ! Il
n'a même pas été exclu du parti !

— Oui ! se souvint Sigbatov. Pourquoi un blâme ?
Pourquoi ne l'a-t-on pas jugé ? »

Le philosophe n'avait pas lu le feuilleton et ne prétendait pas expliquer pourquoi l'homme n'avait pas été
jugé, mais Roussanov le fit :

« Camarades ! S'il s'est repenti, il a pris conscience
de sa faute, et si, par-dessus le marché, il a remis la
maison à un jardin d'enfants, pourquoi faudrait-il absolument prendre une mesure extrême ? L'humanisme,
c'est le trait fondamental de notre...

— ...C'est drôle, d'accord (Kostoglotov revenait à la
charge), mais comment m'expliquerez-vous tout cela du

point de vue philosophique, je veux dire et Sachik, et
la maison ? »

Le professeur fit d'une main (l'autre était appuyée sur
son cou) un geste d'impuissance.

« Que voulez-vous, les vestiges de l'esprit bourgeois...

— Bourgeois ? Pourquoi donc ? grogna Kostoglotov.

— L'esprit comment, alors ? » intervint Vadim, dressant l'oreille lui aussi. Aujourd'hui qu'il était d'humeur
à lire, il fallait justement que toute la salle se chamaille.

Kostoglotov releva sa tête pendante et la remonta sur
l'oreiller pour mieux voir Vadim et les autres.

« Quel esprit ? La cupidité humaine, et pas l'esprit
bourgeois, tout simplement. Il y a eu des gens cupides
avant que les bourgeois n'existent, et il y en aura
après ! »

Roussanov n'était pas encore couché. Par-dessus son
lit, de haut en bas, il dit à Kostoglotov d'un ton sentencieux :

« Si l'on creuse bien, dans des cas de ce genre, on
découvre toujours une origine sociale bourgeoise. »

Kostoglotov eut un brusque mouvement de tête,
comme s'il crachait de côté :

« Mais ce ne sont que des âneries, toutes ces histoires
d'origine sociale !

— Comment cela, des âneries ! » fit Paul Nikolaïevitch
en se prenant les côtes, en proie à une soudaine douleur.
Même de la part de Grandegueule, il ne s'attendait pas
à une sortie aussi impudente.

« Comment cela, des âneries ? fit Vadim, levant ses
sourcils noirs pour marquer son étonnement.

— Comme ça, grognait Kostoglotov, et il se remonta encore, jusqu'à être à moitié assis. On vous a bourré le crâne.

— Que voulez-vous dire « bourré le crâne » ? Etes-vous
prêt à répondre de ce que vous dites ? s'écria Roussanov
d'une voix perçante, à se demander où il en avait trouvé
la force.

— A qui a-t-on bourré le crâne ? » Vadim redressa le
dos, mais resta assis comme il était, avec son livre posé
sur sa jambe.

« A vous.

— Nous ne sommes pas des robots ! dit Vadim en secouant la tête d'un air sévère. Nous n'acceptons rien sans preuves.

— Qui « vous » ? fit Kostoglotov avec un sourire mauvais. Sa mèche lui retombait sur le front.

« Nous ! Notre génération !

— Alors, pourquoi avez-vous accepté l'origine sociale ? Ce n'est pas du marxisme, c'est du racisme !

— Commen-ent !... » Roussanov avait presque hurlé de douleur.

« Comme ça-a ! hurla aussi Kostoglotov.

— Ecoutez, écoutez ! » Roussanov en chancelait ; il agitait les bras, appelant toute la pièce, toute la salle à se réunir autour de lui. « Je demande des témoins ! Je demande des témoins ! C'est du sabotage idéologique ! »

Alors, Kostoglotov posa vivement les deux pieds à terre et fit à l'adresse de Roussanov, des deux coudes et avec un balancement, l'un des gestes les plus inconvenants qui soient, qu'il agrémenta du juron le plus ordurier, celui que l'on voit écrit sur toutes les palissades :

« Allez vous faire..., avec votre sabotage idéologique ! Ils en ont pris des habitudes, ces fils de... Il suffit qu'on ne soit pas d'accord avec eux, et c'est tout de suite du sabotage idéologique ! »

Echaudé, profondément outragé par cette insolence de bandit, par ce geste et ces jurons dégoûtants, Roussanov haletait et rajustait ses lunettes. Kostoglotov, lui, hurlait à travers toute la salle et on l'entendait jusque dans le couloir (si bien que Zoé vint même jeter un coup d'œil dans la pièce) :

« Qu'est-ce que vous avez à caqueter comme un sorcier « origine sociale, origine sociale » ? Dans les années vingt, vous savez ce qu'on disait ? : « Montrez-moi vos « mains calleuses ! » Pourquoi sont-elles si blanches et si potelées vos mains ? Ça, c'était du marxisme !

— J'ai travaillé, j'ai travaillé ! criait Roussanov, mais il voyait mal l'offenseur parce qu'il n'arrivait pas à faire tenir ses lunettes.

— Je vous crois ! beuglait Kostoglotov d'une voix écœurante. Je vous crois ! Il vous est même arrivé de soulever une poutre de vos propres mains au cours d'une journée de travail volontaire, seulement vous vous mettiez au milieu ! Moi je suis peut-être le fils d'un marchand de la troisième guilde, mais j'ai passé toute ma vie à boulonner, tenez, regardez-les mes mains calleuses ! Et je suis quand même un bourgeois ? Qu'est-ce qu'il m'a laissé, mon père, des globules rouges différents ? Des globules blancs différents ? Alors, je vous dis que vos distinctions sont des distinctions de race, et non des distinctions de classe. Un raciste, voilà ce que vous êtes !

— Quoi ? Qu'est-ce que je suis ?

— Un raciste que vous êtes ! » lui assenait Kostoglotov, qui s'était levé et se redressait de toute sa taille.

Se sentant injustement offensé, Roussanov poussait des cris aigus, Vadim, indigné, parlait d'une voix précipitée mais il restait couché et personne ne l'entendait, et le philosophe secouait d'un air réprobateur sa grande tête bien plantée et soigneusement coiffée — mais allez donc entendre sa voix malade !

Cependant, il vint tout près de Kostoglotov et, pendant que celui-ci reprenait son souffle, il parvint à lui chuchoter :

« Vous ne connaissez pas l'expression « prolétaire de père en fils » ?

— On peut avoir dix grands-pères prolétaires, on n'est pas prolétaire si on ne travaille pas soi-même ! tempêtait Kostoglotov. Un rapiat, voilà ce qu'il est, et pas un prolétaire ! Il tremble à la pensée qu'on pourrait ne pas lui donner une retraite hors-cadre, je l'ai entendu ! » Et, voyant que Roussanov ouvrait la bouche, il continuait à lui assener les coups : « Ce n'est pas la patrie que vous aimez, c'est la retraite ! Et le plus tôt possible, vers les quarante-cinq ans ! Moi, j'ai été blessé devant Voronej, ça m'a rapporté des prunes et une paire de bottes rafistolées, eh bien, moi je l'aime, ma patrie ! Je ne toucherai pas un rond, moi, pour ces deux mois de maladie, et je l'aime tout de même, ma patrie ! »

Et il gesticulait de ses longs bras, touchant presque le visage de Roussanov. Soudain piqué au vif, il s'était enfoncé dans le tourbillon de cette discussion comme il s'était déjà enfoncé des dizaines de fois dans le tourbillon des disputes de détenus, et c'est de là que remontaient et que lui revenaient à l'esprit les phrases et les arguments entendus jadis, de la bouche de gens qui peut-être n'étaient plus en vie. Dans le feu de la discussion, la réalité s'était estompée dans sa tête, et cette chambre close et trop petite, bondée de lits et de gens, était devenue une cellule de prison : c'est pourquoi il se laissait aller si facilement aux pires injures et était prêt à se battre sur l'heure s'il le fallait.

L'ayant senti, et devinant que Kostoglotov, en cet instant, pourrait lui casser la figure comme rien, Roussanov fila doux devant l'ardeur furibonde de son adversaire. Mais ses yeux brillaient de colère.

« Je n'ai pas besoin d'une retraite, moi ! criait Kostoglotov, que personne n'empêchait de parler. Je n'ai pas un radis, moi qui vous parle, et j'en suis fier ! Ce n'est pas ça que je cherche, moi ! Je ne veux pas d'un haut salaire, je le méprise !

— Ch-ut ! Ch-ut ! lui disait le philosophe, essayant de l'interrompre. Le socialisme prévoit un système de rémunérations différenciées.

— Allez vous faire voir, avec votre « différenciée » ! tempêtait Kostoglotov, têtu comme une bourrique. Alors, à mesure qu'on s'approche du communisme, les privilèges des uns par rapport aux autres doivent s'accroître, c'est bien ça ? Donc, pour devenir égaux, il faut d'abord que nous devenions inégaux, c'est bien ça ? C'est ce qu'on appelle la dialectique, n'est-ce pas ? »

A force de crier, il ressentait des douleurs au-dessus de l'estomac, et sa voix en était voilée.

A plusieurs reprises, Vadim avait essayé d'intervenir, mais Kostoglotov sortait sans cesse de nouveaux arguments et les lançait les uns après les autres comme des boules dans un jeu de quilles, si vite que Vadim n'avait pas le temps de se retourner.

« Oleg ! criait-il, s'efforçant de l'arrêter. Oleg ! Il n'y a rien de plus facile que de critiquer une société qui en est tout juste à se constituer. Il faut tout de même se souvenir qu'elle n'a même pas encore quarante ans.

— Moi non plus ! répliqua promptement Kostoglotov. Et je ne serai jamais plus vieux qu'elle ! Est-ce que c'est une raison pour que je me taise pendant toute ma vie ? »

Essayant de l'arrêter du geste et demandant grâce pour sa gorge souffrante, le philosophe chuchotait des formules convaincantes sur la différence qu'il y avait entre la contribution au revenu national de celui qui lave les planchers de la clinique et de celui qui dirige le service de santé publique.

Et Kostoglotov aurait sans doute trouvé encore quelque incongruité à aboyer en réponse à cela, mais soudain, du coin de la pièce où il se trouvait, près de la porte, Chouloubine, que tout le monde avait oublié, s'avança vers eux. Remuant les jambes avec maladresse, il venait lentement vers eux avec son air sale et débraillé, dans sa robe de chambre d'hôpital dépenaillée, comme un homme que l'on aurait réveillé à l'improviste au milieu de la nuit. Tous le virent, et furent surpris. Lui, cependant, se posta devant le philosophe, leva le doigt et demanda, au milieu du silence général :

« Vous connaissez les « Thèses d'avril [1] » ?

— Qui ne les connaît pas ? demanda en souriant le philosophe.

— Et vous pouvez les énumérer point par point ? interrogeait toujours Chouloubine de sa voix gutturale.

— Il n'est pas indispensable de pouvoir les énumérer, cher ami. Les thèses d'avril ont posé le problème du passage de la révolution démocratique bourgeoise à la révolution socialiste. Et dans ce sens...

— Eh bien, ces thèses comportent aussi le point suivant, dit Chouloubine en remuant ses sourcils touffus au-dessus de ses yeux ronds, malades, fatigués, rougeâ-

_____

1. De Lénine. (N. du T.)

tres et couleur tabac. « Le traitement de tous les fonc-
« tionnaires ne doit pas être supérieur au traitement
« moyen d'un bon ouvrier. » C'est comme ça qu'on a
commencé la révolution.

— C'est vrai ? fit le professeur tout surpris. Je ne m'en
souvenais pas.

— Quand vous serez revenu chez vous, vous pourrez
le vérifier. Par conséquent, le directeur du service de
santé de la région ne devrait pas gagner plus que notre
Nelly. »

Et il agita le doigt, comme pour souligner une interdiction, devant le visage du philosophe.

Puis il repartit dans son coin en boitillant.

« Ha-ha ! Ha-ha ! » ricana Kostoglotov, réjoui de ce renfort inattendu. Voilà un argument qui lui manquait
bigrement, et le vieux l'avait bien tiré d'affaire ! « Vous
avez digéré ça ? »

Le philosophe, ne sachant que répondre, arrangeait
l'agrafe qu'il avait au cou.

« Nelly, un bon ouvrier ? C'est peut-être un peu
excessif !

— Bon, mettons l'infirmière qui porte des lunettes.
De toute façon, elles ont le même salaire. »

Roussanov, lui, s'était assis et avait abandonné la partie : il ne pouvait plus voir Kostoglotov, il en tremblait
de dégoût (mais la longueur de ses bras et la vigueur
de ses poings lui interdisaient de recourir à des mesures
administratives) ; quant à ce hibou répugnant, là-bas,
dans son coin, il avait tout de suite déplu à Paul Niko-
laïévitch, et pour cause : assimiler le directeur du service
de santé de la région à une laveuse de plancher, il n'avait
rien trouvé de plus malin ! Que voulez-vous dire, après
ça ?

Tout le monde se dispersa aussitôt ; et Kostoglotov
ne voyait plus à qui s'en prendre. Du reste, il avait déjà
clamé tout ce qu'il avait sur le cœur. Et puis, à force
de crier, il se sentait tout endolori en dedans, et parler
lui faisait mal.

Alors, Vadim, qui était resté couché pendant toute

la discussion, lui fit signe d'approcher, le fit asseoir sur son lit et, sans élever la voix, se mit à lui faire la leçon :

« Vous n'appliquez pas la bonne mesure, Oleg. Voici où est votre erreur : vous comparez ce qui est à l'idéal futur, alors que vous devriez le comparer aux plaies et à la pourriture que représentait toute l'histoire passée de la Russie jusqu'en 1917.

— Je n'y étais pas, je n'en sais rien, fit Kostoglotov en bâillant.

— Il n'est pas nécessaire d'y avoir été, il est facile de se renseigner. Lisez Saltykov-Chtchédrine, ça pourra vous suffire comme manuel. Ou bien comparez aux démocraties modèles de l'Occident, où vous n'obtiendrez jamais ni la reconnaissance de vos droits, ni la justice, ni tout simplement une vie décente. »

De nouveau, Kostoglotov bâilla, l'air épuisé. L'irritation qui l'avait poussé à la discussion s'était éteinte aussi vite qu'elle s'était allumée tout à l'heure. En faisant travailler ses poumons, il avait fortement endolori son estomac ou sa tumeur : il faut croire qu'il lui était interdit de parler trop haut.

« Vous n'avez pas fait de service militaire, Vadim ?

— Non, pourquoi ?

— Comment ça se fait ?

— A l'institut, nous avions la préparation militaire supérieure.

— Ah ! Moi, j'ai fait sept ans dans l'armée. Comme sergent. « Ouvrière et paysanne » qu'elle s'appelait à l'époque, notre armée. Le chef de section gagnait vingt roubles, et le chef de peloton s'en faisait six cents, vu ? Et au front, les officiers recevaient une ration complémentaire, des gâteaux secs, du beurre, des conserves, et ils le mangeaient en cachette, vous comprenez ? Parce qu'ils en avaient honte. Et nous leur creusions des abris avant d'en creuser pour nous-mêmes. J'étais sergent, je le répète. »

Vadim fronça les sourcils. Ces faits, il les ignorait, mais, bien sûr, ils devaient avoir aussi une explication rationnelle.

« Mais... pourquoi donc me dites-vous tout cela ?

— C'est pour vous demander où est l'esprit bourgeois ? Chez qui ? »

Oleg n'avait déjà que trop parlé, mais il éprouvait un sentiment à la fois d'amertume et de soulagement à la pensée qu'il n'avait vraiment plus grand-chose à perdre.

De nouveau, il bâilla bruyamment et s'en alla vers son lit. Là, il bâilla encore une fois. Et encore une fois.

De fatigue ? Ou bien était-ce la maladie qui le faisait bâiller ? Ou était-ce le sentiment que toutes ces discussions et ces disputes, ce vocabulaire, cet acharnement et ces yeux pleins de méchanceté n'étaient que clapotis dans la boue, rien à côté de leur maladie et de leur affrontement avec la mort.

Et on aurait souhaité toucher à quelque chose de tout différent. De pur. D'inébranlable.

Mais où le trouver ? Oleg n'en savait rien.

Ce matin, il avait reçu une lettre des Kadmine. Le docteur Nicolas Ivanovitch répondait entre autres à sa question sur l'origine de cette « parole douce » qui brise les os. Il y avait, paraît-il, en Russie, au XVe siècle, une sorte de livre manuscrit, les *Commentaires de l'Ancien Testament*... Et, dans ce livre, l'histoire de Kitovras. (Nicolas Ivanovitch avait toujours été très calé sur les antiquités.) Kitovras vivait dans un désert lointain, et ne pouvait marcher qu'en ligne droite. Le roi Salomon fit venir Kitovras et l'enchaîna par ruse, puis on l'emmena tailler des pierres. Mais Kitovras n'avançait qu'en ligne droite, et lorsqu'on lui fit traverser Jérusalem, on dut abattre des maisons devant lui pour lui frayer un passage. Or, il y avait sur son chemin une maisonnnette qui appartenait à une veuve. La veuve se mit à pleurer et à supplier Kitovras de ne pas démolir sa pauvre masure, et elle le fléchit. Kitovras se tordit, se fit tout petit et si se cassa une côte. Mais il laissa la maison intacte. Et il dit alors : « Une douce parole peut briser un os, une parole dure appelle la colère. »

Et Oleg, à présent, réfléchissait à ce Kitovras et à ces

scribes du xve siècle ; eux, oui, c'étaient des hommes ; nous, auprès d'eux, nous ne sommes que des loups.

Qui donc de nos jours se laisserait briser une côte pour répondre à une douce parole ?

Mais il y avait autre chose dans la lettre des Kadmine (Oleg la prit à tâtons sur la table de nuit). Ils écrivaient :

« Cher Oleg,

« Nous avons un très grand malheur.

« Jouk a été tué.

« Le conseil municipal a engagé deux chasseurs pour tirer sur les chiens. Ils parcouraient les rues et tuaient les chiens. Nous avons pu enfermer Tobik, mais Jouk s'est échappé et s'est mis à leur aboyer après. Il était comme ça, il avait toujours eu peur même d'un appareil photographique, comme s'il avait eu un pressentiment ! Ils lui ont tiré une balle dans l'œil, il est tombé sur le bord du caniveau, la tête suspendue au-dessus. Lorsque nous nous sommes approchés de lui, il remuait encore — un si grand corps qui remuait, ça faisait peur à voir.

« Et, savez-vous, la maison est devenue toute vide. Et ce sentiment de culpabilité à son égard : nous aurions dû le retenir, le cacher.

« Nous l'avons enterré dans un coin du jardin, près de la tonnelle. »

Oleg était couché sur son lit et pensait à Jouk. Mais il ne le voyait pas tué, l'œil sanglant, la tête suspendue au-dessus du caniveau. Non : il voyait ces deux pattes et cette bonne grosse tête affectueuse aux oreilles d'ours qui bouchaient la lucarne de sa cabane lorsque le chien venait lui demander d'ouvrir la porte.

Et voilà : même un chien, ils l'avaient tué.

Pourquoi ?

CHAPITRE XXX

LE VIEUX DOCTEUR

LE docteur Orechtchenkov, en soixante-quinze années d'existence et un demi-siècle de pratique, n'avait pas gagné de quoi s'offrir un palais en pierre, mais il avait tout de même pu s'acheter, dès les années 20, une petite maison en bois sans étage, avec jardinet. C'est là qu'il vivait depuis. La maison était située dans une artère paisible, dotée non seulement d'une promenade centrale mais aussi de trottoirs spacieux qui séparaient les maisons de la chaussée, d'une bonne quinzaine de mètres. Sur les trottoirs, encore au siècle dernier, on avait fait pousser des arbres à gros troncs et, en été, leurs faîtes se rejoignaient pour former un épais toit vert, tandis qu'à la base le sol était sarclé, bien nettoyé et entouré d'un grillage en fer. Pendant les fortes chaleurs, les gens passaient là sans pâtir de la cruauté du soleil et, de plus, le long du trottoir, dans un petit caniveau dallé, courait un frais filet d'eau d'irrigation. Cette allée de verdure entourait la partie la plus cossue et la plus belle de la ville et en était elle-même l'un des plus beaux ornements. Du reste, au conseil municipal, on grognait contre ces maisons basses par trop étalées et pas assez serrées les unes contre les autres. On disait que les communications devenaient chères et qu'il était temps de démolir ces maisons pour construire là des immeubles de quatre étages.

L'arrêt d'autobus était assez loin de la maison d'Orechtchenkov et Lioudmila Afanassievna allait à pied. Il faisait très chaud avec un vent sec ; le soir ne tombait pas encore et on voyait dans leur tendre, dans leur toute première éclosion, plus ou moins avancée, les arbres se préparer pour la nuit, tandis que les peupliers, semblables à des cierges, n'offraient point trace de vert. Mais Dontsova regardait à ses pieds et non vers le haut. Tout ce printemps n'était pas joyeux mais conventionnel et qui pouvait dire ce qui adviendrait de Lioudmila Afanassievna tandis que ces arbres déploieraient leurs feuilles, puis que celles-ci jauniraient et tomberaient. Même auparavant, elle avait été toujours si occupée qu'il ne lui arrivait jamais de s'arrêter, de rejeter la tête en arrière et de plisser les yeux.

Dans la petite maison d'Orechtchenkov il y avait côte à côte le portillon et la porte d'entrée munie d'une poignée de cuivre et garnie de moulures pyramidales bien lourdes à la mode ancienne. Dans de telles maisons ces portes, plus toutes jeunes, sont en général condamnées et il faut passer par le portillon. Ici, pourtant, les deux marches de pierre qui menaient à la porte n'étaient pas envahies par l'herbe et la mousse et, comme jadis, la petite plaque de cuivre était reluisante qui portait, gravé en calligraphie penchée « Docteur Orechtchenkov D.T. » et la coupelle de la sonnette électrique n'était pas touchée par le temps.

C'est là que Lioudmila Afanassievna appuya son doigt. On entendit des pas. Ce fut Orechtchenkov lui-même qui ouvrit la porte ; il était vêtu d'un complet marron élimé, mais de bonne qualité, et le col de sa chemise était ouvert.

« Ah ! voilà Lioudotchka ! » Il ne relevait le coin des

lèvres que très légèrement, mais chez lui c'était déjà le plus large des sourires. « Je vous attendais, je vous attendais, entrez, je suis très content. C'est-à-dire, content, oui et non. Ce n'est pas un motif heureux qui vous fait rendre visite au vieillard que je suis. »

Elle lui avait téléphoné pour lui demander si elle pouvait venir le voir. Elle aurait pu, bien sûr, lui parler au téléphone de ce qu'elle avait à lui demander mais c'eût été lui manquer d'égards. Et voilà qu'elle l'assurait d'un air coupable qu'elle lui aurait rendu visite en dehors même de toute circonstance malheureuse et lui, de son côté, s'empressait de l'aider à enlever son manteau.

« Je vous en prie, je vous en prie, je ne suis pas encore une ruine. »

Il suspendit le manteau au crochet d'un haut portemanteau laqué prévu pour un grand nombre de visiteurs ou d'invités et la précéda sur des parquets lisses de bois peint. Ils traversèrent le couloir qui passait devant la plus belle pièce, très claire, où se trouvait un piano au pupitre relevé et qu'égayaient des partitions ouvertes ; c'était là que vivait l'aînée des petites-filles d'Orechtchenkov. Ils traversèrent la salle à manger dont les fenêtres tendues de sarments de vigne encore secs donnaient sur la cour et où se trouvait une grande radio de prix ; et ils atteignirent ainsi le cabinet de consultations où tous les murs étaient couverts de rayonnages remplis de livres et où il y avait un grand bureau ancien, un vieux divan et de confortables fauteuils.

« Mais dites-moi, Dormidonte Tikhonovitch, fit Dontsova qui, plissant les yeux, avait fait le tour des murs, il me semble que vous avez encore plus de livres qu'avant !

— Pensez-vous ! fit Orechtchenkov en secouant légèrement sa grosse tête sculpturale, en la secouant de façon presque imperceptible comme il en était de tous ses gestes qui s'inscrivaient toujours dans les limites les plus restreintes. Il est vrai que j'en ai racheté une vingtaine récemment et vous savez à qui ? » Et voilà qu'il montrait quelque gaieté, mais là encore à peine, à peine, et il fallait être habitué à lui pour remarquer ces légères nuances. « A Aznatchaev ! Il a pris sa retraite, ça lui fait soixante ans, voyez-vous. Et c'est là qu'on a pu voir qu'il n'avait rien d'un radiologue ; il ne voulait plus entendre parler de médecine un seul jour de plus, il avait été de tout temps apiculteur et il allait dorénavant ne plus s'occuper que d'abeilles. Est-ce possible, hein ! Etre apiculteur, et perdre les meilleures années de sa vie ! Eh bien, Lioudotchka, où allez-vous vous asseoir ? » demanda-t-il à Dontsova, vieille, grisonnante, comme s'il s'adressait à une petite fille. Et ce fut lui-même qui décida pour elle : « Tenez, dans ce fauteuil, vous y serez très bien.

— Mais je n'ai pas l'intention de m'éterniser, Dormidonte Tikhonovitch. Je ne suis venue que pour une minute », répliquait encore Dontsova, mais déjà elle se laissait glisser dans ce fauteuil profond et moelleux et immédiatement elle ressentit un apaisement et même la quasi-certitude que c'était ici et sur l'heure que serait prise la meilleure décision possible. Le fardeau d'une responsabilité permanente, le fardeau d'une direction qu'elle assumait et le fardeau du choix qu'elle avait à faire pour sa propre vie, tout cela avait cessé de peser sur ses épaules dès l'instant où elle s'était trouvée dans le couloir près du portemanteau, et voilà que tout cela, maintenant, avait définitivement disparu au moment où elle s'enfonça dans le fauteuil. Et c'est avec soulagement qu'elle promena un regard caressant autour d'elle, sur ce cabinet que du reste elle connaissait bien, et c'est avec attendrissement qu'elle vit dans le coin la vieille table de toilette en marbre, non pas un lavabo moderne mais une vraie table de toilette avec son seau d'écoulement, tout étant recouvert et très net. Et elle porta son regard sur Orechtchenkov, heureuse qu'il fût en vie, qu'il existât et que toute son angoisse il l'assumerait. Il se tenait encore debout, bien droit, sans la moindre tendance à se voûter et c'était toujours le même maintien des épaules, fermes, vigoureuses, le même port de tête. Il semblait toujours très sûr de lui, comme si, soignant les autres, il n'était pas question pour

lui de tomber malade. A mi-hauteur du menton ruisselait
une barbe argentée, fine et bien taillée. Il n'était pas
encore chauve et ses cheveux, séparés par une raie qui
paraissait n'avoir pas changé depuis tant d'années,
n'étaient·même pas tout à fait gris. Et son visage était
de ceux dont les traits ne trahissent jamais les sentiments et demeurent toujours égaux, paisibles, à leur
place propre. Et seuls les sourcils, fortement arqués, par
d'infimes mouvements se chargeaient de traduire toute
l'ampleur de l'événement vécu.

« Quant à moi, Lioudotchka, vous m'excuserez, je me
mets à ma table. Mais que cela n'ait rien d'officiel !
C'est tout simplement que j'ai pris un peu racine à
cette place. »

Et le moyen de ne pas y avoir pris un peu racine !
D'abord très souvent, presque chaque jour, puis plus
rarement et encore jusqu'à présent, les malades venaient le voir dans ce cabinet et il leur arrivait d'y rester
fort longtemps, livrés à un entretien douloureux dont
dépendait tout leur avenir. A travers les méandres de
ces entretiens, tel ou tel détail avait pu se graver à tout
jamais dans leur mémoire : ce dessus de table en drap
vert entouré d'un rebord en chêne brun foncé ou ce
coupe-papier ancien en bois, ou cette spatule en nickel
(pour l'examen de la gorge), ou cet agenda mobile, ou
cet encrier sous son couvercle de cuivre ou encore le thé
très fort d'une couleur pourpre qui avait refroidi dans
un verre. Le docteur se tenait assis à son bureau ; il arrivait aussi qu'il se levât, allât vers la table de toilette, vers
une étagère, quand il fallait laisser le malade se reposer
de son regard et réfléchir. En règle générale, ce n'était
que par nécessité que les yeux du docteur Orechtchenkov, dont l'attention ne se relâchait pas, se dirigeaient
ailleurs, vers la fenêtre, fixaient la table, les papiers ; ces
yeux ne perdaient pas un seul des instants réservés au
patient ou à l'interlocuteur. Ils étaient l'instrument principal du docteur Orechtchenkov qui, à travers eux, percevait ses malades et ses élèves, leur transmettait son
esprit de décision, sa volonté.

Parmi les nombreuses persécutions auxquelles il avait été en butte au cours de sa vie : tout d'abord à cause de son activité révolutionnaire en 1902 (il avait fait alors une petite semaine de prison en même temps que d'autres étudiants) ; puis parce que son père défunt avait été prêtre ; après quoi parce que lui-même, durant la première guerre impérialiste, avait été médecin de brigade dans l'armée tsariste et pas seulement médecin de brigade, mais encore, comme cela avait été établi par les témoins, au moment où son régiment, pris de panique, battait en retraite, ayant enfourché son cheval, il avait fait faire volte-face au régiment et l'avait entraîné de nouveau dans cette mêlée impérialiste contre les travailleurs allemands ; de toutes ces persécutions, la plus contraignante et la plus opiniâtre était due au fait qu'Orechtchenkov tenait obstinément à son droit d'avoir une clientèle privée bien que celle-ci fût partout de plus en plus férocement interdite comme source d'entreprise privée et d'enrichissement, comme activité non productive qui, à tout bout de champ et sans cesse, faisait renaître l'esprit bourgeois. Et, pour quelque temps, il avait dû enlever sa plaque de médecin et ne laisser franchir son seuil à aucun malade, quelles que fussent ses prières et quel qu'ait pu être son état, parce que, dans le voisinage, on avait posté, mercenaires ou volontaires, des espions du département des finances et aussi parce que les malades eux-mêmes ne pouvaient se retenir de bavarder, ce qui menaçait de priver le docteur de tout travail et même de logement.

Et pourtant, c'était justement ce droit à une clientèle privée qui lui tenait le plus au cœur dans son métier. Sans cette plaque gravée sur sa porte, il lui semblait vivre dans l'illégalité, sous un nom d'emprunt. Par principe, il n'avait soutenu ni thèse de candidat ni thèse de doctorat, disant que les thèses ne préjugeaient nullement du résultat des soins quotidiens prodigués aux malades et que ceux-ci peuvent même se sentir mal à l'aise s'ils ont affaire à un médecin-professeur et que le temps qu'on perdait à une thèse, il valait mieux l'employer à

maîtriser une discipline de plus. Rien qu'à l'Ecole de
médecine locale, en trente ans, Orechtchenkov était successivement passé par les services de médecine générale,
de pédiatrie, de chirurgie, des maladies infectieuses,
d'urologie et même d'ophtalmologie, après quoi seulement il était devenu radiologue et cancérologue. C'est
avec un pincement des lèvres, d'un millimètre tout au
plus, qu'il exprimait son opinion sur les « hommes de
science émérites ». Son idée était que si quelqu'un, de
son vivant, avait été qualifié d'« homme de science », et
d'« émérite » avec cela, c'en était fait de lui ; la gloire
dès lors l'empêchait de soigner, comme un vêtement
trop somptueux empêche de bouger, et voilà le « cher-
cheur émérite » qui déambulait avec sa suite, semblable
à quelque nouveau Christ au milieu de ses apôtres, et
il se trouvait privé du droit de se tromper, privé du
droit d'ignorer quelque chose, privé du simple droit à
un instant de réflexion ; il pouvait être saturé, éteint,
dépassé, mais il s'en cacherait et tous attendraient
immanquablement de lui des miracles.

Tout cela, Orechtchenkov n'en voulait pas. Tout ce
qu'il voulait, c'était une plaque de cuivre et une sonnette
accessible au passant.

Puis, d'heureuses circonstances firent cependant
qu'Orechtchenkov sauva de la mort le fils d'un directeur, personnage important de la ville. Une autre fois
encore le directeur en personne, pas le même, mais
un personnage également important. Et à plusieurs
reprises divers membres de familles importantes. Et
tout cela se passait ici même, dans cette ville qu'il
n'avait jamais quittée. Et la gloire du docteur Orechtchenkov s'était ainsi établie dans les milieux influents
et lui faisait comme une auréole protectrice. Peut-être
bien que dans une ville purement russe c'eût été de
piètre secours, mais dans une bonne petite ville orientale,
accommodante, on avait su ne pas remarquer qu'il avait
de nouveau accroché son enseigne et que, de nouveau,
il lui arrivait de recevoir quelques clients. Après la
guerre il n'avait plus de poste permanent mais donnait

des consultations dans plusieurs cliniques, participait aux séances de travail des sociétés scientifiques. C'est ainsi que, arrivé à l'âge de soixante-cinq ans, il avait pu commencer de mener, sans interdiction, la vie qu'il considérait juste pour un médecin.

« Eh bien voilà, Dormidonte Tikhonovitch, je voudrais vous demander si vous ne pourriez pas venir examiner mon duodénum ? Nous choisirons le jour qui vous conviendra le mieux. »

Elle avait le teint terne et la voix affaiblie. Orechtchenkov la considérait de son regard égal, ne la quittant pas des yeux, et ses sourcils arqués n'avaient pas marqué un seul millimètre d'étonnement.

« Sans aucun doute, Lioudmila Afanassievna, nous arriverons à fixer un jour. Mais tout de même nommez-moi vos symptômes. Et dites-moi aussi ce que vous-même en pensez.

— Les symptômes, je vous les nomme tout de suite. Quant à ce que j'en pense, vous savez, j'essaie de ne pas penser ! C'est-à-dire que j'y pense trop. J'en suis même à ne plus pouvoir fermer l'œil des nuits entières et le plus simple serait pour moi de ne pas savoir ! Vraiment, prenez la décision, et s'il faut passer sur le billard, va pour le billard, mais quant à savoir, je ne le veux pas. S'il faut m'opérer, j'aime mieux ne pas connaître le diagnostic, sinon, durant toute l'opération, je serai là à me dire : que peuvent-ils bien être en train de me faire ? qu'enlèvent-ils ?... Vous comprenez ? »

Etait-ce le grand fauteuil ou ses épaules affaiblies, toujours est-il qu'elle n'avait pas, en cet instant, l'air d'une grande et forte femme. Elle avait rapetissé.

« Pour ce qui est de comprendre, Lioudotchka, peut-être que je comprends, mais je ne partage pas vos idées. Et pourquoi donc parlez-vous ainsi tout de suite d'opération ?

— C'est qu'il faut être prêt à...

— Mais alors pourquoi n'êtes-vous pas venue plus tôt ? Si vous ne le savez pas, vous !...

— Oui, mais, Dormidonte Tikhonovitch, soupira Dont-

sova, c'est la vie qui est ainsi faite. On n'arrête pas...
Bien sûr qu'il n'aurait pas fallu tarder... Mais ne croyez
pas non plus que j'aie laissé aller les choses à ce point »,
dit-elle, se reprenant elle-même. Sa manière accélérée
de femme active lui revenait. « Mais pourquoi une telle
injustice : pourquoi moi, cancérologue, fallait-il que je
sois atteinte précisément d'une maladie cancéreuse
quand je les connais toutes, quand je m'en représente
tous les corollaires, toutes les suites et toutes les complications ?

— Il n'y a là aucune injustice — cette voix par ses
accents graves et son débit mesuré était très persuasive.
Au contraire, c'est juste, tout ce qu'il y a de plus juste.
C'est l'épreuve la plus sûre pour un médecin que de
contracter une maladie qui est du ressort de sa spécialité. »

(Qu'est-ce que cela pouvait bien avoir de juste, de
sûr ? Il raisonne ainsi parce que ce n'est pas lui qui
est malade.)

« Vous vous rappelez Pania Fedorovna, l'infirmière ?
Elle disait : « Oh ! là, comment se fait-il que je sois
« devenue si brusque avec les malades ? Il est temps
« que j'aille faire un peu d'hôpital moi aussi. »

— Je n'aurais jamais pensé que j'en serais tant affec-
tée ! » dit Dontsova, faisant craquer ses doigts. Et malgré tout, en ces instants, elle se sentait moins à bout
que tous ces derniers temps.

« Et alors, qu'observez-vous sur vous-même ? »
Elle se mit à exposer la chose dans ses grandes lignes,
mais il exigea un récit par le menu.

« Dormidonte Tikhonovitch ! je n'avais nullement l'intention de vous prendre ainsi votre samedi soir. Puisque
de toute façon vous allez venir m'examiner à la radio.

— Et vous ne savez pas quel hérétique je suis ? vous
ne savez pas que j'ai travaillé vingt ans avant l'existence
de la radiographie. Et quels diagnostics on faisait, ma
chère petite ! C'est comme avec la cellule photo-élec-
trique ou bien la montre : quand on les a, on perd
tout à fait l'habitude de déterminer le temps de pose à

l'œil nu et l'heure qu'il est par les sens. Et quand on ne les a pas, on s'y fait très vite. »

Et Dontsova se mit à parler, différenciant et regroupant les symptômes, s'obligeant à ne négliger aucun détail susceptible d'aggraver le diagnostic (bien que la tentation fût forte de laisser tomber un certain nombre de points afin de s'entendre dire : « Eh bien, Lioudotchka, vous n'avez rien de sérieux, rien de sérieux. ») Elle lui indiqua aussi sa numération sanguine, une bien mauvaise numération, et aussi sa vitesse de sédimentation accélérée. Il l'écouta sans l'interrompre, puis se mit à lui poser des questions. Parfois, il hochait la tête comme devant une chose tout à fait évidente, simple, qu'on trouve chez tout un chacun, mais pourtant il ne dit pas « rien de sérieux ». Dontsova eut un instant l'idée que, en fait, il avait déjà très certainement formulé son diagnostic et qu'elle pouvait dès à présent, sans attendre la radiographie, lui poser carrément la question. Mais la poser maintenant, de façon si directe, et apprendre sans plus de certitude quelque chose d'hypothétique, l'apprendre comme ça, sur-le-champ, c'était très effrayant. Il fallait absolument retarder, adoucir les choses par quelques journées d'attente. Avec quelle familiarité ils devisaient, quand ils se rencontraient à des conférences scientifiques ! Mais voilà qu'elle était venue lui avouer sa maladie comme on avoue un crime et, du coup, le rapport d'égalité qui existait entre eux avait sauté — non pas le rapport d'égalité, bien sûr, car, avec son maître, il n'y en avait jamais eu, mais quelque chose de plus tranchant : par son aveu elle s'était exclue de la noble classe des médecins et s'était reléguée dans la classe inférieure et soumise des malades. Il est vrai qu'Orechtchenkov ne lui avait pas proposé de palper sur-le-champ le point douloureux. Il continuait à lui parler comme on parle à un hôte. Il l'invitait, semblait-il, à appartenir aux deux classes à la fois, mais elle était défaite et ne pouvait plus retrouver son comportement d'antan.

« A vrai dire, Verotchka Gangart elle aussi est devenue

à présent un si bon diagnosticien que j'aurais pu m'en remettre entièrement à elle, laissa tomber Dontsova, toujours de cette même manière prompte que des journées de travail surchargées lui avaient inculquée, mais puisque nous vous avons, vous, Dormidonte Tikhonovitch, je me suis décidée à...

— Et ce serait du joli si je me désintéressais de mes élèves », disait Orechtchenkov la regardant longuement. Pour le moment, Dontsova était incapable de voir quoi que ce fût, mais voilà bien deux ans qu'elle remarquait dans son regard attentif comme une lueur constante de renoncement. C'était apparu après la mort de sa femme. « Bon, et s'il nous fallait tout de même vous... donner un petit congé de maladie ? Alors, vous penseriez à Verotchka pour vous remplacer ? »

(Congé de maladie ! Il avait trouvé la formule la moins brutale qui fût ! Mais cela signifiait aussi qu'elle avait autre chose que *rien du tout*.)

« Oui, elle est en pleine maturité, elle peut se charger du service. »

Orechtchenkov hocha la tête et prit sa barbiche d'une main.

« Oui, en pleine maturité, elle l'est, mais le mariage, hein ? »

Dontsova secoua la tête.

« Ma petite fille est aussi comme ça. (Orechtchenkov, sans nécessité, était passé au chuchotement.) Elle ne trouve personne. Ce n'est pas facile. »

Les angles de ses sourcils s'étant imperceptiblement déplacés exprimaient l'inquiétude.

Il insista lui-même pour que l'examen de Dontsova ne fût pas remis et eût lieu le lundi.

(Il est donc si pressé ?...)

Il y eut une pause, celle qui peut-être offrait l'occasion de se lever et de prendre congé avec mille remerciements. Et Dontsova se leva. Mais Orechtchenkov s'entêta à vouloir lui faire prendre une tasse de thé.

« Mais je ne veux vraiment pas, assurait Lioudmila Afanassievna.

— Oui mais, en revanche, moi je veux ! C'est justement l'heure de mon thé. » (Comme il la tirait ! comme
il la tirait hors de la catégorie des malades-coupables
pour la replacer dans les rangs des désespérément-bien-
portants.)

« Et vos jeunes sont-ils à la maison ? (« Les jeunes »
ils étaient de l'âge de Lioudmila Afanassievna.)

— Non, même pas ma petite-fille. Je suis seul. »

(Et pourtant la visite professionnelle s'était déroulée
dans le cabinet ! c'est là seulement qu'il pouvait avoir
toute son importance et son influence.)

« Alors vous aurez encore à faire le maître de maison
pour moi ? Pour rien au monde !

— Mais c'est que je ne vais pas faire le maître de
maison. La thermos est pleine. Et pour les petits
gâteaux et les tasses, bon, c'est vous qui irez les prendre
dans le buffet. »

Et ils passèrent dans la salle à manger et prirent
le thé sur le coin d'une table carrée en chêne sur
laquelle un éléphant aurait pu danser et qui n'aurait
sans doute pu sortir de là par aucune porte. L'hor-
loge murale, plus toute jeune, indiquait que l'heure
n'était pas trop avancée.

Dormidonte Tikhonovitch se mit à parler de sa petite-
fille, sa préférée. Elle venait de terminer le conservatoire, jouait merveilleusement bien, n'était pas bête du
tout, ce qui n'est pas fréquent parmi les musiciens,
était séduisante avec ça. Il montra même une récente
photo d'elle. Il en parlait brièvement pourtant, sans
prétendre à absorber toute l'attention de Lioudmila
Afanassievna par sa petite-fille. Toute son attention, en
fait, elle n'aurait pu maintenant l'accorder à quoi que
ce fût, car cette attention s'était brisée en mille morceaux et ne pouvait plus se rassembler en un tout.
Comme c'était étrange d'être là, assise, à prendre tranquillement le thé avec quelqu'un qui déjà se représentait les proportions du danger qu'on courait, qui, peut-
être même, c'était possible, prévoyait déjà l'évolution ultérieure de la maladie et qui, cependant, n'en

soufflait mot et se contentait d'offrir des petits gâteaux.

Elle avait aussi des choses à dire, non pas sur sa fille divorcée dont elle n'avait que trop souffert, mais sur son fils. Son fils, arrivé en classe terminale, avait soudain découvert et déclaré qu'il ne voyait aucun sens à continuer ses études ! Et ni le père ni la mère n'avait trouvé d'arguments à lui opposer car il les renvoyait tous comme des balles — « Il faut être un homme cultivé » — « Et pour quoi faire ? » — « La culture c'est ce qu'il y a de plus important » — « L'important c'est d'avoir une vie plaisante. » — « Mais sans éducation tu n'auras pas une bonne spécialité. » — « Qu'est-ce que j'en ai à faire ? » — « Alors tu veux être simple ouvrier ? » — « Non, pour boulonner, je n'en suis pas. » — « De quoi vivras-tu alors ? » — « Je trouverai bien. Faut savoir y faire. » — Il avait frayé avec des jeunes de compagnie douteuse et Lioudmila Afanassievna s'en inquiétait.

A voir l'expression d'Orechtchenkov, on aurait dit que, sans même entendre cette histoire, il la connaissait depuis longtemps.

« C'est que, voyez-vous, en fait de maître pour la jeunesse, nous en avons perdu un très important, dit-il, le médecin de famille ! Les grandes filles de quatorze ans et les garçons de seize ans ont absolument besoin de bavarder avec un docteur. Et pas à leur pupitre, pas quarante personnes à la fois (d'ailleurs, ce n'est pas ainsi qu'on bavarde) et pas non plus à l'infirmerie scolaire où on les reçoit chacun trois minutes. Il faut que ce soit ce même docteur « gâteau » auquel, tout petits, ils montraient leur gorge et qui, chez eux, avait l'habitude de prendre le thé en famille. Et si maintenant le vieux docteur « gâteau » impartial, bon et sévère, à qui on ne peut en imposer par les caprices ou des prières comme on le fait avec papa et maman, si donc il s'enferme avec la grande fille ou le garçon dans son cabinet ? Et si, de fil en aiguille, il se met à parler de choses étranges qui font un peu rougir mais qui sont très intéressantes et que, sans qu'on ait à poser la moindre question, le docteur arrive, on ne sait comment, à

deviner et à répondre de lui-même à tout ce qu'il y a
de plus important et de plus délicat ? Et peut-être
même qu'il l'invitera à un autre entretien de ce genre ?
De cette façon, non seulement il les prémunira contre
les erreurs, les élans mauvais, l'avilissement de leur
corps, mais encore toute image qu'ils se font du
monde se trouvera purifiée et ordonnée. Dès qu'ils
seront compris dans leur tourment, dans leur recherche
essentielle, ils n'auront plus l'impression d'être désespérément incompris pour bien d'autres choses aussi. Dès
cet instant ils seront plus ouverts à des raisons d'ordre
différent qu'avancent leurs parents. »

C'était pourtant Lioudmila Afanassievna elle-même qui
l'avait amené à ces considérations en lui parlant de
son fils. Et, comme rien n'avait été décidé à ce sujet,
c'eût été un bien pour elle maintenant que d'écouter et
de réfléchir au moyen de rattacher tout cela au cas de
son fils. Orechtchenkov parlait d'une voix agréable,
sonore, nullement cassée par l'âge, avec ce regard limpide dont la signification vivante venait augmenter sa
force de persuasion. Mais Dontsova remarqua que de
minute en minute l'apaisement salutaire l'abandonnait
qui l'avait rafraîchie dans le fauteuil du cabinet et qu'une
sorte de souillure, quelque chose de triste, n'en finissait
pas de monter dans sa poitrine, la sensation de quelque
chose de perdu ou qu'elle était justement en train de
perdre en ce moment, tandis qu'elle écoutait cette méditation faite à haute voix, alors qu'il lui aurait fallu se
lever, partir, se dépêcher, sans même savoir pourtant
où aller, pourquoi, dans quel but.

« C'est bien vrai, l'éducation sexuelle est, chez nous,
fort négligée.

— Chez nous, on considère que les enfants, comme
les animaux, doivent tout apprendre par eux-mêmes.
Eh bien, ils apprennent comme des animaux. On considère, chez nous, qu'il est inutile de prévenir les dévia-
tions parce que, d'avance, il est préétabli que, dans une
société saine, tous les enfants doivent être normaux. Il
en résulte qu'il leur faut apprendre les choses les uns

des autres en cachette et d'une manière déformée. Dans tous les domaines de la vie nous considérons nécessaire de diriger nos enfants hormis pourtant dans celui-là : celui-là, c'est le domaine « honteux ». Et parfois, on rencontre une jeune femme dont les sens n'ont jamais été éveillés pour cette seule raison que *lui* ne savait pas comment se comporter avec elle la première nuit.

— C'est vrai, fit Dontsova.

— Eh oui ! confirma Orechtchenkov. (Il avait remarqué ce trouble fugitif, ce désarroi d'impatience sur le visage de Dontsova, mais pour passer lundi derrière l'écran de radiographie, elle qui ne voulait pas *savoir*, elle ne devait pas, ce samedi soir, ressasser sans fin tous les symptômes un à un. Il lui fallait justement s'abstraire dans une conversation, et quelle meilleure conversation trouver entre médecins ?) Pour tout dire, le médecin de famille, c'est le personnage le plus douillet de l'existence et c'est lui qu'on a exterminé. Le médecin de famille, c'est le personnage sans lequel, dans une société évoluée, il ne peut exister de famille. Comme la mère connaît les goûts de chacun des membres de la famille, lui connaît leurs besoins. On n'éprouve aucune gêne à se plaindre au médecin de famille pour la moindre chose, si futile soit-elle et pour laquelle on ne tient pas à aller à la consultation où il faut prendre un numéro d'ordre et attendre et où l'on passe neuf malades à l'heure. Or, c'est de cas futiles que proviennent toutes les maladies négligées. Et combien d'adultes, en cet instant précis, se démènent comme des damnés, impuissants à imaginer où ils pourraient bien trouver un tel médecin, une âme à qui ils pourraient confier leurs craintes les plus secrètes, voire même celles dont ils ont honte ? C'est que cette quête du médecin, on n'ose en parler même à ses meilleurs amis et on peut encore moins la proclamer par voie de presse, car elle est en elle-même aussi personnelle que la recherche d'un époux, d'une épouse ! Que dis-je, il est même plus facile actuellement de trouver une bonne épouse qu'un médecin qui

soit prêt à s'occuper de ses malades autant que ceux-ci
le désireraient et qui les comprenne. »

Lioudmila Afanassievna avait plissé le front. Des abs-
tractions... C'était les symptômes, toujours les symptômes, toujours les symptômes qui ne lui sortaient pas
de la tête et la poussaient à se ranger dans la pire des
catégories.

« Oui, bien sûr, mais combien en faudrait-il de ces
médecins de famille ! Cela ne pourrait plus entrer dans
notre système de médecine publique, populaire et gratuite.

— Publique et populaire, si. Gratuite, certes non, n'en
finissait plus de pérorer Orechtchenkov.

— Et pourtant la gratuité, c'est notre principale réussite.

— Est-ce vraiment une réussite ? Que signifie « gratuite » ? Les docteurs, eux, ne travaillent pas pour rien.
Seulement, ce n'est pas le patient qui les paie mais le
Trésor de l'Etat, qui, lui, est alimenté par ces mêmes
patients. Ce sont des soins non pas gratuits mais déper-
sonnalisés. Et si cet argent était laissé au patient, il y
regarderait peut-être à deux fois avant d'aller voir le
docteur ; mais s'il en avait réellement besoin, il irait plutôt deux fois qu'une.

— Mais voyons, ce ne serait plus dans ses moyens !

— Au diable les rideaux neufs et la seconde paire de
chaussures si la santé n'y est pas ! Et c'est mieux
maintenant ? On donnerait n'importe quoi pour être
reçu avec un peu de chaleur et on n'a pas où aller :
partout ce ne sont qu'horaires, normes de travail, au
suivant ! Même dans la polyclinique payante où c'est
encore plus expéditif qu'ailleurs. Et encore, pourquoi
y va-t-on ? pour des certificats, des demandes de congé,
des examens de contrôle, et le travail du docteur consiste
à démasquer les impostures. Le malade et le docteur
sont de véritables ennemis. C'est ça qu'on appelle la
médecine ? Prenez simplement le cas des remèdes. Dans
les années 20 nous avions les remèdes gratuits. Vous
vous rappelez ?

— C'est vrai ? Oui, il me semble que je me rappelle. Mais comme on oublie !

— Ne me dites pas que vous avez oublié ! Tous gratuits ! Et il a fallu y renoncer. Et pourquoi ?

— Cela revenait trop cher à l'Etat ? émit Dontsova avec effort en clignant longuement des yeux.

— Pas seulement. C'était aussi très absurde. Le malade prenait systématiquement tous les remèdes dans la mesure où ils ne lui coûtaient rien, après quoi il en jetait une bonne moitié. Du reste je ne dis pas qu'il faille rendre payants tous les soins. Mais pour les soins de médecine générale, ils devraient obligatoirement être payants. Après quoi seulement, s'il est établi que le malade doit être hospitalisé et doit suivre un traitement qui exige tout un appareillage, alors là, il est juste que ce soit gratuit. Prenez encore un autre exemple, voyez ce qui se passe dans votre clinique : comment se fait-il que deux chirurgiens opèrent tandis que les trois autres les regardent dans le blanc des yeux ? Du moment qu'ils touchent leur traitement, de quoi s'inquiéteraient-ils ? Tandis que si l'argent leur venait du patient et qu'aucun patient n'aille les consulter, c'est alors que vous verriez votre Khalmoukhamedov se remuer un peu ! Ou encore la Pantiokhina ! D'une façon ou d'une autre, Lioudotchka, il reste que le médecin doit dépendre de l'impression qu'il produit sur les malades, de sa popularité. Et chez nous il n'en dépend pas.

— Dieu nous garde de dépendre de tous ! d'un mauvais coucheur du genre de Pauline Zavodchikova...

— Et d'elle aussi, justement.

— C'est humiliant !

— Et dépendre du médecin-chef, en quoi est-ce mieux ? Et toucher son mois à la caisse, comme un fonctionnaire, en quoi est-ce plus honorable ?

— Et puis il y a aussi de ces malades impossibles : un Rabinovitch ou un Kostoglotov qui vous accablent de problèmes théoriques, il faudrait répondre à toutes leurs questions ? »

Pas un pli ne passait sur le front bombé d'Orech-tchenkov. Il avait de tout temps connu les limites de Lioudmila Afanassievna, et ce n'était pas de mauvaises limites. Elle était capable d'étudier toute seule des cas très difficiles et d'en venir à bout sans l'aide de personne. Près de deux cents exemples de diagnostics très difficiles avaient fini par s'aligner dans ses petites notules sans prétention publiées dans telle ou telle revue. Et c'est précisément ce qu'il y a de plus difficile en médecine. Pourquoi fallait-il lui en deman-der davantage ?

« Eh oui, il faut répondre à tout, disait-il en hochant la tête avec sérénité.

— Mais comment donc suffire à tout ? » fit Dontsova indignée et soudain vivement intéressée par la conver-sation. Il avait beau jeu, lui, de déambuler à travers sa chambre en chaussons d'intérieur ! « Vous n'avez pas idée du rythme qui est le nôtre actuellement dans les établissements hospitaliers ! Vous n'avez pas connu cela, vous. Le nombre de malades actuellement pour un seul médecin !

— Avec une bonne organisation de la médecine générale, rétorqua Orechtchenkov, il y en aurait moins et ce ne serait pas des cas négligés. Et le docteur de médecine générale devrait avoir autant de malades que sa mémoire peut en englober et son savoir per-sonnel. C'est alors qu'il soignerait son malade comme un tout. Quant à soigner des maladies particulières, c'est du niveau de l'infirmier.

— Oh ! là là ! soupira Dontsova fatiguée. (Comme si leur entretien privé pouvait modifier ou améliorer quelque chose dans la marche générale des affaires !) C'est terrible à dire, prendre le malade comme un tout. »

Orechtchenkov voyait bien qu'il fallait s'arrêter mais, avec l'âge, il était devenu prolixe.

« Mais l'organisme du malade ne sait pas, lui, que nos connaissances sont fractionnées. C'est que l'organisme, lui, ne se fractionne pas ! Comme disait Voltaire : les médecins prescrivent des remèdes, qu'ils ne connaissent pas, prévus pour l'organisme d'un malade qu'ils connaissent moins encore. Et le moyen pour nous de prendre le malade comme un tout si l'anatomiste n'opère que sur des cadavres, les vivants n'étant pas de son ressort, si le radiologue se fait un grand nom dans le domaine des fractures, le conduit du duodénum n'étant pas de son ressort ? Il en résulte qu'on se renvoie le malade de spécialiste en spécialiste comme un ballon de basket. Et libre au médecin de garder sa passion pour l'apiculture ! Quand on veut prendre le malade comme un tout, alors il n'y a plus place pour aucune autre passion. Eh oui ! le médecin lui-même doit être un tout. Le médecin lui-même !

— Le médecin lui-même, vous vous rendez compte ! » fit-elle d'une voix plaintive, presque gémissante. À tête reposée et l'esprit vaillant, toutes ces considérations intarissables l'auraient, bien sûr, intéressée, mais à présent elles ne faisaient que la briser davantage, à présent il lui était difficile de se concentrer.

« Mais c'est ce que vous êtes, Lioudotchka ! ne vous sous-estimez pas. Et je ne vous apprends rien. Nous, les médecins de campagne, nous avons toujours été comme ça : des cliniciens et non des administrateurs, tandis qu'à présent le médecin-chef de l'hôpital municipal, il lui faut dix spécialistes dans son personnel, autrement il est incapable de soigner... »

Lui-même déjà coupait court à l'entretien, déjà il voyait sur le visage fatigué, traversé de tics, de Lioudmila Afanassievna que la conversation destinée à la distraire d'elle-même n'avait été d'aucune utilité, quand, soudain, la porte de la véranda s'ouvrit et entra ce qui devait être un chien, mais si grand, si plein de chaleur, si invraisemblable, qu'on aurait dit un homme qui se serait mis, on ne sait trop pourquoi, à quatre pattes. Lioudmila Afanassievna s'effraya un instant à l'idée qu'il pût mordre, mais pouvait-on s'effrayer d'un homme raisonnable aux yeux tristes ? Il s'avançait dans la pièce, d'un pas lent, doux, méditatif même, incapable d'ima-

giner que quelqu'un pût s'étonner de le voir entrer. Une
seule fois, en guise de salutation, il souleva le blanc et
somptueux panache de sa queue, l'agita puis le baissa.
Hormis ses oreilles noires, tombantes, il était entièrement blanc et roux et ces deux couleurs alternaient dans
son pelage en un motif complexe. Il semblait porter sur
l'échine un tapis de selle blanc, ses flancs étaient d'un
roux vif presque orange sur l'arrière-train. Il est vrai
qu'il s'approcha de Lioudmila Afanassievna et flaira ses
genoux, mais très discrètement, sans s'imposer. Et il ne
vint pas s'asseoir près de la table sur son arrière-train
orange comme on aurait pu s'y attendre de n'importe
quel autre chien, il n'exprima pas non plus le moindre
intérêt pour la nourriture posée sur la table qui ne dépassait que de peu le haut de sa tête. Non. Il resta là,
tel quel, à quatre pattes, regardant de ses gros yeux
ronds d'un brun humide, par-delà la table, avec l'expression du renoncement le plus transcendant.

« Mais quelle race est-ce donc ? demanda Lioudmila
Afanassievna, étonnée, et, pour la première fois de toute
cette soirée, elle s'oublia complètement elle-même et
oublia sa souffrance.

— Un saint-bernard, dit Orechtchenkov en regardant
le chien d'un air approbateur. Tout serait parfait si ses
oreilles n'étaient pas trop longues. Mania, quand elle le
nourrit, se fâche : « Il faudra qu'on te les attache avec
« une ficelle pour qu'elles ne retombent pas toujours
« dans l'écuelle ! »

Lioudmila Afanassievna l'examinait, pleine d'admiration. Un chien pareil n'avait pas sa place dans le va-et-
vient de la rue, il n'y avait sans doute même pas de
moyen de transport où il fût autorisé à pénétrer. De
même que pour l'homme des neiges il ne restait plus
d'autre refuge que l'Himalaya, de même pour un chien
pareil il ne restait d'endroit pour vivre qu'une maison
sans étage avec jardinet.

Orechtchenkov coupa un morceau de gâteau et l'offrit
au chien, mais il ne le lui lança pas, comme on le fait
par pitié ou pour s'amuser à d'autres chiens qui, eux,

se dressent sur leurs pattes de derrière, sautent et font claquer leurs dents. Ce chien-là, lorsqu'il se dressait sur ses pattes de derrière, ce n'était pas en témoignage de servilité, mais en signe d'amitié pour poser ses pattes de devant sur les épaules de l'homme. Et c'est bien comme à un égal qu'Orechtchenkov lui avait offert du gâteau, et le chien, comme un égal, sans hâte, avait pris entre ses dents le morceau qui lui était présenté dans la main ouverte en soucoupe, sans avoir faim peut-être, par pure politesse.

Et, pour quelque raison obscure, la venue de ce chien paisible, méditatif, avait fait du bien à Lioudmila Afanassievna, l'avait égayée, elle s'était déjà levée de table et elle se dit soudain qu'après tout elle n'allait peut-être pas vraiment aussi mal que ça, quand bien même il faudrait une opération ; mais il restait qu'elle avait bien mal écouté Dormidonte Tikhonovitch et elle dit :

« C'est honteux ! Je viens avec mes misères et je ne vous demande même pas comment vous allez vous-même ! »

Il se tenait devant elle — silhouette bien nette, un peu corpulente même ; des yeux qui ne larmoyaient pas, des oreilles qui entendaient tout — et qu'il fût son aîné de vingt-cinq ans, on avait peine à y croire.

« Pour le moment ça va, dit-il avec un sourire un peu tiède mais tout à fait bienveillant. D'ailleurs, j'ai décidé de ne pas être malade avant ma mort. Je mourrai dans l'heure, comme on dit. »

Il la raccompagna, revint dans la salle à manger et se laissa glisser dans le fauteuil à bascule, incurvé, noir, avec son dossier canné jaune que les adossements durant de longues années avaient élimé. Il s'y laissa glisser, provoquant un léger balancement mais, dès que le fauteuil se fut immobilisé de lui-même, il ne le remit plus en branle. Dans cette position particulière, à la fois renversée et abandonnée que donne le fauteuil à bascule, il resta longtemps figé sans bouger.

A présent, il avait souvent besoin de se reposer ainsi. Et tout comme son corps exigeait de reprendre ainsi quelques forces, son état intérieur, surtout depuis la mort de sa femme, exigeait tout autant cette plongée dans le silence, loin de tout bruit extérieur, de toute conversation, de toute pensée active, loin même de tout ce qui faisait de lui un médecin. Son état intérieur exigeait qu'il se purifiât, qu'il devînt transparent. Et c'était cette immobilité silencieuse, exempte de toute pensée volontaire ou même involontaire, qui lui procurait limpidité et plénitude.

A de tels moments, tout le sens de l'existence, de la sienne propre au cours de son long passé, du bref avenir qui lui restait, et celle de sa femme défunte, et celle de sa petite-fille encore jeune et celle de tous les hommes en général, ne se présentait pas à lui à travers leur activité principale, celle à laquelle ils s'adonnaient exclusivement et sans répit, à laquelle ils accordaient tout leur intérêt et par laquelle ils étaient connus de tous. Non, c'était dans la mesure où ils avaient réussi à préserver, sans la laisser se ternir, se figer, se défigurer, l'image de l'éternité que chacun avait reçue en partage.

Telle une lune d'argent sur le calme d'un étang.

CHAPITRE XXXI

LES IDOLES DU COMMERCE

UNE sorte de tension intérieure était apparue et demeurait, non point lassante pourtant, mais joyeuse. Il savait même avec exactitude l'endroit où elle se logeait : devant, dans la poitrine, sous les côtes. Cette tension dilatait légèrement, comme un air un peu chaud ; endolorissait agréablement ; et elle résonnait en lui, mais ce n'était pas un son terrestre, un de ceux que perçoit l'oreille.

C'était un autre sentiment, différent de celui qui, les semaines passées, le poussait tous les soirs vers Zoé — celui-là ne se logeait pas dans la poitrine.

Cette tension, il la portait en lui, veillait sur elle, passait son temps à l'écouter. Il se souvint que, cela aussi, il l'avait connu dans sa jeunesse, puis l'avait complètement oublié. Quelle sorte de sentiment était-ce ? Dans quelle mesure était-il constant ? N'était-il pas fallacieux ? Tenait-il entièrement à la femme qui l'avait suscité ou tenait-il aussi à une énigme, au fait qu'il n'avait pas encore possédé cette femme, et il allait ensuite se volatiliser ?

Du reste, l'expression « posséder » n'avait plus de sens pour lui à présent.

Ou bien en avait-elle tout de même un ? Cette sensation dans sa poitrine était maintenant son seul espoir, et c'est pourquoi Oleg veillait ainsi sur elle. Cette sensation était devenue cela même qui remplit la vie, cela même qui l'embellit. Il le constatait avec étonnement : la présence de Véga donnait à tout le pavillon des cancéreux de l'intérêt et de la couleur, leur amitié était la seule chose qui empêchât le pavillon de tomber en poussière. Et pourtant Oleg ne la voyait que très peu, ne faisait que l'entrevoir parfois. Elle lui avait encore fait une transfusion ces jours derniers. Ils avaient eu, de nouveau, une bonne conversation, pas aussi libre à vrai dire — l'infirmière était là.

Combien il avait été pressé de partir d'ici, et à présent, alors que le moment approchait de quitter l'établissement, voilà bien qu'il le regrettait. A Ouch-Terek il ne verrait plus Véga. Comment ferait-il ?

Aujourd'hui, dimanche, il n'avait justement aucun espoir de la voir. La journée était chaude, ensoleillée, l'air était immobile, figé, fait pour chauffer et surchauffer, et Oleg alla se promener dans la cour, et, tout en respirant cette chaleur qui s'épaississait et qui l'amollissait, il voulut se représenter comment, elle, elle passait ce dimanche et ce qu'elle pourrait bien faire.

Il marchait sans entrain maintenant, plus comme avant. Il n'avançait plus d'un pas ferme, suivant une trajectoire rectiligne, avec de brusques demi-tours lorsqu'il arrivait au bout. Il allait d'un pas affaibli, précautionneusement ; souvent il s'asseyait sur un banc et, s'il n'y avait personne, s'y étendait pour s'y reposer un peu.

De même aujourd'hui, dans sa robe de chambre flottante qu'il n'avait pas croisée sur sa poitrine, il allait, le dos affaissé, et s'arrêtait à tout bout de champ pour relever la tête et regarder les arbres. Les uns avaient déjà reverdi à demi, d'autres au quart, tandis que les chênes n'avaient pas encore commencé à s'épanouir. Et tout était bon !

Ni vue ni connue, l'herbe qui pointait çà et là avait déjà verdi et elle était même déjà tellement haute qu'on aurait pu la prendre pour celle de l'an passé si elle n'avait été si verte.

Dans l'une des allées découvertes, Oleg aperçut Chouloubine qui se chauffait au soleil. Il était assis sur un méchant petit banc de planches étroites sans dossier et il se tenait sur les cuisses, légèrement en suspension par-devant et par-derrière ; il avait les bras tendus et tenait ses mains jointes serrées entre les genoux. Et dans cette position, avec sa tête baissée, sur ce banc isolé, éclairé d'une lumière vivement contrastée, on aurait dit la statue du désarroi.

Oleg aurait de bon cœur pris place sur le banc aux côtés de Chouloubine. Il n'avait pu, jusque-là, trouver une seule occasion de s'entretenir sérieusement avec lui, alors qu'il en avait bien envie car dans les camps il avait appris que ce sont justement ceux qui se taisent qui en ont le plus à dire. Et puis, l'intervention de Chouloubine qui apportait de l'eau à son moulin lors de la discussion avait favorablement disposé Oleg et l'avait intrigué.

Il se décida pourtant à passer outre : *là-bas*, il avait également compris le droit sacré de chacun à la solitude. Et il ne pouvait se résoudre à le violer.

Il continua donc son chemin, mais lentement, faisant traîner ses bottes sur le gravier, sans vouloir, le moins du monde, décourager celui qui aurait aimé le retenir. Et Chouloubine vit les bottes, qui lui firent lever la tête. Il lança à Oleg un regard indifférent, comme s'il se bornait à constater : « Ah ! oui, nous avons nos lits dans la même salle. » Et Oleg s'était déjà éloigné de deux pas quand Chouloubine lui proposa d'un ton à moitié interrogatif :

« Vous venez vous asseoir ? »

Chouloubine lui aussi avait aux pieds non pas les savates ordinaires de l'hôpital mais des pantoufles d'intérieur avec des côtés montants. C'est pourquoi il pouvait venir se promener et s'asseoir ici, sur ce banc. Il était tête nue et l'on apercevait des boucles clairsemées de cheveux gris.

Oleg revint sur ses pas, s'assit avec l'air de quelqu'un à qui il est indifférent de continuer son chemin ou de s'asseoir et qui, tout compte fait, trouve que c'est mieux, après tout, d'être assis là.

Par quelque bout qu'il prît la chose, il pouvait lancer à Chouloubine la petite question cruciale, celle dont la réponse livre l'homme tout entier. Mais au lieu de cela, il se contenta de demander :

« Eh bien, c'est pour après-demain, Alexis Filipovitch ? »

Il n'avait nul besoin de la réponse pour savoir que c'était pour après-demain. Toute la salle savait que l'opération de Chouloubine était prévue pour le surlendemain. Mais tout était dans ce « Alexis Filipovitch », dont personne dans la salle n'avait encore gratifié le taciturne Chouloubine. Cela avait été dit de vétéran à vétéran.

« Faut se chauffer au soleil une dernière fois, dit Chouloubine avec un signe de tête affirmatif.

— Pas la dernière », fit Kostoglotov de sa voix de basse.

Pourtant, après un coup d'œil en coin à Chouloubine, il se dit que c'était peut-être en effet la dernière fois. Ce qui minait les forces de Chouloubine, c'était qu'il mangeait très peu, moins que ne l'exigeait son appétit : il y veillait afin de moins souffrir par la suite. Ce qu'était la maladie de Chouloubine, Kostoglotov le savait déjà et il s'enquit :

« Alors, c'est décidé ? On vous fait une déviation sur le côté ? »

Ayant rassemblé ses lèvres comme pour mâchonner, Chouloubine fit de nouveau un signe de tête affirmatif.

Ils se turent un moment.

« Il y a tout de même cancer et cancer, déclara Chouloubine, les yeux fixés droit devant lui, sans regarder Oleg. Il y a le cancer des cancers. Si mal que ça puisse aller, il y a toujours pire. Mon cas fait que je ne peux pas même en parler avec les autres, leur demander conseil.

— C'est mon cas aussi, allez !

— Non, non, tout ce que vous voudrez, le mien est pire. Ma maladie a quelque chose de particulièrement humiliant, de particulièrement blessant. Et il y a les suites qui sont affreuses. Si je reste en vie, et là encore c'est un grand « si », il sera désagréable d'être assis à côté de moi, tiens comme vous l'êtes maintenant. Chacun s'efforcera de se tenir à distance. Et s'il se trouve quelqu'un pour se mettre plus près, alors c'est moi qui, à coup sûr, commencerai de me dire : Il trouve cela intenable, il voudrait me voir au diable. Cela signifie que, d'une manière générale, la compagnie des autres, je dois en faire mon deuil. »

Kostoglotov réfléchit, émettant un léger sifflement, non pas de lèvres mais des dents — il faisait distraitement passer l'air entre ses dents jointes.

« C'est toujours difficile de dire pour qui c'est plus dur et pour qui c'est moins dur. C'est encore plus compliqué que de rivaliser dans le succès. Chacun trouve que c'est son malheur qui est le plus pénible. Moi, par exemple, je pourrais bien vous dire que j'ai eu une vie malheureuse comme il n'y en a pas. Mais qu'est-ce que j'en sais ? Peut-être que la vôtre a été plus dure encore. Comment est-ce que je pourrais l'affirmer quand je ne suis pas au courant ?

— Et ne l'affirmez pas, au risque de faire erreur. (Chouloubine avait fini par tourner la tête et, de près, avait regardé Oleg avec ses yeux ronds, trop expressifs dont le blanc était injecté de sang.) La vie la plus dure n'est pas celle des hommes qui affrontent la mer, fouillent la terre ou cherchent de l'eau dans les déserts. La vie la plus dure est celle de l'homme qui chaque jour, sortant de chez lui, se cogne la tête au linteau parce que celui-ci descend trop bas... Quant à vous, eh bien, j'ai compris que vous aviez fait la guerre puis de la prison, c'est bien ça ?

— Sans compter que je n'ai pas pu faire mes études.

Sans compter qu'il était exclu qu'on me nomme officier. Sans compter que je suis un relégué à perpétuité. » Oleg allongeait sa liste sans récrimination, d'un ton songeur. « Sans compter le cancer...

— Bon ! pour ce qui est du cancer nous sommes quittes. Quant au reste, jeune homme...

— Jeune ? Vous plaisantez ! Vous voulez dire que j'ai toujours ma tête. Qu'on m'a laissé la peau sur les os ?

— ...Quant au reste, voilà ce que je vais vous dire : vous, en tout cas, vous avez moins menti, vous comprenez ? Vous avez moins plié l'échine. Ça compte ça ! Vous, on vous arrêtait ; nous, on nous ameutait dans les réunions pour vous éreinter. Vous, on vous châtiait, nous, on nous obligeait à applaudir, debout, les sentences prononcées. Que dis-je applaudir ! Nous devions réclamer votre exécution, la réclamer ! Vous vous rappelez ce qu'on écrivait dans les journaux : « Comme un seul « homme, tout le peuple soviétique s'est dressé en ap- « prenant les méfaits d'une bassesse inégalée... » Rien que cette expression « comme un seul homme », vous vous rendez compte de ce que ça représente ? Nous sommes tous différents, tous, et soudain « comme un seul homme ». Et c'est qu'il faut applaudir, lever nos braves petites mains bien haut, le plus haut possible afin que les voisins le voient et le présidium aussi. Et trouvez-m'en qui ne tiennent pas à la vie ! Qui se soient dressés pour vous défendre ! Oui, qui a protesté ? Où sont-ils maintenant ceux-là ? Il y avait un certain Dima Olitski. Lui s'est abstenu. Il n'était pas contre, pensez-vous ! Il s'abstenait au moment où l'on votait la liquidation du Parti industriel. « Qu'il s'explique, crie-t-on, qu'il s'ex- « plique. » Il se lève, alors, la gorge sèche : « Je pense « que douze ans après la révolution il doit être possi- « ble de trouver d'autres moyens de briser... » — « Ah ! « le salaud ! Le vendu ! L'agent... » Et le lendemain matin, une convocation du Guépéou. Et à perpétuité... »

Et Chouloubine eut cet étrange mouvement tournant de la tête accompagné d'un mouvement en spirale du cou. Assis sur ce petit banc, en équilibre sur ses cuisses, il ressemblait à un gros oiseau remuant en train de couver.

Kostoglotov s'efforçait de ne pas se sentir flatté par ce qui venait d'être dit.

« Alexis Filipovitch, tout ça dépend du numéro qu'on tire. A notre place vous auriez été des martyrs comme nous ; nous à la vôtre, des opportunistes comme vous. Pourtant voyez-vous : ceux qui étaient sur le gril, c'étaient les gens comme vous, ceux qui comprenaient, ceux qui avaient compris très tôt. Mais ceux qui y croyaient, pour ceux-là tout était facile. Pour eux, leurs mains souillées de sang n'étaient pas des mains souillées de sang puisqu'ils ne comprenaient pas ! »

Le vieillard lui lança un regard oblique et dévorant.

« Et dites-moi un peu, qui donc y croyait ?

— Tenez, moi, par exemple. J'y ai cru jusqu'à la guerre de Finlande.

— Voyons voyons, combien de temps y avez-vous cru ? Combien de temps vous a-t-il fallu pour comprendre ? Un gosse, ça ne compte pas ! Mais admettre que du jour au lendemain l'homme de la rue est devenu faible d'esprit, ça non ! Je ne marche pas. Jadis le barine, du haut de son perron, pouvait déblatérer ce que bon lui semblait, les paysans, eux, riaient en douce dans leur barbe. Le barine n'était pas dupe, et l'intendant, dans son coin, s'en apercevait lui aussi. Et pourtant, quand venait le moment de prendre congé, les voilà qui s'inclinent bien bas « comme un seul homme ». Vous me direz que c'est parce que les paysans croyaient en leur barine ? Mais quel genre d'homme faut-il donc être pour croire ? poursuivait Chouloubine brusquement pris d'une irritation toujours croissante. Il avait un de ces visages qui, sous l'effet d'un sentiment puissant, s'altèrent, se transforment tout entier et dont aucun trait ne demeure immobile. D'un seul coup voilà tous les professeurs, tous les ingénieurs devenus des saboteurs, et votre homme il y croit ? Les meilleurs commandants de division de la Guerre civile devenus des espions germano-japonais, et lui, il y croit ? Tous les compagnons de Lénine devenus de féroces renégats, et lui, il y croit ? Tous ses amis et connaissances devenus des ennemis du peuple, et lui, il y croit ? Des millions de soldats russes qui ont vendu leur patrie, et lui, il continue à y croire ? On fauche des populations entières, depuis les vieillards jusqu'aux nouveau-nés, et lui, il continue à y croire ? Alors pardon, qui est-il donc lui-même ? Un imbécile ? Mais vous n'allez pas me dire que tout le pays est peuplé d'imbéciles ? Pardon ! Pardon ! Le peuple n'est pas bête, mais il veut vivre. Les grands peuples ont une loi : survivre à tout et demeurer. Et quand, pour chacun de nous, l'Histoire demandera au-dessus de nos tombes : qui était-il donc ? Il restera à choisir selon Pouchkine :

> *En notre siècle de bassesse,*
> *Partout, dans tous les éléments,*
> *L'homme est tyran, traître ou reclus. »*

Oleg tressaillit. Il ne connaissait pas ces vers mais il y avait en eux cette évidence tranchante qui fait que l'auteur et la vérité sont tous deux devant vous en chair et en os.

Et Chouloubine, levant un gros doigt menaçant, continuait :

« L'imbécile n'a pas trouvé place dans son vers. Il savait bien pourtant que ça existe aussi, les imbéciles. Non, il nous faut choisir entre trois termes seulement. Et du moment que je me rappelle n'avoir pas été en prison, que je sais avec certitude n'avoir pas été un tyran, cela signifie... Cela signifie... » Et Chouloubine ricana et se mit à tousser.

Et en toussant il se balançait sur ses cuisses d'avant en arrière.

« Et cette vie-là, vous pensez qu'elle est plus facile que la vôtre, hein ? J'ai passé ma vie à avoir peur et maintenant voilà que je serais prêt à l'échanger. »

Comme son compagnon, Kostoglotov, le dos voûté lui aussi, et en équilibre lui aussi de part et d'autre du banc, était assis sur ces planches étroites comme un oiseau huppé sur son perchoir.

Par terre, devant eux, se profilaient à l'oblique leurs ombres noires aux jambes repliées.

« Non, Alexis Filipovitch, vous y allez un peu trop fort. Vous jugez trop durement. Pour moi, les traîtres ce sont ceux qui écrivaient des délations, ceux qui apportaient des témoignages. Rien que de ceux-là il y en a des millions. On peut bien compter un mouchard pour deux, mettons trois personnes arrêtées : ça fait bien quelques millions. Mais faire de tous les autres des traîtres, c'est trop vite dit. Pouchkine aussi y est allé un peu fort. L'orage brise les arbres et fait ployer l'herbe, mais faut-il dire pour cela que l'herbe a trahi les arbres ? Chacun sa vie. Vous l'avez dit vous-même : survivre, voilà la loi d'un peuple. »

Chouloubine plissa tout son visage, le plissa au point qu'il ne resta plus qu'un peu de bouche et que les yeux disparurent complètement. De grands yeux ronds, et voilà qu'il n'en restait plus rien qu'une peau aveugle qui se plissait.

Il le déplissa. C'était la même couleur tabac irisé entourée d'un blanc rougeâtre, mais les yeux semblaient délavés.

« Bon, admettons : de l'esprit grégaire ennobli. La peur de rester seul. En dehors de la collectivité. D'ailleurs, ça n'a rien de neuf. Au XVIᵉ siècle déjà Francis Bacon avait défendu une doctrine de ce genre sur les idoles. Il disait que les hommes étaient peu enclins à vivre de leur propre expérience et qu'ils préféraient souiller celle-ci par des préjugés. Les idoles, ce sont justement ces préjugés. Les idoles de la race, comme les nommait Bacon, les idoles de la caverne... »

Il dit « idoles de la caverne » et Oleg se représenta la caverne avec un feu au milieu et toute voilée de fumée. Les sauvages sont en train de rôtir de la viande et dans le fond, à moitié invisible, se dresse l'Idole bleuâtre.

« ...Les idoles du théâtre... »

Où donc se trouvait l'idole ? Dans le hall ? Sur le rideau ? Non, voyons ! Elle était bien mieux, sur la place du théâtre, au centre du square.

« Et qu'est-ce que c'est que les idoles du théâtre ?

— Les idoles du théâtre ce sont les opinions d'autrui qui font autorité et que l'homme aime à suivre pour expliquer les choses qu'il n'a pas éprouvées lui-même.

— Que c'est fréquent !

— Ou bien celles qu'il a éprouvées mais pour lesquelles il trouve plus commode de s'en remettre à autrui.

— Des comme ça aussi j'en ai vu !

— Les idoles du théâtre c'est encore l'adhésion immodérée aux données de la science. En un mot, c'est l'acceptation volontaire des égarements d'autrui.

— Bien dit ! fit Oleg, ravi. L'acceptation volontaire des égarements d'autrui ! C'est bien ça !

— Et enfin, les idoles du commerce. »

Ah ! tout ce qu'il y a de plus facile à imaginer : la foule grouillante d'un marché et, s'élevant au-dessus d'elle, une idole d'albâtre.

« Les idoles du commerce ce sont les égarements qui découlent de l'interdépendance des hommes et de leur vie en commun. Ce sont des fautes, qui enchaînent l'homme du fait qu'on a pris l'habitude d'employer des formules qui font violence à la raison. Par exemple : Ennemi du peuple ! Etranger ! Traître ! Et ça suffit pour que tout le monde recule, épouvanté. »

Pour appuyer ses exclamations, Chouloubine levait nerveusement un bras puis l'autre, et, de nouveau, cela ressemblait aux tentatives malaisées, maladroites d'un oiseau aux ailes rognées qui aurait voulu prendre son vol.

Un soleil plus chaud qu'il n'était de saison leur cuisait le dos. Les branches qui ne s'étaient pas encore fondues en un tout, qui restaient encore isolées, chacune dans son tout premier duvet de verdure, ne donnaient point d'ombre. Le ciel qui n'était pas encore chauffé à blanc, comme il l'est habituellement dans le sud, gardait tout son bleu entre les flocons blancs d'éphémères petits nuages diurnes. Cependant, sans le voir ou sans y croire et pointant le doigt au-dessus de sa tête, Chouloubine le secouait en disant :

« Et au-dessus de toutes les idoles, un ciel bas d'épouvante couvert de nuées grises. Vous savez, parfois le soir, sans le moindre signe d'orage, il arrive que s'amassent de ces nuées gris-noir, épaisses, basses. Tout s'assombrit, tout s'obscurcit avant l'heure, le monde entier devient alors inhospitalier et on n'a qu'une envie, c'est de se réfugier dans une bonne maison de pierre, sous un toit, le plus près possible du feu, et des siens. J'ai vécu vingt-cinq ans sous ce ciel, et une seule chose m'a sauvé, c'était de ployer l'échine et de me taire. J'ai passé vingt-cinq ans à me taire, peut-être même vingt-huit, faites le compte vous-même. Je me suis tu d'abord pour ma femme, puis je me suis tu pour mes enfants, puis je me suis tu pour mon faible corps. Et quoi ? Ma femme est morte. Mon corps est un sac plein de merde et on va y faire un petit trou sur le côté. Mes enfants ont grandi inexplicablement rassis, inexplicablement. Et si ma fille, soudain, s'est mise à écrire, et m'a envoyé voilà bien déjà trois lettres (pas ici, mais à la maison, et je vous parle des deux dernières années) eh bien, il se trouve que c'est parce que l'organisation du parti a exigé d'elle qu'elle *normalisât* ses relations avec son père. Vous voyez ? Quant à mon fils, on ne lui a même pas demandé cela. »

Fronçant ses sourcils broussailleux, Chouloubine tourna vers Oleg toute sa silhouette hérissée. Ça y est voilà qui c'était : c'était le meunier fou de *L'Ondine*. « Meunier, moi ? Mais je suis corbeau ! »

« Et moi je ne sais plus rien. Je les ai peut-être rêvés, ces enfants ? Peut-être qu'ils n'ont jamais existé ? Dites-moi, est-ce que vraiment l'homme est un soliveau ? C'est le soliveau auquel il est indifférent d'être posé là seul ou à côté d'autres soliveaux. Et moi, ma vie est ainsi faite que, s'il m'arrivait de perdre connaissance, de tomber par terre, de mourir, il se passerait quelques jours avant que mes voisins ne me découvrent. Et pourtant, vous m'entendez, vous m'entendez — il s'agrippait à l'épaule d'Oleg, comme s'il craignait que celui-ci ne l'entendît pas — tout comme avant, je me méfie, je regarde autour de moi. Tenez, par exemple, ce que j'ai eu l'audace de dire dans votre salle, jamais je ne le dirais à Kokand, pas plus qu'au bureau ! Et si je vous dis tout cela maintenant c'est simplement parce qu'on m'avance déjà le chariot pour la table d'opération. Et encore, y aurait-il eu un tiers, vous ne m'auriez pas entendu ! Oh non ! Voilà, voilà jusqu'où on m'a acculé, moi qui avais fait l'Institut agronomique, moi qui avais suivi les cours supérieurs de matérialisme dialectique - matérialisme historique ! Moi qui ai enseigné diverses spécialités. Tout cela à Moscou ! Et puis les chênes ont commencé à tomber. A l'Institut, Mouratov est tombé. On balayait les professeurs par dizaines. Fallait-il reconnaître des fautes ? Je les ai reconnues ! Fallait-il se dédire ? Qu'à cela ne tienne ! Il y a bien un pourcentage qui s'en est tiré indemne, non ? Eh bien, j'en faisais partie de ce pourcentage. Je me retirai dans la biologie pure. Le doux havre paisible que j'avais trouvé là ! Mais là aussi, la purge a commencé, et quelle purge ! On fit table rase à toutes les chaires des facultés de biologie. Fallait-il renoncer aux cours ? Tout à fait d'accord, j'y ai renoncé. Je me suis retiré dans l'assistanat. J'ai accepté de me faire tout petit. »

Le taciturne du pavillon, avec quelle facilité il parlait ! Ça coulait de la plus belle eau, comme s'il n'y avait rien de plus habituel pour lui que de faire des discours.

« On détruisait les manuels de grands savants. On changeait les programmes. Très bien. Absolument d'accord. Prenons-en de nouveaux. On nous a proposé de réformer l'anatomie, la microbiologie, les maladies nerveuses selon les doctrines d'un agronome ignare et les méthodes de l'arboriculture. Bravo ! c'est tout à fait mon avis. Je suis pour ! Eh non, ça ne suffit pas, abandonnez également l'assistanat. Très bien, je ne discute

pas, je serai préparateur. Eh bien, non, le sacrifice n'est
pas agréé ! On me retire également ce poste. Très
bien, je suis d'accord, je serai bibliothécaire, bibliothécaire dans la lointaine Kokand. J'en avais cédé du
terrain ! Oui, mais j'étais en vie, mes enfants avaient pu
terminer leurs études. Tandis que les bibliothécaires,
voilà qu'ils recevaient des listes secrètes : détruire les
ouvrages de la pseudo-science génétique ; détruire nom-
mément les ouvrages de tel et tel.

« Ce n'est pas l'habitude qui nous manque ! Moi-même,
du haut de la chaire de matérialisme dialectique, n'avais-
je pas proclamé, un quart de siècle plus tôt, que la
théorie de la relativité était de l'obscurantisme contre-
révolutionnaire ? Et de rédiger le procès-verbal, de le
faire signer par le délégué du parti et le délégué des
Services spéciaux, et nous voilà enfournant où de droit,
à savoir dans le poêle, la génétique, l'esthétique d'avant-
garde, l'éthique, la cybernétique, l'arithmétique. »

Et avec ça il riait, le corbeau dément !

« ... Pourquoi faire des bûchers dans les rues ? C'est
du dramatisme superflu. Nous, nous faisions cela dans
un petit coin tranquille, nous mettions tout cela dans
notre bon petit poêle, et il nous chauffait, le petit
poêle ! Voilà jusqu'où on m'a acculé, le dos au poêle.
Oui, mais, en revanche, j'ai élevé une famille. Ma fille
est rédactrice d'un journal régional et elle écrit des
vers lyriques de ce genre :

> *Non, je ne sais pas reculer !*
> *Je ne sais demander le pardon.*
> *A la guerre comme à la guerre !*
> *Mon père ? (Tant pis, nous luttons.)* »

Telles des ailes impuissantes, les pans de son peignoir pendaient.

« Eh oui... » Kostoglotov ne trouvait rien d'autre à dire.
« Je suis d'accord, ça n'a pas été plus facile pour vous.

— Qu'est-ce que je vous disais ? » fit Chouloubine. Il
respira, s'installa plus calmement et reprit plus calme-

ment aussi : « Et dites-moi, comment expliquer l'énigme de cette succession des périodes dans l'Histoire ? Chez un seul et même peuple, en quelque dix ans, on voit retomber toute l'énergie collective et les impulsions héroïques changent de signe et deviennent des impulsions de lâcheté. C'est que moi je suis un vieux bolchevik de 1917. Il fallait voir avec quelle audace je mettais en fuite la Douma des mencheviks et des Socialistes révolutionnaires à Tambov, bien que nous n'ayons eu, en tout et pour tout, que nos deux doigts pour siffler. J'ai fait la Guerre civile, moi ! Nous risquions nos vies à fond. Que dis-je, nous n'aurions été que trop heureux de donner notre vie pour la révolution mondiale ! Et que sommes-nous devenus ? Comment avons-nous pu nous soumettre ? Et à quoi principalement ? A la peur ? Aux idoles du commerce ? Aux idoles du théâtre ? Bon, passe encore pour moi : je suis un petit homme. Mais Nadejda Konstantinovna Kroupskaïa ? Eh bien elle, quoi, elle ne comprenait pas, ne voyait pas ? Pourquoi n'a-t-elle pas élevé la voix, elle ? Ce qu'aurait pu signifier pour nous tous la moindre prise de position venant d'elle ! Quand bien même elle aurait dû la payer de sa vie. Alors, peut-être nous aurions tous changé, nous nous serions tous butés, et les choses ne seraient pas allées plus loin. Et Ordjonikidze ? C'était un aigle celui-là ! Ni Schliesselburg ni le bagne n'avaient eu raison de lui. Qu'est-ce donc qui a pu l'empêcher de se prononcer publiquement contre Staline, ne serait-ce qu'une fois, qu'une seule fois ? Non, ils ont tous préféré mourir dans des circonstances mystérieuses ou se suicider. Est-ce du courage cela ? Expliquez-moi ça !

— Moi, vous expliquer ? Moi à vous ? Allons donc, c'est plutôt à vous de me l'expliquer ! »

Chouloubine eut un soupir et essaya de changer de position sur le banc. Mais il avait mal de toute façon.

« Ce qui m'intéresse c'est autre chose. Prenons votre cas. Vous êtes né après la révolution. Mais vous avez fait de la prison. Eh bien, vous avez perdu foi dans le socialisme ? ou non ? »

Kostoglotov sourit vaguement.

« Je ne sais pas. Là-bas, parfois, on en avait tellement plein le dos que, de hargne, qu'est-ce qu'on ne serait pas allé chercher ! »

Chouloubine libéra l'une de ses mains, celle avec laquelle il prenait appui sur le banc, une main faible déjà, une main de malade, et la posa sur l'épaule d'Oleg.

« Jeune homme, ne faites surtout pas cette faute-là. Ne concluez surtout pas, à partir de vos propres souffrances, à partir de ces années cruelles, que c'est le socialisme qui est coupable. Je veux dire que, quelles que soient vos idées, il n'empêche que le capitalisme est, de toute façon, rejeté par l'Histoire à tout jamais.

— Quand on était là-bas... là-bas on se disait qu'il y avait beaucoup de bon dans l'entreprise privée. Ça rend la vie tellement plus simple. On ne manque jamais de rien. On sait toujours où trouver ce qu'on veut.

— Vous voulez que je vous dise, ce sont là des considérations de petit-bourgeois. L'entreprise privée est une chose très souple, mais elle n'est bonne que dans d'étroites limites. Si on ne la maintient pas dans un étau de fer, elle engendre des hommes-loups, des hommes de la bourse qui ne connaissent aucune retenue à leur appétits et à leur cupidité. Avant d'être condamné d'un point de vue économique, le capitalisme l'était déjà d'un point de vue éthique. Longtemps avant !

— Mais, vous savez, dit Oleg en haussant les sourcils, des gens qui ne connaissent pas de retenue à leurs appétits et à leur cupidité, à parler franchement, j'en observe chez nous aussi. Et ce n'est pas parmi les artisans brevetés, loin de là ! Prenez Emelian, Sachik...

— C'est juste ! fit Chouloubine, et sa main pesait de plus en plus sur l'épaule d'Oleg. Mais pourquoi ça ? Nous avons le socialisme. Mais quel socialisme ? Nous avions pris le tournant habilement en nous disant : il suffit de changer les moyens de production et, aussitôt, les gens changeront d'eux-mêmes. Oui, mais, des clous ! Ils n'ont pas changé du tout ! L'homme est un type biologique. Il faut des millénaires pour le modifier.

— Mais alors quel socialisme ?

— Eh bien oui, justement, quel socialisme ? C'est une énigme ? On l'appelle « démocratique », mais ce n'est qu'une indication superficielle qui ne désigne pas la nature de ce socialisme, mais seulement la façon de l'instaurer, le type d'organisation politique de l'Etat. C'est seulement pour dire qu'on ne coupera pas de tête. Mais cela ne dit rien de ce qui doit lui servir de base. Et ce n'est pas non plus sur un surplus de biens qu'on peut construire le socialisme parce que, si les hommes sont des buffles, rien ne les empêchera de piétiner ces biens. Et ce n'est pas non plus ce socialisme qui n'en finit pas de proclamer la haine, car il n'est pas de vie sociale qui puisse s'édifier sur la haine. Et ceux qui, d'année en année, brûlaient de haine, ne peuvent, du jour au lendemain, se dire : terminé ! à partir d'aujourd'hui j'ai cessé de haïr, et dorénavant je ne fais qu'aimer. Non, haineux, ils le resteront et trouveront plus près d'eux quelqu'un à haïr. Vous ne connaissez pas ce poème de Herwegh ?

Wir haben lang genug geliebt

Oleg reprit :

Wir wollen endlich hassen

« Et comment donc, nous l'apprenions en classe !

— Bien sûr, bien sûr, vous l'appreniez en classe. Mais c'est justement ce qui est terrifiant ! On vous le faisait apprendre en classe alors qu'il aurait fallu apprendre exactement le contraire :

Wir haben lang genug gehasst
Wir wollen endlich lieben

Et qu'elle aille au diable votre haine ! Nous voulons aimer, à la fin des fins ! Voilà comment devrait être le socialisme.

— Chrétien alors, non ? avança Oleg.

— « Chrétien » c'est trop demander. Les partis qui se sont ainsi nommés dans les sociétés issues des régimes de Hitler et de Mussolini, je ne vois pas très bien à partir de qui et avec qui ils pourraient édifier ce genre de socialisme. Quand Tolstoï, à la fin du siècle passé, a décidé d'implanter dans la société un christianisme pratique, il se trouva que ces oripeaux furent insupportables à ses contemporains, ses professions de foi étaient sans rapport aucun avec la réalité. Et moi je dirais que, précisément pour la Russie, avec nos contritions, nos professions de foi et nos révoltes, avec Dostoïevsky, Tolstoï et Kropotkine il n'y a qu'un seul bon socialisme, le socialisme moral. Et c'est on ne peut plus réaliste. »

Kostoglotov se renfrognait :

« Mais comment faut-il le comprendre et se le représenter, ce « socialisme moral » ?

— Ce n'est même pas compliqué à concevoir », fit Chouloubine en s'animant de nouveau, mais il n'avait plus cette expression hagarde du meunier-corbeau. Ce n'était plus cette animation sombre et il était visible qu'il avait très envie de convaincre Kostoglotov. Il parlait distinctement comme s'il lui faisait la leçon : offrir au monde une société dans laquelle toutes les relations, dont tous les fondements et toutes les lois découlent de considérations morales et *d'elles seules*. Tous les objectifs, à savoir : comment élever les enfants ? A quoi les préparer ? Vers quoi diriger le travail des adultes ? A quoi occuper leurs loisirs ? Tout cela devrait se déduire des seules exigences morales. S'agit-il de découvertes scientifiques ? seules seraient valables celles qui ne portent pas préjudice à la morale et en premier lieu aux chercheurs eux-mêmes. De même en politique étrangère. De même pour toutes les frontières : on ne se préoccuperait pas de savoir combien telle ou telle mesure nous enrichirait, augmenterait notre puissance ou accroîtrait notre prestige, mais seulement de savoir combien elle serait morale.

« Oui, eh bien, je doute que ce soit possible ! Il faut encore deux cents ans ! Mais attendez voir, fit Kostoglotov en fronçant les sourcils, il y a quelque chose que je ne saisis pas. Où est donc votre base matérielle ? C'est l'économie qui devrait être... qui devrait passer en premier.

— En premier ? Ça dépend pour qui. Vladimir Soloviev, par exemple, expose d'une façon assez convaincante qu'il est possible et nécessaire d'édifier l'économie sur une base morale.

— Comment ça ?... D'abord la morale, ensuite l'économie ? fit Kostoglotov en le regardant d'un air éberlué.

— Oui, écoutez, homme russe, vous n'avez pas lu, bien sûr, une seule ligne de Vladimir Soloviev ? »

Kostoglotov fit des lèvres un signe négatif.

« Mais vous avez au moins entendu son nom ?

— Oui, en tôle.

— Et Kropotkine, vous en avez lu ne serait-ce qu'une page ? « L'entraide parmi les hommes... »

Kostoglotov eut de nouveau ce même mouvement des lèvres.

« Eh oui, du moment qu'il a tort, à quoi bon le lire ! Et Mikhaïlovski ? Mais non, bien sûr, il a été réfuté, après quoi on l'a interdit et retiré des bibliothèques.

— Et quand est-ce que j'aurais pu lire ? Et qui ? s'indigna Kostoglotov. J'ai passé ma vie à bosser et on m'assomme sans fin de questions : T'as pas lu ci ? t'as pas lu ça ? A l'armée, je n'ai pas lâché la pelle des mains et dans les camps, de même, et maintenant en relégation, c'est le tchekmen. Quand voulez-vous que je lise ? »

Mais une expression à la fois inquiète et victorieuse brillait sur le visage de Chouloubine aux yeux tout ronds et aux sourcils broussailleux.

« Eh bien, voilà ce que c'est que le socialisme moral :
ne pas lancer les hommes à la poursuite du bonheur,
car le bonheur c'est encore une idole du commerce,
mais leur proposer comme but la bienveillance mutuelle.
Heureux, l'animal qui déchiquette sa proie l'est aussi,
tandis qu'il n'y a que les hommes qui puissent être
bienveillants les uns envers les autres. Et c'est là ce
que l'homme peut viser de plus haut.

— Non, le bonheur, laissez-le-moi ! insistait Oleg avec
vivacité. Laissez-le-moi le bonheur, ne serait-ce que
pour les quelques mois qui me restent à vivre. Sinon, à quoi bon ?

— Le bonheur est un mirage », insistait Chouloubine,
à bout de forces. Il avait pâli. « Moi, par exemple, j'éle-
vais mes enfants, j'étais heureux. Et eux, ils m'ont
bafoué. Je me suis employé, moi, pour ce bonheur, à
brûler dans un poêle des petits volumes qui conte-
naient la vérité. Et à plus forte raison, ce qu'on appelle
« le bonheur des générations futures », qui peut savoir
ce que c'est ? Qui leur a parlé à ces générations futures ? Qui sait quelles idoles elles vont adorer ? La notion
de bonheur a trop changé au cours des siècles pour
qu'on puisse se hasarder à le préparer d'avance. Quand
nous marcherions sur des petits pains et nous étran-
glerions de lait, cela ne voudrait pas encore dire que
nous serions heureux. Mais en partageant ce qui nous
manque, nous le serions dès aujourd'hui. Si l'on ne
devait se soucier que du « bonheur » et de la procréa-
tion, on encombrerait inutilement la terre et on créerait
une société effrayante... Je ne me sens pas très bien,
vous savez... Il faut que j'aille m'étendre... »

Oleg n'avait pas remarqué que le visage déjà exténué
de Chouloubine était devenu exsangue et cadavérique.

« Permettez, permettez, Alexis Filipovitch, je vous
donne le bras. »

Ce n'était pas non plus chose aisée pour Chouloubine
que de quitter sa position. Et le chemin du retour, ils
le firent à pas tout à fait lents. Une légèreté printa-
nière les entourait, mais tous deux étaient soumis à la

pesanteur ; leurs os et leur chair encore indemne et leurs vêtements, leurs chaussures, et jusqu'au torrent de rayons solaires qui tombait sur eux, tout les appesantissait, les accablait.

Ils allaient sans mot dire, fatigués de parler.

C'est seulement devant les marches du perron des cancéreux, quand déjà ils se trouvaient à l'ombre du pavillon, que Chouloubine, s'appuyant sur Oleg, leva les yeux vers les peupliers, regarda un lambeau de ciel joyeux et dit :

« Pourvu que je ne finisse pas sous le bistouri. J'ai peur... Si longtemps qu'on ait vécu, si mal qu'on ait vécu, on en a tout de même encore envie... »

Puis ils pénétrèrent dans le vestibule et respirèrent l'air renfermé et malodorant. Et, lentement, marche après marche, ils vinrent à bout du grand escalier.

Et Oleg demanda :

« Ecoutez, tout cela, vous l'avez médité durant les vingt-cinq années où vous avez courbé l'échine, où vous vous étiez renié ?

— Oui, je me reniais et je méditais, répondit Chouloubine, affaibli, le visage sans expression. Je fourrais les bouquins dans le poêle et je réfléchissais. Et quoi ? Par mon martyre, par ma trahison aussi, je ne me serais pas gagné un petit peu le droit de penser ?... »

CHAPITRE XXXII

HORS CIRCUIT

QU'UNE chose archiconnue, vue et revue en long et en large puisse ainsi se retourner comme un gant et devenir tout à fait nouvelle et étrangère, Dontsova n'aurait jamais pu se le figurer. Cela faisait trente ans qu'elle s'occupait des maladies d'autrui, cela faisait bien vingt ans qu'elle était là, derrière l'écran de l'appareil de radiographie, à déchiffrer ces écrans, déchiffrer les négatifs, déchiffrer ce que disaient des yeux implorants, dilatés, qu'elle confrontait tout cela avec les analyses, les livres, qu'elle écrivait des articles, discutait avec les collègues, discutait avec les malades, et sa propre expérience, le point de vue qu'elle s'était fait n'en devenait que plus indubitable, sa théorie médicale plus cohérente. Il y avait l'étiologie et la pathogénie, les symptômes, le diagnostic, l'évolution, le traitement, la prophylaxie et les pronostics ; quant aux réticences, aux doutes et aux craintes des malades, c'étaient, bien sûr, des faiblesses humaines compréhensibles et elles éveillaient la sympathie du docteur, mais lorsqu'il s'agissait de peser

les méthodes, elles ne comptaient pas, il n'y avait pas de
case pour elles sur le damier des constructions logiques.

Jusqu'à cette heure, tous les corps humains avaient
été de constitution parfaitement identique : un seul et
même atlas anatomique les décrivait tous. Identique, la
physiologie des processus vitaux. Identique, la physiologie des sensations. Tout ce qui était normal autant
que ce qui était une déviation de la normale, tout cela
était expliqué de façon raisonnable dans les manuels les
plus autorisés.

Et soudain, en quelques jours, son propre corps était
tombé hors de ce système grandiose et harmonieux,
s'était fracassé contre le sol rugueux et se trouvait être
un sac sans défense, bourré d'organes, d'organes dont
chacun pouvait, à n'importe quel moment, devenir
malade et se mettre à crier.

En quelques jours tout s'était retourné sens dessus
dessous, et, composé des mêmes éléments connus, était
devenu l'inconnu et faisait peur.

Quand son fils était encore un petit garçon, elle se
rappelait avoir regardé des images avec lui : les objets
domestiques les plus simples, une théière, une cuillère,
une chaise, dessinés sous un angle inhabituel devenaient
méconnaissables.

Aussi méconnaissable lui semblait être maintenant la
marche de sa propre maladie et cette place nouvelle
qu'elle occupait dans le processus médical par rapport
au traitement des maladies. A présent, dans ce processus, elle n'était plus la force raisonnable et directrice,
mais seulement une masse déraisonnable et récalci-
trante. En présence de ce mal, en tout premier lieu, elle
s'était sentie écrasée comme une grenouille. Ce moment
avait été insupportable : c'était le monde à l'envers,
l'ordre des choses renversé. Sans être morte, il fallait
abandonner mari, fils, fille, petit-fils, travail, bien que
ce fût précisément ce travail qui, maintenant, déferlerait
tumultueusement sur elle, à travers elle. Il avait fallu, en
un jour, renoncer à tout ce qui faisait sa vie, puis, semblable à une ombre vert pâle, se torturer encore un

certain temps sans savoir si elle mourrait pour de bon ou reviendrait à l'existence.

Il n'y avait eu dans sa vie, semblait-il, rien qui l'embellît, aucune joie, aucune fête, rien d'autre que le travail et les soucis, le travail et les soucis, et, pourtant, elle voyait maintenant combien cette vie était belle et comme il était impossible de s'en séparer, mais impossible à en hurler de douleur !

Tout ce dimanche n'était plus, pour elle, un dimanche, mais une préparation de ses entrailles à la radiographie du lendemain.

Le lundi, comme convenu, à neuf heures un quart, Dormidonte Tikhonovitch, dans leur salle de radiographie, en compagnie de Vera Gangart et d'une interne, éteignait les lumières et commençait à s'adapter à l'obscurité. Lioudmila Afanassievna se déshabilla et passa derrière l'écran. En prenant le premier verre de baryte que l'infirmière auxiliaire lui tendait elle le fit maladroitement capoter : sa main qui, gantée de caoutchouc, avait tant de fois, ici même, pressé fermement les abdomens, tremblait à présent.

Et toute la scène familière se répéta maintenant sur elle. On la palpait on la pressait, on la faisait tourner dans tous les sens, lever les bras, expirer... Puis, sans attendre, on rabattait la table, on l'y allongeait, on prenait des photographies sous diverses incidences. Ensuite il fallait laisser le temps à la substance de contraste de se répandre le long du tube digestif, et comme l'appareil de radiographie en fonctionnement ne pouvait rester inoccupé, l'interne, entre-temps, faisait passer ses malades du jour. Et Lioudmila se joignait même à elle pour l'aider, mais elle avait du mal à fixer son attention et n'était d'aucune aide. De nouveau le moment venait pour elle de passer derrière l'écran, de boire la baryte et de s'étendre pour la photographie.

Seulement l'examen ne se déroulait pas dans le silence habituel, ponctué d'ordres brefs, car Orechtchenkov ne cessait de plaisanter à propos de tout, de ses jeunes auxiliaires, de Lioudmila Afanassievna, de lui-même. Il raconta comment, lorsqu'il était encore étudiant, on l'avait expulsé du M.K.H.A.T., qui n'était qu'un jeune théâtre à l'époque, pour tenue scandaleuse. C'était à une première de *La puissance des ténèbres* et Akim se mouchait avec tant de naturel et dévidait si bien ses bandes molletières, que Dormidonte avec un ami s'étaient mis à siffler. Et depuis ce temps-là, disait-il, chaque fois, au M.K.H.A.T., il craignait qu'on ne le reconnût et qu'on ne le fît sortir de nouveau. Et chacun essayait de parler le plus possible afin que les pauses entre les divers examens fussent moins accablantes. Néanmoins, Dontsova voyait bien que Gangart avait la gorge sèche et parlait avec peine : c'est qu'elle la connaissait bien !

C'est pourtant ainsi que Lioudmila Afanessievna l'avait voulu ! S'essuyant la bouche après la bouillie barytée, elle déclara une fois de plus :

« Non, le malade ne doit pas tout savoir ! J'ai toujours été de cet avis et je le suis maintenant encore. Toutes les fois que vous aurez besoin de discuter, je sortirai de la pièce. »

Ils avaient adopté cet arrangement et Lioudmila Afanassievna sortait, essayait de trouver à s'employer soit auprès des internes à la radiographie, soit aux dossiers des maladies. Il y avait beaucoup à faire mais aujourd'hui elle ne parvenait pas à suivre une idée jusqu'au bout. Et voilà que de nouveau on la rappelait et elle allait, le cœur battant à l'idée qu'ils l'accueilleraient peut-être avec des mots joyeux, et Verotchka Gangart, soulagée, l'embrasserait et la féliciterait, mais rien de cela n'arrivait et c'étaient de nouveau les diverses instructions, les demi-tours, les examens.

Tout en se soumettant à chacune de ces instructions, Lioudmila Afanassievna ne pouvait s'empêcher d'y réfléchir par elle-même et d'essayer de les expliquer.

« D'après votre façon de procéder, je vois bien ce que vous cherchez ! » leur dit-elle enfin, n'y tenant plus.

Ce qu'elle avait compris c'était qu'ils lui soupçonnaient une tumeur non pas à l'estomac ni à l'orifice de

sortie de l'estomac mais à l'orifice d'entrée, et c'était
là le cas le plus délicat parce qu'il nécessitait, lors de
l'intervention, une ouverture partielle de la cage thoracique.

« Mais enfin, Lioudotchka, grondait Orechtchenkov
dans l'obscurité, c'est bien une détection précoce que
vous exigez de nous, d'où la différence de méthode. Si
vous voulez, nous pouvons attendre deux ou trois mois,
alors vous serez plus vite renseignée.

— Non, merci bien pour vos trois mois ! »

Le bilan radiologique complet qui fut prêt en fin de
journée, elle ne voulut pas le voir non plus. Ayant perdu
ses gestes habituels, décidés, masculins, elle était là,
toute ramollie, assise sur une chaise, sous le plafonnier éblouissant, et attendait les conclusions d'Orechtchenkov. Elle attendait ses mots, ses décisions, mais
non son diagnostic.

« Eh bien, voilà, voilà, distinguée collègue, traînait
Orechtchenkov d'un air bienveillant. Les avis des célé-
brités sont partagés. »

Et tout en parlant, par-dessous ses sourcils anguleux, il observait, observait sans fin son désarroi. Il
semblait que, de la part de cette femme résolue et
implacable, on aurait pu s'attendre à plus de force
dans cette épreuve. Cette défaillance surprenante confirmait une fois de plus l'opinion d'Orechtchenkov, à
savoir que l'homme moderne est démuni devant la
face de la mort, qu'il n'est nullement armé pour l'affronter.

« Et qui est-ce qui pense le pire ? fit Dontsova en
s'efforçant de sourire. (Elle avait envie que ce ne fût
pas lui.)

— Le pire, ce sont vos filles qui le pensent. Voilà
comment vous les avez élevées. Tandis que moi, malgré tout, j'ai meilleure opinion de vous. » Une courbe se
dessina au coin de ses lèvres, pas très grande, mais
fort bienveillante.

Gangart était assise là, toute pâle, comme si elle avait
attendu son propre arrêt.

« Je vous en remercie, fit Dontsova un peu soula-gée. Et alors ? »

Combien de fois, à la suite de cette gorgée de souffle, les malades avaient attendu d'elle une décision et tou-jours cette décision se fondait sur la raison, sur les chiffres. C'était toujours une déduction logiquement concevable, vérifiée et contre-vérifiée. Mais en fait, quelle tonne d'épouvante, elle le comprenait à présent, se cachait encore dans cette gorgée.

« Et que voulez-vous, Lioudotchka, pérorait Orech-tchenkov, le monde est injuste, je n'ai pas besoin de vous le dire. Si vous n'étiez pas des nôtres, nous vous aurions remise telle quelle avec un diagnostic alternatif entre les mains des chirurgiens. Ils vous auraient donné un petit coup de bistouri et, chemin faisant, vous auraient enlevé un morceau de quelque chose. Il en existe de ces malotrus qui ne vous quitteront jamais une paroi intestinale sans en emporter un petit sou-venir. Un petit coup de bistouri, et nous aurions su lequel d'entre nous a raison dans votre cas. Mais c'est que vous êtes des nôtres. Et à Moscou, à l'Institut de Radiologie, il y a notre petite Hélène, et Serge y est aussi. Alors, voilà ce que nous avons décidé : faites un saut jusque-là. Hein ? Nous leur écrirons, eux-mêmes vous examineront, le nombre des avis augmentera. S'il faut opérer, alors, ça aussi, ils le font mieux là-bas. D'une manière générale, tout est mieux là-bas, n'est-ce pas ? »

(Il avait dit « s'il faut opérer ». Il avait voulu dire que peut-être ce ne serait pas nécessaire ? Ou bien alors, non... que, que... non, c'était pire...)

« Ça revient à dire, conclut Dontsova, que l'opé-ration est tellement complexe que vous ne voulez pas la tenter ici ?

— Allons bon ! Non et non ! se récria Orechtchenkov qui s'assombrit. Ne me faites pas dire ce que je n'ai pas dit ! Tout simplement nous nous arrangeons... comment on dit ça... nous vous pistonnons. Et puis, si vous n'y croyez pas, tenez là-bas (et il fit un signe de tête en direction de la table) prenez le négatif et voyez vous-même. »

Eh oui, c'était si simple. Il suffisait de tendre la main et tout relevait de sa propre analyse.

« Non, non, je ne veux pas », fit Dontsova refusant de voir la radio.

Ainsi fut-il décidé. On parla au médecin-chef. Dontsova se rendit au Département de la Santé publique. Là, pour une raison ou pour une autre, on ne la fit pas attendre, et on lui donna tout de suite son autorisation et son affectation. Et elle comprit soudain qu'au fond rien ne la retenait dans la ville où elle avait travaillé pendant vingt ans.

Elle avait vu juste, Dontsova, lorsqu'elle avait dissimulé sa douleur à tout le monde : il suffisait d'en faire part à une seule personne pour que tout se mît en branle irréversiblement et que rien ne dépendît plus d'elle. Tous les liens de la vie, si solides, si éternels, se rompaient et éclataient, pas même de jour en jour mais d'heure en heure.

Si unique et irremplaçable au dispensaire et chez elle, voici déjà qu'on la remplaçait.

Si attachés que nous soyons à cette terre, en fait, c'est à peine si nous y tenons.

Il n'y avait donc plus à tarder. Le mercredi de la même semaine, elle faisait sa dernière visite dans les salles avec Gangart à qui elle remettait la direction du service de radiothérapie.

Cette visite, commencée le matin, avait duré presque jusqu'au déjeuner. Bien que Dontsova eût une confiance absolue en Vera Gangart et que Gangart eût connaissance des mêmes cas hospitalisés que Dontsova, il n'en reste pas moins que, lorsque Lioudmila Afanassievna avait commencé à passer devant les lits des malades avec, présente à la conscience, l'idée qu'il y avait bien peu de chance qu'elle leur revînt avant un mois et même qu'elle pourrait bien ne plus revenir du tout, pour la première fois de tous ces jours derniers, elle se rasséréna, se raffermit un peu. L'intérêt et la faculté de comprendre lui revinrent. L'intention qu'elle avait eue le matin de transférer ses cas au plus vite, d'expédier au plus vite les dernières formalités et de rentrer chez elle pour se préparer, cette intention avait disparu. Elle était si habituée à tout diriger par elle-même, qu'aujourd'hui encore elle ne put s'éloigner d'un malade sans se faire un pronostic couvrant ne serait-ce qu'un mois : comment se déroulerait la maladie, quels nouveaux moyens il faudrait mettre en œuvre et de quelles mesures imprévues pourrait apparaître le besoin. Elle parcourait les salles presque comme avant, oui presque comme avant, et ce furent là ses premières heures de soulagement dans le tourbillon de ces jours derniers.

Elle s'était habituée au malheur.

Mais en même temps, elle allait, comme privée du droit d'exercer, comme disqualifiée pour quelque acte impardonnable qui, par bonheur, n'avait pas encore été révélé aux malades. Elle écoutait, prescrivait, ordonnait, contemplait tel ou tel malade d'un œil prétendument divinateur et cependant un frisson glacé lui courait dans le dos car comment avait-elle encore l'audace de juger de la vie et de la mort des autres, quand, d'ici à quelques jours, elle reposerait aussi désarmée, aussi hébétée, aussi peu soucieuse de son aspect extérieur, dans un lit d'hôpital, attendant ce que diraient les grands, les gens d'expérience. Et elle craindrait les douleurs. Et peut-être aussi qu'elle s'en voudrait de n'avoir pas choisi la bonne clinique, elle soupçonnerait qu'on la soigne mal. Et elle rêverait comme si c'était là le plus grand des bonheurs, du droit tout banal d'être libérée du pyjama d'hôpital, et de s'en retourner chez elle le soir.

Cela lui venait par accès et de nouveau l'empêchait de réfléchir avec toute sa rigueur habituelle.

Vera Kornilievna, elle, se chargeait sans joie du fardeau dont elle ne voulait absolument pas à ce prix, dont elle ne voulait pas du tout d'ailleurs.

« Maman » comme l'appelait ses élèves n'était pas

pour Vera un vain mot. Des trois, c'était elle qui avait
fait pour Lioudmila Afanassievna le diagnostic le
plus sévère. Elle prévoyait une opération épuisante que
Lioudmila Afanassievna, usée par la maladie chronique
des radiations, pourrait bien ne pas supporter. Aujourd'hui, elle l'accompagnait et pensait que c'était
peut-être pour la dernière fois, tandis qu'elle, durant
de nombreuses années encore, elle passerait ainsi entre
les lits et chaque fois, avec un serrement de cœur, se
rappellerait celle qui avait fait d'elle un médecin.

Et imperceptiblement, du doigt, elle essuyait une
larme.

Plus que jamais, pourtant, Vera devait, aujourd'hui,
tout prévoir avec la plus grande précision et n'omettre
aucune des questions importantes qui pouvaient se
poser parce que toute cette cinquantaine de vies, pour
la première fois, reposaient pleinement sur elle et qu'il
n'y aurait plus personne à qui demander conseil.

Ainsi, dans l'angoisse et la distraction, la visite se
prolongea pendant toute la demi-journée. Elles firent
d'abord les salles de femmes. Ensuite, elles visitèrent
tous les lits du vestibule, sous l'escalier et dans le
couloir. Elles s'arrêtèrent, bien sûr, auprès de Sigbatov.

Tout ce qu'on avait pu faire pour ce doux Tatar ! Et
tout cela pour gagner quelques mois de sursis et quels
mois ! Des mois de cette existence pitoyable dans un
coin du vestibule, mal éclairé, mal aéré. Déjà son
sacrum le lâchait et seules deux mains solides appli-
quées derrière, sur son dos, le maintenaient en position
verticale. Toute sa promenade consistait à passer dans
la salle voisine pour s'y asseoir un moment et écouter
les autres discuter ; tout l'air qu'il respirait, c'était
ce qui parvenait jusqu'à lui de la lointaine lucarne ;
tout son ciel, c'était le plafond.

Mais même pour cette vie indigente où il n'y avait
rien d'autre que la routine des soins, les querelles
des filles de salle, la nourriture de l'hôpital et encore les
dominos, même pour cette vie-là, avec ce dos béant, à

chaque passage du docteur, son regard endolori s'illuminait de gratitude.

Et Dontsova pensait qu'à rejeter ses propres critères familiers, à adopter ceux de Sigbatov, elle était encore quelqu'un d'heureux.

Sigbatov avait déjà entendu dire quelque part que, pour Lioudmila Afanassievna, c'était aujourd'hui le dernier jour.

Sans mot dire, ils se regardaient, alliés défaits mais fidèles, avant que le fouet du vainqueur ne les dispersât chacun de son côté.

« Tu vois, Charaf, disaient les yeux de Dontsova, j'ai fait ce que j'ai pu. Mais je suis blessée et moi aussi je tombe.

— Je le sais, mère, répondaient les yeux du Tatar, et celle qui m'a mis au monde n'a pas fait plus pour moi. Mais, tu vois, moi je ne peux te sauver. »

Avec Akhmadjan, les résultats étaient brillants : c'était un cas qui avait été pris à temps ; tout s'était fait rigoureusement selon la théorie, et, selon la théorie, s'était rigoureusement vérifié. Elles calculèrent les rayons qu'il avait déjà reçus et Lioudmila Afanassievna lui annonça :

« On te laisse partir ! »

Il eût fallu que cela se fît en début de matinée afin qu'on pût en informer l'infirmière en chef et l'on aurait pu alors lui apporter son uniforme du dépôt. Mais, même à l'heure qu'il était, Akhmadjan, sans plus avoir aucun besoin de sa béquille, dévala l'escalier pour aller voir Mita. A présent, une seule soirée de plus passée ici lui aurait paru insupportable. Ce qui l'attendait ce soir-là, c'était ses amis dans la vieille ville.

Vadim aussi savait que Dontsova remettait son service et se rendait à Moscou. Voilà comment cela s'était fait : la veille au soir un télégramme était arrivé de sa maman, adressé à la fois à lui et à Lioudmila Afanassievna, leur annonçant que l'or colloïdal était expédié à leur dispensaire. Vadim s'était immédiatement traîné jusqu'en bas. Dontsova était au Département de

la Santé publique, mais Vera Kornilievna avait déjà
vu le télégramme : elle le félicita et sans attendre le
présenta à Ella Rafaelovna, leur radiologue, qui devait,
à présent, diriger son traitement, dès que l'or serait
parvenu au service de radiologie. Sur ces entrefaites,
Dontsova arriva, brisée ; elle lut également le télégramme et, de son visage défait, essaya aussi de faire
des signes de tête encourageants à Vadim.

Hier, Vadim était tout à sa joie et il n'avait pu
s'endormir. Mais ce matin il était perplexe : quand donc
cet or leur parviendrait-il ? Si seulement on l'avait
confié à sa maman, il aurait été là dès aujourd'hui.
Serait-il acheminé en trois jours ? en une semaine ? Ce
fut avec cette question qu'il accueillit les médecins qui
s'approchaient de lui.

« D'un jour à l'autre ! D'un jour à l'autre ! » lui dit
Lioudmila Afanassievna.

(En son for intérieur, pourtant, elle savait trop ce
que signifiait : d'un jour à l'autre. Elle connaissait le
cas d'une préparation qui avait été prescrite par l'Institut de Moscou pour le dispensaire de Riazan ; mais
la jeune personne qui s'en occupait avait, sur le bulletin
d'accompagnement, écrit : Kazan, et au ministère —
car il n'était pas question de se passer du ministère —
on avait lu Kazakhie, et on l'avait expédiée à Alma-
Ata.)

Ce que peut faire d'un homme une bonne nouvelle :
c'était les mêmes yeux noirs qui, sombres ces temps
derniers, étincelaient maintenant d'espoir ; ces mêmes
lèvres bouffies qui déjà avaient pris un pli irrémédia-
blement amer et qui, de nouveau, s'étaient égalisées
et avaient rajeuni ; et Vadim, de la tête aux pieds,
net, aimable, rasé, propret, rayonnait comme le
héros d'une fête qui, dès son réveil, est comblé de
cadeaux.

Comment avait-il pu ainsi se laisser aller, perdre
toute sa volonté ces deux dernières semaines ? Ne
savait-il pas que le salut est dans la volonté ? Tout est
dans la volonté. A présent, c'était la course. A présent

une seule chose importait : puisse l'or franchir les trois
mille kilomètres qu'il avait à faire avant que les métastases ne gagnent trente centimètres de terrain. Et
alors, l'or lui nettoierait l'aine, protégerait le restant
de ses chairs. Quant à la jambe, eh bien, la jambe on
pouvait la sacrifier. Ou bien peut-être que par quelque
processus régressif — et quelle science en fin de compte
peut nous interdire tout à fait de croire ? — donc, par
quelque processus régressif, l'or radio-actif lui guérirait
peut-être même la jambe ?

Car enfin il était juste et raisonnable que ce fût
précisément lui qui restât en vie ! Tandis que l'idée
de se résigner à la mort, de se laisser dévorer par la
panthère noire, cette idée-là était sotte, plate et indigne.
Par l'éclat de son talent, il s'affermissait dans l'idée
qu'il survivrait, oui, survivrait, survivrait ! Toute la première partie de la nuit, cette animation joyeuse qui
l'étouffait l'avait empêché de dormir, tandis qu'il
essayait d'imaginer où pouvait bien se trouver la petite
cassette de plomb qui contenait l'or et qui faisait route
vers lui : était-elle dans le wagon de marchandises ? ou
bien était-on en train de l'acheminer vers l'aérodrome ?
ou bien peut-être était-elle déjà dans l'avion ? Il se
transportait, les yeux grands ouverts, là-bas, vers les
trois mille kilomètres d'espace nocturne, essayant de
hâter les choses, et il aurait même appelé les anges à la
rescousse s'il y en avait eu.

Pour le moment, en cette heure de visite, il suivait
d'un regard soupçonneux ce que faisaient les médecins :
elles ne disaient rien d'alarmant et essayaient même
de ne rien laisser transparaître sur leurs visages, mais
elles palpaient, elles palpaient, pas seulement le foie,
il est vrai, mais aussi divers autres points, et échangeaient des considérations insignifiantes. Vadim évaluait,
essayait de savoir si elles ne palpaient pas plus le foie
que tout le reste.

Elles voyaient bien que ce malade était sur ses gardes, attentif, et, sans nécessité aucune, elles faisaient
aller leurs doigts jusque sur la rate, bien que le véri-

table but de leurs doigts initiés fût de vérifier si le foie avait changé.

Il n'était pas question non plus de voir Roussanov rapidement : il attendait sa ration spéciale d'attention. Depuis quelque temps, il s'était beaucoup radouci à l'égard de ces docteurs : bien qu'elles ne fussent ni émérites ni agrégées, elles l'avaient néanmoins guéri. A présent, la tumeur qu'il avait au cou ballottait librement, était plate, petite. Il faut dire que, dès le début, elle n'était sans doute pas aussi dangereuse qu'on l'avait faite à ses yeux.

« Ecoutez, camarades, fit-il, s'adressant aux docteurs. Ne vous en déplaise, je suis las des piqûres. Cela m'en fait déjà plus de vingt. Ça suffit peut-être, non ? Ou alors je pourrais peut-être terminer la série chez moi, non ? »

Effectivement, son sang ne valait pas lourd, bien qu'on lui eût déjà fait quatre transfusions. Il était jaune, exténué, flétri. Jusqu'à la calotte qu'il portait sur la tête qui semblait être devenue trop grande.

« Du reste, merci, docteur ! J'ai eu tort au début », déclara honnêtement Roussanov à Dontsova. Il aimait à avouer ses fautes. « Vous m'avez guéri, eh bien, merci. »

Dontsova fit un vague signe de tête. Ce n'était ni modestie ni confusion, mais simplement parce qu'il ne comprenait rien à ce qu'il disait. Ce qui l'attendait, c'était l'apparition de tumeurs en de nombreux ganglions. Et selon que le processus serait lent ou rapide, on ne pouvait savoir s'il serait encore en vie d'ici à un an.

Tout comme en ce qui la concernait elle aussi, du reste.

Gangart et elle-même le palpaient durement sous l'aisselle et dans les régions susclaviculaires. Roussanov en frémissait, tellement elles appuyaient fort.

« Mais je n'ai rien là ! » leur affirmait-il. A présent, c'était clair qu'on ne faisait que le terroriser avec cette maladie. Mais il avait de la fermeté et on avait pu voir comme il l'avait bien supportée. Et cette fermeté qu'il s'était découverte, il en était particulièrement fier.

« Tant mieux. Mais il faut faire très attention, camarade Roussanov, disait Dontsova d'un ton persuasif. Nous allons vous donner encore une ou deux piqûres et puis, qu'à cela ne tienne, nous pouvons vous laisser partir. Mais vous viendrez vous faire examiner tous les mois. Et si vous remarquez vous-même quelque chose où que ce soit, alors il faudra venir sans attendre. »

Roussanov, déridé, savait d'expérience que ces examens obligatoires, ce n'était que des pointages, des cases à remplir. Et il s'en fut téléphoner la bonne nouvelle chez lui.

Arriva le tour de Kostoglotov. Celui-ci les attendait avec des sentiments mêlés. C'étaient elles qui l'avaient apparemment sauvé, c'étaient elles aussi qui l'avaient perdu. Le miel dans le tonneau avait été mélangé de goudron, à parts égales, et, maintenant, il ne pouvait servir ni à la nourriture ni au graissage des roues.

Lorsque Vera Kornilievna venait vers lui toute seule, elle était alors Véga, et quoi qu'elle pût lui demander, quoi qu'elle pût lui prescrire, en sa qualité de médecin, il la contemplait et se réjouissait. Cette dernière semaine, il lui avait, Dieu sait pourquoi, entièrement pardonné la mutilation qu'elle faisait obstinément subir à son corps. Il en était venu à lui reconnaître une sorte de droit sur son corps et cela lui était doux. Et quand elle s'approchait de lui au moment des visites, il avait toujours envie de caresser ses petites mains et de s'y frotter le museau comme un chien.

Mais voilà qu'elles étaient venues à deux, et elles étaient maintenant des médecins rivés à leurs instructions, et Oleg ne put se défaire du sentiment d'être incompris et offensé.

« Comment ça va ? » demanda Dontsova en s'asseyant sur son lit.

Véga était restée debout, derrière, et lui adressait un très très léger sourire. Elle avait retrouvé cette disposition, peut-être même cette nécessité de lui sourire, même très légèrement, à chaque fois qu'elle le rencontrait. Aujourd'hui pourtant elle souriait comme à travers un voile.

« Oh ! pas très fort, fit Kostoglotov avec lassitude en remontant jusqu'à l'oreiller sa tête qu'il avait laissé pendre. Quand je fais un mouvement maladroit, j'ai maintenant là, à cet endroit, au médiastin, quelque chose qui me gêne. Pour tout dire, j'ai comme l'impression qu'on m'a trop soigné. Je vous demande d'en rester là. »

Ce n'était plus avec la fougue d'antan qu'il le réclamait. Il parlait maintenant avec indifférence, comme s'il s'était agi de quelqu'un d'autre et comme d'une chose trop évidente pour qu'il fût besoin d'insister.

Oui, mais c'est que Dontsova n'insistait pas non plus. Elle aussi était lasse.

« Pensez ce que vous voulez, c'est votre affaire, mais pour ce qui est du traitement, il n'est pas terminé. »

Elle se mit à examiner la peau sur le pourtour des parties irradiées. C'était vrai que la peau demandait déjà qu'on en finisse. La réaction de l'épiderme pouvait même s'accentuer une fois les séances terminées.

« Nous avons cessé de lui en donner deux par jour ? demanda Dontsova.

— Plus qu'une seule », répondit Gangart.

(Elle avait prononcé des mots aussi simples que « plus qu'une seule » en tendant à peine sa gorge menue, et on aurait dit qu'elle avait articulé quelque chose de tendre qui devait aller droit au cœur !)

Elle était prise dans d'étranges fils vivants qui, tels de longs cheveux de femme, s'étaient accrochés à elle et l'enlaçaient à ce malade. Et elle était seule à ressentir de la douleur quand ces fils se tendaient et se cassaient, tandis que lui n'avait pas mal, et alentour personne ne le voyait. Le jour où Vera avait eu vent des scènes nocturnes avec Zoé, cela avait été comme si d'un seul coup on en avait arraché toute une touffe. Et peut-être qu'il aurait mieux valu en finir à ce moment-là. Par cette secousse, on lui avait rappelé la loi qui veut que les hommes n'ont pas besoin de femmes

de leur âge, mais de femmes plus jeunes. Elle n'aurait
pas dû oublier que son temps était passé, bien passé.

Pourtant, après cela, il s'était si manifestement
arrangé pour se trouver toujours sur son passage, avait
été tellement à l'affût du moindre mot venant d'elle
et c'était tellement bon de le voir la regarder, parler...
Et du coup, ces fils semblables à des cheveux avaient
recommencé l'un après l'autre à croître et à s'entre-
mêler.

Qu'était-ce donc que ces fils ? Quelque chose d'inexplicable et d'irrationnel. Du jour au lendemain il allait
partir et une forte poigne le retiendrait là-bas et, quant
à revenir, il ne s'y déciderait qu'au moment où il irait
très mal, aux prises avec la mort. Et, mieux il irait,
plus ce serait rare, plus ce serait... jamais.

« Et combien lui avons-nous donné de synoestrol ?
s'enquit Lioudmila Afanassievna.

— Plus qu'il n'en faut, dit Kostoglotov, devançant
Vera Kornilievna et prenant un air borné. Ça me
suffira pour le restant de mes jours. »

En temps ordinaire, Lioudmila Afanassievna ne lui
aurait pas passé une réplique aussi grossière et l'aurait
vertement tancé. Mais pour le moment, toute sa volonté
était retombée, elle terminait à grand-peine sa visite.
Et hors de sa fonction, au moment où elle la quittait,
elle ne pouvait, au fond, rien répliquer, même à Kostoglotov. Bien sûr, le traitement était barbare.

« Voici le conseil que je vous donne, dit-elle, conci-
liante, et de façon qu'on ne l'entendît pas dans la salle.
Il ne faut pas que vous recherchiez le bonheur familial.
Il vous faudra vivre encore bien des années sans fonder
un véritable foyer. »

Vera Kornilievna baissa les yeux.

« Parce que, rappelez-vous, votre maladie était à un
stade avancé. Vous êtes arrivé chez nous très tard. »

Il le savait bien, Kostoglotov, que son affaire n'était
pas bonne, mais de se l'entendre dire ainsi tout carrément, il en resta bouche bée.

« Euh... oui... », meugla-t-il. Mais déjà il trouvait une

pensée consolatrice. « Oui, mais je suis bien tranquille, les autorités aussi ne vont pas manquer d'y veiller.

— Vera Kornilievna, vous allez lui continuer le Tezan et le Pontacsyl. Mais de toute façon, il va falloir le laisser aller se reposer. Voilà ce que nous allons faire, Kostoglotov : nous allons vous faire une ordonnance pour trois mois de synoestrol. On en trouve actuellement en pharmacie. Vous allez l'acheter et vous allez, sans faute, suivre votre traitement chez vous, à la maison. Si vous n'avez personne chez vous pour vous faire les piqûres, prenez-le en cachets. »

Kostoglotov eut un mouvement des lèvres pour lui répliquer que, premièrement, il n'avait pas de chez soi, que, deuxièmement, il n'avait pas d'argent et que, troisièmement, il n'était pas assez bête pour aller doucement se suicider.

Mais elle était gris verdâtre, fourbue, et il se ravisa et ne dit rien.

Là-dessus, la visite prenait fin.

Akhmadjan accourut : tout était réglé et on était même allé chercher son uniforme. Il arroserait ça aujourd'hui même avec son copain. Quant aux certificats et aux papiers, on les lui donnerait demain. Il était très excité, parlait vite et fort. Personne ne l'avait encore vu dans cet état. Il se mouvait avec tant d'énergie et de fermeté qu'on n'aurait jamais dit qu'il venait de passer deux mois ici, malade comme eux tous. Surmontés d'épais cheveux en brosse, surmontés de sourcils noirs comme du mazout, ses yeux brûlaient comme ceux d'un ivrogne et tout son dos frémissait de ressentir que la vie était là tout de suite, de l'autre côté du seuil. Il commença dare-dare à se préparer, puis s'interrompit soudain pour aller demander qu'on le fasse déjeuner en même temps que ceux du rez-de-chaussée.

Kostoglotov, cependant, était convoqué pour sa séance de rayons. Il attendit, puis demeura couché sous l'appareil, puis sortit encore une fois sur le perron voir un peu pourquoi le temps était si maussade.

Des nuages gris tourbillonnaient à vive allure à travers tout le ciel et sur leurs traces s'approchait une nue tout à fait violette qui promettait une forte pluie. Mais il faisait très chaud et la pluie ne pouvait plus être qu'une pluie printanière.

Ce n'était pas le moment d'aller se promener et il remonta dans la salle. Du couloir il entendit le récit tonitruant d'un Akhmadjan déchaîné.

« On les nourrit, je suis un salaud si je mens, mieux que des soldats ! Pas plus mal, disons. La portion, c'est un kilo deux cents. Ce qu'on devrait leur donner c'est de la merde ! Pour travailler, pas question ! A peine on les débarque dans la zone, pfuit... tous partis dans tous les sens, et plus personne — ils se cachent et pioncent toute la journée. »

Kostoglotov se glissa sans bruit dans l'embrasure de la porte. Près de son lit, dont on avait enlevé les draps et la taie, Akhmadjan, avec son balluchon tout prêt à la main, gesticulant et découvrant ses dents éclatantes, parlait avec assurance et achevait de raconter son dernier récit à la chambrée.

La salle était tout à fait différente : il n'y avait plus ni Federau, ni le philosophe, ni Chouloubine. Devant la salle telle qu'elle était composée auparavant, Oleg, Dieu sait pourquoi, n'avait jamais entendu Akhmadjan raconter cette histoire-là.

« Et ils ne bâtissent rien ? demanda doucement Kostoglotov. Alors il n'y a vraiment rien, mais rien du tout qui se bâtit dans la zone ?

— Bon, bon, ils bâtissent, dit Akhmadjan un peu confus. Mais ils bâtissent mal.

— Vous pourriez peut-être les aider, dit Kostoglotov encore plus doucement, comme s'il était en train de perdre ses forces.

— Notre boulot, c'est le fusil, leur boulot, c'est la pelle ! » répondit Akhmadjan gaillardement.

Oleg regardait son compagnon de chambre comme s'il le voyait pour la première fois ou bien non, comme s'il l'avait vu durant de longues années, le visage enfoui

dans le col de sa pelisse et une mitraillette à la main.
Avec juste assez d'instruction pour savoir jouer aux
dominos. Il était sincère, Akhmadjan, sincère et sans
ruse.

Si durant des dizaines d'années d'affilée on ne permet
pas de dire les choses comme elles sont, la cervelle
des hommes se met à battre la campagne irrémédia-
blement et il devient plus facile de comprendre un
Martien que son propre concitoyen.

« Enfin, dis-moi, comment tu vois la chose ? poursuivait Kostoglotov sans lâcher prise, voyons, nourrir
des hommes avec de la merde ? Tu plaisantais, hein ?

— Pas du tout, j'plaisantais pas ! c'est pas des
hommes que j'te dis, c'est pas des hommes ! » insistait
Akhmadjan excité, mais tout à fait sûr de lui.

Il espérait convaincre Kostoglotov et lui faire croire
ce qu'il disait comme au reste de son auditoire. Il
savait, c'est vrai, qu'Oleg était un relégué, mais il
ignorait qu'il avait été dans les camps.

Kostoglotov lança un coup d'œil en coin du côté du
lit de Roussanov car il ne comprenait pas pourquoi
celui-ci n'avait pas encore pris la défense d'Akhmadjan.
Mais il n'était pas dans la salle tout simplement.

« Et moi qui te prenais pour un soldat ! C'est donc
dans cette armée-là que tu as servi ! fit Kostoglotov
d'une voix traînante. Tu as donc été au service de
Béria !

— Je la connais pas ta Béria ! fit Akhmadjan furieux
et tout rouge. Celui qu'on met là-haut, ça nous regarde
pas, nous autres petits. J'ai prêté serment, j'ai fait mon
service. On t'oblige, tu le fais... »

CHAPITRE XXXIII

UNE FIN HEUREUSE

LE même jour, la pluie tomba. Il plut toute la nuit et il y avait du vent et le vent devenait de plus en plus froid, et, le jeudi matin, il tombait une pluie mêlée de neige et tous ceux qui, à la clinique, annonçaient le printemps et ouvraient déjà les doubles fenêtres — Kostoglotov était du nombre — se tinrent cois. Mais ce même jeudi, dès l'heure du déjeuner, la neige cessa, la pluie s'interrompit, le vent tomba, et le temps devint maussade, froid et immobile.

Au crépuscule, la bordure du ciel s'éclaircit du côté du couchant, formant comme une fine chaînette dorée.

Et le vendredi matin, jour où Roussanov sortait de l'hôpital, le ciel se découvrit sans le moindre nuage et, dès le point du jour, le soleil commença à sécher les grosses flaques d'eau sur l'asphalte et les allées qui coupaient les gazons.

Et tous sentirent que cette fois-ci le printemps commençait pour de bon, sûr et irréversible. Et l'on coupa les bandes de papier collées autour des fenêtres, on

fit sauter les espagnolettes, on enleva les doubles fenêtres, et le mastic tombait par terre, les filles de salle
allaient devoir le balayer.

Paul Nikolaïevitch n'avait pas remis ses vêtements au
dépôt, n'avait pas pris ceux de l'hôpital et était donc
libre de prendre son bulletin de sortie à n'importe
quel moment de la journée. On était venu le chercher
le matin, tout de suite après le petit déjeuner. Et il
fallait voir qui était venu ! C'était Lavrik qui avait
conduit la voiture. Il avait obtenu son permis la veille !
Et la veille également les vacances scolaires avaient
commencé, avec les surprises-parties pour Lavrik, les
promenades pour Maïka et c'est pourquoi les benjamins étaient en joie. C'est avec eux deux que Capitoline
Matveïevna était venue, sans les aînés. Lavrik laissa
échapper qu'après cela il emmènerait des amis faire
un tour en voiture — il fallait bien qu'il montre avec
quelle sûreté il conduisait, même sans Ioura.

Et comme une bande qu'on repasse à l'envers, tout
défila en sens inverse, mais combien c'était tout de
même plus gai ! Paul Nikolaïevitch se rendit en pyjama
dans le réduit de l'infirmière en chef et en sortit vêtu
de son complet gris. Le joyeux Lavrik, un beau garçon
au corps souple, vêtu, lui, d'un complet bleu flambant
neuf, et qui aurait paru déjà tout à fait adulte, sans
le remue-ménage qu'ils avaient fait avec Maïka dans
le vestibule, ne cessait de faire tourner fièrement
autour de ses doigts la fine lanière à laquelle était
attachée la clef de l'automobile.

« Tu as bien bloqué toutes les portes ? demandait
Maïka.

— Oui, toutes.

— Et tu as fermé toutes les fenêtres ?

— Va donc vérifier ! »

Maïka filait, secouant ses bouclettes brunes, et revenait :

« Tout est en ordre. » Et là-dessus, prenant l'air épouvanté : « Et le coffre, tu l'as fermé ?

— Va donc vérifier ! »

Et de nouveau, elle filait.

Le long du hall d'entrée, on continuait à passer avec des flacons contenant le liquide jaune qu'on portait au laboratoire. Comme par le passé, il y avait, assis là, épuisés, le visage éteint, ceux qui attendaient des places libres. Quelqu'un était couché de tout son long sur un banc. Mais Paul Nikolaïevitch regardait tout cela avec une certaine condescendance : il s'était révélé courageux et capable de dominer les circonstances.

Lavrik prit la valise de son père. Capitoline, avec sa toison cuivrée, vêtue d'un manteau de demi-saison couleur sable, toute rajeunie de bonheur, donna congé d'un signe de tête à l'infirmière en chef et s'en alla au bras de son époux. Maïka se suspendit à l'autre bras de son père.

« Regarde un peu quel chapeau elle a ! Regarde donc, c'est un chapeau tout neuf, rayé ! »

« Paul ! Paul ! » appela-t-on derrière eux.

Ils tournèrent la tête.

Tchaly arrivait, sortant du couloir du service de chirurgie. Il semblait en excellente forme et n'était même plus jaune. Le pyjama d'hôpital et les savates, c'était tout ce qu'il avait du malade.

Paul Nikolaïevitch lui serra joyeusement la main et dit :

« Capitoline, je te présente un héros du front hospitalier. On lui enlève l'estomac et lui, il sourit ! »

Tandis qu'il tendait la main à Capitoline Matveïevna, Tchaly, avec quelque chose de très élégant, rapprocha les talons et inclina la tête sur le côté, mi-courtois mi-enjoué.

« Ton numéro de téléphone, Paul ! Laisse-moi donc ton numéro de téléphone », insistait Tchaly.

Paul Nikolaïevitch fit semblant d'hésiter sur le pas de la porte et de n'avoir peut-être pas entendu. C'était un brave homme que Tchaly, mais enfin il était d'un autre milieu, il avait d'autres conceptions et peut-être valait-il mieux ne pas trop se lier avec lui. Roussanov cherchait le moyen de lui refuser avec le plus de dignité possible.

Ils sortirent sur le perron, et Tchaly aperçut aussitôt la « Moskvitch » que Lavrik avait déjà mise en position de départ. Il l'évalua du regard et ne demanda pas : « Elle est à toi ? », mais tout de suite :

« Elle a fait combien de kilomètres ?

— Pas tout à fait quinze mille !

— Alors pourquoi est-ce que les pneus sont en si mauvais état ?

— On est mal tombé. Voilà comment ça travaille... de bons ouvriers, on ne peut pas dire !

— Tu veux que je t'en procure ?

— Tu pourrais ! Maxime !

— Nom d'un chien... ...Et comme rien... Tiens, allez, prends aussi mon numéro de téléphone, disait-il ponctuant sa phrase à coups de doigt dans la poitrine de Roussanov. Dès que je sors d'ici, ce sera fait dans la semaine. Garanti ! »

Il n'y avait même pas eu besoin de chercher des prétextes ! Paul Nikolaïevitch arracha une page de son calepin et inscrivit son numéro de téléphone du bureau et de la maison.

« Voilà. C'est en ordre ! On se téléphone ! » disait Maxime en faisant ses adieux.

Maïka, d'un bond, était montée à l'avant et les parents s'installèrent à l'arrière.

« On ne se perd pas de vue », faisait Maxime en guise d'encouragement au moment des adieux.

Les portes claquèrent.

« Nous vivrons ! criait Maxime, saluant de son poing levé.

— Et maintenant, demandait Lavrik à Maïka pour la mettre à l'épreuve, que faut-il faire ? Mettre en route ?

— Non ! Il faut d'abord vérifier qu'on est bien au point mort », crépitait Maïka.

Ils partirent, faisant jaillir l'eau des flaques qui restaient encore çà et là, et disparurent derrière l'angle du bâtiment du service orthopédique. Là, dans sa robe de chambre grise et chaussé de bottes, un malade efflanqué marchait sans se presser, en promeneur, en plein milieu du passage asphalté.

« Vas-y, envoie-lui un bon coup de klaxon », eut le temps de dire Paul Nikolaïevitch qui venait juste de remarquer le promeneur. Lavrik donna un coup de klaxon bref mais retentissant. Le promeneur efflanqué s'écarta vivement et se retourna. Lavrik appuya sur l'accélérateur et passa à dix centimètres de lui.

« Je l'appelais Grandegueule. — Si vous saviez quel type désagréable et envieux ça peut être. D'ailleurs tu l'avais vu, Capitoline.

— Quoi d'étonnant, mon petit Paul, soupira Capitoline, dès qu'on ne fait pas pitié, on fait envie. Les gens heureux font des envieux !

— C'est un ennemi de classe, bougonnait Roussanov. En d'autres temps...

— Mais alors il fallait l'écraser ! Et toi qui me dis : klaxonne ! fit Lavrik en riant et il tourna un instant la tête.

— Veux-tu ne pas tourner la tête ! » fit Capitoline effrayée.

Effectivement la voiture avait dansé.

« Veux-tu ne pas tourner la tête à droite et à gauche ! répéta Maïka en riant très fort. Et moi, maman, je peux ? et elle tournait et retournait sa petite tête à droite et à gauche.

— Je ne le laisserai pas promener des filles ! Ça lui apprendra ! »

Au moment où ils sortaient de la cité hospitalière, Capitoline abaissa la vitre et, jetant par la fenêtre une menue chose vers l'arrière, elle dit :

« Allons, l'essentiel c'est qu'on ne remette plus jamais les pieds ici. Maudit soit ce lieu ! Que personne ne se retourne plus ! »

Quant à Kostoglotov, il lança sur leurs traces un long juron de charretier.

Mais il en tira la conclusion que c'était bien ainsi qu'il fallait faire. Il devait absolument, lui aussi, s'ar-

ranger pour partir le matin. Ce n'était pas du tout commode de s'en aller au milieu de la journée comme tous
faisaient, on n'avait plus le temps de rien.

Et on lui avait promis son bulletin de sortie pour le
lendemain.

Une douce journée ensoleillée se préparait. Tout se
réchauffait vite et séchait. A Ouch-Terek aussi, on bê-
chait sûrement déjà les jardins potagers et on nettoyait les canaux d'irrigation.

Il se promenait, se laissant aller à la rêverie. Quelle
chance tout de même : par un gel féroce il s'en était
allé pour mourir et voilà qu'il reviendrait en plein printemps et il lui serait possible d'ensemencer son petit
jardin. C'est une grande joie que de mettre des choses
en terre et puis de les regarder poindre.

Seulement voilà : dans les jardins on voyait toujours
les gens par deux, et lui, il serait tout seul.

Tandis qu'il se promenait, il lui vint une idée : il fallait aller voir l'infirmière en chef. Il était loin le temps
où Mita avait essayé de le refouler, disant qu'il n'y avait
pas de place à la clinique. Ils avaient lié connaissance
depuis longtemps.

Mita était dans son réduit sans fenêtre, éclairé par
la lumière électrique. Venant du dehors, les poumons
et les yeux avaient peine à s'y faire. Elle faisait passer
des fiches d'une pile à l'autre.

Kostoglotov se baissa pour franchir la porte tronquée
sous l'escalier et dit :

« Mita ! J'ai un petit service à vous demander. Un
très grand petit service. »

Mita leva la tête, montrant un long visage sévère. Il
avait fallu qu'une jeune fille reçût en partage, à sa naissance, un visage aussi peu harmonieux, et personne depuis, durant quarante ans, n'avait eu envie d'y déposer un
baiser, de le caresser du creux de la main, et ainsi toute
la tendresse qui aurait pu l'animer n'avait jamais paru
au grand jour. Et Mita était devenue un cheval de trait.

« Lequel ?

— Je dois sortir demain.

— J'en suis bien contente pour vous ! » Elle était bonne, Mita. Ce n'est qu'à première vue qu'elle paraissait maussade.

« Là n'est pas la question. J'ai un tas de choses à faire en ville dans la journée et je dois repartir le soir même. Et on délivre très tard les vêtements du dépôt. Si on pouvait, ma petite Mita, s'arranger comme ça : vous m'apporteriez mes frusques aujourd'hui même, vous les fourreriez quelque part et moi, très tôt le matin, je pourrais me changer et partir.

— A vrai dire, ce n'est pas possible, soupira Mita. Si Nizamoutdine l'apprenait...

— Mais il n'en saura rien ! Je comprends bien que c'est une entorse aux règlements, mais, ma petite Mita, vous le savez bien, l'homme ne vit que d'entorses.

— Et si par hasard on ne vous laissait pas sortir demain ?

— Vera Kornilievna me l'a dit avec certitude.

— Il faut tout de même que je le sache d'elle.

— Bon, je vais la voir tout de suite.

— Vous connaissez la nouvelle, n'est-ce pas ?

— Non, qu'est-ce qui se passe ?

— On dit qu'on va nous relâcher d'ici à la fin de l'année. On le dit avec insistance ! » Son visage sans grâce était devenu plus avenant aussitôt qu'elle s'était mise à parler de ces rumeurs.

— Mais qui nous ? Vous ?

— Il paraît que ce serait vous et nous ! Vous n'y croyez pas ? » fit-elle, attendant son avis avec appréhension.

Oleg se gratta le haut du crâne, fit une grimace, fermant complètement un œil.

« Peut-être bien. Après tout, ce n'est pas exclu. Mais combien j'en ai entendu de ces faux bruits ! à en avoir les oreilles qui tintent !

— Oui, mais cette fois-ci, on dit que c'est sûr, tout à fait sûr. » Elle avait tellement envie d'y croire. On ne pouvait le lui refuser.

Oleg fit passer sa lèvre inférieure sous sa lèvre supérieure et réfléchit. Bien sûr, il se préparait quelque chose. La Cour Suprême venait de sauter. Mais c'était d'une lenteur ! depuis un mois il n'y avait plus rien et de nouveau on n'y croyait plus. L'Histoire est lente pour nos vies, pour nos cœurs.

« Eh bien, fasse le Ciel ! dit-il, surtout pour elle. Et que ferez-vous alors ? Vous partirez ?

— Je ne sais pas, articula Mita presque sans voix, en posant ses doigts écartés aux ongles forts sur les fiches racornies dont elle avait par-dessus la tête.

— Vous êtes, je crois, de la région de Salsk ?

— Oui.

— Et alors, c'est mieux là-bas ?

— La li-ber-té », murmura-t-elle. Mais le plus probable c'était qu'elle espérait peut-être encore trouver un mari au pays.

Oleg s'en fut à la recherche de Vera Kornilievna. Il ne la trouva pas tout de suite. Tantôt elle était dans la salle de radiologie, tantôt chez les chirurgiens. Enfin il la vit qui passait dans le couloir en compagnie de Léon Leonidovitch et il pressa le pas pour les rattraper.

« Vera Kornilievna ! Peut-on vous voir une minute ? »

C'était agréable de s'adresser à elle, de dire quelque chose qui lui était tout particulièrement destiné et il avait remarqué que sa voix, quand il lui parlait, n'était pas la même qu'avec les autres.

Elle tourna la tête. L'inertie d'un esprit occupé se lisait si bien dans l'inclinaison de son corps, dans la position de ses mains, dans l'expression soucieuse de son visage. Néanmoins, invariablement attentive à tous comme elle l'était, elle s'arrêta sur-le-champ :

« Oui ! »

Et elle n'ajouta pas « Kostoglotov ». Elle ne l'appelait ainsi qu'à la troisième personne, en parlant de lui aux infirmières et aux docteurs. Directement, elle évitait de lui donner un nom.

« Vera Kornilievna, j'ai un grand service à vous demander... Vous ne pourriez pas dire à Mita que je sors à coup sûr demain ?

— Et pourquoi ?

— J'en ai fort besoin. Voyez-vous, il faut que je parte le soir même et pour cela...

— Tu peux y aller, Léon ! Je te rejoins tout de suite. »

Léon Leonidovitch s'en alla, voûté, se dandinant, les mains enfouies dans les poches de devant de sa blouse qui, dans le dos, s'écartait aux attaches.

Cependant Vera Kornilievna disait à Oleg :

« Passons chez moi. »

Elle le précéda. Légère. Aux articulations légères...

Elle l'emmena dans la salle des appareils où, naguère, il avait si longuement discuté avec Dontsova. Et c'est à cette même table mal équarrie qu'elle s'assit, l'invitant à faire de même. Mais il resta debout.

Et il n'y avait personne d'autre dans la pièce. Le soleil y pénétrait en une colonne dorée, oblique, où dansaient des grains de poussière, et se reflétait dans les parties nickelées des appareils. La lumière était vive à en cligner des yeux et tout était riant.

« Et si demain je n'arrive pas à vous faire votre bulletin de sortie ? Vous savez, il faut encore que je prépare votre épicrise. »

Il ne parvenait pas à comprendre si elle parlait d'une manière absolument officielle ou bien si c'était avec une pointe d'espièglerie.

« Epi... quoi ?

— Epicrise. Ce sont les conclusions basées sur l'ensemble du traitement. Tant que l'épicrise n'est pas prête, on ne peut pas vous laisser partir. »

Que d'affaires s'amoncelaient sur ces petites épaules ! Partout on l'attendait, on l'appelait, et voilà que, lui aussi, il l'arrachait à son travail, et maintenant cette épicrise qu'elle devait encore préparer !

Mais elle restait assise, et rayonnait. Et pas seulement elle, pas seulement son regard bienveillant, tendre même, mais il y avait encore ces reflets lumineux qui entouraient de toutes parts, parsemaient de petits éventails, cette silhouette menue.

« Vous voulez quitter la ville aussitôt ?

— Ce n'est pas que je le veuille, je resterais même
très volontiers. Mais je n'ai pas où passer la nuit. Je ne
veux pas la passer à la gare.

— C'est vrai que vous ne pouvez pas aller à l'hôtel »,
disait-elle, hochant la tête. Et elle se renfrogna : l'ennui, c'est que la fille de salle qui héberge habituellement
les malades ne travaille pas en ce moment, elle est en
congé de maladie. « Voyons, qu'est-ce qu'on pourrait bien
trouver ? » dit-elle, faisant traîner les choses. Elle se mor-
dilla la lèvre supérieure de sa petite rangée de dents
inférieures, tout en dessinant sur un papier une sorte
de bretzel. Vous savez quoi... au fond... Vous pourriez
parfaitement bien passer la nuit... chez moi. »

Quoi ? Elle avait dit cela ! Avait-il mal entendu ? Si
seulement elle pouvait répéter...

Ses joues avaient visiblement rosi. Et elle continuait
à éviter son regard. Pourtant elle parlait avec simplicité, comme si c'était là chose toute banale que le docteur hébergeât son malade.

« J'ai justement demain une journée un peu exceptionnelle. Le matin, je ne suis à la clinique que deux
heures, et ensuite, je suis toute la journée à la maison.
En fin d'après-midi, il faudra que je parte de nouveau.
Ce me serait très facile de passer la nuit chez des
amis. »

Et elle le regarda. Ses joues rougissaient, mais les
yeux étaient sereins, purs. Ne s'était-il pas mépris ?
Etait-il digne de ce qu'on lui proposait ?

Oleg ne savait tout bonnement pas comment faire
pour comprendre. Est-ce seulement possible de comprendre quand une femme vous parle ainsi ? Cela peut
signifier beaucoup, cela peut signifier beaucoup moins.
Mais il ne réfléchissait pas, il n'en avait pas le temps :
elle le regardait avec tant de noblesse et elle attendait.

« Merci, articula-t-il. C'est, bien sûr... magnifique. » Il
avait tout à fait oublié ce qu'on lui avait appris il y a
longtemps, il y a cent ans, dans son enfance : être ga-
lant, répondre courtoisement. « C'est très bien... Mais
comment pourrais-je vous priver... J'ai scrupule...

— Ne vous en faites pas, disait Véga avec un sourire concluant. Si vous avez besoin de rester deux, trois jours, nous trouverons encore quelque autre arrangement. Ça doit vous ennuyer, non, de quitter la ville ?

— Oui, bien sûr, ça m'ennuie, bien sûr ! Mais alors, le certificat de sortie, il faudrait me le dater d'après-demain et pas de demain, sinon la Sûreté va me faire des histoires. On pourrait de nouveau me coffrer.

— Bien, bien. Nous allons frauder. Donc, il faut dire à Mita que c'est pour aujourd'hui, le bulletin de sortie il faut le faire pour demain, et le certificat pour après-demain ? Quel homme compliqué vous êtes. »

Mais son regard n'en souffrait pas de cette complication — ses yeux riaient.

« Moi compliqué, Vera Kornilievna ! C'est le système qui est compliqué ! Ce certificat, eh bien, il m'en faut non pas un exemplaire comme tout le monde, mais deux.

— Et pourquoi cela ?

— Un exemplaire pour la Sûreté qui le prendra comme pièce justificative du déplacement, et le second pour moi. »

(Pour ce qui est de la Sûreté, il n'était pas encore dit qu'il le leur donnerait. Il allait élever la voix, disant qu'il n'en avait qu'un exemplaire. Mais n'a-t-on pas besoin d'en avoir en réserve ? Ce n'était pas pour rien qu'il avait enduré le martyre pour un malheureux certificat.)

« Et il m'en faudrait encore un troisième pour la gare. »

Elle écrivit quelques mots sur une feuille de papier.

« Eh bien, voici mon adresse. Vous voulez que je vous explique comment on y va ?

— Je trouverai bien, Vera Kornilievna ! »

(Voyons, voyons, c'était donc sérieux ?... Elle l'invitait pour de bon ?)

« Et... — elle joignit encore à son adresse quelques feuillets de format allongé préparés d'avance — voici les ordonnances dont vous a parlé Lioudmila Afanassievna.

Il y en a plusieurs, toutes les mêmes, pour vous permettre de répartir la dose. »

Ces ordonnances-là. Oui, celles-là !

Elle en avait parlé comme d'une chose insignifiante. Comme ça, un petit supplément qu'elle joignait à l'adresse. Elle s'était débrouillée, tout en le soignant durant deux mois, pour ne jamais parler *de cela*.

C'était sûrement ce qu'on appelait le tact.

Déjà elle s'était levée. Déjà elle se dirigeait vers la porte.

Le travail l'attendait. Léon l'attendait...

Et soudain, parmi les éventails de lumière qui avaient maintenant envahi toute la pièce, il la vit, toute blanche, toute légère, resserrée à la taille, comme si c'était la première fois ! Si compréhensive, amicale... indispensable, comme si c'était la première fois !

Et il se sentit bien, se sentit sincère ; il demanda :

« Vera Kornilievna ! Et pourquoi donc avez-vous été si longtemps fâchée contre moi ? »

Enveloppée de lumière, elle le regardait avec une sorte de sourire plein de sagesse.

« N'auriez-vous donc été coupable de rien ?

— Non.

— De rien ?

— De rien !

— Rappelez-vous bien !

— Je ne vois pas ! Mettez-moi au moins sur la voie.

— Allons, il faut que j'y aille ! »

Elle avait la clef à la main. Elle allait fermer la porte. Et partir.

Et pourtant, on était si bien avec elle ! On aurait pu rester ainsi des jours et des nuits.

Elle s'éloignait dans le couloir, menue, et lui, il restait planté là et la suivait des yeux.

Puis il retourna aussitôt se promener. Le printemps éclatait. On ne se lassait pas de respirer. Il marcha de-ci de-là pendant deux bonnes heures, emmagasinant sans fin l'air, la chaleur. Cela lui faisait peine maintenant de quitter jusqu'à ce square dont il avait été pri-

sonnier, peine de penser qu'il ne serait plus là pour
voir fleurir les acacias du Japon, pour voir s'ouvrir les
premières feuilles tardives du chêne.

Et il n'avait même pas éprouvé de nausée aujour-
d'hui, il n'avait ressenti aucune faiblesse. Ça n'aurait
pas été de refus qu'il se serait mis à faire un petit peu
de jardinage. Il avait envie, mais très envie de quelque
chose — il ne savait quoi. Il remarqua que son pouce,
de lui-même, frottait l'index, cherchant la cigarette. Eh
bien non, quand bien même il en rêverait nuit et jour !
Il avait cessé de fumer, un point c'est tout.

S'étant promené à cœur joie, il se rendit chez Mita.
Elle était brave, Mita, elle avait déjà reçu le sac d'Oleg
et l'avait caché dans la salle d'eau. La clef de la salle
d'eau serait chez la garde-malade qui remplacerait Mita
au début de la soirée. Et vers la fin de la journée, il
faudrait qu'il aille à la consultation pour retirer tous
ses certificats.

Sa sortie de l'hôpital prenait une tournure irrévo-
cable.

Ce n'était pas la dernière fois, mais l'une des dernières fois qu'il montait l'escalier.

Et en haut il rencontra Zoé.

« Comment va, Oleg ? » demanda Zoé avec aisance.

Elle avait adopté ce ton simple, en toute simplicité,
avec une spontanéité étonnante, comme s'il n'y avait
jamais rien eu entre eux, ni les mots tendres, ni la
danse du « Vagabond », ni le ballon d'oxygène.

Et au fond, elle avait raison. Fallait-il toujours rappeler, se rappeler, bouder ?

A partir d'un certain soir de garde, il n'était pas allé
tourner autour d'elle, mais s'était couché. A partir d'un
certain soir, comme si de rien n'était, elle était venue vers
lui, la seringue à la main, il s'était retourné et l'avait laissée le piquer. Et ce qui auparavant croissait entre eux,
si tendu, si dense, semblable à un ballon d'oxygène, et
qu'ils avaient jadis porté entre eux, soudain s'était mis
à décroître doucement. Et était retombé au néant. Et il
en était resté un salut amical, un « comment va, Oleg ? ».

Il s'appuya à une chaise, sans ployer ses longs bras, laissa pendre une mèche noire.

« Deux mille huit cents leucocytes. Ça fait trois jours qu'on ne me fait plus de rayons. Demain, je sors.

— Déjà demain ? fit-elle en levant ses cils aux reflets dorés. Bien ! Bonne continuation ! Je vous félicite !

— De quoi ? Je me demande bien !

— Vous êtes ingrat ! fit Zoé en secouant la tête. Essayez seulement de vous rappeler sérieusement votre premier jour ici, sur le palier ! Vous pensiez alors vivre beaucoup plus d'une semaine ? »

C'était vrai ça aussi.

Eh oui, c'est une bien brave fille que cette Zoé ! Gaie, travailleuse, sincère. Tout ce qu'elle pense, elle le dit. En se débarrassant de ce malaise qui existait entre eux, comme s'ils s'étaient dupés l'un l'autre, en recommençant à zéro, qu'est-ce qui aurait pu les empêcher d'être bons amis ?

« Et voilà ! dit-il en souriant.

— Et voilà ! » dit-elle en souriant.

Elle ne lui parla plus des moulinets.

Et voilà tout. Quatre fois par semaine, elle serait de garde ici. Elle potasserait ses manuels. A de rares moments, elle broderait. Et puis, en ville, elle s'attarderait avec quelqu'un, dans l'ombre, après les danses.

On ne pouvait décemment pas lui en vouloir d'avoir vingt-deux ans, d'être saine, saine dans la moindre de ses cellules, dans sa moindre goutte de sang.

« Bonne continuation ! » dit-il sans trace de dépit.

Et déjà il s'éloignait. Soudain, avec toujours la même légèreté, la même vivacité, elle le rappela :

« Ohé, Oleg ! »

Il se retourna.

« Vous n'aurez peut-être pas où passer la nuit ? Prenez mon adresse. »

(Comment cela ? Elle aussi ?)

Oleg la regardait, perplexe. Allez comprendre ! Cela dépassait son entendement.

« C'est très commode, tout près d'un arrêt du tram-

way. Nous vivons seules, ma grand-mère et moi, et nous
avons deux pièces.

— Merci beaucoup, fit-il, et il prit, ahuri, le morceau
de papier. Mais il y a peu de chances que... On verra
bien comment ça se présentera.

— Et sait-on jamais ? » fit-elle en souriant.

Pour tout dire, il lui aurait été plus facile de retrouver son chemin dans la taïga plutôt qu'au milieu de
femmes.

Il fit encore deux pas et vit Sigbatov, tristement
étendu à plat sur son support rigide, dans son coin
étouffant du vestibule. Même aujourd'hui, par cette
journée de soleil éclatant, il ne parvenait jusqu'ici que
de lointains reflets.

Sigbatov regardait le plafond, rien que le plafond.

Il avait maigri en ces deux derniers mois.

Kostoglotov s'assit près de lui.

« Charaf ! On raconte avec insistance qu'on va relâcher tous les relégués, tous, les spéciaux et les adminis-
tratifs. »

Charaf ne tourna pas la tête vers Oleg, seulement les
yeux. Et il semblait n'avoir perçu que le son de sa voix.

« Tu entends ? Et vous autres et nous autres ! Je
sais ce que je dis. »

Mais il ne comprenait pas.

« Tu n'y crois pas ?... Tu vas rentrer chez toi ? »

Sigbatov ramena le regard vers son plafond. Il entrouvrit des lèvres indifférentes :

« Pour moi, c'est trop tard. »

Oleg ramena l'une de ses mains sur l'autre qui reposait déjà sur sa poitrine, comme chez un mort.

Nelly qui se dirigeait d'un pas allègre vers la salle
passa devant eux :

« Il n'est pas resté d'assiettes par hasard ? » Et elle
regarda autour d'elle : « Hé là, l'ébouriffé ! Pourquoi tu
n'as pas déjeuné ? Allez, libère les assiettes. Tu crois
que je vais t'attendre ? »

Ça alors ! Kostoglotov avait oublié son déjeuner. Ne
s'en était même pas aperçu ! Fallait-il qu'il soit à bout !

Il y avait une chose pourtant qu'il ne comprenait pas :
« C'est ton affaire ?

— Comment donc ! Je suis serveuse maintenant ! déclara fièrement Nelly. T'as pas vu la blouse que j'ai, comme elle est propre ! »

Oleg se leva pour aller avaler son dernier déjeuner d'hôpital.

Insinuants, invisibles et silencieux, les rayons lui avaient enlevé tout appétit. Mais, selon la règle du détenu, il était exclu de laisser quelque chose dans la gamelle.

« Allez, allez, termine en vitesse ! » ordonnait Nelly.

Il n'y avait pas que la blouse, les bouclettes aussi étaient enroulées d'une façon nouvelle.

« Regardez-moi ça ! Ce qu'elle est devenue, tout de même ! s'étonnait Kostoglotov.

— Et quoi ! Il faut être idiote pour se décarcasser à laver les planchers pour trois cent cinquante roubles par mois. Et avec ça, pas moyen de se faire du supplément... »

CHAPITRE XXXIV

UN PEU MOINS BIEN

Comme le vieillard qui voit autour de lui les gens de son âge mourir les uns après les autres et qui en ressent probablement un vide nostalgique — « Il est temps, il est temps que je m'en aille moi aussi » — de même Kostoglotov, ce soir-là, n'y tenait plus dans la salle ; les lits pourtant étaient tous de nouveau occupés et les hommes, c'est toujours des hommes, et, comme si elles avaient été nouvelles, les mêmes questions avaient recommencé de se poser : est-ce le cancer ou non ? est-ce guérissable ou non ? y a-t-il d'autres moyens de le soigner ?

Vers la fin de la journée, le dernier à partir fut Vadim : l'or étant arrivé, on l'avait transféré au pavillon de radiologie.

Oleg n'eut plus rien d'autre à faire qu'à contempler les lits, l'un après l'autre, se remémorant ceux qui les avaient occupés depuis le début et combien d'entre eux étaient morts. Tout compte fait, il en était mort, semblait-il, assez peu.

Il faisait tellement étouffant dans la salle et tellement bon dehors que Kostoglotov se coucha avec sa fenêtre entrouverte. L'air printanier se déversait sur lui par-dessus le rebord de la fenêtre. Une animation printa-nière parvenait des courettes de méchantes petites mai-sons qui se pressaient contre l'enceinte extérieure de la cité hospitalière. On ne les voyait pas vivre, ces cours, de l'autre côté du mur de brique qui les séparait de la cité, mais on entendait très bien, à cette heure, les cla-quements de porte, les cris d'enfant, un hoquet d'ivrogne, un disque nasillard et encore, fort tard après le couvre-feu, une voix de femme, basse et forte, qui chantait un air traînant plein de désespoir ou de délec-tation :

> *Et le jeu-eu-eune mi-i-neur*
> *Chez elle, elle l'a-amena...*

Toutes les chansons ne parlaient que de ça. Tout le monde ne pensait qu'à ça. Et Oleg, lui, devait penser à autre chose...

Et cette nuit-là justement, alors qu'il devait ménager ses forces pour se lever tôt le lendemain, Oleg n'arrivait absolument pas à s'endormir. Il lui passait par la tête toutes sortes de choses importantes ou inutiles : ce qui était resté en suspens dans ses discussions avec Rous-sanov ; ce que Chouloubine n'avait pas dit ; et puis les arguments qu'il aurait encore fallu opposer à Vadim ; et la tête écrasée de Jouk ; et les visages animés des Kadmine à la clarté de la lampe à pétrole, lorsqu'il leur raconterait toutes ses impressions citadines, tandis que, de leur côté, ils lui donneraient les nouvelles du village et lui diraient quelles émissions de musique ils avaient entendues entre-temps — et la masure tout aplatie leur paraîtrait à tous trois contenir l'univers entier ; puis aussi l'expression distraitement hautaine d'Inna Stroehm qui le regarderait du haut de ses dix-huit ans et dont Oleg maintenant n'oserait même plus s'appro-cher ; et puis encore ces deux invitations de femmes qui lui proposaient de l'héberger. Là encore, il y avait de quoi se casser la tête. Comment fallait-il les comprendre au juste ?

Dans ce monde glacial qui avait façonné, marqué l'âme d'Oleg, il n'y avait pas de phénomène appelé « bonté désintéressée ». Et Oleg en avait tout simplement oublié l'existence. Et, à présent, la bonté pure et simple était bien la dernière explication qu'il eût trouvée à cette invitation.

Que voulaient-elles dire et qu'aurait-il dû faire ? Cela lui échappait.

D'un côté sur l'autre, d'un côté sur l'autre et ses doigts roulaient une cigarette invisible.

Oleg se leva et s'en fut faire un tour.

Dans la pénombre du vestibule, tout de suite après la porte, assis comme d'habitude dans son bassin posé par terre, Sigbatov s'occupait à sauver son sacrum, sans plus rien de cet espoir patient de naguère mais dans l'hébétude du désespoir.

Assise à la table de l'infirmière de garde, tournant le dos à Sigbatov, une femme, pas très grande, aux épaules étroites, en blouse blanche, était penchée près de la lampe. Ce n'était pas une infirmière, mais Tourgoun qui était de garde aujourd'hui, et sans doute dormait-il déjà dans la salle des conférences médicales. C'était Elizabeth Anatolievna, cette fille de salle en lunettes, d'une culture ahurissante. Elle avait terminé tout son travail dans la soirée et elle était maintenant en train de lire.

Durant les deux mois qu'Oleg avait passés ici, cette fille de salle, travailleuse, au visage empreint d'une vive compréhension, avait plus d'une fois rampé sous les lits où ils étaient déjà couchés pour laver les planchers ; elle y déplaçait les bottes que Kostoglotov cachait, sans jamais rouspéter. C'était encore elle qui, armée d'un chiffon, nettoyait les panneaux muraux, vidait les crachoirs et les faisait reluire ; elle distribuait aussi les bocaux étiquetés aux malades ; et tout ce qui était lourd, déplaisant, malpropre et qu'il ne convenait pas aux infirmières de prendre dans leurs mains, elle l'apportait et l'emportait.

Et moins elle rechignait en exécutant ce travail, moins on la remarquait dans le pavillon. Cela fait bien deux mille ans qu'il a été dit qu'on peut avoir des yeux et ne rien voir.

Pourtant, une vie difficile développe les facultés visuelles. Et il y en avait ici, dans le pavillon, qui se reconnaissaient sans peine. Bien qu'il ne leur fût prescrit de porter, pour les distinguer des autres, ni épaulettes, ni uniformes, ni brassards, ils se reconnaissaient néanmoins comme s'ils avaient porté quelque signal lumineux au front, comme s'ils avaient été marqués de stigmates sur les os des mains et des chevilles (en fait, il y avait une foule de signes particuliers : un mot, un seul, lâché par mégarde ; le ton avec lequel avait été prononcé ce mot ; un mouvement des lèvres entre les mots ; un sourire lorsque les autres étaient sérieux ; du sérieux lorsque les autres riaient). Tout comme les Ouzbeks et les Karakalpaks se reconnaissaient sans peine dans la clinique, de même ceux-là sur qui est tombée ne serait-ce qu'une fois l'ombre des barbelés.

C'est ainsi que Kostoglotov et Elizabeth Anatolievna s'étaient reconnus depuis longtemps. Depuis longtemps, ils se saluaient d'un air entendu. Mais ils n'avaient encore jamais eu l'occasion d'avoir une conversation.

A présent, Oleg s'approcha de sa table, faisant à dessein traîner ses savates pour ne pas l'effrayer.

« Bonsoir, Elizabeth Anatolievna ! »

Elle lisait sans lunettes. Elle tourna la tête, et ce mouvement même, par quelque chose d'inexprimable, se distinguait déjà du mouvement de tête empressé par lequel elle répondait toujours lorsque le service l'appelait.

« Bonsoir », dit-elle en souriant avec toute la dignité qui sied à une dame d'un certain âge qui, sous son toit solide, accueille un visiteur bienvenu.

Avec bienveillance, sans hâte, ils se regardèrent l'un l'autre. Ce qui s'exprimait par là, c'était leur empressement à se venir en aide et la conscience de leur impuissance mutuelle.

Oleg pencha sa tête hirsute pour mieux voir le livre.

« Encore du français ? Qu'est-ce que c'est ? »

L'étrange fille de salle répondit, prononçant un *l* très doux :

« Claude Farrère.

— Et où les prenez-vous, tous ces livres en français ?

— Il y a en ville une bibliothèque de livres étrangers. J'en prends aussi chez une vieille dame. »

Kostoglotov louchait sur le livre comme un chien sur un épouvantail à oiseaux.

« Et pourquoi toujours du français ? »

Des rides en patte-d'oie au coin des yeux et des lèvres disaient son âge, son épuisement et son intelligence.

« Ça fait moins mal », répondit-elle. Elle parlait constamment à voix basse et sa prononciation était douce.

« Et pourquoi avoir peur de la douleur ? » répliqua Oleg.

Il avait peine à rester debout longtemps. Elle le remarqua et approcha une chaise.

« Chez nous, en Russie, ça fait combien, quelque chose comme deux cents ans sûrement, qu'on entend des gens s'extasier sur Paris ! Paris ! De quoi avoir les oreilles qui bourdonnent. Il faudrait leur citer le nom de chaque rue, de chaque bistrot. Eh bien, moi, exprès, je n'ai pas du tout envie de voir Paris !

— Pas du tout ? fit-elle en riant et il fit de même. C'est mieux d'être sous la surveillance de la Sûreté ? »

Ils avaient un rire identique : ils commençaient, eût-on dit, et ne pouvaient pas continuer.

« Non, mais c'est vrai, disait Kostoglotov avec dédain, ce gazouillis c'est quoi ? une manière de s'en faire tout un monde, de s'exciter, d'échanger des idées à la légère. Ah ! cette envie qu'on a alors de leur clouer le bec : holà, mes amis, et pour ce qui est d'en mettre un coup, hein ? Qu'est-ce que vous en pensez ? et au pain sec avec ça ? hein ?

— Vous êtes injuste. C'est qu'ils ont dépassé le stade du pain sec. C'est qu'ils l'ont mérité.

— D'accord, c'est peut-être vrai. Peut-être que je dis ça par envie. Pourtant, on a tout de même envie de leur clouer le bec ! »

Assis sur sa chaise, Kostoglotov se balançait d'un côté sur l'autre comme si son buste, inutilement haut, le gênait. Sans transition, il demanda carrément et tout naturellement :

« Vous, c'était à cause de votre mari ? Ou bien personnellement ? »

Elle répondit tout aussi carrément, tout aussi naturellement, comme s'il l'avait interrogée sur son service :

« On a pris toute la famille, impossible de savoir à cause de qui.

— Et maintenant, vous êtes tous ensemble ?

— Oh non ! Ma fille est morte en déportation. Après la guerre, nous sommes venus ici. C'est qu'on a repris mon mari pour le deuxième tour. On l'a mis dans un camp.

— Et vous êtes seule maintenant ?

— J'ai un petit garçon. Huit ans. »

Oleg regardait son visage. Pas le moindre frémissement qui appelât la commisération. Bien sûr, ils parlaient affaires.

« Le second tour, en 49 ?

— Oui.

— C'est dans l'ordre des choses. Quel camp ?

— La station Taïchet. »

Oleg hocha de nouveau la tête.

« Je vois. A Ozerlag. Il est peut-être sur les rives de la Léna et c'est sa boîte postale qui est Taïchet.

— Vous y avez été, vous ? (L'espoir, ça, elle n'avait pu le contenir !)

— Non, mais je le sais comme ça. C'est que, malgré tout, il y a des recoupements.

— Douzarski ? Vous ne l'auriez pas rencontré ? Nulle part ? »

Elle espérait malgré tout ! Il l'avait rencontré, il allait raconter...

« Douzarski ? dit Oleg, en faisant claquer sa langue. Non, je ne l'ai pas rencontré. On ne peut pas rencontrer tout le monde.

— Deux lettres par an », se plaignait-elle. Oleg hochait la tête. Tout cela était dans l'ordre des choses.

« Et l'année dernière, j'en ai reçu une seule, en mai. Et depuis, rien... »

Et, tremblante, elle ne tenait plus qu'à un fil, un seul fil. Oh ! femmes !...

« N'y attachez pas d'importance ! expliquait Kostoglotov. Si chacun envoie deux lettres par an, vous savez combien de milliers ça en fait ? Et la censure est paresseuse. Une fois, en été, dans le camp de Spasskoïe, un détenu est allé contrôler les poêles et dans le poêle du bureau de la censure il a trouvé deux cents lettres non expédiées. On avait oublié de les brûler. »

Avec quels ménagements il lui expliquait cela et combien elle devait être habituée à tout depuis longtemps, et pourtant voilà qu'elle le regardait avec des yeux hébétés de stupeur.

Est-ce possible que l'homme soit ainsi fait qu'il ne puisse désapprendre à s'étonner !

« Alors, le petit est né en déportation ? »

Elle fit signe que oui.

« Et maintenant, vous n'avez que votre salaire pour le mettre sur pied ? Et on ne veut pas de vous pour un poste plus important ? Partout on vous reproche votre mari ? Et vous vivez dans un taudis ? »

C'était comme s'il l'interrogeait, mais ses questions n'étaient pas vraiment des questions. Et tout cela était clair à en avoir un goût amer dans la bouche.

Elizabeth Anatolievna avait posé ses mains petites, délavées par les lessives, les serpillières, l'eau chaude, couvertes de bleus et d'égratignures, sur le volume épais, broché, d'un petit format élégant, d'un papier étranger et dont les pages, coupées il y a longtemps, faisaient une tranche légèrement dentelée.

« S'il n'y avait que le taudis ! disait-elle. Le malheur
c'est que le gamin pousse, il n'est pas bête, il veut tout
savoir, et comment donc faut-il l'élever ? Lui infliger
toute la vérité ? Vous savez bien qu'il y a de quoi faire
couler même un adulte, qu'il y a de quoi devenir fou !
Lui cacher la vérité ? Le réconcilier avec la vie ? Est-ce
juste ? Qu'aurait dit son père ? Et encore faudrait-il y
arriver ! Il a des yeux... ce gosse, il voit bien...

— Le charger de toute la vérité ! » dit Oleg et, avec
assurance, il plaqua sa paume contre le dessus de table
en verre. Il avait déclaré cela comme si lui-même avait
mené à bien l'éducation de dizaines de marmots sans en
rater une seule.

Elle appuya ses tempes cachées par son fichu contre
les poignets de ses mains ouvertes et regarda Oleg avec
inquiétude. On avait touché son point sensible ?

« Comme il est difficile d'élever un enfant sans père !
C'est qu'il faut avoir un axe constant dans la vie, un
compas, et où le prendre ? On s'égare sans cesse, quand
ce n'est pas d'un côté c'est de l'autre. »

Oleg se taisait. Il avait déjà entendu dire qu'il en était
ainsi, mais il n'arrivait pas à le comprendre.

« Et voilà pourquoi je lis les vieux romans français.
Seulement pendant mes gardes de nuit, d'ailleurs. Je ne
sais s'ils ont passé sous silence quelque chose de plus
important, si, en ce temps-là, il y avait derrière les murs
une vie aussi cruelle, je ne le sais pas et je lis en paix.

— C'est un narcotique, alors ?

— Non, un bienfait, dit-elle en secouant sa tête de
nonne. Il n'y a pas de livres que je connaisse d'assez
près qui ne m'irritent. Dans les uns, on prend le lecteur
pour un imbécile, dans les autres, il n'y a pas de mensonge et les auteurs en sont très fiers. Avec beaucoup de
gravité ils vous établissent par quel chemin de traverse
est passé un grand poète en 18..., quelle dame il évoque
à telle ou telle page. Je veux bien que cela ait été difficile à tirer au clair, mais combien aussi est-ce sans danger ! Ils ont choisi la meilleure part ! Et les vivants, ceux
qui souffrent aujourd'hui, ce n'est pas leur affaire. »

On l'appelait peut-être Lili dans sa jeunesse. Le haut du nez ne prévoyait pas encore ce renfoncement que les lunettes y avaient ensuite creusé. La jeune fille faisait les yeux doux, pouffait, riait. Dans sa vie, il y avait eu du lilas et des dentelles et les vers des symbolistes, et aucune gitane ne lui avait jamais prédit qu'elle finirait sa vie comme fille de salle quelque part en Asie.

« Toutes les tragédies littéraires me semblent comiques comparées à ce que nous vivons, insistait Elizabeth Anatolievna. Aïda, on lui avait permis de descendre voir l'homme qu'elle aimait et de mourir avec lui... Tandis que nous, nous n'avons même pas le droit d'avoir de ses nouvelles. Et si j'allais à Ozerlag...

— N'y allez pas. Ce serait pour rien !

— ... les enfants dans les écoles font des dissertations sur Anna Karénine, sur sa vie malheureuse, tragique, perdue et je ne sais quoi encore. Peut-on dire pourtant qu'Anna était malheureuse ? Elle a choisi la passion et elle a payé cette passion. Mais c'est le bonheur ! C'était quelqu'un de libre, de fier ! Mais quand, dans la maison où vous êtes né et où vous vivez depuis, pénètrent, en temps de paix, uniformes et casquettes avec ordre à toute la famille de quitter cette maison, cette ville, dans les vingt-quatre heures, en emportant seulement ce que peuvent contenir vos faibles bras ? »

Tout ce que ces yeux pouvaient verser de larmes, ils l'avaient fait depuis longtemps et il était improbable qu'ils en eussent encore à verser. Et ce n'est peut-être que pour l'anathème ultime que pouvait encore y jaillir une intense petite flamme sèche.

« ... Quand vous ouvrez toute grande la porte et appelez les passants dans la rue pour voir si peut-être ils pourraient vous acheter quelque chose, que dis-je, vous jeter quelques sous, de quoi vous procurer un peu de pain ! Et qu'entrent alors des trafiquants au flair exercé, ces hommes qui savent tout au monde, sauf que la foudre tombera aussi un jour sur leur tête, et que, pour le piano de votre mère, ils vous offrent sans scrupule le centième de son prix, et que votre petite fille qui porte un nœud dans les cheveux se met une dernière fois au piano pour jouer Mozart mais fond en larmes et s'enfuit... qu'ai-je besoin de relire Anna Karénine ? Peut-être que j'en ai déjà assez comme ça ?... Où puis-je lire notre histoire, la nôtre ? Seulement dans cent ans ? »

Et, bien qu'elle fût presque passée au cri, l'entraînement de nombreuses années ne la trahit pas : elle ne criait pas ; ce n'était pas un cri. Seul Kostoglotov l'entendait.

Peut-être aussi Sigbatov sur son bassin.

Il n'y avait guère d'indications précises dans son récit et pourtant cela suffisait.

« Leningrad ? En 35 ? avait reconnu Oleg.

— Vous avez reconnu.

— Vous habitiez dans quelle rue ?

— Rue du Train-des-Equipages, gémit-elle d'une voix traînante avec une pointe de joie aussi. Et vous ?

— Rue Zakhariev. A côté, quoi...

— A côté... Et vous aviez quel âge ?

— Quatorze ans.

— Et vous ne vous rappelez rien ?

— Pas grand-chose.

— Vous ne vous rappelez pas ? On aurait dit un tremblement de terre. Les appartements grands ouverts, des gens qui entraient, prenaient, s'en allaient. Personne ne demandait rien à personne. Voyons donc, on a expulsé un quart de la ville. Et vous ne vous rappelez pas ?

— Si, je me rappelle ! Mais voilà ce qui est ignoble, c'est que ça ne semblait pas être l'essentiel. A l'école, on nous expliquait pourquoi c'était nécessaire, à quoi ça servait. »

Comme une jument étroitement entravée, cette femme vieillissante hochait la tête de haut en bas :

« Le blocus, tout le monde en parlera. On écrit des poèmes sur le blocus. Ça, c'est permis. Mais avant le blocus, c'est absolument comme s'il n'y avait rien eu. »

Oui, oui. Sigbatov, comme aujourd'hui, chauffait son sacrum dans le bassin ; Zoé était là, en face, Oleg ici, à cette même place et à cette même table, à la lumière de cette même lampe, ils avaient parlé... mais du blocus voyons... eh oui...

Avant le blocus, bien sûr, il n'était rien arrivé dans cette ville.

Oleg soupira, pencha sa tête et, l'appuyant contre son coude replié, il regardait Elizabeth Anatolievna d'un air accablé.

« C'est honteux, dit-il doucement. Pourquoi nous tenons-nous tranquilles tant que ça ne nous tombe pas dessus, sur nous et sur les nôtres ? Pourquoi l'homme est-il ainsi fait ? »

Et il eut honte aussi d'avoir placé plus haut que les monts du Pamir son propre tourment : qu'est-ce qu'une femme attend de l'homme ? pas moins que quoi ? Comme si en dehors de ça il n'y avait eu dans sa patrie ni tourment ni bonheur.

Il eut honte, mais il se sentit beaucoup plus calme. La misère d'autrui, l'ayant submergé, le lavait de la sienne.

« Et quelques années avant cela, se remémorait Elizabeth Anatolievna, c'était les nobles qu'on expulsait de Leningrad. Là encore, il y en a eu une bonne centaine de milliers. Et croyez-vous que nous l'ayons beaucoup remarqué ? Pourtant, qu'en était-il resté de ces noblaillons ? Des petits vieux, ratatinés et inoffensifs. Et pourtant nous le savions, nous le voyions, et rien ! C'est qu'on ne touchait pas à nous.

— Et on leur achetait les pianos ?

— Peut-être qu'on les leur achetait. On devait sûrement les leur acheter. »

Oleg voyait bien maintenant que cette femme n'avait pas encore cinquante ans. Et déjà, son visage était celui d'une vieille. De sous son fichu blanc sortait une mèche de cheveux tout raides, impuissants à boucler.

« Et vous, lorsqu'on vous a expulsés, c'était pour quoi ? Ça tombait sous quel article ?

— Eléments socialement nuisibles, bien sûr. Ou éléments socialement dangereux. Les décrets spéciaux, sans jugement, c'était plus commode.

— Votre mari, que faisait-il ?

— Rien, il était flûtiste dans un orchestre philharmonique. Entre deux vins il aimait à discuter. »

Oleg se rappela sa mère défunte : exactement le même genre de femme vieille avant l'âge, d'intellectuelle affairée, désemparée sans son mari.

S'ils avaient vécu dans la même ville, il l'aurait aidée d'une façon ou d'une autre. A diriger son fils...

Mais comme des insectes cloués dans des cases séparées, chacun d'eux avait la sienne.

« Dans une famille de nos connaissances, n'en finissait plus maintenant de raconter cette femme dont l'âme rompait les digues d'un trop long silence, il y avait de grands enfants, un garçon, une fille, tous deux komsomols ardents. Et soudain, on signifie l'exil à tous les membres de la famille. Les enfants se précipitent au Comité régional des komsomols : « Défendez-nous ! » — « On vous défendra, leur dit-on là-bas. Prenez du papier, « écrivez : Je demande qu'à compter de cette date on ne « me considère plus comme fils, fille, d'un tel ou d'une « telle ; je les renie en tant qu'éléments socialement dan- « gereux et je promets, à l'avenir, de n'avoir rien de « commun avec eux et de n'entretenir aucun lien avec « eux. »

Oleg se voûta, ses épaules osseuses saillirent, sa tête retomba.

« Et il y en avait beaucoup qui le faisaient...

— Oui. Mais ce frère et sa sœur dirent : Nous allons y réfléchir. Ils rentrèrent à la maison, jetèrent au feu leur carte de komsomol et commencèrent à se préparer pour le départ en exil. »

Sigbatov bougea. Se retenant à son lit, il se relevait de son bassin.

La fille de salle se précipita pour prendre le bassin et l'emporter.

Oleg se leva lui aussi et, avant d'aller se coucher, il prit le sempiternel escalier pour se rendre en bas.

Dans le couloir du bas, il lui fallait passer devant la porte de la salle où l'on avait mis Diomka avec un autre opéré qui, lui, était mort lundi, et à la place duquel on avait ensuite couché Chouloubine après son opération.

Cette porte fermait bien, mais se trouvait pour l'instant entrouverte et dans la pièce il faisait sombre. Dans l'obscurité, on entendait un râle pesant. Il n'y avait pas d'infirmières en vue ; sans doute étaient-elles au chevet d'autres malades, ou bien dormaient-elles.

Oleg ouvrit un peu plus la porte et se glissa dans la pièce.

Diomka dormait. C'était Chouloubine qui râlait en gémissant.

« Alexis Filipovitch ! »

Le râle cessa.

« Alexis Filipovitch... Ça ne va pas ?

— Hein ? laissa échapper celui-ci et c'était encore un râle.

— Ça ne va pas ?... Vous avez besoin de quelque chose ?... Vous voulez que j'allume ?

— Qui est-ce ? » C'était là une expiration effrayée qui s'achevait en toux, suivie d'un nouveau gémissement, parce que tousser faisait mal.

« Kostoglotov. Oleg. » Il était déjà à son côté, penché sur lui et il commençait à distinguer sur l'oreiller la grosse tête de Chouloubine. « Que faut-il vous donner ? J'appelle l'infirmière ?

— Ri-ien », fit Chouloubine entre deux expirations.

Il ne toussait plus, ne gémissait plus. Oleg distinguait maintenant jusqu'aux petites boucles de ses cheveux sur l'oreiller.

« Je ne mourrai pas tout entier, chuchota Chouloubine, pas tout entier. »

Il avait donc le délire.

Kostoglotov trouva, à tâtons, la main brûlante posée sur la couverture, la serra doucement...

« Alexis Filipovitch, vous vivrez ! Courage, Alexis Filipovitch !

— Un éclat, hein ?... Un éclat ?... » chuchota le malade, poursuivant son idée.

Et Oleg comprit que Chouloubine ne délirait pas. Qu'il

l'avait même reconnu et lui rappelait leur dernière conversation avant l'opération. Il avait dit alors : « Et parfois je sens avec tant de clarté que ce qu'il y a en moi n'est pas encore tout moi. Il y a quelque chose de très très indestructible, quelque chose de très très haut ! Quelque chose comme un éclat de l'Esprit universel. Vous ne le ressentez pas, cela ? »

CHAPITRE XXXV

LE PREMIER JOUR DE LA CREATION

Au petit matin, alors que tout le monde dormait encore, Oleg se leva sans bruit, fit son lit comme il était prescrit de le faire : le drap de dessus replié sur la couverture des quatre côtés, et, sur la pointe des pieds, chaussé de ses lourdes bottes, il sortit de la salle.

Assis à la table de l'infirmière de garde, Tourgoun dormait, sa tête surmontée d'une épaisse chevelure noire, posée sur ses bras croisés, au-dessus d'un manuel ouvert.

La vieille garde-malade du rez-de-chaussée lui ouvrit la salle d'eau et là il se changea, retrouvant ses vêtements qui, en deux mois, étaient devenus comme un peu étrangers. C'était son équipement de soldat : le vieux pantalon d'uniforme en forme de culotte de cheval, la vareuse mi-laine, la capote. Tout cela, dans les camps, avait fait des séjours prolongés dans les dépôts, et de ce fait n'était pas encore définitivement usé. Quant à son bonnet d'hiver, il n'était pas militaire : il avait été acheté à Ouch-Terek et, beaucoup trop petit, il le serrait. La journée promettait d'être chaude. Oleg décida de ne pas mettre ce bonnet qui le transformait un peu trop en épouvantail. Et son ceinturon, il le passa non pas sur sa capote, mais sur sa vareuse, si bien que, pour les passants, son apparence devint celle d'une sorte de serf libéré ou de soldat échappé de la salle de police. Le bonnet, il échoua directement dans le havresac — un vieux havresac, couvert de taches de graisse, brûlé ici par le feu d'un brasier et là avec une pièce qui cachait un trou fait par un éclat d'obus, ce havresac qu'il avait rapporté du front et que sa tante lui avait fait transmettre en prison sur sa demande, car il ne voulait rien prendre au camp qui fût en bon état.

Pourtant, même un tel vêtement, après celui de l'hôpital, lui donnait une certaine allure, de l'allant et comme de la santé.

Kostoglotov se hâtait de sortir, craignant que quelqu'un ne le retînt encore. La vieille garde-malade enleva la planchette passée dans la poignée de la porte d'entrée et le laissa partir.

Il fit un pas sur le perron et s'arrêta. Il aspira une bouffée — c'était un air jeune, que rien encore n'avait agité, troublé ! Il jeta un regard — c'était un monde jeune qui verdissait ! Il leva un peu la tête — le ciel se déployait, rosi par un soleil qui, quelque part, se levait. Il leva la tête un peu plus — des quenouilles de nuages duveteux, minutieusement ouvragés à longueur de siècles, avant de se diluer, s'étiraient à travers tout le ciel pour quelques instants seulement, pour ceux-là seuls, peu nombreux, qui avaient levé la tête, et peut-être même pour Oleg seulement, dans toute la ville.

Et parmi les dentelles ajourées, les plumets, l'écume de ces nuages, voguait, encore parfaitement visible, étincelante, façonnée, la nef d'une lune décroissante.

C'était le matin de la création ! L'univers était recréé pour être rendu à Oleg : Va ! Vis !

Et seule la lune, pure, lisse comme un miroir, n'était pas jeune, n'était pas celle qui éclaire les amoureux.

Et, le visage décomposé de bonheur, souriant non pas

à quelqu'un, mais au ciel et aux arbres, dans cette joie du printemps naissant, du matin naissant, qui pénètre les vieillards et les malades, Oleg s'en fut par les allées familières sans rencontrer personne d'autre qu'un vieux balayeur.

Il se retourna pour voir le pavillon des cancéreux. A demi caché par les longs balais des peupliers pyramidaux, vêtu de ses briques gris clair, soigneusement rangées pièce contre pièce, se dressait le pavillon qui n'avait nullement vieilli en soixante-dix ans.

Oleg allait, faisant ses adieux aux arbres de la cité hospitalière. Les platanes avaient déjà leurs grappillons-pendants d'oreilles. Et l'on voyait déjà fleurir les pruneliers. Ils avaient des fleurs blanches, mais, à cause de leurs feuilles, ils paraissaient blanc-vert. Pas un seul abricotier, cependant, et pourtant on lui avait dit qu'ils fleurissaient déjà. C'est dans la vieille ville qu'on pouvait en voir.

Le matin du premier jour de la création, qui donc est capable d'un comportement raisonnable ? Faisant litière de tous ses plans, Oleg était en train de concevoir un projet peu sensé : se rendre immédiatement, en cette heure matinale, dans la vieille ville pour voir l'abricotier en fleur.

Il franchit le portail longtemps interdit et revit la place à moitié vide avec le rond-point des tramways d'où, trempé par une pluie de janvier, tête basse et sans espoir, il était venu franchir ce portail pour mourir.

Franchir ainsi ces portes d'hôpital, n'était-ce point, au fond, franchir des grilles de prison ?

En janvier, quand Oleg s'était traîné jusqu'à l'hôpital, les tramways stridents, bringuebalants, bondés, l'avaient exténué. A présent, installé à une place libre près de la fenêtre, il trouvait même plaisant le cliquetis du tramway. Aller en tramway, c'était un aspect de la vie, un aspect de la liberté.

Le tramway roulait sur un pont traversant une rivière. En bas, des saules au pied fragile se penchaient au-dessus de l'eau jaunâtre, laissant tremper dans le courant rapide leurs branches qui verdoyaient déjà en toute confiance.

Les arbres plantés le long du trottoir s'étaient, eux aussi, couverts de verdure, mais juste assez pour ne pas cacher les maisons, des maisons sans étages, en pierre, solidement bâties, que des gens qui avaient tout leur temps avaient construites en prenant leur temps. Oleg leur jetait des regards d'envie : il y avait donc de ces veinards qui vivaient dans de pareilles maisons. Il voyait défiler d'étonnants pâtés de maisons : des trottoirs immenses, des allées centrales immenses. Mais aussi, quelle ville pourrait déplaire, vue aux premières heures du jour par un matin rose !

Les pâtés de maisons, progressivement, faisaient place à d'autres : il n'y avait plus d'allées centrales, les deux côtés de la rue s'étaient rapprochés. On vit apparaître des maisons hâtives, qui ne témoignaient plus d'une recherche de la beauté et de la solidité ; celles-là, on les avait certainement construites juste avant la guerre. Et là, Oleg lut un nom de rue qu'il lui sembla connaître.

Ah ! voilà pourquoi il le connaissait ! C'est dans cette rue qu'habitait Zoé !

Il tira son bloc-notes de papier rugueux, retrouva le numéro de la maison. De nouveau, il se mit à regarder par la fenêtre et, au moment où le tramway ralentit, il vit la maison : des fenêtres disparates, un seul étage, un portail constamment ouvert ou définitivement démoli et, dans la cour, quelques constructions annexes.

Voilà, c'était quelque part ici. Il pouvait descendre.

Il n'était pas un vagabond sans abri dans cette ville. Il était invité là, invité par une jeune fille !

Et il resta cependant assis, éprouvant presque du plaisir à subir les soubresauts et le tintamarre. Dans le tramway, il y avait toujours aussi peu de monde. En face d'Oleg prit place un vieil Ouzbek à lunettes, pas d'un type ordinaire mais qui avait un air de sage antique. Et quand la receveuse lui avait donné son ticket, il l'avait roulé et l'avait planté dans le creux de son oreille. Et c'est ainsi qu'il était maintenant, avec le rouleau de papier rose qui lui pointait hors de l'oreille.

Devant cette simplicité, et tandis qu'ils pénétraient dans la vieille ville, Oleg se sentit encore plus joyeux, encore plus à l'aise.

Les rues étaient devenues bien plus étroites, de méchantes petites maisons se succédaient en rangs serrés, épaule contre épaule, puis les fenêtres disparurent, et des murailles en terre battue commencèrent à défiler, hautes et aveugles, et, lorsque des maisons se dressaient au-dessus d'elles, c'était seulement de dos, lisses, aveugles, enduites de terre glaise. Dans ces murailles, on voyait s'ouvrir des portillons ou des petits tunnels bas qu'on ne pouvait franchir qu'en se courbant. Entre le marchepied du tramway et le trottoir il n'y avait que l'espace d'un saut, et les trottoirs étaient devenus étroits, de quoi y faire deux pas. La rue s'écroulait au passage du tramway.

C'était probablement là cette vieille ville où se rendait Oleg. Seulement, en fait d'abricotier, il ne poussait pas un seul arbre dans ces rues dénudées.

Impossible de remettre plus longtemps. Oleg descendit.

Il pouvait maintenant continuer de voir la même chose, mais au rythme de sa marche lente. Et, une fois disparu le tintamarre du tramway, on entendit — oui, on entendit — une sorte de bruit métallique. Et bientôt Oleg aperçut un Ouzbek coiffé d'une calotte noire et blanche, vêtu d'une blouse noire en ouatine surpiquée, retenue à la ceinture par un foulard rose. Accroupi en pleine rue, l'Ouzbek façonnait au marteau la courbe de son tchekmen sur le rail du tramway à voie unique.

Oleg s'arrêta, attendri : voilà bien le siècle de l'atome ! Encore à l'heure actuelle, ici comme à Ouch-Terek, le métal était tellement rare dans la vie courante que l'homme n'avait rien trouvé de mieux que le rail. Oleg suivit les opérations, curieux de savoir si l'Ouzbek arriverait à ses fins avant le passage du tramway suivant. Mais l'Ouzbek ne se pressait pas, il façonnait sa pelle soigneusement, et quand, un peu plus bas, on entendit gronder le tramway qui venait en sens inverse, il s'écarta d'un demi-pas, le laissa passer et de nouveau s'accroupit.

Oleg regardait le dos patient de l'Ouzbek, son foulard-
ceinture rose (qui avait absorbé toute la roseur d'un ciel
déjà passé au bleu). En cet Ouzbek avec qui il n'aurait
pas pu échanger deux mots, il sentit pourtant un frère
dans le travail.

Façonner un tchekmen par un matin de printemps,
n'était-ce pas la vie qui lui était rendue ?

Qu'on était bien !

Il allait lentement, se demandant avec étonnement où
pouvaient bien se trouver les fenêtres. Il avait envie de
jeter un coup d'œil derrière les murailles, à l'intérieur.
Mais les portillons étaient poussés et il était gênant de
pénétrer ainsi. Soudain, un petit passage s'éclaira de
part en part. Oleg se pencha et, par un tunnel quelque
peu humide, arriva dans une cour.

La cour ne s'était pas encore réveillée, mais il était
évident que c'était là que se déroulait la vie. Sous un
arbre, il y avait un banc fiché en terre, une table, des
jouets d'enfants qui traînaient çà et là — des jouets tout
à fait modernes. Et une pompe ici même fournissait
l'humidité vitale. Et il y avait un baquet à lessive. Et
les fenêtres tout autour — il y en avait beaucoup dans
la maison — donnaient toutes sur la cour, aucune sur
la rue.

Un peu plus loin dans la rue, il pénétra dans une autre
cour par un tunnel semblable. Et là encore, tout était
identique avec, en plus, une jeune femme ouzbek qui
portait un châle mauve ; de longues et fines tresses noires lui descendaient jusqu'aux hanches ; elle s'occupait
de marmots. Elle vit Oleg mais ne lui accorda aucune
attention. Il s'éloigna.

Ce n'était pas russe du tout. En Russie, à la campagne
comme en ville, toutes les fenêtres des pièces de parade
donnent précisément sur la rue, et à travers les fleurs
et les rideaux des fenêtres, comme à l'affût dans un bois,
les maîtresses de maisons guignent pour voir le nouveau
venu qui passe dans la rue, pour savoir qui va chez qui
et pourquoi. Mais Oleg comprit et adopta immédiatement le principe oriental : comment tu vis, je ne veux

pas le savoir, et toi, ne viens pas voir ce que je fais.

Après des années de camp, ayant toujours vécu au vu et au su de tous, sans cesse fouillé, contrôlé, épié, quel meilleur mode de vie aurait pu choisir un ancien détenu ?

Il se plaisait de plus en plus dans cette vieille ville.

Il avait déjà vu, un peu plus tôt, par une échappée entre les habitations, une tchaïkhana déserte avec son patron à demi éveillé. Maintenant, il en vit une autre, sur un balcon surplombant la rue. Oleg y monta. Il y avait déjà là quelques hommes coiffés de calottes, certaines en tapisserie, d'autres pourpres, bleues, et il y avait aussi un vieillard coiffé d'un turban blanc garni d'une broderie de couleur. Mais de femmes, point. Et Oleg se souvint que, jusque-là en effet, il n'avait jamais vu de femme dans une auberge ouzbek. Il n'y avait pas d'écriteau disant que l'accès était interdit aux femmes, mais elles n'y étaient pas conviées non plus.

Oleg se prit à réfléchir. Tout était nouveau pour lui en cette première journée d'une vie nouvelle. Il fallait chercher à tout comprendre. Se réunissant ainsi entre hommes, voulaient-ils marquer par là que l'essentiel de leur vie se déroulait sans femmes ?

Il s'assit près de la balustrade. Là, on était bien placé pour observer la rue. Elle s'animait, mais personne n'avait l'allure rapide et pressée du citadin. Les passants circulaient, sans se hâter. Dans les auberges, on s'éternisait, placidement assis.

Il était possible de faire le calcul suivant : le sergent Kostoglotov, le détenu Kostoglotov, débarrassé du service et du châtiment que les hommes lui avaient imposés, débarrassé des souffrances que la maladie lui avait imposées, était mort en janvier. Et à présent, vacillant sur ses jambes mal assurées, était sorti de la clinique un nouveau Kostoglotov « frêle, sonore et translucide » comme on disait dans les camps. Il en était sorti non pour une vie entière et complète mais pour un petit appoint de vie, telle cette tranche de pain jointe, pour faire le poids, à la portion première et tenue par une baguette en bois : on jurerait bien qu'elle fait partie de la même ration, mais non, c'est un morceau à part.

Et ce petit supplément de vie de deux ans qu'il entamait aujourd'hui, Oleg voulait qu'il ne ressemblât pas
à la portion première, celle qu'il avait vécue. Il aurait
voulu à présent ne plus se tromper.

Déjà pourtant, il avait mal choisi sa théière : il aurait
dû ne pas faire le malin et prendre du thé ordinaire,
noir, éprouvé. Lui, pour la couleur locale, avait pris du
thé vert qui n'était ni fort ni revigorant, dont le goût
n'avait rien à voir avec celui du thé et dont on avait
envie non d'avaler, mais bien plutôt de recracher les
feuilles lorsqu'il en tombait dans le bol.

Entre-temps, la journée devenait chaude, le soleil montait et Oleg se serait volontiers mis quelque chose sous
la dent, mais, dans cette auberge, il n'y avait rien d'autre
que deux sortes de thé et sans sucre même.

Pourtant, adoptant la manière infiniment patiente de
l'endroit, il ne se leva pas, ne se mit pas en quête de
nourriture, mais déplaça un peu sa chaise et resta encore. Et c'est alors que, du balcon de la maison de thé,
il aperçut, au-dessus de la cour voisine, quelque chose
qui ressemblait à l'aigrette d'un pissenlit, rose, translucide, mais de six mètres de diamètre au moins — une
sphère rose, flottante, aérienne ! De si grande, de si rose,
il n'en avait jamais vu.

C'était l'abricotier !...

Et Oleg se répétait : voilà le prix de la patience, car
qu'est-ce que ça signifie ? Qu'il ne faut jamais foncer
tête basse sans avoir regardé ce qui est à portée de
la main.

Il se colla à la balustrade, et, de cette position domi-
nante, il regardait, regardait sans fin, la transparente
merveille rose.

Il s'en faisait don à lui-même, en l'honneur du jour
de la création.

De même que dans les maisons du nord se dresse
un sapin décoré avec toutes ses bougies, de même cette
petite cour enclose entre des murs de terre et ouverte
au ciel seulement, où l'on vivait comme dans une mai-

son, se dressait un seul arbre, l'abricotier en fleur sous
lequel des gosses marchaient à quatre pattes, et une
femme en foulard noir émaillé de fleurs vertes binait et
sarclait la terre.

Oleg observait. Le rose, c'était l'impression générale.
L'abricotier portait des boutons pourprés semblables à
de petites bougies ; les fleurettes, au moment de l'éclosion, avaient un dehors rose et, une fois ouvertes, étaient
tout simplement blanches comme celles du pommier ou
du cerisier. Il en résultait cette roseur tendre, et Oleg
s'efforçait de l'absorber toute par le regard afin de s'en
souvenir longtemps encore, afin de pouvoir la décrire
aux Kadmine.

Il attendait le miracle et le miracle avait eu lieu.

Il y avait encore bien des joies qui l'attendaient aujourd'hui dans un monde qui venait de naître.

Et maintenant, la nef de la lune avait disparu.

Oleg descendit les marches qui menaient à la rue. Sa
tête découverte commençait à cuire. Il fallait acheter
une petite livre de pain noir, l'ingurgiter comme ça, sans
rien d'autre, et aller dans le centre. Etait-ce ses vêtements d'homme libre qui le ravigotaient à ce point ?
Toujours est-il qu'il ne ressentait pas de nausée et marchait avec beaucoup de facilité.

Là-dessus, Oleg aperçut un éventaire installé dans le
renfoncement du mur de telle façon qu'il ne brisait pas
le tracé de la rue. Le store de toile de l'éventaire était
levé comme une visière et soutenu par deux barres obliques. De dessous la visière se répandait une petite fumée
bleutée. Il lui fallut rudement baisser la tête par-dessous
la visière pour s'approcher et là ne plus redresser le
cou.

Une longue rôtissoire traversait l'éventaire dans toute
sa longueur. Un foyer brûlait en l'un de ses points, et
tout le reste était rempli de cendre blanche. En travers
de la rôtissoire, au-dessus du foyer, étaient posées une
quinzaine de longues broches pointues en aluminium,
garnies de morceaux de viande.

Oleg devina que c'était là le chachlik. Encore une

découverte qu'il faisait dans le monde nouvellement créé, ce chachlik, dont il était tant question dans les conversations gastronomiques des détenus. Oleg, lui, en trente-quatre années d'existence, n'avait jamais eu l'occasion d'en voir de ses propres yeux : il n'était jamais allé ni au Caucase ni au restaurant et, dans les cantines populaires d'avant-guerre, on servait du chou à la viande hachée et du gruau d'orge.

Le chachlik !

Il était capiteux, ce parfum, mélange de fumée et de viande ! La viande sur les brochettes n'était ni calcinée ni même d'un brun foncé, mais de cette teinte rose-gris, tendre, qu'elle a quand elle commence à être à point. Le marchand, un homme nonchalant au visage gras et rond, tournait certaines des broches, en déplaçait d'autres du foyer vers les cendres.

« C'est combien ? demanda Kostoglotov.

— Trois », répondit le marchand d'une voix somnolente.

Oleg ne comprit pas : trois quoi ? Trois kopecks, c'était trop peu ; trois roubles, ça faisait tout de même beaucoup. Peut-être alors trois broches pour un rouble ? Cet embarras le guettait partout depuis qu'il avait quitté le camp : il n'arrivait pas à s'y retrouver dans l'échelle des prix.

« Combien y en a pour trois roubles ? » eut l'idée de demander Oleg pour se tirer d'embarras.

Le marchand avait la flemme de parler. Il prit une broche, l'agita devant Oleg comme s'il la montrait à un enfant et la remit de nouveau en place.

« Une broche ? Trois roubles ? » Oleg secoua la tête. C'était un autre ordre de grandeur. Avec cinq roubles, il fallait qu'il vive une journée. Mais ça faisait tellement envie d'y goûter ! Il examinait chacun des morceaux, et choisissait sa broche du regard. Mais elles avaient toutes de quoi séduire.

Non loin de là, trois chauffeurs attendaient. Leurs camions étaient garés tout près, dans la rue. Une femme s'approcha également, mais le marchand lui dit quelques mots en ouzbek et, mécontente, elle s'éloigna. Puis soudain le marchand saisit toutes les broches et les plaça sur une seule assiette, prit dans sa main une poignée d'oignons coupés dont il les saupoudra, et puis une bouteille avec laquelle il les arrosa. Oleg comprit alors que les camionneurs raflaient tout le chachlik, chacun cinq broches.

C'était de nouveau cette double échelle impénétrable des prix et des salaires qui régnait partout, mais Oleg ne pouvait ni se figurer la seconde échelle ni à plus forte raison y accéder. Ces chauffeurs, ni plus ni moins, trompaient leur faim, chacun pour quinze roubles, et peut-être bien que ce n'était même pas leur repas principal. Un salaire ne pouvait suffire à ce genre de vie, et, du reste, ce n'est pas à ceux qui touchent un salaire qu'on vendait du chachlik.

« Il n'y en a plus, dit le marchand à Oleg.

— Comment ça, plus ? Il n'y en aura plus ? » demanda Oleg fortement dépité. Comment avait-il pu encore hésiter ! C'était peut-être la première et la dernière occasion de sa vie.

« On n'en a pas livré aujourd'hui. » Le marchand rangeait déjà ce qui restait de son travail et, semblait-il, s'apprêtait à baisser la visière.

C'est alors qu'Oleg s'adressa, suppliant, aux chauffeurs :

« Mes amis ! Cédez-moi une broche ! Mes amis, une broche ! »

L'un des camionneurs, un gaillard au visage hâlé, aux cheveux de lin, acquiesça de la tête.

« Allez, prends ! »

Les camionneurs n'avaient pas encore payé et le papier vert qu'Oleg tira de sa poche fermée par une épingle de nourrice, le marchand ne le prit même pas dans sa main, mais le fit glisser du comptoir directement dans le tiroir, du même geste dont il balayait les miettes et les saletés.

N'empêche qu'Oleg avait eu une broche ! Abandonnant son havresac par terre, dans la poussière, des deux mains il prit la tige d'aluminium et, après avoir compté les morceaux de viande — il y en avait cinq, et puis la moitié d'un sixième —, il se mit à les détacher de la broche du bout des dents, pas d'un seul coup mais petit à petit. Il mangeait méditativement, comme le chien qui a emporté sa part dans un lieu sûr. Il se disait combien il était facile d'exciter le désir de l'homme et combien difficile de l'assouvir quand on l'avait excité. Le nombre d'années pendant lesquelles une tranche de pain noir avait été pour lui l'un des dons les plus grandioses de la terre ! Il y a seulement un instant, il allait justement s'en acheter pour son petit déjeuner, et voilà que la fumée bleutée de viande rôtie lui avait chatouillé les narines et qu'on lui avait donné une broche à ronger, et déjà il sentait monter en lui le dédain du pain.

Les camionneurs avaient terminé leurs cinq broches, avaient remis leur moteur en marche, étaient partis, et Oleg n'avait toujours pas fini de déguster sa part. Il savourait des lèvres et de la langue chacun des morceaux de cette viande qui était tendre, qui était juteuse, qui sentait bon, qui était tellement à point, pas trop cuite, et qui continuait à receler tout son attrait primitif que la cuisson n'avait pas détruit. Et plus il pénétrait le sens de ce chachlik, plus il en jouissait profondément et plus froidement aussi quelque chose se refermait devant lui qui faisait qu'il n'irait pas chez Zoé. Bientôt, dans le tramway, il passerait devant chez elle et il ne descendrait pas. Cela devint clair comme le jour pour lui précisément là, tandis qu'il était occupé à déguster sa brochette de chachlik.

Et, refaisant le même parcours, le tramway, bondé à présent, l'emporta vers le centre de la ville. Oleg reconnut l'arrêt de Zoé et en passa encore deux après. Il ne savait pas quel arrêt lui convenait le mieux. Soudain, à travers la fenêtre de la voiture où il se trouvait, une femme, de l'extérieur, se mit à vendre des journaux et Oleg voulut aller voir à quoi cela ressemblait. Il n'avait pas vu vendre de journaux à la criée depuis son enfance (la dernière fois, c'était quand Maïakovski s'était suicidé

et que les gamins couraient avec leur édition spéciale).
Là, c'était une femme russe assez âgée, pas dégourdie du
tout, qui ne trouvait pas la monnaie tout de suite, mais
qui avait eu une bonne idée, et ainsi, au passage de chaque tramway, elle casait toujours quelques journaux.
Oleg resta planté là et put se faire une idée de la façon
dont ça marchait.

« Et les flics ne disent rien ? demanda-t-il.

— Ils ne s'en sont pas aperçus », dit la marchande en
s'épongeant le visage.

Il ne se voyait pas lui-même, il avait oublié à quoi il
ressemblait. S'il était tombé sous les yeux d'un flic, c'est
à lui que ce dernier aurait commencé par demander ses
papiers bien plutôt qu'à la marchande de journaux.

La pendule électrique dans la rue marquait neuf heures seulement, mais la journée était déjà si chaude
qu'Oleg dégrafa le haut de sa capote. Sans se presser,
se laissant dépasser et bousculer, Oleg longeait le côté
ensoleillé de la place, plissant les yeux et souriant au
soleil.

Il y avait encore bien des joies qui l'attendaient aujourd'hui !

C'était le soleil de ce printemps qu'il pensait ne plus
revoir, et, bien qu'autour de lui il n'y eût personne pour
se réjouir du retour d'Oleg à la vie, personne même pour
le savoir, le soleil, lui, le savait, et c'est à lui qu'Oleg
souriait. Quand bien même il n'y aurait plus jamais de
printemps à venir, quand bien même ce serait le dernier, c'était pourtant un printemps supplémentaire et
rien que pour cela Oleg disait merci !

Personne parmi les passants ne se réjouissait de la
présence d'Oleg, mais lui se réjouissait de leur présence
à tous. Il était heureux d'être revenu à eux, d'être revenu
à tout ce qu'il y a dans les rues. Rien ne pouvait lui
paraître inintéressant, bête ou laid, dans ce monde nouvellement créé ! Des mois entiers, des années entières de
vie ne pouvaient se comparer à la seule journée suprême
d'aujourd'hui.

On vendait des glaces dans des gobelets de carton.

Oleg ne se rappelait même pas avoir jamais vu pareils gobelets. Encore un rouble et demi, et allez donc ! Les épaules chargées de son havresac brûlé, troué, les deux mains libres et tout en détachant les tranches glacées avec le bâtonnet, Oleg poursuivit son chemin en flânant.

Il tomba ensuite sur la vitrine d'un photographe qui, par-dessus le marché, se trouvait à l'ombre. Oleg s'accouda à la balustrade de fer et resta planté là un bon bout de temps, examinant cette vie proprette et ces visages embellis exposés dans la vitrine et, tout particulièrement, il va sans dire, celui des jeunes filles qui, du reste, y figuraient en plus grand nombre. En tout premier lieu, chacune d'elles avait revêtu ce qu'elle avait de mieux, puis le photographe lui avait fait tourner la tête d'un côté, de l'autre et dix fois avait modifié l'éclairage. Il avait ensuite pris quelques photos, puis avait choisi la meilleure, l'avait retouchée. Après quoi, parmi ces jeunes filles, il en avait choisi dix, puis avait sélectionné une photo de chacune. Et c'est ainsi que s'était composée cette vitrine. Et Oleg le savait bien, il n'empêche qu'il prenait tout de même du plaisir à regarder et à croire que la vie était faite précisément de jeunes filles comme ça. Pour compenser toutes les années manquées et toutes celles qu'il ne vivrait pas, et pour tout ce dont maintenant il pouvait se trouver privé, il contemplait à cœur joie et sans pudeur aucune.

La glace était finie et il ne restait plus qu'à jeter le gobelet. Celui-ci était pourtant si propre, si lisse ! Oleg se dit qu'en voyage ce serait bien agréable de s'en servir pour boire et il le fourra dans son havresac. Il rangea également le bâtonnet qui, lui aussi, pourrait servir.

Et, un peu plus loin, il tomba sur une pharmacie. Une pharmacie, voilà encore un établissement intéressant ! Kostoglotov y pénétra sur-le-champ. Les comptoirs carrés tout propres, on aurait passé des journées entières à les examiner les uns après les autres. Toute chose exposée là était, pour l'œil d'un habitué des camps, un objet de curiosité ; tout cela, durant des décennies, avait été rayé de cet autre univers ; et ce qu'Oleg avait pu voir jadis, dans sa vie d'homme libre, maintenant, il avait peine à le nommer et à s'en rappeler l'usage. Avec la déférence d'un barbare, il était là, examinant les formes en nickel, en verre et en matière plastique. Puis c'était le rayon des herbes médicinales vendues dans de petits sachets qui portaient l'explication de leur effet. Oleg, lui, croyait ferme aux herbes médicinales — mais où était-elle donc l'herbe qu'il lui fallait ? Où ?... Puis défilèrent les vitrines de cachets et combien y avait-il là de dénominations nouvelles qu'il n'avait jamais entendues de sa vie ! Pour tout dire, cette pharmacie, à elle seule, ouvrait à Oleg tout un univers d'observations et de réflexions. Mais il se contenta de soupirer en passant d'une vitrine à l'autre, et de demander, suivant les instructions des Kadmine, un thermomètre, de la soude et du permanganate. Il n'y avait pas de thermomètre, pas de soude et, pour le permanganate, on l'envoya payer trois kopecks à la caisse.

Ensuite, Kostoglotov se plaça dans la file d'attente devant le rayon des ordonnances et y resta vingt bonnes minutes, ayant pour le coup déposé son havresac et, avec ça, incommodé par la chaleur. Il hésitait, se disant qu'il devrait tout de même les acheter, ces remèdes. Il présenta au guichet l'une des trois ordonnances identiques que Véga lui avait remises hier. Il espérait qu'il n'y aurait pas le remède et qu'ainsi le problème serait résolu. Mais il y en avait. On lui établit sa fiche au guichet pour un total de cinquante-huit roubles et des poussières.

Oleg en rit de soulagement et s'éloigna. Qu'à chaque pas dans la vie le chiffre de cinquante-huit le poursuivît, cela ne l'étonna pas, mais qu'il lui fallût aligner cent soixante-quinze billets pour les trois ordonnances, c'était le comble. Avec une telle somme, il avait de quoi se nourrir un mois entier. Il voulut sans attendre jeter les ordonnances au crachoir mais se dit que Véga pourrait s'enquérir de leur sort et il les rangea.

C'était dommage de quitter les surfaces vitrées de la

pharmacie. Mais la journée avançait, chaude, et elle l'appelait, la journée de ses joies.

Il y avait encore bien des joies qui l'attendaient aujourd'hui !

Il s'éloignait sans se presser. Il passait de vitrine en vitrine, s'accrochant tel un chardon au moindre point saillant. Il savait que l'inattendu l'attendait à chaque pas.

Et c'était vrai car voici qu'il tombait sur un bureau de poste et à la fenêtre un placard publicitaire disait : « Utilisez le photo-télégramme. » Ça c'était fort ! Ce dont, il y a dix ans, on parlait dans les romans fantastiques, voilà qu'on le proposait déjà aux passants. Oleg entra. A l'intérieur, il y avait une liste des quelque trente villes où l'on pouvait envoyer un photo-télégramme. Oleg passa en revue ceux à qui il pourrait en envoyer. Mais dans toutes ces grandes villes éparses à travers la sixième partie du continent, il ne put se rappeler un seul être à qui son écriture aurait procuré le moindre plaisir.

Pourtant, afin d'en savoir un peu plus long, il s'approcha du guichet, demanda à voir un formulaire, se renseigna sur la grandeur prescrite pour les lettres.

« Pour le moment, l'appareil est en dérangement, il ne fonctionne plus », répondit la femme.

Ah ! il ne fonctionnait pas ! Eh bien, que le diable l'emporte. Ça au moins c'était plus habituel. On se sentait comme rassuré.

Il poursuivait son chemin, lisant les affiches. Il y avait dans la ville un cirque et quelques cinémas. Dans chacun d'eux, on passait quelque chose en matinée, oui, mais il n'était pas question de dépenser à cela la journée qui lui était offerte pour découvrir l'univers. Au cas où il lui aurait été possible de rester un certain temps dans la ville, oui, il n'aurait pas été mauvais d'aller au cirque car, après tout, il était comme un enfant, il venait de naître, n'est-ce pas !

L'heure avançait et il pouvait peut-être déjà se permettre d'aller chez Véga.

Si tant est qu'il irait...

Et comment aurait-il pu ne pas y aller ? C'était une amie. Elle l'avait invité avec sincérité. Et aussi avec trouble. Il n'avait qu'elle dans toute la ville. Et comment aurait-il pu ne pas y aller ?

Du reste, au fond de lui-même, il n'avait qu'une seule envie, c'était d'aller la voir. Il aurait même renoncé à visiter tout cet univers que pouvait receler une ville pour filer directement chez elle.

Mais quelque chose le retenait qui lui soufflait des prétextes : peut-être était-ce encore trop tôt ? Elle pouvait n'être pas encore rentrée ou alors n'avait pas encore eu le temps de se préparer.

Hum, un peu plus tard...

A chaque carrefour, il s'arrêtait, cherchant le moyen de ne pas manquer la rue qu'il avait intérêt à prendre. Il ne demandait rien à personne et choisissait les rues au gré de sa fantaisie.

C'est ainsi qu'il tomba sur un magasin de vin, pas un détaillant qui vendait des bouteilles, mais un vrai magasin, avec des tonneaux, mal éclairé, humide et où l'on respirait un air particulièrement aigrelet. Une espèce de vieille taverne ! On remplissait les verres directement au tonneau. Et un verre de vin bon marché coûtait deux roubles. Après le chachlik, c'était donné. Et Kostoglotov, du fin fond de sa poche, tira, pour le changer, un nouveau billet de dix roubles.

Il n'y trouva aucun goût particulier et sa tête affaiblie ne commença de lui tourner que lorsqu'il eut fini de boire. Mais quand il sortit du magasin et continua sa route, la vie était devenue encore plus légère, bien que, depuis le matin déjà, elle lui eût été clémente. Tout devenait si facile, si plaisant qu'il lui semblait que rien désormais ne pourrait plus jamais le démoraliser, car tout ce que la vie pouvait offrir de plus mauvais, il l'avait déjà connu, il en était quitte, et tout ce qui restait était forcément meilleur.

Aujourd'hui il s'attendait encore à bien des joies.

Et si, d'aventure, il tombait sur un autre magasin de

vin, il serait possible, pourquoi pas, de boire encore un verre.

Mais il ne s'en trouvait plus.

Au lieu de cela, une foule dense avait envahi tout le trottoir si bien que le seul moyen de la dépasser était de descendre sur la chaussée. Oleg conclut que quelque chose était arrivé dans la rue. Mais non, tout le monde était là, tourné vers de larges marches et une grande porte et tout le monde attendait. Kostoglotov leva la tête et lut : « Grand Magasin Central. » Voilà qui expliquait tout. On devait mettre en vente quelque chose d'intéressant. Mais quoi au juste ? Il interrogea quelqu'un, puis l'une, l'autre, mais chacun jouait des coudes et il n'obtint aucune réponse intelligible. Oleg apprit seulement que c'était justement l'heure de l'ouverture qui approchait. Eh quoi, c'était le destin. Oleg lui aussi s'inséra dans cette foule.

Quelques minutes plus tard, deux hommes ouvrirent la large porte et, d'un mouvement apeuré destiné à contenir la foule, ils essayèrent de tempérer l'ardeur du premier rang pour aussitôt faire un bond de côté comme devant une charge de cavalerie. Les hommes et les femmes qui avaient attendu et qui, au premier rang, étaient tous des jeunes, partirent au trot vers la porte, puis au-delà, s'enfilant dans le second escalier, vers le premier étage avec une célérité qui n'avait d'égale que celle dont ils auraient fait preuve s'il leur avait fallu quitter l'immeuble en flammes. Le reste de la foule s'introduisit également et chacun, en fonction de son âge et de ses forces, se mit à escalader les marches. Un petit courant déviait vers le rez-de-chaussée, mais le gros du courant montait vers le premier étage. Dans cette offensive impétueuse il était impossible de monter à une allure tranquille et Oleg, avec ses cheveux noirs en bataille, avec son havresac sur le dos, prit aussi le pas de course (se faisant traiter, dans ce tohu-bohu, de « troufion »...)

Arrivé en haut, le courant aussitôt se divisait : on courait dans trois directions différentes, prenant les virages avec précaution sur le parquet glissant. Oleg disposait d'une seconde pour choisir. Mais comment choisir ? Il fila au hasard sur la trace de ceux dont la course était la plus décidée.

Et il se retrouva dans une queue qui s'allongeait sans cesse devant le rayon des tricots. Les vendeuses en blouse bleu ciel allaient et venaient d'un pas paisible, bâillaient, comme s'il n'y eût aucune presse et que la journée s'annonçât pour elles vide et ennuyeuse.

Tout en reprenant son souffle, Oleg apprit que l'on attendait quelque chose comme des tricots de dame, ou bien était-ce des sweaters ? A mi-voix, il lâcha un gros juron et s'éloigna.

Où donc avaient filé les deux autres courants ? Pour le moment, il ne parvenait pas à les retrouver. Déjà le mouvement se faisait dans toutes les directions, à tous les rayons il y avait du monde. A l'un d'eux, pourtant, il y avait une foule plus dense et Oleg conclut que c'était peut-être là. On devait y vendre des assiettes creuses à bon marché. On était justement en train de défaire les colis où elles se trouvaient. Ça tombait bien. A Ouch-Terek on ne trouvait pas d'assiettes creuses, celles des Kadmine étaient ébréchées. Rapporter à Ouch-Terek une douzaine de ces assiettes, voilà qui serait bien ! Oui, mais il n'aurait plus que des tessons en arrivant.

Après quoi Oleg commença à se promener au gré de sa fantaisie à travers les deux étages du grand magasin. Il examina le rayon de la photographie. Les appareils, chose qu'on ne pouvait se procurer avant guerre, s'entassaient à ce rayon, excitant l'envie et coûtant très cher. Faire de la photo, c'était, là encore, un de ses rêves d'enfant qui, jamais, ne s'était réalisé.

Les imperméables d'homme lui plurent beaucoup. Après la guerre, il avait rêvé de s'acheter un imperméable civil, c'est ce qui lui semblait être le plus beau pour un homme. Mais il aurait fallu aligner trois cent cinquante billets, son salaire mensuel. Oleg s'en fut plus loin.

Il n'achetait rien et son humeur n'en était pas moins

celle d'un homme aux poches bien garnies mais qui n'a besoin de rien. Et il y avait aussi le vin qui, joyeusement, s'évaporait en lui.

On vendait des chemises en tissu synthétique. « Synthétique », Oleg savait que c'était le mot qui, à Ouch-Terek, faisait courir toutes les femmes au grand magasin. Oleg examina les chemises, les palpa ; elles lui plurent. En pensée, il acheta l'une d'elles, la chemise verte à rayures blanches (elle coûtait soixante roubles, il n'aurait pas pu l'acheter pour de bon).

Tandis qu'il méditait sur les chemises, un homme vêtu d'un beau pardessus s'approcha pour voir non pas ces chemises-là, mais celles en soie et, très poliment, demanda à la vendeuse :

« Dites-moi, avez-vous la taille cinquante dans ce modèle avec trente-sept d'encolure ? »

Oleg en eut un haut-le-cœur ! Non, c'était comme si on lui avait soudain passé un coup de râpe des deux côtés à la fois ! Il se retourna violemment et regarda cet homme rasé de près, que rien dans la vie n'avait jamais éraflé, qui portait un chapeau de beau feutre, une cravate sur une belle chemise blanche. Il le regarda comme si ce dernier lui avait asséné un coup sur l'oreille et qu'à présent l'un d'eux allait devoir nécessairement rouler en bas de cet escalier.

Comment ? Il y avait des gens qui moisissaient dans les tranchées, d'autres dont on déchargeait les corps dans les fosses communes, dans les trous à ras du sol qu'on creusait à grand-peine dans la terre glacée du pôle Nord, il y avait des gens que l'on mettait dans les camps une première fois, une deuxième fois, une troisième fois, il y avait des gens qui se figeaient de froid, emmenés en convois sous escorte, des gens qui, pioches en main, suaient sang et eau, gagnant juste de quoi s'acheter un gilet chaud tout rapiécé, et il y avait ce gommeux qui se rappelait non seulement la taille de sa chemise mais aussi le numéro de son encolure !

C'est ce numéro d'encolure qui avait achevé Oleg ! Il n'aurait jamais pu imaginer que l'encolure, elle aussi, pût avoir sa taille à elle ! Etouffant un gémissement de blessé, il s'éloigna du rayon des chemises. Il ne manquait plus que la taille de l'encolure ! Qu'avait-il à faire d'une vie si raffinée ? A quoi bon y revenir à cette vie ? Se rappeler son encolure, c'était forcément oublier d'autres choses ! Et des choses plus importantes !

Cette histoire d'encolure lui avait tout bonnement coupé les jambes...

Au rayon des articles ménagers, Oleg se rappela qu'Hélène Kadmine, sans lui avoir vraiment demandé d'en rapporter un, rêvait néanmoins d'avoir un modèle léger de fer à repasser à vapeur. Oleg espérait qu'il n'y en aurait pas (comme c'est toujours le cas quand on a besoin de quelque chose) ; sa conscience et ses épaules, du même coup, eussent été allégées d'un poids. Mais la vendeuse lui indiqua, sur le comptoir, un fer à repasser du modèle voulu.

« Et il est vraiment léger, mademoiselle ? demanda Kostoglotov, méfiant, en soupesant le fer.

— Pourquoi voulez-vous que je vous trompe ? » fit la vendeuse avec une moue.

Pour tout dire, elle avait quelque chose de métaphysique, plongée qu'elle était dans quelque lointain, comme si là, devant elle, il y avait eu non pas des clients en chair et en os qui allaient et venaient, mais plutôt des ombres indécises.

« Tromper, je ne dis pas, mais peut-être vous faites erreur ? » avança Oleg.

Revenant bon gré mal gré à cette vie périssable et faisant sur elle-même cet effort insupportable que représentait pour elle le déplacement d'un objet matériel, la vendeuse posa devant lui un autre fer à repasser. Et c'est pour le coup qu'elle n'avait plus la force d'expliquer quoi que ce fût avec des mots. De nouveau, elle s'était envolée vers des sphères métaphysiques.

Il faut bien le dire, c'est par la comparaison qu'on parvient à la vérité : le léger était effectivement plus léger d'un bon kilo. Son devoir était de l'acheter.

Si épuisée qu'elle fût par le déplacement du fer à

repasser, la vendeuse n'en dut pas moins, de ses doigts alanguis, lui faire sa fiche et puis prononcer de ses lèvres mourantes : « Au contrôle » (qu'est-ce que c'était encore que cette histoire de contrôle ? Contrôler qui ? Oleg avait complètement oublié. Oh ! qu'il était difficile de revenir à ce monde !) et à présent, les deux pieds sur terre, ne lui fallait-il pas encore porter ce fer léger au contrôle ? Oleg se sentait rien moins que coupable d'avoir distrait la vendeuse de sa méditation somnolente.

Lorsque le fer eut trouvé place dans son havresac, ses épaules le sentirent aussitôt. Il commençait à étouffer dans sa capote et il fallait sortir du grand magasin au plus vite.

Il aperçut alors son reflet dans un immense miroir qui allait du plancher au plafond. Sans doute était-il gênant pour un homme de s'arrêter pour s'examiner, mais un miroir pareil, il n'y en avait pas dans tout Ouch-Terek. Après tout, il ne s'était pas vu dans un miroir pareil depuis dix ans. Et, faisant fi de ce qu'on pourrait en penser, il s'examina tout d'abord de loin, puis de plus près, puis de plus près encore.

Il n'avait plus rien de militaire, contrairement à ce qu'il croyait paraître. Sa capote ne ressemblait plus que de loin à une capote et ses bottes à des bottes. En outre, ses épaules s'étaient tassées et il n'arrivait plus à redresser sa silhouette. Et puis, sans son bonnet, sans son ceinturon, ce n'était plus un soldat, mais plutôt un évadé ou un brave gars de la campagne venu en ville pour y faire quelques courses. Bien que, dans ce cas, il eût fallu du moins l'air un peu crâne, alors que Kostoglotov semblait malmené, maltraité, mal soigné.

Il eût mieux valu qu'il ne se vît point. Tant qu'il ne s'était pas vu, il se croyait l'air crâne, combatif, il considérait les passants avec condescendance et les femmes sur un pied d'égalité. Et maintenant, avec, au surplus, cet affreux havresac de l'armée qui, depuis longtemps, n'avait plus rien de militaire et ressemblait bien plutôt à une besace de mendiant, il ne lui restait plus qu'à se poster dans la rue et tendre la main pour y faire pleuvoir les kopecks. Et pourtant, il lui fallait aller chez Véga... mais comment y aller dans cet état ?

Il fit encore quelques pas et se trouva devant un rayon de mercerie ou de cadeaux, bref, de colifichets féminins.

Et, parmi les femmes qui pépiaient, essayaient, choisissaient, rejetaient, cet homme qui tenait du soldat et du mendiant, avec sa balafre dans le bas de la joue, s'arrêta et se figea stupidement en contemplation.

La vendeuse eut un sourire — que pouvait-il bien avoir envie d'acheter pour sa belle au village ? — et elle veillait aussi à ce qu'il ne lui chipât rien.

Mais il ne demandait rien, ne touchait à rien. Il était là, à contempler, d'un air stupide.

Ce rayon scintillant de verroterie, de pierrerie, de métaux et de matière plastique, avait surgi devant son front baissé de bovin, telle une barrière de passage à niveau phosphorescente. Cette barrière, le front de Kostoglotov ne pouvait l'enfoncer.

Il comprit. Il comprit que c'était beau d'acheter des colifichets pour une femme, de les lui attacher à la poitrine, de les lui suspendre au cou. Tant qu'il ne le savait pas, tant qu'il ne s'en souvenait pas, il n'était pas coupable. Mais il l'avait maintenant compris d'une manière si aiguë que, manifestement, il ne pouvait plus, à compter de cet instant, arriver chez Véga les mains vides.

Mais pouvait-il lui offrir quelque chose, oserait-il ? Les objets de valeur, il n'était même pas question de les regarder, et ceux qui étaient bon marché, qu'est-ce qu'il y connaissait ? Ne serait-ce que ces broches qui n'étaient pas vraiment des broches mais plutôt des pendants ouvragés fixés à des épingles — et en particulier celle-ci, hexagonale, qui étincelait de toute son innombrable verroterie, n'était-elle pas belle ?

Mais peut-être était-ce de la camelote tout à fait vulgaire, qu'une femme de goût répugnerait à prendre dans ses mains ? Peut-être qu'on ne les portait plus depuis

longtemps, qu'elles n'étaient plus à la mode ?... Comment
pouvait-il savoir ce qui se porte et ce qui ne se porte
pas ?

Et puis aussi, comment cela, voyons — arriver pour
passer la nuit et tendre, pétrifié, rougissant, une espèce
de broche ? Ses sujets de perplexité, coup sur coup,
l'abattaient comme un jeu de quilles.

Et, devant ses yeux, il voyait s'épaissir la complexité
de ce monde où il fallait connaître les modes féminines et savoir choisir les colifichets féminins et avoir,
face à un miroir, un aspect convenable et se rappeler
son encolure... Et Véga vivait justement dans ce monde-
là, en savait tout et y était à l'aise.

Et il se sentit troublé et découragé. S'il devait aller
la voir, c'était maintenant ou jamais.

Mais il ne le pouvait pas. Il avait perdu son élan. Il
avait peur.

Le grand magasin les avait séparés.

Et de ce temple maudit où, quelques instants plus tôt,
il était entré au pas de course, avec une si sotte avidité
et sacrifiant aux idoles du commerce, Oleg sortit tout à
fait accablé et éreinté ; c'était comme s'il y avait dépensé
des milliers de roubles, comme si, à chaque rayon, il
avait essayé un vêtement et qu'on lui eût fait des paquets
et qu'il ployât à présent sous une montagne de cartons
et de paquets.

Alors qu'en tout et pour tout, il avait acheté un fer à
repasser.

Il était fatigué, comme s'il avait passé des heures
à faire des achats et des achats futiles avec ça, et où
donc était passé maintenant ce pur matin rose qui
lui promettait une vie absolument neuve et belle ? Ces
nuages duveteux ouvragés à longueur de siècles ? Et
la nef voguante de la lune ?...

Où avait-il donc aujourd'hui changé son âme matinale
intacte ? Dans le grand magasin ?... Auparavant, il l'avait
déjà entamée quand il avait bu son vin. Il l'avait déjà
entamée lorsqu'il mangeait son chachlik.

Alors qu'il aurait dû se contenter de contempler

l'abricotier en fleur pour courir chez Véga aussitôt
après.

Oleg ressentit de la nausée non seulement à lécher
les vitrines et les enseignes, mais aussi à traîner dans
les rues, pris dans l'essaim toujours plus dense de
gens soucieux ou gais. Il avait envie de s'étendre quelque part à l'ombre, au bord d'une rivière, et de rester
ainsi étendu pour se purifier. Et s'il y avait en ville
un endroit où il pouvait encore aller, c'était au parc
zoologique, comme Diomka le lui avait demandé.

Le monde des bêtes, Oleg le sentait, comment dire,
plus compréhensible, peut-être, plus à son niveau.

Il y avait encore une chose qui accablait Oleg, c'était
sa capote ; il commençait à avoir très chaud dans sa
capote, mais l'enlever, pour avoir ensuite à la traîner,
ne lui disait rien. Il demanda son chemin pour aller
au parc zoologique. Et ce furent de bonnes rues qui
l'y menèrent, larges, paisibles, avec des trottoirs dal-
lés, des arbres aux branches déployées — magasins,
photographes, théâtres, tavernes... il n'y avait rien de
tout cela ici — Même le tintamarre des tramways se
tenait quelque part à distance. Il faisait ici une bonne
journée ensoleillée bien paisible qui filtrait sa chaleur
à travers les arbres. Des fillettes sautillaient sur les trottoirs, jouant à la marelle. Dans les jardins, les maîtresses de maison plantaient des pousses ou fichaient
des tuteurs pour leurs plantes grimpantes.

Près des portes du parc zoologique, c'était le paradis
de la marmaille. Bien sûr, c'était les vacances, et par
une journée pareille !

Lorsqu'il fut entré au parc zoologique, Oleg aperçut
d'abord le mouflon. Il avait, dans son enclos, un rocher
escarpé qui surplombait un ravin. Et c'est là, juste
au-dessus du ravin, que se tenait le mouflon, fier, immobile, sur ses pattes fines et vigoureuses, et il avait des
cornes étonnantes, longues, recourbées, sur lesquelles,
semblait-il, on avait enfilé l'un après l'autre des anneaux
de ruban en matière osseuse. Ce n'était pas une barbiche qu'il avait, mais une luxuriante crinière qui, des

deux côtés, lui descendait jusqu'aux genoux, semblable à des cheveux d'ondine. Pourtant, il y avait dans ce mouflon une dignité telle que ces cheveux ne le rendaient ni efféminé ni ridicule.

Ceux qui attendaient devant la cage du mouflon avaient déjà perdu l'espoir de surprendre le moindre mouvement de ses sabots assurés sur la pierre lisse. Il y avait longtemps qu'il était là, telle une statue, tel un prolongement de ce rocher, et lorsque aucune brise ne venait faire onduler sa tignasse immobile, on n'aurait pas pu prouver qu'il était vivant, que ce n'était pas une tromperie. Oleg resta là cinq minutes puis s'éloigna, rempli d'admiration, car le mouflon n'avait pas fait le moindre mouvement. Eh oui, c'est avec un caractère comme ça qu'on pouvait tenir le coup dans la vie.

Puis, comme il s'engageait dans une autre allée, Oleg remarqua de l'animation près d'une cage, surtout parmi les gosses. Quelque chose s'agitait furieusement dans la cage, s'y agitait tant et plus, mais toujours sur place. C'était un écureuil dans sa cage — celui du dicton. Mais, dans le dicton, tout s'était effacé et l'on ne voyait plus très bien pourquoi c'était un écureuil, pourquoi il était dans sa cage. Tandis qu'ici on le voyait figuré en vrai. Dans l'enclos de l'écureuil, on avait dressé un tronc d'arbre avec, un peu plus haut, de grosses branches qui s'en allaient dans tous les sens, mais, à l'arbre, on avait aussi perfidement suspendu une roue — une sorte de tambour tourné vers le public et muni de barres transversales, de telle sorte que toute la couronne devenait une échelle fermée et sans fin. Et voilà que, dédaignant son arbre, les grosses branches qui s'élançaient vers les hauteurs, l'écureuil, pour quelque raison obscure, était dans la roue, bien que personne ne l'y eût contraint ou séduit par quelque appât. Non, il n'avait été séduit que par l'idée fausse d'une activité illusoire et d'un mouvement illusoire. Pour commencer, il avait dû essayer comme ça, pour voir, marche après marche, par pure curiosité. Il ne savait pas encore quelle farce féroce et prenante c'était là.

La première fois, bien sûr, il ne le savait pas, puis, après des milliers de fois, il le savait bien, mais c'était tant pis. Le mouvement était maintenant déchaîné jusqu'à la furie ! Tout le petit corps roux, duveteux de l'écureuil et sa queue d'un roux bleuté s'étiraient, épousant la courbe de la roue dans une course folle ; les barres de la roue-escalier étourdissaient la vue jusqu'à donner l'impression d'une fusion complète ; l'écureuil y appliquait toutes ses forces à s'en faire éclater le cœur ! — et pourtant, de ses petites pattes de devant, il ne pouvait s'élever d'une seule marche.

Et tous ceux qui étaient là avant Oleg avaient vu cette course sans répit et Oleg, qui resta là quelques minutes, vit que tout continuait. Il n'y avait dans la cage aucune force extérieure capable de retenir la roue ou d'en sortir l'écureuil et il n'y avait aucune intelligence capable de lui faire entendre raison : « Laisse tomber, ça ne sert à rien. » Non ! Il n'y avait qu'une seule issue inévitable, évidente : la mort de l'écureuil. On n'avait nulle envie de rester là jusqu'à cette extrémité. Et Oleg s'en alla plus loin.

C'est ainsi qu'avec deux exemples significatifs — placés à droite et à gauche — avec deux lignes de conduite également possibles, le parc zoologique de la ville accueillait ses visiteurs, grands et petits.

Oleg passa devant un faisan argenté, un faisan doré, un faisan au plumage roux bleuté. Il admira l'ineffable turquoise d'un cou de paon et sa queue qui se déployait sur un mètre, frangée de rose et d'or. Après la grisaille de la déportation, de l'hôpital, l'œil festoyait dans ces couleurs.

Ici, il ne faisait pas trop chaud. Le parc zoologique s'étalait spacieusement et les arbres donnaient déjà de l'ombre. Se sentant de plus en plus reposé, Oleg passait maintenant devant toute une basse-cour : des poules andalouses, des oies de Toulouse, de Kholmogor, puis il gravit une colline où l'on gardait les grues, les vautours, les condors et enfin, sur un rocher coiffé d'une cage comme d'un dais, très haut, dominant tout le parc zoologique, vivaient les gypaètes à tête blanche qu'on aurait pris, n'était l'inscription, pour des aigles. On les avait installés aussi haut que possible, mais même le toit de la cage était trop bas au-dessus du rocher et ces grands oiseaux moroses souffraient, déployant leurs ailes, les agitant, sans trouver où voler.

Voyant souffrir ainsi les gypaètes, Oleg, lui aussi, fit bouger ses omoplates pour les dégourdir (ou peut-être était-ce le fer à repasser qui lui écrasait le dos).

Tout ici suscitait une interprétation : près de la cage, il y avait un écriteau : « Les chouettes-effraies supportent mal la captivité. » On le savait donc et, pourtant, on les y mettait, en captivité.

Et quel était donc le dégénéré qui supportait bien la captivité ?

Un autre écriteau : « Le porc-épic mène une vie nocturne. » On connaît ça, allez ! on vous convoque à neuf heures et demie du soir et on vous relâche à quatre heures du matin...

Et puis : « Le blaireau vit dans des tanières profondes et d'accès difficile. » Ah ! ça, c'est comme nous autres. Bravo, blaireau, c'est qu'on n'a pas le choix ! Jusqu'à son museau, rayé comme une toile à matelas, un vrai bagnard !

C'est de cette façon déformée qu'Oleg percevait toute chose en ces lieux et il n'aurait certainement pas dû venir ici, pas plus qu'il n'aurait dû aller dans le grand magasin.

Une bonne partie de la journée était déjà passée et les joies promises ne venaient toujours pas.

Oleg déboucha sur les ours. Un ours noir, cravaté de blanc, collait le nez au grillage et le passait çà et là entre les barreaux. Puis, soudain, il fit un bond et resta suspendu au grillage par les pattes de devant. Ce n'était pas une cravate qu'il avait, mais comme une chaîne de prêtre avec une croix en pendentif. Il avait bondi et était resté suspendu au grillage ! Et comment aurait-il pu traduire autrement son désespoir ?

Dans la cellule voisine, étaient enfermés son ourse et son ourson.

Et, dans la suivante, se morfondait un ours brun. Il passait son temps à piétiner, inquiet, voulait marcher dans sa cellule mais avait juste la place de se retourner car, d'un mur à l'autre, il y avait moins que trois fois la longueur de son corps.

Ainsi donc, à l'échelle des ours, ce n'était plus une cellule mais un cachot.

Des enfants, excités par le spectacle, parlaient entre eux : « Ecoute, on va lui jeter un caillou, il va croire que c'est un bonbon. »

Oleg ne remarquait pas que les enfants le dévoraient des yeux lui aussi. C'était un animal de plus et gratuit, mais lui ne se voyait pas.

Une allée descendait vers la rivière et là se trouvaient les ours blancs, mais ceux-là du moins étaient-ils par deux. Les canaux d'irrigation affluaient vers leur enclos, formant un bassin glacé où, à chaque instant, ils descendaient d'un bond pour se rafraîchir, de là remontaient sur la terrasse cimentée, balayaient de la patte l'eau qui dégoulinait de leur museau et marchaient, marchaient, marchaient, longeant le bord de la terrasse qui surplombait l'eau. Et comment devaient-ils se sentir ici, en été, ces ours polaires, par quarante degrés de chaleur ? Ouais... comme nous dans les régions subpolaires.

Le plus compliqué, avec ces bêtes prisonnières, c'était que, s'il avait pris leur parti et, disons, en avait eu le pouvoir, Oleg n'aurait pu entreprendre de briser leurs cages et de les libérer. Parce que, avec la perte de leur patrie, ils avaient perdu aussi l'idée d'une liberté raisonnable. Et leur libération soudaine pouvait rendre les choses encore plus effrayantes.

Tels étaient les raisonnements absurdes que faisait Kostoglotov. Son cerveau avait été tellement tourné et retourné dans tous les sens qu'il ne pouvait plus rien percevoir avec candeur et impartialité. Quoi qu'il vît à présent dans cette existence, tout éveillait en lui un fantôme gris et une sourde rumeur souterraine.

Passant devant l'élan mélancolique, plus que tout autre privé ici d'espace pour sa course, devant le zébu sacré des Indiens, devant le lièvre agouti doré, Oleg remonta, en direction des singes cette fois-ci.

Près des cages, enfants et grandes personnes s'en donnaient à cœur joie, nourrissaient les singes. Kostoglotov poursuivait son chemin sans un sourire. La tête nue, comme s'ils avaient tous été passés à la tondeuse, mélancoliques, s'adonnant sur leurs banquettes aux joies et aux peines primaires, ils lui rappelaient vivement de nombreuses connaissances, au point qu'il en reconnaissait certains qui, encore aujourd'hui, se trouvaient en quelque prison.

Et en l'un des chimpanzés solitaires aux yeux lourds dont les bras pendaient entre les genoux, Oleg crut reconnaître aussi Chouloubine. C'était tout à fait sa pose.

Par cette chaude journée lumineuse, Chouloubine, sur son lit, se débattait entre la vie et la mort.

N'attendant rien d'intéressant de sa visite aux singes, Kostoglotov passait rapidement et était même sur le point de prendre un raccourci lorsque, sur une cage éloignée, il aperçut un avis que quelques personnes étaient en train de lire.

Il les rejoignit : la cage était vide ; à l'emplacement habituel, un écriteau indiquait : « Macaque rhésus » et un avis écrit à la hâte et fixé à la plaque disait : « Le singe qui vivait là est devenu aveugle par suite de la cruauté insensée d'un visiteur. Un méchant homme a jeté du tabac dans les yeux du macaque rhésus. »

Et ce fut le choc ! Jusque-là, Oleg avait déambulé avec le sourire condescendant de celui qui en a vu d'autres ; mais là, on avait envie de se mettre à glapir, à hurler, à ameuter tout le parc, comme si on avait soi-même du tabac plein les yeux.

Pourquoi ?... Pourquoi simplement comme ça ?... Pourquoi sans raison ?...

Plus que pour toute autre chose, c'était cette simplicité enfantine de la rédaction qui serrait le cœur. De cet inconnu, qui était parti impunément, on ne disait pas

qu'il était antihumanitaire, on ne disait pas que c'était
un agent de l'impérialisme américain. On disait seulement qu'il était méchant. Et c'est cela qui était frappant ! Pourquoi donc était-il tout simplement méchant ?
Enfants ! Ne devenez pas méchants en grandissant !
Ne faites pas de mal à ceux qui ne peuvent pas se
défendre.

L'avis avait déjà été lu et relu, mais grands et petits
restaient là et regardaient la cage vide.

Et, traînant son havresac sali, brûlé, troué et où il
y avait un fer à repasser, Oleg partit vers le royaume
des reptiles et des carnassiers.

Les pangolins étaient couchés sur le sable, semblables
à des pierres couvertes d'écailles, affalés les uns contre
les autres. Quel mouvement avaient-ils perdu en même
temps que leur liberté ?

Il y avait ensuite un énorme alligator de Chine, avec
sa gueule plate, avec ses pattes qu'on aurait crues tour-
nées dans le mauvais sens. On indiquait que, par temps
chaud, il ne mangeait pas de la viande tous les jours.

Ce monde raisonnable du Parc zoologique, avec sa
nourriture assurée, peut-être le satisfaisait-il entièrement ?

Un puissant python prolongeait un arbre, semblable
à une grosse branche morte. Il était tout à fait immobile et seule sa petite langue pointue battait l'air.

L'echis venimeuse se tordait sous une cloche de verre.

Tous ceux-là, on n'avait aucune envie de les regarder.
On avait envie de se représenter la face du macaque
aveugle.

Et voilà que commençait l'allée des carnassiers. Super-
bes, ils se distinguaient les uns des autres par la richesse
du pelage ; il y avait là le lynx, la panthère, le puma
d'un brun cendré et le jaguar roux taché de noir. C'était
des prisonniers ; bien sûr, ils souffraient d'être privés de
leur liberté mais, pour Oleg, c'était des droits communs.
On dira ce qu'on voudra, mais il y a ici-bas des culpabili-
tés parfaitement évidentes. C'était bien écrit là en toutes
lettres que le jaguar mangeait ses cent quarante kilos de

viande en quarante-huit heures. Eh bien, ça non, impossible de se le représenter ! Le centre du camp n'en recevait pas autant pour toute une semaine ! Et le jaguar vous dévorait ça en quarante-huit heures.

Oleg se rappela ces convoyeurs sans escorte qui volaient leurs propres chevaux : ils mangeaient l'avoine au lieu de la leur donner et, ainsi, avaient eux-mêmes pu survivre.

Plus loin, Oleg vit monseigneur le tigre. C'était dans la moustache, oui, dans la moustache, que se concentrait toute sa rapacité. Et les yeux, ils étaient jaunes... Tout se mélangea dans la tête d'Oleg et il resta planté là, en regardant le tigre avec haine.

Un vieux prisonnier politique, exilé jadis à Touroukhan et qui, dans les temps nouveaux, s'était retrouvé avec Oleg dans un camp, lui avait raconté que ses yeux à lui n'étaient pas de velours noir, mais jaunes.

Rivé par la haine, Oleg se tenait là, face au tigre.

Voyons, pourquoi simplement comme ça, simplement comme ça ?

Il en avait la nausée. Il n'avait plus envie de visiter ce Parc zoologique. Il avait envie de fuir. Du coup, plus de lions qui tiennent ! Il se mit à chercher la sortie à l'aveuglette.

Un zèbre apparut un instant. Oleg le vit du coin de l'œil et continua sa route.

Et soudain ! — il s'arrêta devant...

Devant la merveille de spiritualité après la pesanteur carnassière : une antilope nilgaut, brun clair, sur ses pattes légères, élégantes, avec une petite tête aux aguets, sans une ombre de frayeur pourtant, se tenait près du grillage et regardait Oleg de ses grands yeux confiants et... tendres ! Oui, tendres !

Non et non, c'était tellement ressemblant que c'en était insupportable ! Elle ne le quittait pas de son regard gentiment réprobateur. Elle demandait : « Pourquoi n'es-tu pas encore venu ? Voyons, la matinée s'achève et toi tu n'es pas encore là ? »

Ça tenait de l'hallucination, de la transmutation des

âmes, parce que, enfin, très manifestement, elle était là qui attendait Oleg. Et à peine s'était-il approché qu'elle avait aussitôt commencé à l'interroger du regard, de ses yeux pleins de reproche mais aussi de pardon : « Tu ne viendras pas ? Est-ce possible que tu ne viennes pas ? Et moi qui t'attendais... »

Et, en effet, pourquoi donc, mais pourquoi donc n'y allait-il pas !...

Oleg se secoua un bon coup et hâta le pas vers la sortie.

Il pouvait encore la trouver chez elle.

CHAPITRE XXXVI

ET LE DERNIER...

IL ne pouvait en cet instant penser à elle ni avec avidité ni avec fougue, mais c'eût été une réelle félicité
que d'aller se coucher à ses pieds comme un chien, un
pauvre chien battu, se coucher par terre et haleter, tout
contre ses pieds, comme un chien. Et c'eût été un
bonheur, le plus grand des bonheurs qu'il pouvait imaginer.

Pourtant, cette bonne simplicité animale qui aurait
consisté à venir tout naturellement se coucher à plat
ventre tout contre ses pieds, il ne pouvait, bien sûr, se
la permettre. Il lui faudrait dire des mots aimables, des
mots d'excuses, et elle allait lui dire des mots aimables,
des mots d'excuse, parce que les choses étaient devenues
tellement complexes entre les hommes au long des millénaires.

Il revoyait ce rougeoiement qui s'était répandu hier
sur ses joues, quand elle lui avait dit : « Vous savez,
vous pourriez parfaitement bien passer la nuit chez moi,
parfaitement bien. » Cette rougeur, il fallait la racheter,

l'écarter, l'éviter par le rire, il ne fallait pas la laisser se troubler encore une fois, et voilà pourquoi il fallait prévoir des phrases d'entrée en matière suffisamment ironiques pour atténuer l'inhabituel de cette situation dans laquelle il arrivait chez son docteur, une jeune femme vivant seule, et pour se faire héberger par-dessus le marché. Sinon, on n'aurait aucune envie de prévoir des phrases et il suffirait de se planter là sur le seuil et de la regarder. Et surtout de l'appeler tout de suite Véga : « Véga, je suis venu ! »

Mais, de toute façon, ce serait un bonheur immense que de se retrouver en sa compagnie non pas dans la salle d'hôpital, non pas dans le cabinet médical, mais simplement dans une pièce d'habitation et de parler de quelque chose dont on ne savait rien d'avance. Il commettrait sûrement des erreurs, ferait bien des choses maladroites car enfin il avait complètement perdu l'habitude du mode de vie du genre humain, mais ses yeux au moins sauraient bien lui dire : « Prends pitié de moi ! Ecoute, prends pitié de moi. Je me sens tellement mal sans toi ! »

Mais comment avait-il pu perdre tout ce temps ? Comment avait-il pu ne pas aller chez Véga ? Ne pas y être allé depuis tout ce temps ! A présent il marchait à vive allure, sans hésiter, ne craignant qu'une chose, de la manquer. Après avoir passé sa matinée à errer à travers la ville, il avait maintenant la disposition des rues en tête et connaissait son chemin. Et il allait.

Du moment qu'ils se trouvaient sympathiques, qu'ils avaient tant de plaisir à être ensemble, à se parler. S'il pouvait même un jour lui prendre les mains, la tenir par l'épaule, la serrer contre lui et la regarder tendrement dans les yeux, de tout près, était-ce possible que ce fût trop peu ? Et il y aurait même davantage, bien davantage, alors était-ce possible que ce fût trop peu ?

Bien sûr, avec Zoé c'eût été trop peu. Mais avec Véga ?... avec l'antilope nilgaut ?

Car il lui suffisait de penser qu'il pourrait prendre ses mains dans les siennes, et déjà des cordes se tendaient dans sa poitrine et il était saisi d'émotion à la pensée de ce qui serait.

Et malgré tout, ce serait trop peu ?

Il était de plus en plus ému tandis qu'il approchait de sa maison. C'était une véritable peur, tout ce qu'il y a de plus véritable ! mais c'était une peur heureuse, une joie poignante. Et cette peur à elle seule le rendait déjà heureux, tout de suite.

Il allait, ne regardant plus guère que le nom des rues, et pour le coup ne prêtant plus la moindre attention aux magasins, aux vitrines, aux tramways, aux passants, et soudain, à l'angle d'une rue, n'ayant pu, dans la cohue, remarquer assez vite pour la contourner une vieille femme qui se tenait là debout, il s'arrêta net, reprit ses esprits et vit qu'elle vendait de petits bouquets de fleurs bleues.

Nulle part dans les recoins les plus sourds de sa mémoire traquée, reconstituée, réadaptée, il n'était resté même une ombre de cette idée que, quand on va voir une dame, on lui apporte des fleurs. Cela avait sombré sans laisser de trace, comme une chose qui n'avait jamais existé sur terre. Il avait marché, tranquille, avec son havresac dépenaillé, rapiécé et chargé, et aucun soupçon n'avait ébranlé son pas.

Et il avait vu des fleurs. Et ces fleurs, pour une raison ou une autre, se vendaient aux uns, aux autres. Et son front se rida. Et le souvenir récalcitrant se mit à remonter jusqu'à son front tel un noyé émergeant d'une eau trouble. C'était ça, c'était bien ça ! dans le monde ancien, inouï de sa jeunesse, il était communément admis que l'on offrait des fleurs aux dames !

« Qu'est-ce que c'est comme fleurs ? demanda-t-il timidement à la marchande.

— Des violettes, pardi ! fit-elle, l'air offensé. Un rouble le bouquet. »

Des violettes ?... Ces mêmes violettes poétiques ?... Ce n'est pas ainsi qu'il se les rappelait. Leurs petites tiges auraient dû être plus élégantes, plus élancées, et les fleurs plus en forme de clochettes. Mais peut-être avait-il oublié, ou bien peut-être était-ce une variante locale. Quoi qu'il en soit, il n'y en avait pas d'autres. Et maintenant que le souvenir lui en était revenu, non seulement il devenait absolument impossible d'aller voir Véga sans lui apporter de fleurs, mais encore il avait honte à la pensée qu'il avait pu tranquillement y aller ainsi sans fleurs.

Oui mais combien fallait-il donc en acheter ? Un bouquet ? C'était bien peu. Deux ? C'était aussi un peu maigre. Trois ? Quatre ? Un peu cher. Quelque part dans sa tête, l'astuce propre au concentrationnaire, à l'instar d'une machine à calculer, eut vite fait d'estimer qu'il serait possible d'obtenir un prix, disons un rouble et demi pour deux bouquets ou cinq bouquets pour quatre roubles, mais ce déclic précis tinta comme s'il n'était pas destiné à Oleg. Et il lui tendit deux roubles et les donna sans rien dire.

Et il prit deux petits bouquets. Ça sentait bon. Mais de nouveau ce n'était pas le parfum des violettes de sa jeunesse, des violettes de poètes.

Comme ça, en les respirant, il pouvait encore les porter, mais les tenir au bout de son bras, c'était tout à fait ridicule à voir : un soldat démobilisé, malade, tête nue, et qui portait un havresac et des violettes... il ne savait pas où les mettre, et le mieux, c'était de les rentrer dans la manche et de les porter ainsi, sans qu'on les remarquât.

Et voici qu'il était devant le numéro de Véga.

L'entrée était dans la cour, avait-elle dit. Il pénétra dans la cour. Ensuite, à gauche.

(Et dans sa poitrine, ça clapotait, ça clapotait !)

Il y avait là une longue véranda commune, cimentée, découverte mais abritée par un auvent et entourée d'une balustrade de treillage croisé. Sur cette balustrade on avait mis, pour les « aérer », des couvertures, des matelas, des oreillers, et, sur des cordes tendues de pilier en pilier, on avait aussi suspendu du linge.

Tout cela s'accordait mal avec le fait que Véga habitait là. L'accès était par trop appesanti. Oui, mais elle n'y était pour rien, elle. Là-bas, plus loin, au-delà de toutes ces choses suspendues, il y aurait tout de suite sa porte avec son numéro et, derrière la porte, s'ouvrirait l'univers de la seule Véga.

Il baissa la tête pour passer sous les draps et trouva la porte. Une porte comme les autres. De la peinture brun clair qui s'écaillait çà et là. Une boîte à lettres verte.

Oleg sortit les violettes de la manche de sa capote. Il se lissa les cheveux. Il était ému et heureux de l'être. Comment se la figurer, sans sa blouse de docteur, dans une atmosphère domestique ?

Non, ce n'était pas les quelques pâtés de maisons qui le séparaient du Parc zoologique qu'il venait de traverser, traînant ses lourdes bottes, pour venir jusque-là ! C'était les routes du pays qu'il avait parcourues dans toute leur longueur, qu'il avait parcourues à deux reprises, en sept ans chaque fois ! et voilà qu'il était enfin démobilisé et qu'il était arrivé devant cette porte où, durant quatorze ans, une femme l'avait attendu en silence.

De son médius plié, il effleura la porte.

Mais il n'avait pas encore eu le temps de frapper comme il faut que déjà la porte avait commencé de s'ouvrir (Véga l'avait-elle aperçu ? par la fenêtre peut-être ?) et s'ouvrit en grand. Et, poussant droit sur Oleg une motocyclette rouge vif, particulièrement grosse dans cette porte étroite, en sortit un solide gaillard, au visage large et au nez aplati, plaqué là, en plein milieu. Il ne demanda pas à Oleg pourquoi il était là, et qui il voulait voir : il poussait sa moto, lui, et ce n'était pas dans ses habitudes de céder le passage. Et Oleg s'écarta pour le laisser passer.

Oleg en fut éberlué et ne comprit pas tout de suite le rapport qu'il y avait entre ce gaillard et Véga, qui vivait seule, et pourquoi il sortait ainsi de chez elle. Etait-il possible, même après tant d'années, qu'il eût tout à fait oublié qu'en règle générale les gens n'habitent pas tout seuls mais dans des appartements communautaires ? Il ne pouvait pas l'avoir oublié, mais il n'était pas forcé de s'en souvenir. Dans les baraquements d'un camp, la liberté apparaît sous une forme diamétralement opposée à un baraquement et donc nullement sous la forme d'un appartement communautaire. Et puis il faut dire qu'à Ouch-Terek les gens habitaient dans des logements indépendants et ne connaissaient pas les appartements communautaires.

« Dites-moi », fit-il en s'adressant au jeune homme. Mais ce dernier, ayant fait passer sa motocyclette sous les draps étendus, descendait déjà l'escalier en faisant sourdement heurter les roues à chaque marche.

Il avait laissé la porte ouverte.

Oleg, indécis, pénétra lentement à l'intérieur. Dans les profondeurs obscures du couloir, on voyait maintenant une porte, une autre, puis une autre encore. Laquelle était-ce ? Dans la pénombre, une femme apparut et aussitôt, sans allumer, demanda avec animosité :

« Vous cherchez qui ?

— Vera Kornilievna, prononça Kostoglotov timide, méconnaissable.

— Elle n'est pas là ! » répliqua la femme d'un ton tranchant, rude et hostile, sans même s'en assurer à la porte de Vera. Et elle marchait droit sur Kostoglotov, le contraignant à reculer.

« Vous pourriez peut-être frapper à sa porte », fit Kostoglotov, reprenant ses esprits. L'attente de l'entrevue avec Véga l'avait désarmé, sinon il aurait su répondre au coassement de la voisine.

« Elle ne travaille pas aujourd'hui.

— Je sais. Elle n'est pas là. Elle est partie. » La femme avait un front bas, des joues asymétriques. Elle l'examinait.

Elle avait remarqué les violettes. Il était trop tard pour les dissimuler.

N'étaient ces violettes dans sa main, il aurait su être un homme, il aurait su aller frapper à sa porte lui-même, parler avec aisance, insister pour savoir s'il y avait longtemps qu'elle était partie, si elle reviendrait bientôt, il aurait pu laisser un message (et peut-être même qu'il y en avait un pour lui ?).

Mais les violettes faisaient de lui une sorte de soupirant, d'adorateur, d'amoureux transi...

Et il battit en retraite jusqu'à la véranda sous la pression de cette bonne femme.

Et celle-ci, l'expulsant pas à pas de la forteresse, l'observait. Il y avait déjà quelque chose qui faisait saillie dans le havresac de ce vagabond, pourvu qu'ici aussi il n'aille pas chaparder quelque chose.

Dans la cour, avec des claquements insolents, la moto sans tuyau d'échappement éclatait en pétarades puis s'interrompait, éclatait de nouveau en pétarades puis s'interrompait.

Oleg, planté là, hésitait.

La femme manifestait de l'humeur.

Comment est-ce que Véga pouvait ne pas être là alors qu'elle avait promis ? Oui, mais elle l'attendait plus tôt, et, à présent, elle était partie. Quel malheur ! Ce n'était pas un coup de malchance, un contretemps, mais un malheur !

La main qui tenait les violettes, Oleg la rentra dans sa manche comme si elle avait été amputée.

« Dites-moi, elle va revenir ou bien elle est déjà partie à son travail ?

— Elle est partie », martela la bonne femme.

Mais ce n'était pas une réponse.

Mais ce n'était pas non plus très malin d'être là planté devant elle à attendre.

La moto tressautait, crachait, détonait, puis se taisait.

Et, sur la balustrade, reposaient les lourds oreillers. Les matelas. Les couvertures dans leur housse. On les avait exposés au soleil.

« Et alors, vous attendez quoi, citoyen ? »

C'était aussi à cause des pesants bastions de cette literie qu'Oleg n'arrivait pas à se concentrer.

Et cette bonne femme qui l'examinait et l'empêchait de penser...

Et il y avait aussi cette maudite moto qui lui déchirait le tympan et le cœur. Elle ne voulait pas démarrer.

Et le bastion des oreillers fit reculer Oleg, le fit battre en retraite. Il descendait les marches, il s'en retournait d'où il était venu, il était rejeté.

Si, du moins, il n'y avait pas eu ces oreillers avec l'un des coins qui était fripé, les deux autres qui pendouillaient comme un pis de vache, et le quatrième qui se dressait comme un obélisque. Si, du moins, il n'y avait pas eu ces oreillers, il aurait pu réfléchir, décider quelque chose. Il n'eût pas fallu s'en aller comme ça, tout de suite. Vera allait très certainement revenir. Et elle allait même revenir bientôt. Et elle aussi regretterait, elle regretterait !

Mais ces oreillers, ces matelas, ces couvertures avec leurs housses rabattues, ces draps semblables à des étendards recelaient une expérience immuable, vérifiée par les siècles, qu'il n'avait pas la force maintenant de rejeter. Il n'en avait pas le droit.

Pas maintenant ! Pas lui !

Un homme seul peut dormir sur des rondins, sur des planches, tant que la foi et l'ambition lui brûlent le cœur. Le détenu dort sur des planches car il n'a pas le choix. Et la détenue aussi, séparée de lui par la force.

Mais là où une femme et un homme sont convenus de se retrouver ensemble, ces petits museaux moelleux et dodus attendent leur dû en toute confiance. Ils savent qu'ils auront gain de cause.

Et, quittant la forteresse inaccessible, trop bien protégée pour lui, le fer à repasser lui battant le dos, la main amputée, Oleg s'en fut lentement, franchit le portail, et le bastion des oreillers lui envoyait joyeusement des salves de mitraillettes dans le dos.

Elle ne démarrait pas, cette sacrée moto.

Une fois passé le portail, les pétarades lui parvinrent assourdies, et Oleg s'arrêta pour attendre encore un peu.

Il n'était pas encore exclu d'attendre le retour de Véga. Si elle rentrait, elle passerait forcément par ici.

Et ils se souriraient et seraient si heureux de se voir !
« Bonjour !... » — « Et vous savez... » — « Et comme ça
s'est fait drôlement... »

Et c'est alors qu'il sortirait de sa manche les violettes
fripées, écrasées, fanées ?

Rien ne l'empêcherait d'attendre son retour. Ils péné-
treraient de nouveau dans la cour. Oui, mais c'est qu'il
n'y aurait pas moyen d'éviter ces bastions dodus, pleins
d'assurance !

A deux, jamais ils ne les laisseraient passer !

Pas aujourd'hui, peut-être, de temps à autre certainement, Véga elle aussi, Véga aux jambes légères, éthérée,
avec ses yeux café clair, tout étrangère à la poussière terrestre qu'elle fût, elle aussi, devait exposer sur
cette véranda sa literie qui, fût-elle aérienne, moelleuse,
ravissante, n'en restait pas moins une literie.

L'oiseau ni la femme ne vivent sans un nid.

Si immatérielle, si sublime, que tu sois, que peux-tu
faire contre les huit heures inévitables de la nuit.

Contre le moment du sommeil.

Contre le moment du réveil.

Ça y est ! elle était partie ! Elle était partie, la moto
pourpre, achevant Kostoglotov de quelques nouvelles
détonations, et le jeune gaillard au nez aplati arborait
un visage victorieux.

Kostoglotov se retira, battu.

Il tira les violettes de sa manche. Elles avaient atteint
le dernier stade auquel on pouvait encore les offrir.

Deux jeunes pionnières ouzbeks, avec de petites nattes
noires tressées, plus serrées que des fils électriques, arrivaient en sens inverse. Des deux mains tendues Oleg leur
offrit un bouquet à chacune.

Prenez, grandes filles !

Elles furent surprises. Elles se regardèrent. Elles le
regardèrent. Elles se dirent quelque chose en ouzbek.
Elles avaient compris qu'il n'était pas ivre et ne les
accostait pas. Et elles avaient peut-être compris que le
monsieur leur offrait les petits bouquets parce qu'il
était malheureux.

L'une prit le bouquet et lui adressa un petit signe de tête.

L'autre prit le bouquet et lui adressa un petit signe de tête.

Et elles poursuivirent leur chemin d'un pas rapide, se frottant épaule contre épaule et parlant avec animation.

Et il ne lui restait plus que son havresac rapiécé sur le dos, tout imprégné de sueur.

Où passer la nuit ? Il fallait reconsidérer ce point. Dans les hôtels — impossible.

Chez Zoé — impossible.

Chez Véga — impossible.

C'est-à-dire que si, c'était possible. Et elle en serait contente. Et elle n'en montrerait jamais rien.

Mais c'était plus qu'interdit.

Et sans Véga toute cette ville, belle, opulente, faite de millions de gens, était lourde comme un sac pesant sur le dos. Et c'était étrange que, pas plus tard que ce matin, la ville ait pu tant lui plaire et qu'il ait pu avoir envie d'y rester longtemps.

Et encore une chose étrange : qu'est-ce donc qui lui causait tant de joie ce matin ? Toute sa guérison, soudain, avait cessé de lui apparaître comme une sorte de don exceptionnel.

Il n'avait pas encore passé un pâté de maisons, qu'il sentit combien il avait faim et combien ses bottes lui blessaient les pieds, combien tout son corps était fatigué et combien sa tumeur, qu'on n'avait pas encore achevée, tanguait dans son ventre. Et, vrai, il avait envie de quitter la ville au plus vite.

Mais le retour à Ouch-Terek, auquel à présent rien ne s'opposait plus, avait, lui aussi, cessé de le séduire. Oleg comprit que, là-bas, la nostalgie allait le dévorer de plus belle.

C'est simple, il ne pouvait se représenter, en ce moment précis, un seul lieu, une seule chose capable de lui faire plaisir.

Si, retourner chez Véga. Il faudrait pouvoir se laisser

tomber à ses pieds. « Ne me chasse pas ! Ne me chasse pas ! Ce n'est pas ma faute ! »

Mais c'était plus qu'interdit.

Il demanda l'heure à un passant. Deux heures et quelque. Il fallait bien décider quelque chose.

Il aperçut sur un tramway le numéro de la ligne qui menait à la Sûreté. Il se mit à chercher l'arrêt le plus proche.

Et dans un grincement de ferraille, surtout aux tournants, tout comme s'il était lui-même un grand malade, le tramway l'emporta à travers d'étroites rues pavées. Se tenant aux courroies de cuir, Oleg se pencha pour regarder par la fenêtre. Il n'y avait que des pavés et des maisons décrépies qui se succédaient, sans verdure, sans promenades. Une affiche apparut un instant qui annonçait un cinéma en plein air avec séances de jour. Ce serait intéressant de voir comment ça fonctionnait. Mais aussi bien l'intérêt qu'il portait ce matin aux nouveautés du monde s'était quelque peu émoussé.

Elle est fière d'avoir supporté quatorze années de solitude. Mais ce qu'elle ne sait pas, c'est ce que peuvent représenter six mois seulement qu'on passe comme ça, ni ensemble ni séparés.

Il reconnut son arrêt, descendit. Il y avait encore près d'un kilomètre et demi à parcourir dans une de ces rues maussades, telles qu'on les trouve dans les quartiers industriels. Sur la chaussée, dans les deux sens, vrombissaient sans fin des camions, des tracteurs, et le trottoir s'étirait tout au long d'un interminable mur de pierre, coupait une voie ferrée d'usine et un terril, puis longeait un terrain vague, creusé d'excavations, et de nouveau traversait des rails, puis c'était de nouveau un mur, et, enfin, des baraquements sans étage, de ceux que l'on range sous la rubrique de « constructions civiles provisoires » et qui demeurent pourtant des dix, vingt et même trente ans. Du moins n'y avait-il plus la boue qui régnait là en janvier, quand Kostoglotov, sous la pluie, avait, pour la première fois, cherché cette Sûreté. Il n'empêche que le trajet était lugubrement long à faire et on avait peine à croire que cette rue se trouvait dans la même ville que les boulevards circulaires, les chênes aux troncs énormes, les peupliers interminables et la merveille rose de l'abricotier.

Quelque effort qu'elle pourrait faire pour se persuader que c'était bien ainsi, que c'était juste, que c'était le bon chemin, l'effondrement n'en serait que plus déchirant.

Quelles considérations avaient pu amener à situer en un lieu si secret et si excentrique cette Sûreté qui disposait des destinées de tous les relégués de la ville ? Mais voilà, c'était là qu'elle se trouvait parmi les baraquements, les ruelles malpropres, les fenêtres aux carreaux cassés bouchés par des plaques de contre-plaqué, le linge étendu — le linge, toujours le linge.

Oleg se remémora l'expression repoussante du commandant (qui n'était même pas à son travail un jour de semaine), et la manière dont il l'avait reçu, et à présent, dans le couloir du baraquement de la Sûreté, il ralentissait le pas pour se composer un air indépendant et un visage fermé. Kostoglotov ne se permettait jamais de sourire aux geôliers, même quand ceux-ci souriaient. Il se faisait un point d'honneur de leur rappeler qu'il n'avait pas oublié.

Il frappa, entra. La première pièce était entièrement nue et vide : elle ne contenait que deux bancs boiteux, sans dossier, et, derrière une demi-paroi à claire-voie, on apercevait une table où, très certainement, se déroulait deux fois par mois le mystère du pointage des relégués locaux.

En ce moment, il n'y avait personne, et la porte, un peu plus loin, qui portait la plaque « commandant », était ouverte. Se plaçant bien en vue, dans l'ouverture de cette porte, Oleg demanda d'une voix austère :

« On peut entrer ?

— Je vous en prie, je vous en prie », fit une voix très agréable et accueillante, l'invitant à entrer.

Qu'est-ce que c'était que ça ? Oleg, de sa vie, n'avait entendu un ton pareil au N.K.V.D. Il entra. Dans la pièce,

il n'y avait que le commandant assis à sa table. Mais
ce n'était pas l'ancien, l'imbécile énigmatique à l'expression qui se voulait intelligente, non, c'était un Arménien
au visage doux, un visage d'intellectuel même, nullement hautain, et qui portait non pas un uniforme mais
un complet civil de bonne qualité qui s'harmonisait mal
avec ce quartier périphérique fait de baraquements.
L'Arménien lui adressait des regards très joyeux comme si son travail consistait à répartir des billets de
théâtre, comme s'il était content qu'Oleg fût venu le
chercher, muni d'une bonne lettre de recommandation.

Après avoir vécu dans les camps, Oleg ne pouvait
guère être très attaché aux Arméniens : là-bas, peu
nombreux, ils se serraient jalousement les coudes, se
taillaient les bonnes planques : préposés au dépôt ves-
timentaire, aux cuisines. Mais, pour être juste, on ne
pouvait pas leur en vouloir : ce n'étaient pas eux qui
avaient inventé ces camps, ce n'étaient pas eux non plus
qui avaient inventé cette Sibérie, et au nom de quelle
idée aurait-il dû renoncer à se tirer d'affaires les uns
les autres, éviter les micmacs et creuser la terre avec
une pioche ?

En cet instant, devant cet Arménien gai, bien disposé
à son égard, dans l'exercice de sa fonction légale, c'est
avant tout au non-conformisme et à l'efficacité des Arméniens qu'Oleg pensa avec sympathie.

Ayant entendu le nom d'Oleg et appris qu'il était inscrit ici à titre temporaire, le commandant plein de bonne volonté se leva avec légèreté malgré son embonpoint,
et, s'approchant de l'une des armoires, se mit à y feuilleter des fiches. Simultanément, comme s'il s'efforçait
de distraire Oleg, il ne cessait de prononcer quelque
chose à voix haute, tantôt des exclamations vides ou
bien même des noms de famille, qu'il n'avait rigoureusement pas le droit de prononcer, selon les instructions.

« Bien, bien, bien... Voyons... Kalifotidi... Konstanti-
nidi... Mais, je vous en prie, asseyez-vous... Koulaev...
Karanouriev... Ah ! en voilà une qui est bien racornie...
Kazymagomaev... Kostoglotov ! » Et de nouveau, contre-

venant plus terriblement encore à toutes les règles du N.K.V.D., il ne lui demanda pas ses nom et patronyme mais de lui-même les lui déclina : Oleg Filemonovitch ?

— Oui.

— C'est bien ça. Vous avez été soigné dans le dispensaire anticancéreux depuis le 23 janvier... » Et, de dessus son papier, il leva un regard humain : « Et alors ? Vous allez mieux ? »

Et Oleg sentit que déjà il était touché, qu'il avait même la gorge qui le picotait un peu. Comme il en fallait peu tout de même : asseoir des hommes humains à ces tables odieuses, et voilà que la vie changeait du tout au tout. Et plus du tout tendu, très simplement, il répondit :

« Oui, comment vous dire... Dans un sens, ça va mieux, moins bien dans l'autre. (Moins bien ! que l'homme est ingrat ! Que pouvait-il y avoir de pire que d'être affalé sur le sol du dispensaire et de vouloir mourir ?) Dans l'ensemble ça va mieux.

— Très bien ! se réjouit le commandant. Mais asseyez-vous donc ! »

La préparation des billets de théâtre exigeait tout de même du temps. Il fallait apposer un tampon, mettre la date à l'encre, inscrire quelque chose dans un registre, le barrer dans un autre registre. Tout cela, l'Arménien s'en acquitta avec aisance et bonne humeur. Il délivra le certificat d'Oleg avec permission de quitter la ville et alors qu'il le lui tendait, le regardant d'une manière significative, il lui dit un peu plus bas d'une voix non officielle :

« Ne vous en faites pas. Bientôt, tout ça prendra fin.

— Quoi, ça ? fit Oleg étonné.

— Comment quoi ? Le pointage. La relégation. Les Com-man-dants ! fit-il avec un sourire insouciant (il avait manifestement en réserve un petit boulot un peu plus agréable).

— Quoi ? Il y a déjà... des dispositions ? fit Oleg, s'empressant d'obtenir quelque information.

— Des dispositions, pas vraiment, fit le commandant

avec un soupir, mais il y a déjà des signes dans ce sens.
Je vous le dis sérieusement. Ça viendra. Tenez bon, tenez
le coup, guérissez, vous irez loin encore. »

Oleg eut un sourire grimaçant.

« J'en suis déjà revenu.

— Quelle est votre spécialité ?

— Aucune.

— Marié ?

— Non.

— C'est très bien, dit le commandant avec conviction.
En général, les ménages de relégués divorcent et c'est
alors de la paperasserie à n'en plus finir. Tandis que
vous, une fois libéré, vous retournerez au pays, et vous
pourrez vous marier ! »

Vous pourrez vous marier...

« Bon, si c'est comme ça, merci », fit Oleg en se levant.

En guise d'adieu le commandant lui adressa un signe
de tête plein de cordialité, mais il n'alla pas jusqu'à lui
serrer la main.

Tandis qu'il traversait les deux pièces, Oleg se disait :
pourquoi y a-t-il un commandant pareil ? Etait-il ainsi
de nature, ou bien était-ce le vent qui soufflait de ce
côté-là ? Etait-il permanent ici ou temporaire ? Ou bien
avait-on commencé d'en nommer spécialement de pareils ? C'était très important à savoir, mais il n'allait
tout de même pas y retourner.

Repassant devant les baraquements, retraversant les
rails, le terril, tout au long de cette interminable rue industrielle, Oleg marchait avec entrain, plus vite, plus régulièrement, et la chaleur, bientôt, lui faisait ôter sa capote. Petit à petit, il sentait danser et déborder en lui ce seau
de joie que le commandant lui avait versé. C'est petit à
petit seulement que tout cela parvenait à sa conscience.

Petit à petit, parce qu'on avait déshabitué Oleg de
croire aux hommes assis dans ces bureaux. Le moyen
d'oublier ces rumeurs répandues à dessein par les personnages officiels, les capitaines et les majors, tout ce
mensonge des années d'après-guerre comme quoi une
large amnistie se préparait pour les détenus politiques ?

Comme on les avait crus ! « C'est le capitaine lui-même qui me l'a dit ! » Alors qu'on avait simplement donné l'ordre de remonter le moral à ceux qui l'avaient perdu, parce qu'il leur fallait tenir le coup, remplir la norme, s'efforcer de vivre au moins pour quelque chose !

Cet Arménien cependant, tout ce qu'on pouvait dire, c'était qu'il avait des connaissances trop grandes pour le poste qu'il occupait. Du reste, Oleg lui-même, d'après ce qu'il lisait çà et là dans les journaux, n'attendait-il pas la même chose ?

Mon Dieu, c'est vrai qu'il était temps ! C'est vrai qu'il était grand temps ! Pensez donc ! Si une tumeur suffit à vous emporter un homme, comment pourrait vivre un pays couvert de camps et de lieux de relégation ?

De nouveau Oleg se sentit heureux. En fin de compte, il n'était pas mort. Et voilà que bientôt il pourrait prendre un billet pour Leningrad. Pour Leningrad !... Il pourrait donc s'approcher de Saint-Isaac, toucher une colonne ! Le cœur lui éclaterait de joie !

En fait, il s'agissait bien de Saint-Isaac ! C'est avec Véga que tout changeait à présent ! C'était vertigineux ! Maintenant, si réellement... si sérieusement..., c'est que ça cessait d'être de la fantaisie ! Il pourrait vivre ici, avec elle !

Vivre avec Véga ! Vivre ! Ensemble ! Rien que de l'imaginer il y avait de quoi exploser...

Et combien elle s'en réjouirait s'il allait tout de suite la voir et lui racontait tout ! Et pourquoi ne pas le lui raconter ? Et pourquoi ne pas y aller ? S'il y avait au monde quelqu'un à qui le raconter, n'était-ce pas elle ? Qui d'autre s'intéressait à sa liberté ?

Et il était déjà tout près de l'arrêt du tramway. Fallait-il choisir celui qui allait à la gare ou celui qui allait chez Véga ? Et il fallait se dépêcher, parce qu'elle s'en irait, voyons. Le soleil n'était plus tellement haut.

Et de nouveau l'émotion l'étreignait. Et de nouveau tout le tirait vers Véga ! Et il ne restait rien des arguments concluants qu'il avait rassemblés en faisant route vers la Sûreté.

Pourquoi, tel un coupable, tel un être souillé, devait-il l'éviter ? Voyons, elle pensait bien à quelque chose tandis qu'elle le soignait ? Voyons, c'était bien elle qui se taisait, qui se retirait de la scène quand il discutait, quand il demandait qu'on arrêtât son traitement ?

Pourquoi n'irait-il pas ? Pourquoi ne pourraient-ils pas s'élever, être au-dessus de ça ? N'étaient-ils pas des êtres humains ? En tout cas Véga, oui, elle, en tout cas...

Et déjà il jouait des coudes pour pouvoir monter. Que de monde à cet arrêt, et tous s'étaient précisément jetés sur ce tramway-là ! Tous avaient besoin d'aller dans cette direction-là ! Et Oleg, avec sa capote dans une main, son havresac dans l'autre, ne pouvait se tenir à la rampe et, pressé de tous côtés, entraîné dans un tourbillon, il se trouva projeté tout d'abord sur la plate-forme, puis à l'intérieur du tramway.

Sauvagement comprimé de toutes parts, il se retrouva derrière deux jeunes filles, apparemment des étudiantes. L'une toute blonde, l'autre toute brune, elles se trouvaient tellement près de lui qu'elles l'entendaient sûrement respirer. Ses bras écartés étaient coincés chacun d'un côté si bien qu'il ne pouvait ni payer la receveuse irritée ni bouger l'un ou l'autre. De son bras gauche, celui qui portait la capote, il semblait tenir la petite brune, tandis que tout son corps était plaqué contre la petite blonde depuis les genoux jusqu'au menton ; il la sentait tout entière et elle, de son côté, ne pouvait pas ne pas le sentir. La plus grande des passions n'aurait pu les souder aussi étroitement que l'avait fait cette foule. Le cou de la jeune fille, ses oreilles, les boucles de ses cheveux étaient rapprochés de lui au-delà de toute limite pensable. A travers le très vieux drap de son vêtement, il recevait sa chaleur, sa douceur, sa jeunesse. La petite brune continuait à parler de ce qui se passait à l'école, la petite blonde cessa de lui répondre.

A Ouch-Terek il n'y avait pas de tramway. Il ne s'était trouvé ainsi comprimé que dans des fourgons cellulaires. Mais là, ce n'était pas toujours avec des femmes. Cette sensation n'avait été ni confirmée ni fortifiée durant des dizaines d'années et, à présent, elle n'en était que plus puissante et plus bouleversante.

Mais ce n'était pas du bonheur. C'était de la peine. Il y avait dans cette sensation un seuil qu'il ne pouvait franchir même par la suggestion.

Mais enfin on l'avait prévenu : il resterait la libido. Et rien qu'elle !...

C'est ainsi qu'ils passèrent deux arrêts. Après quoi, bien qu'à l'étroit, on était tout de même moins serré à l'arrière et Oleg aurait bien pu s'écarter un peu. Mais il ne le fit pas. Il manquait de volonté pour s'arracher à ce supplice, à cette félicité. A cette minute, en cet instant précis, il ne désirait rien d'autre que de rester encore et encore ainsi. Même si le tramway devait retourner dans la vieille ville. Même si, pris de démence, il devait se mettre à ferrailler et tourner en rond sans arrêt jusqu'à la nuit ! Même s'il lui prenait l'audace d'aller faire le tour du monde ! Oleg manquait de volonté pour se détacher le premier. Faisant durer ce bonheur qu'il n'était plus digne de dépasser à présent, Oleg, plein de gratitude, fixait dans sa mémoire les bouclettes qui retombaient sur la nuque de la jeune fille (quant au visage, il ne le vit pas).

Elle s'était détachée, la petite blonde, et elle progressait maintenant vers l'avant du tramway.

Quand il se redressa, les genoux affaiblis, flageolant, Oleg comprit qu'en fait ce qui l'attendait chez Véga c'était un supplice et une duperie.

Il y allait pour exiger d'elle plus que de lui-même.

C'est avec tant de sublime qu'ils s'étaient finalement accordés à dire que la communion spirituelle était plus précieuse que toutes les autres relations. Mais aussitôt édifié ce pont très haut, fait de leurs mains jointes, déjà, il le voyait bien, ses mains à lui ployaient. Il se rendait chez elle pour l'assurer allègrement d'une chose tandis que, torturé, il penserait à une autre. Et lorsqu'elle ne serait pas là et qu'il resterait seul dans son appartement, n'allait-il pas glapir, penché sur un vêtement qu'elle avait porté, sur chaque détail de sa vie, sur un mouchoir parfumé ?

Non, il convenait d'être plus sage que cette petite fille. Il fallait aller à la gare.

Et, au lieu de se diriger vers l'avant où se tenaient encore des étudiantes, il se fraya un chemin vers la plate-forme arrière et sauta du tramway, invectivé par quelqu'un.

Et, près de l'arrêt du tramway, on vendait de nouveau des violettes.

Le soleil descendait déjà. Oleg mit sa capote et prit la direction de la gare.

Dans ce tramway-ci on était moins à l'étroit.

Après avoir erré quelque temps sur la place de la gare, demandé des renseignements, reçu des réponses erronées, il atteignit enfin le hall, assez semblable à un marché couvert, où l'on vendait les billets des grandes lignes.

Il y avait quatre guichets, et, devant chacun d'eux, il y avait bien cent cinquante ou deux cents personnes. Sans compter celles qui s'étaient absentées, en faisant garder leur place.

Ce tableau-là, pour le coup — les files d'attente dans les gares qui duraient des jours et des nuits — Oleg le reconnut comme s'il n'avait jamais cessé de le voir. Beaucoup de choses avaient changé dans le monde — c'étaient d'autres modes, d'autres réverbères, une autre manière d'être chez les jeunes — mais là, tout était comme avant, aussi loin qu'il remontât dans ses souvenirs : c'était ainsi en quarante-six, en trente-neuf aussi c'était ainsi, en trente-quatre aussi, en trente aussi. Des vitrines débordantes de marchandises, cela on pouvait encore se le rappeler en remontant à l'époque de la N.E.P., mais des guichets de gare accessibles, il ne pouvait même pas en imaginer. Seuls ne connaissaient pas les difficultés du départ ceux qui avaient des cartes particulières ou des documents particuliers à présenter pour la circonstance.

Aujourd'hui, lui aussi avait son document, pas d'une très très grande valeur, mais qui pouvait tout de même servir.

Il faisait lourd et Kostoglotov ruisselait de sueur. Il

tira pourtant de son havresac son bonnet de fourrure trop petit et se l'enfonça sur la tête comme il l'aurait fait sur une forme à chapeau pour l'élargir. Il prit son havresac sur l'épaule. Il se confectionna le visage d'un homme qui, il y avait deux semaines à peine, était livré, sur le billard, au bistouri de Léon Leonidovitch, et c'est le regard éteint, en pleine conscience de cette circonstance accablante, qu'il se traîna entre les files d'attente, en direction des guichets lointains.

Il y avait là d'autres amateurs de ce genre d'exercice, mais ils ne se faufilaient pas vers le guichet et ne cherchaient pas la bagarre car il y avait un agent.

D'un geste affaibli, Oleg, bien en vue, tira son document hors de la poche intérieure de sa capote et, confiant, le tendit au camarade agent.

L'agent, un Ouzbek, moustachu et gaillard, qui ressemblait à un jeune général, lut gravement le papier et déclara à ceux qui étaient en tête de la file d'attente :

« Tenez, celui-là on va le placer ici. Il vient d'être opéré. »

Et il lui indiqua une place en troisième position.

Jetant un regard épuisé à ses nouveaux compagnons dans la file d'attente, Oleg n'essaya même pas de s'insérer dans le rang, et resta de côté, la tête baissée. Un Ouzbek bien en chair, d'un certain âge, coiffé d'un bonnet en velours brun à rebord, en forme d'assiette, qui répandait une ombre cuivrée sur son visage, le poussa lui-même dans le rang.

On ne s'ennuie pas à attendre près du guichet : on voit les doigts de la caissière qui débitent les billets, l'argent imprégné de sueur, serré dans la main du passager qui, depuis un bon bout de temps, l'a tiré sans compter du fond de sa poche ou de sa ceinture, à l'intérieur de laquelle il l'avait cousu ; on entend les prières timides du voyageur, les réponses négatives de la caissière inflexible, on voit que ça avance et pas si lentement après tout.

Et c'était maintenant à Oleg de se pencher vers le guichet.

« Pour moi, s'il vous plaît, ce sera un billet de seconde sans réservation pour Khan-Taou.

— Pour où ? s'informa la caissière.

— Pour Khan-Taou.

— Tiens, ça ne me dit rien, fit-elle en haussant les épaules, et elle se mit à feuilleter un énorme indicateur.

— Mon brave, pourquoi est-ce que tu prends un billet sans réservation ? fit derrière lui une femme compatissante. Tu sors d'une opération et tu prends un billet sans réservation ! Si tu te mets à grimper sur le rayon du haut, tu vas te faire sauter les coutures. Tu devrais prendre une place réservée.

— Je n'ai pas de quoi », fit Oleg avec un soupir.

C'était vrai.

« Il n'y a pas de gare de ce nom ! s'écria la caissière, fermant l'indicateur. Prenez votre billet pour une autre gare.

— Mais comment ça, fit Oleg en souriant faiblement, ça fait un an qu'elle existe. Moi-même je suis parti de cette gare. Si j'avais su, j'aurais gardé le billet.

— Je ne veux rien savoir ! Du moment qu'elle n'est pas dans l'indicateur, c'est qu'elle n'existe pas !

— Oui mais les trains, eux, s'arrêtent ! dit Oleg qui se laissait entraîner à la discussion avec plus de chaleur qu'on aurait pu en supposer chez un opéré de fraîche date.

— Citoyen, si vous n'en voulez pas, assez ! Au suivant !

— C'est juste, pourquoi faire perdre du temps aux autres ? grommelait-on doctement derrière lui. Prends ce qu'on te donne ! Ça sort d'une opération et ça trouve encore le moyen de faire le malin ! »

Ah ! comme Oleg aurait pu discuter en cet instant ! Comme il serait parti d'instance en instance, demandant à parler au chef du service des passagers, au chef de gare ! Comme il aimait à percer ces caboches et à faire établir son droit, ne serait-ce que ce tout petit, ce misérable droit qui en était toujours un ! Et comme il était bon de sentir, ne serait-ce qu'en défendant son droit, qu'on était un homme !

Mais implacable est la loi de l'offre et de la demande, implacable aussi celle de la planification des déplacements. Cette même femme au grand cœur, qui l'incitait à prendre une place réservée, avançait déjà son argent par-dessus l'épaule d'Oleg. Cet agent, qui venait de le placer dans la file d'attente, levait déjà la main pour l'en faire sortir.

« De cette gare-là, il me reste trente kilomètres à faire pour arriver chez moi tandis que de l'autre ça m'en fait soixante-dix », disait encore Oleg en se penchant au guichet, mais c'était déjà à la manière d'un relégué, c'était la plainte d'un cave. Déjà, il s'empressait d'accepter :

« Bon, donnez-moi un billet pour Tchou. »

Cette gare-là, la caissière la connaissait par cœur, et le prix du billet aussi, et il lui en restait encore, et il fallait s'en réjouir. Avant de s'éloigner vraiment, Oleg vérifia le poinçon à la lumière, vérifia le wagon, vérifia le prix, vérifia la monnaie, et puis s'en fut lentement.

Et à mesure qu'il s'éloignait de ceux pour qui il était un opéré, déjà il se redressait, puis il ôta son malheureux bonnet et le fourra de nouveau dans son havresac. Jusqu'au train il restait deux heures. Il pouvait maintenant festoyer : dépenser un peu d'argent pour une glace — il n'y en aurait plus à Ouch-Terek, boire du kvas (il n'y en aurait pas non plus). Et puis acheter du pain noir pour le voyage. Ne pas oublier le sucre. Remplir patiemment une bouteille d'eau bouillante (une grande chose que d'avoir de l'eau !). Et pour rien au monde ne prendre du hareng mariné ! Oh ! combien on se sentait plus au large à voyager ainsi, comparé à ce qu'étaient les wagons Stolypine sous escorte ! Il n'y aurait pas de fouille à l'embarquement, on ne les emmènerait pas en fourgon cellulaire, on ne les ferait pas asseoir par terre au milieu d'un cercle de gardiens, et il ne faudrait pas souffrir la soif quatre jours durant ! Et avec ça, s'il arrivait à occuper le rayon à bagages, tout en haut, il pourrait s'y étendre de tout son long. Ce rayon-là, il ne serait plus pour deux, voire pour trois personnes, mais pour un seul ! Etre couché et ne plus sentir cette tumeur qui lui faisait mal, mais

voyons, c'était le bonheur ! Il était un homme heureux !
De quoi aurait-il pu se plaindre ?...

Et, par-dessus le marché, le commandant avait laissé
échappé des choses à propos de l'amnistie...

Le bonheur de sa vie, ce bonheur si longtemps espéré
était venu, il était venu ! Mais, chose étrange, Oleg ne le
reconnaissait pas.

A la fin des fins, il y avait bien entre elle et lui ce
« Léon » et ce « tu » ! Et il y avait encore quelqu'un
d'autre. Sinon — que de possibilités !... C'est toujours
par surprise qu'un homme apparaît dans la vie d'un
autre.

Quand il avait vu la lune ce matin, il y croyait ! Oui
mais la lune était décroissante.

A présent, il fallait aller sur le quai, y aller beaucoup
plus tôt, bien avant le moment de monter dans le train :
quand on allait avancer le train vide, il faudrait aussitôt
repérer le wagon et foncer pour prendre place dans la
file d'attente. Oleg s'en fut voir l'horaire. Il y avait
un train pour une autre direction, le soixante-quinze,
qui devait déjà être ouvert aux passagers. Alors, s'étant
arrangé pour être essoufflé et jouant vivement des coudes devant la porte, il se mit à demander à tout venant,
et entre autres au contrôleur du quai (voyons donc, son
billet était là, en évidence, entre ses doigts) :

« Le soixante-quinze, c'est déjà l'heure ?... pour le
soixante-quinze, c'est déjà l'heure ?... »

Il semblait vraiment avoir très peur de manquer le
soixante-quinze et le contrôleur, sans vérifier son billet,
le poussa même un peu d'un petit coup sur son havresac gonflé et alourdi.

Arrivé sur le quai, Oleg se mit à déambuler paisiblement, puis s'arrêta, enleva son sac et le posa sur un
rebord de pierre. Il se rappela un autre cas tout aussi
drôle. C'était à Stalingrad, en trente-neuf, et c'étaient
les dernières belles journées de liberté dont Oleg avait
joui, c'était après l'accord Molotov-Ribbentrop, mais
avant le discours de Molotov et avant l'ordre de mobili-
sation des jeunes gens de dix-neuf ans. Lui et un ami,

cet été-là, avaient descendu la Volga en bateau, jusqu'à
Stalingrad où ils avaient vendu leur bateau et d'où ils
devaient rentrer en train pour reprendre les cours. Ils
étaient chargés de tout ce dont ils avaient eu besoin durant leur descente en bateau et ils n'étaient pas trop de
deux pour le porter. En outre dans un magasin de province, quelque part dans un trou perdu, l'ami d'Oleg avait
acheté un haut-parleur. A Leningrad, à l'époque, on
n'en trouvait pas. Le haut-parleur était formé d'une
grande trompe sans housse et son ami craignait de l'abîmer lorsqu'il s'agirait de grimper dans le train. Ils
étaient entrés dans la gare de Stalingrad et aussitôt
s'étaient trouvés au bout d'une file d'attente bien four-
nie qui occupait tout le hall déjà encombré de valises en
bois, de sacs, de coffres. Il n'était pas question de se
frayer un passage à travers tout cela avant l'heure prévue, ce qui les exposait à rester deux nuits sans place
couchée. Et, à l'époque, on veillait férocement à ce que
personne ne passât sur le quai avant l'heure. Oleg eut
alors une idée lumineuse : « T'arriveras bien à emporter toutes nos affaires jusqu'au wagon, même si tu devais
arriver le dernier ? » Il prit le haut-parleur, et, d'un pas
léger, il se dirigea vers l'entrée de service interdite au
public. A travers la vitre, il agita gravement le haut-
parleur devant la gardienne. Cette dernière lui ouvrit.
« Je mets encore celui-là, et c'est fini », dit Oleg. La
femme hocha la tête d'un air entendu, comme s'il s'agissait là de quelqu'un qui n'avait fait de toute la journée
que transbahuter des haut-parleurs. Le train fut avancé,
et, avant même l'embarquement, Oleg fut le premier à
sauter dans le train où il prit possession de deux rayons
à bagages.

Rien n'avait changé en seize ans.

Oleg allait et venait sur le quai. Il y avait là d'autres
malins comme lui : eux aussi s'étaient introduits là pour
un train qui n'était pas le leur et attendaient près de
leurs bagages. Ils étaient même assez nombreux, mais,
de toute façon, il y avait sur le quai incomparablement
plus de place que dans la gare et dans les squares avoi-

sinants. Là se promenaient, insouciants, des passagers
du soixante-quinze, bien habillés, qui avaient des places
réservées dont personne d'autre ne pouvait disposer.
Il y avait des femmes qui portaient les bouquets qu'on
leur avait offerts, des hommes dont les bras étaient
chargés de boissons, certains prenaient des photos.
C'était là toute une vie inaccessible et quasi incompréhensible. Par cette chaude soirée d'été, ce long quai de gare
sous son auvent lui rappelait quelque chose de méridio-
nal venu du fond de son enfance, peut-être des villes
d'eaux.

Là-dessus Oleg remarqua qu'il y avait un bureau de
poste qui donnait sur le quai, et il y avait même une
table à quatre pupitres pour la correspondance.

Et il ressentit un picotement. Oui, bien sûr, il fallait
cela. Et plutôt tout de suite, tant que ça ne s'était
pas désagrégé, défraîchi.

Il entra avec son havresac à l'intérieur, acheta une
enveloppe — non, deux enveloppes avec des feuilles de
papier... non, encore une carte postale — et ressortit sur
le quai. Il plaça son havresac avec le fer à repasser et
les miches de pain entre ses jambes, se carra devant le
pupitre et commença par le plus facile, par la carte
postale :

« Salut, Diomka !

« Alors voilà, je suis allé au zoo ! Il n'y a pas à dire :
c'est quelque chose ! Je n'avais jamais rien vu de semblable. Ne manque pas d'y aller. Des ours blancs, tu te
rends compte ! Des crocodiles, des tigres, des lions.
Prends toute une journée pour la visite. On vend même
des petits pains à l'intérieur. Ne loupe pas le mouflon
avec ces cornes en volutes. Regarde-le sans te presser,
réfléchis. Et si tu vois l'antilope nilgaut, là aussi... Il y a
beaucoup de singes, tu vas bien t'amuser. Mais il y en a
un qui n'est pas là : le macaque rhésus, un méchant
homme lui a jeté du tabac dans les yeux, comme ça,
pour rien. Et il est devenu aveugle.

« C'est bientôt l'heure du train, je me dépêche.

« Guéris vite ! sois un homme ! Je ne me fais pas de souci pour toi !

« Transmets à Alexis Filipovitch les meilleurs souhaits de ma part. J'espère qu'il guérira.

« Je te serre la main.

                                                « Oleg. »

Il écrivait avec facilité, seulement le porte-plume était très sale, les plumes étaient tordues ou abîmées, elles déchiraient le papier, s'y enfonçaient comme une pelle, et l'encrier était si encrassé que, malgré toutes les précautions qu'on pouvait prendre, la lettre, une fois terminée, faisait peur à voir.

« Zoé, ma petite abeille !

« Je vous suis reconnaissant de m'avoir permis d'effleurer de mes lèvres une vie réelle. Sans ces quelques soirées je me sentirais tout à fait, mais tout à fait lésé.

« Vous avez été plus raisonnable que moi, grâce à quoi je peux maintenant partir sans remords. Vous m'avez invité à passer chez vous, et je ne l'ai pas fait. Merci ! Mais je me suis dit : restons-en là et ne gâchons rien. C'est avec gratitude que je me souviendrai de tout ce qui vient de vous.

« Sincèrement, loyalement, je vous souhaite le plus heureux des mariages.

                                                « Oleg. »

C'était comme au cachot : le jour des déclarations, on donnait le même genre de cochonnerie dans un encrier, une plume un peu comme celle-ci, et pour le papier, un morceau plus petit qu'une carte postale et l'encre s'imbibait et traversait le papier. On pouvait écrire n'importe quoi à n'importe qui.

Oleg relut sa lettre, la plia, voulut coller l'enveloppe (depuis son plus jeune âge, il se rappelait un roman policier où tout commençait avec la confusion des enveloppes), mais, pensez-vous !... seule une bande un peu plus foncée sur les bords diagonaux de l'enveloppe

indiquait l'endroit où l'Office de Normalisation avait
prévu une partie collante, qui n'était pas collante, bien
entendu.

Et, ayant essuyé le bec de la plume qui était la moins
mauvaise des trois, Oleg se mit à réfléchir à la troisième
missive. Tout à l'heure, il était ferme sur ses jambes,
souriant même. A présent, tout était devenu mouvant.
Il était sûr qu'il allait écrire : « Vera Kornilievna », et
pourtant il écrivit :

« Chère Véga !
« (Il y a longtemps que j'aurais voulu vous appeler
ainsi, que ce soit au moins en cet instant.)
« Je peux vous écrire avec cette franchise qui était
absente de nos conversations à haute voix, mais pas
de nos pensées, n'est-ce pas ? Ce n'est pas simplement
un malade, n'est-ce pas, celui à qui son docteur propose
son logis et son lit ?
« Plusieurs fois aujourd'hui je me suis dirigé chez
vous. Une fois même je suis allé jusqu'au bout. J'allais
chez vous, et j'étais ému comme on l'est à seize ans,
comme il n'est peut-être plus de mise avec ce que j'ai de
vie derrière moi. J'étais ému, embarrassé, heureux, crain-
tif. C'est qu'il a fallu en traverser des années pour comprendre que : cela me tombe du ciel !
« Pourtant, Véga ! si je vous avais trouvée chez vous,
il aurait pu commencer entre nous quelque chose de
faux, quelque chose de voulu, de forcé. Et, tandis que
je marchais, j'ai compris que c'était mieux de ne pas
vous avoir trouvée chez vous. Tout ce que vous avez
souffert jusqu'à présent, et ce que jusqu'à présent j'ai
souffert, moi aussi, tout cela, du moins, ça a un nom, on
peut en parler. Mais ce qui aurait commencé entre vous
et moi, cela, il n'aurait même plus été possible de le dire
à qui que ce fût ! Vous, moi, et entre nous *cela*, cette
espèce de monstre gris, crevé et pourtant toujours plus
grand.

« Je suis plus vieux que vous, moins par les ans que
par la vie. Aussi, croyez-moi : vous avez raison, vous

avez raison en tout, en tout, absolument en tout ! dans
votre passé, dans votre présent, mais vous ne pouvez
pas deviner ce que vous serez dans l'avenir. Vous pouvez ne pas être d'accord, mais moi je vous le prédis :
bien avant que vous ne soyez parvenue à une vieillesse
indifférente, vous bénirez le jour où vous n'avez pas
partagé mon destin. (Je ne parle pas de ma relégation
— on dit même qu'elle va prendre fin.) Vous avez im-
molé la moitié de votre vie comme un agneau, alors,
épargnez l'autre moitié !

« En ce moment, comme de toute façon je pars (et si
la relégation prend fin, le contrôle médical et les soins
ultérieurs n'auront plus lieu chez vous, ce qui signifie
que nous nous disons adieu), je vais vous dévoiler ceci :
même lorsque nous parlions de ce qu'il y a de plus
élevé et lorsque moi-même je le pensais et y croyais
loyalement, j'avais tout le temps, tout le temps, envie
de vous presser dans mes bras et de vous baiser les
lèvres !

« Et allez donc vous y retrouver...

« Et maintenant, sans en avoir obtenu l'autorisation,
je les baise. »

C'était la même histoire avec la seconde enveloppe :
la bande réservée à la colle ne collait pas. Oleg avait
toujours pensé que ce n'était pas un hasard.

Et derrière son dos — holà ! sa prévoyance et sa ruse
n'avaient servi à rien ! — le train arrivait et les gens
couraient !

Il empoigna son havresac, saisit les enveloppes, et
s'engouffra dans le bureau de poste :

« Où est la colle ? Eh ! mademoiselle ! Vous avez de la
colle ? De la colle ?

— C'est parce que les gens l'emportent ! » expliquait
d'une voix forte la jeune fille. Elle le regarda, puis,
avec hésitation, sortit le pot : « Collez vos lettres ici,
près de moi ! sans vous éloigner. »

Dans la colle noire, épaisse, le petit pinceau d'écolier
s'était, sur tout son petit corps en forme de quenouille,

couvert de grumeaux de colle séchée ou fraîche. On ne savait plus par où le prendre et il fallait étaler la colle avec le manche, passant comme avec une scie sur la diagonale de l'enveloppe. Puis enlever l'excédent avec les doigts. Coller. De nouveau enlever du doigt le superflu qui avait débordé.

Et pendant ce temps-là, les gens couraient sur le quai.

Maintenant : la colle à la jeune fille, le havresac dans la main (il l'avait gardé entre ses jambes tout le temps de peur qu'on ne le lui volât), les lettres à la boîte, et au galop !

On l'aurait pris pour un moribond, on aurait juré qu'il ne lui restait plus de force, et pourtant, quand il fallait y aller au pas de course, va pour le pas de course ! Après quoi, traînant son barda vers la seconde voie, il émergea de la porte principale de sortie et arriva devant son wagon où il se trouva environ en vingtième position. Avec les gens qui viendraient se joindre à ceux qui retenaient leur place, mettons qu'il était le trentième. Il n'aurait pas le deuxième rayon, mais il n'y tenait pas à cause de ses longues jambes. Et des rayons à bagages, il devrait en rester encore. Si on y avait installé des paniers, eh bien, il les pousserait, les paniers.

Tous avaient le même genre de paniers et même des seaux — remplis de primeurs peut-être ? N'était-ce pas justement ces gens qui, comme le racontait Tchaly, se rendaient à Karaganda pour réparer les erreurs de l'approvisionnement ?

Le contrôleur, un petit vieux aux cheveux gris, criait de se ranger le long du wagon, de ne pas se bousculer, qu'il y aurait de la place pour tout le monde. Sur ce dernier point il se prononçait avec moins de certitude, et la queue derrière Oleg s'allongeait. Et Oleg remarqua aussitôt ce mouvement qu'il redoutait et qui consistait à foncer en avant sans respecter la file d'attente. Le premier à l'entreprendre fut une espèce de simulateur frénétique et enragé que quelqu'un d'inexpérimenté aurait pu prendre pour un malade mental et laisser passer en se disant : Soit, qu'il passe devant tout le monde.

Mais dans ce malade mental Oleg reconnut aussitôt un droit commun avec la manière qu'ils avaient d'effrayer les gens. Et, à la suite du braillard, des gens simples et paisibles commençaient à pousser eux aussi : Si c'est permis à celui-ci, pourquoi pas à nous ?

Bien sûr, Oleg aurait pu se mettre à pousser lui aussi, et il avait son rayon assuré. Mais il en avait plein le dos de tout ce qu'il avait vu ces dernières années. Il avait envie que tout se fît honnêtement, sans désordre, tout comme le vieux contrôleur en avait envie.

Le petit vieux ne laissait quand même pas monter l'enragé et ce dernier, déjà, lui envoyait des bourrades dans la poitrine et débitait les pires injures, avec autant de naturel que s'il s'agissait des mots les plus communs de la langue. Et dans la file d'attente, une rumeur compatissante se fit entendre :

« Laissez-le monter ! C'est un malade ! »

Alors, n'y tenant plus, en quelques grandes enjambées, Oleg s'approcha de l'enragé et, droit dans l'oreille, sans égard à son tympan, hurla :

« Hééé ! Moi aussi j'en viens ! »

L'enragé sursauta, se frotta l'oreille :

« D'où ça ? »

Oleg savait qu'il était encore trop faible pour se bagarrer, que tout cela, il le faisait de ses dernières forces, mais, à tout hasard, ses deux longs bras étaient libres, tandis que l'enragé avait un panier dans une main. Et, penché vers l'enragé, baissant à présent la voix, il scanda :

« De là où quatre-vingt-dix-neuf pleurent tandis qu'un seul rit. »

Dans la file d'attente, on ne comprit pas ce qui avait guéri l'enragé, mais les gens virent qu'il se calmait, clignait de l'œil et disait au grand en capote :

« Mais je ne dis rien, moi, je ne suis pas contre, monte si tu veux. »

Mais Oleg resta près de l'enragé et du contrôleur. Au pire, lui aussi foncerait d'où il était. Cependant les resquilleurs avaient déjà commencé à regagner leur place.

« Comme tu voudras ! disait l'enragé d'un ton de reproche. Attendons ! »

Et les gens montaient avec leurs paniers et leurs seaux. Sous la toile à sac qui les couvrait, on voyait parfois distinctement de gros radis rose-lilas de forme allongée. Deux voyageurs sur trois présentaient des billets pour Karaganda. Voilà les gens pour qui Oleg avait mis de l'ordre dans la file d'attente ! Il montait également des passagers ordinaires. Une dame comme il faut, vêtue d'une jaquette bleue. Lorsque Oleg monta, l'enragé le suivit avec assurance.

Traversant rapidement le wagon, Oleg avisa un rayon à bagage transversal, qui était encore presque entièrement libre.

« Bon, déclara-t-il, nous allons pousser un peu ce panier.

— Où ? Pour quoi faire ? s'inquiéta une espèce de boiteux, bien-portant cependant.

— Parce que ! fit entendre Kostoglotov qui était déjà grimpé. Les gens n'ont pas où se mettre. »

Le rayon, il l'aménagea en rien de temps : son havresac, il se le mit en attendant sous la tête, après en avoir sorti le fer à repasser ; il ôta sa capote, l'étendit, et se débarrassa aussi de sa vareuse — ici, en haut, on pouvait tout se permettre. Et il s'allongea pour souffler. Ses pieds bottés — il chaussait du quarante-quatre — dépassaient, surplombant le couloir d'une demi-tige, mais ne gênaient personne à cette hauteur.

En bas aussi on s'installait, on soufflait, on liait connaissance.

Le boiteux, sociable, racontait qu'il avait été vétérinaire.

« Et pourquoi t'as laissé tomber ? s'étonnait-on.

— Et qu'est-ce que tu crois ! plutôt que de passer au banc de accusés pour la moindre brebis qui crève, je préfère être un invalide et m'occuper du transport des légumes ! expliquait le boiteux à la cantonade.

— Et pourquoi pas ! dit la dame en jaquette bleue. C'est du temps de Béria qu'on arrêtait les gens pour les légumes, les fruits. Tandis que maintenant on n'arrête plus que pour les produits manufacturés. »

Le soleil en était déjà très certainement à ses derniers rayons et, du reste, la gare le cachait. En bas, dans le compartiment, il faisait encore un peu clair, mais en haut, c'était le crépuscule. Les passagers des premières et des wagons réservés continuaient à se promener sur le quai, tandis qu'ici on ne bougeait plus des places occupées, on installait les bagages. Et Oleg s'étendit de tout son long. C'était bon ! On était très mal à voyager deux jours et deux nuits les jambes recroquevillées dans les wagons de Stolypine. A dix-neuf hommes dans ce genre de compartiment, on était très mal à voyager. A vingt-trois, encore plus mal.

D'aucuns n'y avaient pas survécu. Lui, si. Et voilà qu'il n'était pas mort du cancer non plus. Voilà aussi que la relégation déjà se craquelait comme une coquille d'œuf.

Il se rappela le commandant qui lui conseillait de se marier. Tout le monde allait bientôt lui donner le même conseil.

C'était bon d'être couché. C'était bon.

C'est seulement lorsque le train, après une secousse, s'ébranla que, là où se trouve le cœur ou bien l'âme, quelque part à l'endroit essentiel de la poitrine, quelque chose se serra. Et il se retourna, s'affaissa à plat ventre sur sa capote et enfouit son visage aux yeux mi-clos dans son havresac cabossé de miches de pain.

Le train roulait et les bottes de Kostoglotov, comme privées de vie, dodelinaient au-dessus du couloir, les bouts tournés vers le bas.

Un méchant homme avait jeté du tabac dans les yeux du macaque rhésus. Pour rien... simplement comme ça...

TABLE

PRÉFACE 5

PREMIERE PARTIE (1963-1966)

I. — Ce n'est pas le cancer...	15
II. — L'éducation ne rend pas plus malin !	26
III. — La petite frange	47
IV. — Inquiétudes des malades	65
V. — Inquiétude des médecins	86
VI. — Historique d'une analyse	100
VII. — Le droit à soigner	120
VIII. — Ce qui fait vivre les hommes	139
IX. — « Tumor cordis »	157
X. — Les enfants	173
XI. — Le cancer du bouleau	192
XII. — Les passions reviennent toutes	219
XIII. — Et les ombres aussi...	247
XIV. — La justice	262
XV. — A chacun son lot	278
XVI. — Non-sens	293
XVII. — La racine du lac Issyk-Koul	304
XVIII. — « Et fût-ce aux portes du tombeau... »	324

XIX. — Une vitesse proche de celle de la
         lumière 338
XX. — Souvenirs esthétiques 358
XXI. — Les ombres se dissipent 377

DEUXIEME PARTIE (1967)

XXII. — La rivière qui finit dans les sables . 396
XXIII. — Pourquoi vivoter ? 405
XXIV. — La transfusion de sang 433
XXV. — Véga 451
XXVI. — Une heureuse initiative 469
XXVII. — Intéressant ? Ça dépend pour qui... .. 490
XXVIII. — Impair partout 507
XXIX. — Parole dure, parole douce 526
XXX. — Le vieux docteur 546
XXXI. — Les idoles du commerce 568
XXXII. — Hors circuit 588
XXXIII. — Une fin heureuse 607
XXXIV. — Un peu moins bien 623
XXXV. — Le premier jour de la création 637
XXXVI. — Et le dernier... 670

IMPRIMÉ EN FRANCE PAR BRODARD ET TAUPIN
6, place d'Alleray - Paris.
Usine de La Flèche, le 16-10-1970.
6316-5 - Dépôt légal n° 9834, 4e trimestre 1970.
LE LIVRE DE POCHE - 6, avenue Pierre 1er de Serbie - Paris.
30 - 31 - 2765 - 03